공무원 영어의 시작과 끝
이동기 영어

신경향

실전
독해
500제
Foundation

PREFACE 이 책에 앞서

기술을 익히는 데에는 '이론'과 '연습'이라는 두 가지 요소가 반드시 함께 있어야 합니다. 이론만 철저하게 익혔다고 해서 그 기술을 얻은 것도 아니고, 이론을 익히지 않고서는 연습은 아예 불가능합니다. 이렇게 이론을 익히고 꾸준한 연습을 하면 오랜 시간을 들이지 않고도 어렵지 않게 그 기술을 사용할 수 있는데 이를 '직관'적 기술의 사용이라고 할 수 있습니다.

시험의 기술도 예외는 아닙니다.

공무원 영어 시험에서 필요로 하는 이론을 정리하는 일이 우선시 되며, 이론을 실제 시험 문제에 적용할 수 있도록 충분한 연습을 하는 것이 뒤따라야 합니다. 그러면 비로소 실전 시험에서 직관적으로 정답을 선택할 수 있습니다. 즉, 빠르고 정확하게 정답을 고를 수 있다는 말입니다.

이 교재 [실전 독해 500제]는 영어 독해의 기본기에 대한 '학습'을 문제에 적용하여 정리하였고, 직관적으로 문제를 풀 수 있을 만큼 충분한 연습을 할 수 있도록 기획되었습니다.

인사혁신처에서 발표한 출제 기조 전환에 따라 2025년 시험부터 공무원 영어 시험의 출제 유형이 달라집니다. 독해 문제의 경우 그동안 설명문, 논설문과 같은 학문적 글들로 모든 독해 지문이 구성되었다면 2025년 시험부터 이러한 학문적 글 외에도 이메일, 공지문, 웹 정보글 등 업무에 필요한 실용적인 글들이 출제됩니다. 인사혁신처는 이미 두 차례 예시문제를 공개하여 출제 기조의 전환을 분명히 밝혔습니다. 따라서 수험생들은 기존 지문 유형에 대한 대비뿐만 아니라, 독해 문제의 절반을 차지하는 새로운 지문 유형인 실용적 글들을 빠르고 정확하게 읽어 문제가 원하는 정답을 골라내는 방법에 대한 학습과 연습이 반드시 필요하게 되었습니다.

이동기 영어교육연구소는 인사혁신처의 출제 기조 전환에 대한 공지문과 두 차례 예시문제의 분석뿐 아니라 이를 기반으로 유사성이 보이는 공무원 기출문제, 토익문제, 수능문제 등 다양한 시험들을 모두 분석하여 출제 가능한 유형들을 정리하여 공무원 영어 기본서인 [이동기 영어 신경향 올인원]에 수록했습니다. 또한 이런 유형 분석을 기반으로 인사혁신처에서 발표한 예시문제와 가장 유사한 문제들, 그리고 출제 가능한 문제들을 직접 출제하고 여러 차례 감수를 거쳐 이번 [실전 독해 500제]를 출간하게 되었습니다.

[실전 독해 500제] 한 권으로 새롭게 바뀌는 시험에 완벽히 대비할 수 있다고 자신합니다.

이 교재가 수험생들이 원하는 합격 점수 확보로 가는 과정에 있어 최종 연습서가 되기 바라며 본서로 문제풀이 능력을 기른 모든 수험생들이 시험에서 '합격'이라는 결과를 얻을 수 있도록 이 교재에 많은 정성과 혼을 불어넣었습니다. 좋은 문제를 선별하고, 친절하고 꼼꼼한 해설을 작성할 수 있도록 도와준 이동기 영어교육연구소의 연구원들에게 감사의 말을 전하고 싶습니다.

마지막으로, 진정으로 합격을 갈구하며 하루도 빠짐없이 어두운 새벽부터 힘차게 하루를 시작하는 모든 제자들에게 격려와 응원의 말을 전하고 싶습니다.

여러분의 합격을 기원합니다.

2024년 9월 연구실에서

이동기 드림

구성과 특징

이동기 영어 신경향 실전 독해 500제 Foundation에는
2025년 공무원 시험 출제 기조 전환에 따른 신유형 시험 대비
독해 지문 100개와 신유형 실용 지문 100개를 수록하였습니다.

신유형 대비를 위해 하루에 5개의 독해 지문을 풀도록 구성되었습니다.

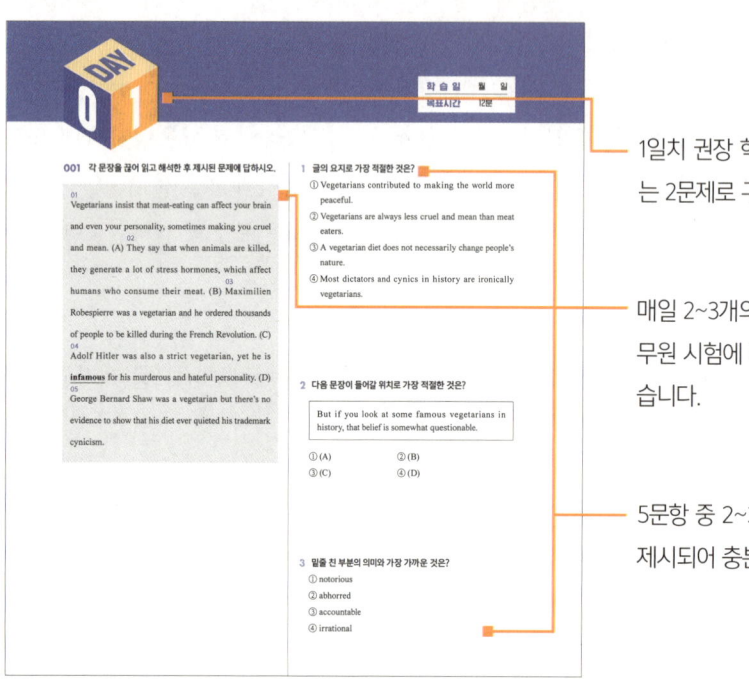

- 1일치 권장 학습량을 제시합니다. 홀수 Day는 3문제, 짝수 Day는 2문제로 구성됩니다.

- 매일 2~3개의 지문은 각 5개의 문장으로 이루어져 있습니다. 공무원 시험에 나오는 다양한 토픽의 글을 읽어볼 수 있도록 하였습니다.

- 5문항 중 2~3개는 한 지문당 3개의 공무원 시험 유형의 문제가 제시되어 충분히 대비할 수 있도록 구성하였습니다.

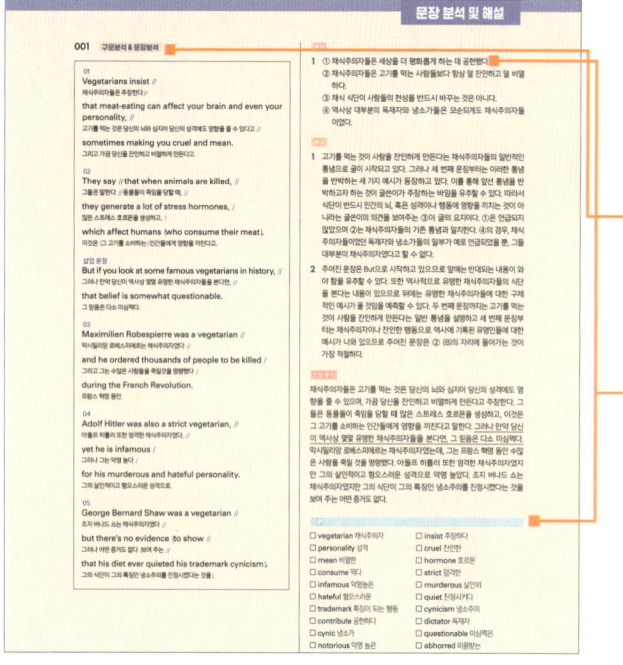

- 끊어 읽기로 구문 분석을 연습하여 문장 구조를 빠르고 정확하게 이해하여 독해 이해와 속도를 높일 수 있도록 하였습니다.

- 상세한 해석과 해설, 어휘를 통해 혼자서도 독해 문제를 학습할 수 있도록 구성하였습니다.

2025년 공무원 시험 출제 기조 전환에 따른 실용문 독해 지문이 대폭 추가되었습니다.

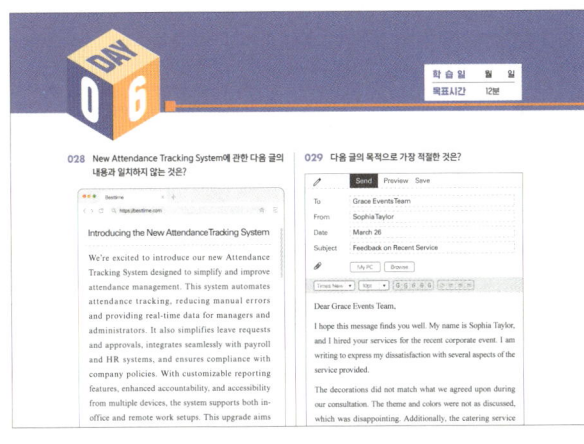

- Day마다 이메일, 공지문, 인터넷 정보글 유형이 골고루 등장합니다.
- 홀수 Day는 신유형이 2문제, 짝수 Day는 신유형 3문제가 나옵니다.
- 인사혁신처의 1차, 2차 예시문제를 모두 반영해, 한 개 지문당 이메일과 공지문 유형의 경우 2문제로 구성된 세트 문제가 나올 수 있습니다.

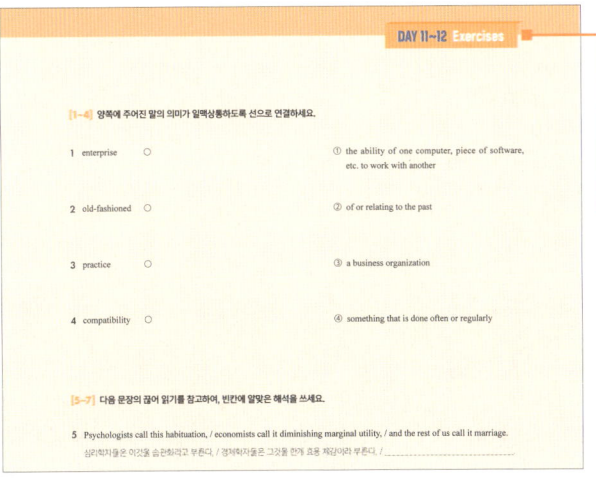

- 신유형 지문과 문제를 이해하기 쉽게 전체 해석이 제공됩니다.
- 신유형 지문과 문제를 이해하기 쉽도록 자세한 해설이 제공됩니다.
- 신유형 지문과 문제에서 학습해 둘 필요가 있는 어휘 목록이 제공됩니다.

- 매 두 개 Day가 끝날 때마다 공부한 것을 가볍게 확인할 수 있도록 연습문제를 한 페이지씩 제공합니다.

CONTENTS 차례

DAY 01	012		**DAY 15**	124
DAY 02	020		**DAY 16**	132
Exercies	027		Exercies	139
DAY 03	028		**DAY 17**	140
DAY 04	036		**DAY 18**	148
Exercies	043		Exercies	155
DAY 05	044		**DAY 19**	156
DAY 06	052		**DAY 20**	164
Exercies	059		Exercies	171
DAY 07	060		**DAY 21**	172
DAY 08	068		**DAY 22**	180
Exercies	075		Exercies	187
DAY 09	076		**DAY 23**	188
DAY 10	084		**DAY 24**	196
Exercies	091		Exercies	203
DAY 11	092		**DAY 25**	204
DAY 12	100		**DAY 26**	212
Exercies	107		Exercies	219
DAY 13	108		**DAY 27**	220
DAY 14	116		**DAY 28**	228
Exercies	123		Exercies	235

DAY 29	236		**DAY 35**	284
DAY 30	244		**DAY 36**	292
Exercies	251		Exercies	299
DAY 31	252		**DAY 37**	300
DAY 32	260		**DAY 38**	308
Exercies	267		Exercies	315
DAY 33	268		**DAY 39**	316
DAY 34	276		**DAY 40**	324
Exercies	283		Exercies	331

구문 분석 기호

- **S** 주어 (S' 종속절의 주어, 가S 가주어, 진S 진주어)
- **V** 동사 (V' 종속절의 동사)
- **O** 목적어 (O' 종속절의 목적어, IO 간접목적어, DO 직접목적어, 가O 가목적어, 진O 진목적어)
- **C** 보어 (C' 종속절의 보어, OC 목적격보어)

괄호( ) 수식구(절)	/ 일반적인 경우	// 절	세모(△)
전치사구(형용사 기능) to부정사구(형용사적 용법) 분사구(명사 수식) 관계사절(한정적 용법) 삽입절과 삽입구 동격	긴 주어 전치사구(부사 기능) to부정사구(명사적, 부사적 용법) 관계사절(계속적 용법)	명사절 and, but, or 부사절 분사구문	It ~ that 강조구문

1일 완료 ☐	2일 완료 ☐	3일 완료 ☐	4일 완료 ☐	5일 완료 ☐
DAY 01	**DAY 02**	**DAY 03**	**DAY 04**	**DAY 05**

6일 완료 ☐	7일 완료 ☐	8일 완료 ☐	9일 완료 ☐	10일 완료 ☐
DAY 06	**DAY 07**	**DAY 08**	**DAY 09**	**DAY 10**

11일 완료 ☐	12일 완료 ☐	13일 완료 ☐	14일 완료 ☐	15일 완료 ☐
DAY 11	**DAY 12**	**DAY 13**	**DAY 14**	**DAY 15**

16일 완료 ☐	17일 완료 ☐	18일 완료 ☐	19일 완료 ☐	20일 완료 ☐
DAY 16	**DAY 17**	**DAY 18**	**DAY 19**	**DAY 20**

40일 완성 학습 플랜
매일 5문제씩 40일을 완성합니다.

21일 완료 ☐	22일 완료 ☐	23일 완료 ☐	24일 완료 ☐	25일 완료 ☐
DAY 21	**DAY 22**	**DAY 23**	**DAY 24**	**DAY 25**

26일 완료 ☐	27일 완료 ☐	28일 완료 ☐	29일 완료 ☐	30일 완료 ☐
DAY 26	**DAY 27**	**DAY 28**	**DAY 29**	**DAY 30**

31일 완료 ☐	32일 완료 ☐	33일 완료 ☐	34일 완료 ☐	35일 완료 ☐
DAY 31	**DAY 32**	**DAY 33**	**DAY 34**	**DAY 35**

36일 완료 ☐	37일 완료 ☐	38일 완료 ☐	39일 완료 ☐	40일 완료 ☐
DAY 36	**DAY 37**	**DAY 38**	**DAY 39**	**DAY 40**

독해 고득점을 위한
엄선된 지문과
상세한 해설

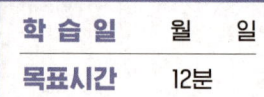

001 각 문장을 끊어 읽고 해석한 후 제시된 문제에 답하시오.

01
Vegetarians insist that meat-eating can affect your brain and even your personality, sometimes making you cruel and mean. (A) 02 They say that when animals are killed, they generate a lot of stress hormones, which affect humans who consume their meat. (B) 03 Maximilien Robespierre was a vegetarian and he ordered thousands of people to be killed during the French Revolution. (C) 04 Adolf Hitler was also a strict vegetarian, yet he is **infamous** for his murderous and hateful personality. (D) 05 George Bernard Shaw was a vegetarian but there's no evidence to show that his diet ever quieted his trademark cynicism.

1 글의 요지로 가장 적절한 것은?

① Vegetarians contributed to making the world more peaceful.
② Vegetarians are always less cruel and mean than meat eaters.
③ A vegetarian diet does not necessarily change people's nature.
④ Most dictators and cynics in history are ironically vegetarians.

2 다음 문장이 들어갈 위치로 가장 적절한 것은?

> But if you look at some famous vegetarians in history, that belief is somewhat questionable.

① (A)　　② (B)
③ (C)　　④ (D)

3 밑줄 친 부분의 의미와 가장 가까운 것은?

① notorious
② abhorred
③ accountable
④ irrational

문장 분석 및 해설

001 구문분석 & 문장분석

01
Vegetarians insist //
채식주의자들은 주장한다//
that meat-eating can affect your brain and even your personality, //
고기를 먹는 것은 당신의 뇌와 심지어 당신의 성격에도 영향을 줄 수 있다고 //
sometimes making you cruel and mean.
그리고 가끔 당신을 잔인하고 비열하게 만든다고.

02
They say // that when animals are killed, //
그들은 말한다 // 동물들이 죽임을 당할 때, //
they generate a lot of stress hormones, /
많은 스트레스 호르몬을 생성하고, /
which affect humans (who consume their meat).
이것은 (그 고기를 소비하는) 인간들에게 영향을 끼친다고.

삽입 문장
But if you look at some famous vegetarians in history, //
그러나 만약 당신이 역사상 몇몇 유명한 채식주의자들을 본다면, //
that belief is somewhat questionable.
그 믿음은 다소 미심쩍다.

03
Maximilien Robespierre was a vegetarian //
막시밀리앙 로베스피에르는 채식주의자였다 //
and he ordered thousands of people to be killed /
그리고 그는 수많은 사람들을 죽일것을 명령했다 /
during the French Revolution.
프랑스 혁명 동안.

04
Adolf Hitler was also a strict vegetarian, //
아돌프 히틀러 또한 엄격한 채식주의자였다, //
yet he is infamous /
그러나 그는 악명 높다 /
for his murderous and hateful personality.
그의 살인적이고 혐오스러운 성격으로.

05
George Bernard Shaw was a vegetarian //
조지 버나드 쇼는 채식주의자였다 //
but there's no evidence (to show //
그러나 어떤 증거도 없다 (보여 주는 //
that his diet ever quieted his trademark cynicism).
그의 식단이 그의 특징인 냉소주의를 진정시켰다는 것을).

해석

1
① 채식주의자들은 세상을 더 평화롭게 하는 데 공헌했다.
② 채식주의자들은 고기를 먹는 사람들보다 항상 덜 잔인하고 덜 비열하다.
③ 채식 식단이 사람들의 천성을 반드시 바꾸는 것은 아니다.
④ 역사상 대부분의 독재자와 냉소가들은 모순되게도 채식주의자들이었다.

해설

1 고기를 먹는 것이 사람을 잔인하게 만든다는 채식주의자들의 일반적인 통념으로 글이 시작되고 있다. 그러나 세 번째 문장부터는 이러한 통념을 반박하는 세 가지 예시가 등장하고 있다. 이를 통해 앞선 통념을 반박하고자 하는 것이 글쓴이가 주장하는 바임을 유추할 수 있다. 따라서 식단이 반드시 인간의 뇌, 혹은 성격이나 행동에 영향을 끼치는 것이 아니라는 글쓴이의 의견을 보여주는 ③이 글의 요지이다. ①은 언급되지 않았으며 ②는 채식주의자들의 기존 통념과 일치한다. ④의 경우, 채식주의자들이었던 독재자와 냉소가들의 일부가 예로 언급되었을 뿐, 그들 대부분이 채식주의자였다고 할 수 없다.

2 주어진 문장은 But으로 시작하고 있으므로 앞에는 반대되는 내용이 와야 함을 유추할 수 있다. 또한 역사적으로 유명한 채식주의자들의 식단을 본다는 내용이 있으므로 뒤에는 유명한 채식주의자들에 대한 구체적인 예시가 올 것임을 예측할 수 있다. 두 번째 문장까지는 고기를 먹는 것이 사람을 잔인하게 만든다는 일반 통념을 설명하고 세 번째 문장부터는 채식주의자이나 잔인한 행동으로 역사에 기록된 유명인들에 대한 예시가 나와 있으므로 주어진 문장은 ② (B)의 자리에 들어가는 것이 가장 적절하다.

전문해석

채식주의자들은 고기를 먹는 것은 당신의 뇌와 심지어 당신의 성격에도 영향을 줄 수 있으며, 가끔 당신을 잔인하고 비열하게 만든다고 주장한다. 그들은 동물들이 죽임을 당할 때 많은 스트레스 호르몬을 생성하고, 이것은 그 고기를 소비하는 인간들에게 영향을 끼친다고 말한다. 그러나 만약 당신이 역사상 몇몇 유명한 채식주의자들을 본다면, 그 믿음은 다소 미심쩍다. 막시밀리앙 로베스피에르는 채식주의자였는데, 그는 프랑스 혁명 동안 수많은 사람을 죽일 것을 명령했다. 아돌프 히틀러 또한 엄격한 채식주의자였지만 그의 살인적이고 혐오스러운 성격으로 악명 높았다. 조지 버나드 쇼는 채식주의자였지만 그의 식단이 그의 특징인 냉소주의를 진정시켰다는 것을 보여 주는 어떤 증거도 없다.

어휘

- vegetarian 채식주의자
- personality 성격
- mean 비열한
- consume 먹다
- infamous 악명높은
- hateful 혐오스러운
- trademark 특징이 되는 행동
- contribute 공헌하다
- cynic 냉소가
- notorious 악명 높은
- accountable 책임감 있는
- insist 주장하다
- cruel 잔인한
- hormone 호르몬
- strict 엄격한
- murderous 살인의
- quiet 진정시키다
- cynicism 냉소주의
- dictator 독재자
- questionable 미심쩍은
- abhorred 미움받는
- irrational 비이성적인

정답 1 ③ 2 ② 3 ①

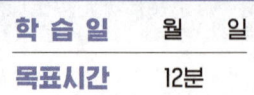

002 각 문장을 끊어 읽고 해석한 후 제시된 문제에 답하시오.

01
Etiquette — the sets of rules that give expression to
02
manners — can vary from culture to culture. In Japan, you would remove your shoes before entering someone's house.
03
(A) If you did this in America, people would give you strange looks and hold their noses.
04
(B) In some Asian and Middle Eastern countries, belching and smacking your lips is a way to compliment the chef, but in the United States, it's a way to get sent to your room.
05
(C) Otherwise, an innocent, friendly gesture could _____. (D)

1 빈칸에 들어갈 말로 가장 적절한 것은?
① help make new friends
② be interpreted correctly
③ cause offense or embarrassment
④ make other people think highly of you

2 다음 문장이 들어갈 위치로 가장 적절한 것은?

> Therefore, it's important to know the manners of the culture in which you're operating.

① (A) ② (B)
③ (C) ④ (D)

3 글의 제목으로 적절한 것은?
① One Size Fits All: Etiquette Rules for Every Culture
② Importance of Understanding Manners Across Different Cultures
③ Imposing One Culture's Etiquette on Another
④ Disregarding Cultural Norms for Personal Convenience

문장 분석 및 해설

002 구문분석 & 문장분석

01
Etiquette — (the sets of rules (that give expression to manners)) — /
((예절을 표현하는) 일련의 규칙들인) 에티켓은 — /

can vary from culture to culture.
문화마다 다를 수 있다.

02
In Japan, / you would remove your shoes /
일본에서, / 당신은 당신의 신발을 벗을 것이다 /

before entering someone's house.
누군가의 집에 들어가기 전에.

03
If you did this in America, //
만일 당신이 미국에서 이렇게 했다면, //

people would give you strange looks //
사람들은 당신을 이상하게 보고, //

and hold their noses.
그들의 코를 움켜쥘 것이다.

04
In some Asian and Middle Eastern countries, /
일부 아시아와 중동 국가에서, /

belching and smacking your lips /
트림하고 입맛을 다시는 것은 /

is a way (to compliment the chef), //
(요리사를 칭찬하는) 방법이다, //

but in the United States, /
그러나 미국에서, /

it's a way (to get sent to your room).
그것은 (당신의 방으로 보내지는) 방법이다. /

삽입 문장
Therefore, it's important to know /
그러므로 아는 것이 중요하다 /

the manners of the culture (in which you're operating).
(당신이 활동하는) 문화권의 예절을.

05
Otherwise, / an innocent, friendly gesture /
그렇지 않으면, / 악의 없는 친절한 몸짓도 /

could cause offense or embarrassment.
모욕감이나 당혹감을 유발할 수 있다.

해석

1 ① 새로운 친구들을 만드는 데 도움이 될
② 정확하게 이해될
④ 다른 사람들이 당신을 높이 생각하게 할

3 ① 한 가지가 다 통한다: 모든 나라에서 사용될 수 있는 에티켓 규칙
② 다양한 문화권 간의 예절 이해의 중요성
③ 한 문화의 에티켓을 다른 문화에 도입하기
④ 개인적 편의를 위해 문화적 규칙을 무시하기

해설

1 문화별로 다른 예절을 알고 조심하는 것의 중요성에 관해 설명하는 글이다. 앞에 제시된 일본과 중동 국가들의 예시를 볼 때, 다른 나라의 예절을 알지 못한 채 하는 악의 없는 몸짓도 '모욕감이나 당혹감 같은 부정적인 결과'를 유발할 수 있다는 내용이 들어가야 적절하다. 따라서 정답은 ③ '모욕감이나 당혹감을 유발할'이다.

2 Therefore라는 연결어로 보아, 이 문장이 앞의 내용들에 대한 결론임을 유추할 수 있다. (C)의 앞에는 일본과 중동의 예시가 나와 문화적 차이가 어떠한 오해를 수반할 수 있는지 설명한다. 이후에 Therefore로 이어져 '그러므로 당신이 활동하는 문화권의 예절을 아는 것이 중요하다.'라는 결론이 내려져야 자연스럽다. (C) 뒤의 Otherwise(그렇지 않으면)로 이어지는 문장은 '앞의 내용을 하지 않으면'이라는 의미로, 주어진 문장이 (C)에 오면 문맥상 정확한 의미를 갖게 된다. 따라서 정답은 ③ (C)이다.

3 에티켓은 나라마다 다르다는 일반적 진술로 시작하여 이에 대한 예시로 글이 이어진다. 이후, 주어진 문장인 Therefore ~ 문장이 주제문으로 당신이 활동하고 있는 문화에서의 예절을 아는 것이 중요하다고 설명한다. Otherwise~는 이에 대한 부연 설명이다. 따라서 글의 제목으로 가장 적절한 것은 문화의 상대성을 언급하는 ② '다양한 문화권 간의 예절 이해의 중요성'이다. ①은 글의 내용과는 반대되며 ③, ④는 언급되지 않았다.

전문해석

예절을 표현하는 일련의 규칙들인 에티켓은 문화마다 다를 수 있다. 일본에서 당신은 누군가의 집에 들어가기 전에 당신의 신발을 벗을 것이다. 만일 당신이 미국에서 이렇게 했다면, 사람들은 당신을 이상하게 보고, 그들의 코를 움켜쥘 것이다. 일부 아시아와 중동 국가에서 트림하고 입맛을 다시는 것은 요리사를 칭찬하는 방법이지만, 미국에서 그것은 당신의 방으로 보내지는 방법이다. 그러므로 당신이 활동하는 문화권의 예절을 아는 것이 중요하다. 그렇지 않으면, 악의 없는 친절한 몸짓도 모욕감이나 당혹감을 유발할 수 있다.

어휘

- manners 예절
- belch 트림하다
- compliment 칭찬하다
- interpret 이해하다
- embarrassment 당혹(감)
- operate 활동하다
- disregard 무시하다
- vary 다르다
- smack one's lips 입맛을 다시다
- innocent 악의 없는
- offense 모욕(감)
- think highly of ~을 높이 평가하다
- impose 도입하다
- norm 기준

정답 1 ③ 2 ③ 3 ②

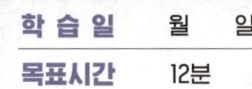

003 각 문장을 끊어 읽고 해석한 후 제시된 문제에 답하시오.

01
Biologists often say that the tallest tree in the forest is the tallest not just because it grew from the hardiest seed.
02
ⓐ They say that is also because no other trees blocked its sunlight, the soil around it was rich, no rabbit chewed through its bark, and no lumberjack cut it down before it
03
matured. We all know that successful people come from
04
hardy seeds. But do we know enough about the sunlight that warmed ⓑ them, the soil where they put down the roots, and the rabbits and lumberjacks ⓒ they were
05
lucky enough to avoid? ⓓ They are the _____ of hidden advantages and extraordinary opportunities and cultural legacies.

1 글의 요지로 가장 적절한 것은?
① Success comes through the disadvantages.
② Heroes are born in bad circumstances.
③ Success arises out of the accumulation of advantages.
④ Success depends on the efforts of the individual.

2 다음 중 지칭하는 바가 다른 하나는?
① ⓐ ② ⓑ
③ ⓒ ④ ⓓ

3 빈칸에 들어갈 말로 가장 적절한 것은?
① supporter
② beneficiary
③ obstacle
④ enemy

003 구문분석 & 문장분석

01
Biologists often say //
생물학자들은 흔히 말한다 //

that the tallest tree (in the forest) / is the tallest //
(숲에서) 가장 키가 큰 나무가 / 가장 키가 크다 //

not just because it grew from the hardiest seed.
단지 그것이 가장 튼튼한 씨앗에서 자랐다고 해서만은 아니다.

02
They say // that is also because no other trees blocked its sunlight, //
그들은 말한다 // 그것은 또한 어떤 다른 나무도 햇빛을 가리지 않았기 때문이라고, //

the soil (around it) was rich, //
(주변의) 토양이 비옥했으며, //

no rabbit chewed through its bark, //
껍질을 갉는 토끼가 없었고, //

and no lumberjack cut it down // before it matured.
그것을 베는 벌목꾼이 없었기 때문이라고 // 그것이 다 자라기 전에.

03
We all know //
우리 모두는 알고 있다 //

that successful people come from hardy seeds.
성공하는 사람들이 튼튼한 씨앗에서 나온다고.

04
But do we know enough /
그러나 우리가 충분히 알고 있는가 /

about the sunlight (that warmed them), /
(그것들을 따뜻하게 해준) 햇볕에 관해서, /

the soil (where they put down the roots), /
(그것들이 뿌리를 내렸던) 토양에 관해서, /

and the rabbits and lumberjacks (they were lucky enough to avoid)?
그리고 (그것들이 운 좋게도 피했던) 토끼와 벌목꾼에 관해서?

05
They are the beneficiary (of hidden advantages and extraordinary opportunities and cultural legacies).
그들은 (숨겨진 이점들과 보기 드문 기회들과 문화적 유산들의) 수혜자이다.

해석

1 ① 성공은 불리한 점들을 통해 온다.
② 영웅들은 불우한 환경에서 태어난다.
③ 성공은 이점들이 쌓여 생긴다.
④ 성공은 개개인의 노력에 달려 있다.

3 ① 후원자   ③ 장애물   ④ 적

해설

1 지문의 중반부에 But으로 시작하는 의문문에 대한 답변의 역할을 하는 마지막 문장 They are beneficiary of hidden advantages and extraordinary opportunities and cultural legacies.가 바로 글의 주제문이다. 즉 성공이라는 것은 숨겨진 혜택과 대단한 기회, 그리고 문화적 유산의 수혜라는 저자의 의견이 잘 드러나고 있다. 따라서 ③이 가장 적합한 요지이다.

2 ⓐ의 They는 앞 문장의 biologists를 의미하는 데 비해 ⓑ, ⓒ, ⓓ는 모두 successful people을 가리킨다.

3 성공한 사람을 숲에서 가장 키가 큰 나무에 비유하여 설명하고 있는 글이다. 나무의 키가 큰 이유는 튼튼한 씨앗이 있었기 때문만이 아니라 다른 여러 가지 환경적 요인들이 있었기 때문이라고 설명한다. 이러한 나무의 환경적 요인들이 마지막 문장에서는 hidden advantages and extraordinary opportunities and cultural legacies로 표현되고 있다. 이러한 요인들이 있었기 때문에 성공이 가능했다는 의미가 되어야 하므로 이러한 요인들의 '수혜자'가 되어야 문맥상 적당하다. 따라서 정답은 ②이다.

전문해석

숲에서 가장 키가 큰 나무가 단지 가장 튼튼한 씨앗에서 자랐다고만 해서 가장 키가 큰 것은 아니라고 생물학자들은 흔히 말한다. 그들에 의하면, 그것은 또한 어떤 다른 나무도 햇빛을 가리지 않았고, 주변의 토양이 비옥했으며, 껍질을 갉는 토끼가 없었고, 다 자라기 전에 그것을 베는 벌목꾼이 없었기 때문이다. 우리 모두는 성공하는 사람들이 튼튼한 씨앗에서 나온다고 알고 있다. 그러나 우리가, 그것들을 따뜻하게 해준 햇빛에 관해서, 그것들이 뿌리를 내렸던 토양에 관해서, 그리고 그것들이 운 좋게도 피했던 토끼와 벌목꾼에 관해서 충분히 알고 있는가? 그들은 숨겨진 이점들과 보기 드문 기회들과 문화적 유산들의 수혜자이다.

어휘

- biologist 생물학자
- seed 씨앗
- soil 토양
- bark 나무껍질
- mature 다 자라다
- legacy 유산
- hero 영웅
- accumulation 축적
- beneficiary 수혜자
- enemy 적
- hardy 강한, 튼튼한
- block 막다
- rabbit 토끼
- lumberjack 벌목꾼
- extraordinary 보기 드문
- disadvantage 불리한 점
- circumstance 환경
- supporter 후원자
- obstacle 장애물

정답 1 ③ 2 ① 3 ②

004 다음 글을 읽고 물음에 답하시오.

✏️ **Send** Preview Save

To: Civil Service Team
From: Emily Smith / Chief Security Officer
Date: June 10
Subject: Important Announcement

Dear Metropolitan City Staff,

I am writing to inform you about an upcoming enhancement to our security measures. Starting next Monday, we will be implementing a new security system across all Metropolitan City facilities. As part of this upgrade, all employees will be required to carry identification badges at all times.

These ID badges will contain digital identification codes and will grant you access to all buildings within our facilities. To ensure a smooth transition, you can **collect** your new badges from the security office this Friday.

Please note that after June 16, access to Metropolitan City facilities will be restricted to individuals with the new ID badges. It is essential that you have your badge with you at all times while on the premises.

Thank you for your cooperation as we work to enhance the safety and security of our workplace.

Best regards,
Emily Smith
Chief Security Officer

---

1 윗글의 목적으로 가장 적절한 것은?

① 건물 개보수 일정을 알리기 위해
② 새로운 보안 시스템 도입을 알리기 위해
③ 새로운 신분증 발급이 필요한 이유를 설명하기 위해
④ 보안 프로그램 업데이트를 요청하기 위해

2 밑줄 친 collect의 의미와 가장 가까운 것은?

① get   ② move
③ assemble   ④ register

005 FHouse에 관한 다음 글의 내용과 일치하지 않는 것은?

Discover Your Perfect Stay with FHouse!

FHouse is your ultimate travel companion for finding and booking the ideal accommodation, whether it's for a business trip, family vacation, or romantic getaway. Our extensive selection includes thousands of hotels, vacation rentals, and unique stays worldwide, all easily searchable through our user-friendly interface. Benefit from exclusive deals and verified reviews to make informed decisions, and enjoy secure bookings with multiple payment options. Our 24/7 customer support team is always available to assist you. Download FHouse from the App Store for iOS or Google Play for Android today, and start planning your next trip with confidence.

---

① One can book a hotel with it when he is on a business trip.
② One can search for an accommodation around the world.
③ One can get help anytime and anywhere.
④ One can pay only with credit cards in FHouse.

004

해석

> 수신: 공무원 팀
> 발신: Emily Smith / 최고 보안 책임자
> 날짜: 6월 10일
> 제목: 중요한 공지사항
>
> 메트로폴리탄 시청 직원 여러분,
>
> 다가오는 보안 조치 강화에 대해 알려드리고자 글을 씁니다. 다음 주 월요일부터 메트로폴리탄 시청 모든 시설에 새로운 보안 시스템을 도입할 예정입니다. 이 업그레이드의 일환으로 모든 직원은 항상 신분증 배지를 소지해야 합니다.
>
> 이 ID 배지에는 디지털 식별 코드가 포함되며, 시청 시설 내 모든 건물에 접근할 수 있는 권한을 부여해 줄 것입니다. 원활한 전환을 위해 이번 주 금요일에 보안 사무실에서 새로운 배지를 수령하실 수 있습니다.
>
> 6월 16일 이후로는 새로운 ID 배지를 소지한 사람들만 메트로폴리탄 시청 시설에 접근할 수 있습니다. 건물에 있을 때는 항상 배지를 지참해 주시길 바랍니다.
>
> 직장의 안전과 보안을 강화하는 데 협조해 주셔서 감사합니다.
>
> 최고 보안 책임자
> Emily Smith

해설

1. 이메일의 첫 번째 문장인 I am writing to~ 이하에서 '다가오는 보안 조치 강화에 대해 알려드리고자 한다'라고 글의 목적을 명확하게 기술하고 있다. 이후 새로운 보안 시스템 및 ID 배지에 대해 언급하였다. 따라서 정답은 ② '새로운 보관 시스템 도입을 알리기 위해'이다. ③의 경우 신분증 발급에 관한 내용이 아니며 ④도 프로그램 업데이트를 요청하는 것과는 관련이 없으므로 답이 될 수 없다.

어휘

- enhancement 강화
- implement 실시하다
- at all times 항상
- facilities 시설
- transition 전환
- restrict 제한하다
- designate 지정하다
- assemble 조립하다
- measure 조치
- identification 확인
- contain 보유하다
- ensure 보장하다
- collect 수령하다
- premise 건물
- cooperation 협조
- register 등록하다

정답 1 ② 2 ①

005

해석

> **FHouse와 함께 완벽한 숙소를 발견하세요!**
>
> FHouse는 비즈니스 여행이든, 가족 휴가이든, 로맨틱한 휴가든 간에, 이상적인 숙소를 찾고 예약하는 데 있어 당신의 최상의 여행 동반자이다. 전 세계 수천 개의 호텔, 휴가용 임대물, 그리고 전 세계의 독특한 숙소가 우리의 넓은 선택지에 포함되어 있으며, 이 모든 것은 우리의 사용자 친화적인 인터페이스를 통해 쉽게 검색할 수 있다. 정보에 근거한 결정을 내리도록 독점 할인 및 검증된 리뷰의 혜택을 받아보고, 다양한 결제 옵션으로 안전하게 예약해라. 우리의 연중 무휴의 고객 지원팀은 항상 도와줄 준비가 되어 있다. 오늘 iOS용 앱 스토어 또는 안드로이드용 구글 플레이에서 FHouse를 다운로드하고, 다음 여행을 자신 있게 계획해라.

① 비즈니스 여행을 할 때 그것으로 호텔을 예약할 수 있다.
② 전 세계의 숙소를 검색할 수 있다.
③ 언제 어디서나 도움을 받을 수 있다.
④ FHouse에서는 신용카드 결제만 가능하다.

해설

④ 세 번째 문장에서 다양한 결제 옵션이 있다고 했으므로 글의 내용과 일치하지 않는다.
① 첫 번째 문장에서 FHouse는 비즈니스 여행이든, 가족 휴가이든, 로맨틱한 휴가든 간에, 이상적인 숙소를 찾고 예약하는 데 있어 당신의 최상의 여행 동반자라고 했으므로 글의 내용과 일치한다.
② 두 번째 문장에서 전 세계 수천 개의 호텔, 휴가용 임대물, 그리고 전 세계의 독특한 숙소를 검색할 수 있다고 했으므로 글의 내용과 일치한다.
③ 네 번째 문장에서 연중 무휴 고객 지원팀이 항상 도와줄 준비가 되어 있다고 했으므로 글의 내용과 일치한다.

어휘

- ultimate 최상의
- accommodation 숙소
- extensive 광범위한
- assist 도와주다
- companion 동반자
- getaway 휴가(지)
- exclusive 독점적인

정답 ④

006 각 문장을 끊어 읽고 해석한 후 제시된 문제에 답하시오.

01
One hot summer's day, Lewis and his friends left their camp at sunrise and a few hours later ⓐ they came upon a beautiful plain and on the plain were more buffalo than they had ever seen before in one place.

02
(A) A nice thing happened that afternoon; ⓑ they went fishing below the falls and caught half a dozen trout, from sixteen to twenty-three inches long.

03
(B) After a while ⓒ they were **tremendous** and they reached the great falls of the Missouri River about noon.

04
(C) ⓓ They kept on going until they heard the faraway sound of waterfalls and saw a great distant column of spray rising and disappearing. They followed the sound as it got louder and louder.

05

1 주어진 문장 다음에 이어질 글의 순서로 가장 적절한 것은?
① (A) – (B) – (C)   ② (B) – (C) – (A)
③ (C) – (A) – (B)   ④ (C) – (B) – (A)

2 다음 중 지칭하는 바가 다른 하나는?
① ⓐ   ② ⓑ
③ ⓒ   ④ ⓓ

3 밑줄 친 부분의 의미와 가장 가까운 것은?
① immense
② steep
③ adverse
④ aberrant

문장 분석 및 해설

006 구문분석 & 문장분석

01
One hot summer's day, /
어느 더운 여름날, /
Lewis and his friends left their camp / at sunrise //
Lewis와 친구들은 캠프를 떠났다 / 해가 뜰 때 //
and few hours later /
그리고 몇 시간 뒤에 /
they came upon a beautiful plain // and on the plain /
그들은 아름다운 평원을 우연히 발견했다 // 그리고 평원에는 /
were more buffalo // than they had ever seen before /
더 많은 버팔로가 있었다 // 그들이 이전에 보았던 것보다 /
in one place.
한 곳에서.

02
(A) A nice thing happened / that afternoon; //
근사한 일이 일어났다 / 그날 오후에; //
they went fishing / below the falls //
그들이 낚시를 갔다 / 폭포 아래로 //
and caught half a dozen trout, (from sixteen to twenty-three inches long).
그리고 (16~23인치 길이의) 송어 여섯 마리를 잡았다.

03
(B) After a while / they were tremendous //
잠시 뒤에, / 그것들은 엄청났다 //
and they reached the great falls of the Missouri River /
그리고 그들은 미주리강의 거대한 폭포에 도착했다 /
about noon.
정오 무렵에.

04
(C) They kept on going //
그들은 계속 갔다 //
until they heard the faraway sound of waterfalls //
그들이 머나먼 폭포 소리를 들을 때까지 //
and saw a great distant column of spray rising and disappearing.
그리고 멀리 있는 거대한 물보라 기둥이 솟아났다 사라지는 것을 보았다.

05
They followed the sound //
그들은 그 소리를 따라갔다 //
as it got louder and louder.
그것이 점점 더 커짐에 따라.

해설

1 이런 유형의 글은 시간의 순서에 따라 글이 구성된다. 우선 주어진 문장에서 Lewis와 친구들이 해가 뜰 무렵에 캠프를 떠나 버팔로를 발견했다고 설명한다. (C)는 그 이후에 계속 나아가 폭포를 발견한 상황이고 (B)는 정오 무렵에 폭포에 도착한 상황이며 (A)는 그날 오후에 그 폭포 아래로 낚시하러 갔던 일을 묘사하고 있다. 따라서 정답은 ④ (C) - (B) - (A)이다.

2 ⓐ, ⓑ, ⓓ는 모두 Lewis와 친구들을 가리키는 데 비해 ⓒ는 폭포의 커다란 소리를 가리킨다. 따라서 정답은 ③ ⓒ이다.

전문해석

어느 더운 여름날, Lewis와 친구들은 해가 뜰 때 캠프를 떠났는데, 몇 시간 뒤에 그들은 아름다운 평원을 우연히 발견했고 평원에는 한 곳에서 이전에 보았던 것보다 더 많은 버팔로가 있었다. 그들은 머나먼 폭포 소리를 들을 때까지 계속 갔고 멀리 있는 거대한 물보라 기둥이 솟아났다 사라지는 것을 보았다. 그들은 소리가 점점 커짐에 따라 그 소리를 따라갔다. 잠시 뒤에 그것들은 엄청났고 그들은 12시 무렵에 미주리강의 거대한 폭포에 도착했다. 그날 오후에 근사한 일이 일어났다; 그들이 폭포 아래로 낚시를 갔다가 16~23인치 길이의 송어 여섯 마리를 잡았다.

어휘

- come upon 우연히 발견하다
- trout 송어
- waterfall 폭포
- spray 물보라
- steep 가파른
- aberrant 도리를 벗어난
- plain 평원
- tremendous 엄청난
- column 기둥
- immense 엄청난
- adverse 불리한

정답 1 ④ 2 ③ 3 ①

007 각 문장을 끊어 읽고 해석한 후 제시된 문제에 답하시오.

01
Thomas Edison was a great inventor but a lousy
02
_____. (A) When he proclaimed in 1922 that the motion picture would replace textbooks in schools, he began a long string of spectacularly wrong predictions regarding the capacity of various technologies to revolutionize teaching. (B) To date, none of them —
03
from film to television — has lived up to his false
04
oracles. (C) Edison's exceptional ability not only revolutionized the world but also shaped the course of technological advancement for generations to come. (D)
05
Even the computer has not been able to show a **consistent** record of improving education.

1 빈칸에 들어갈 말로 적당한 것은?
① boaster
② predictor
③ scientist
④ lecturer

2 글의 흐름상 가장 어색한 것은?
① (A) ② (B)
③ (C) ④ (D)

3 밑줄 친 부분의 의미와 가장 가까운 것은?
① average
② extraordinary
③ unexpected
④ steady

문장 분석 및 해설

007 구문분석 & 문장분석

01
Thomas Edison was a great inventor /
토머스 에디슨은 위대한 발명가였지만 /

but a lousy predictor.
형편없는 예언자였다.

02
When he proclaimed in 1922 //
1922년 선언했을 때 //

that the motion picture would replace textbooks in schools, //
영화가 학교의 교과서를 대체하게 될 것이라고, //

he began a long string of spectacularly wrong predictions /
그는 놀라울 정도로 틀린 일련의 긴 예언들을 시작했다. /

(regarding the capacity of various technologies (to revolutionize teaching)).
((교육을 혁신할 수 있는) 다양한 기술력에 대해)

03
To date, / none of them / — from film to television — /
지금까지, / 어떤 것도 / — 영화에서 TV에 이르기까지 — /

has lived up to his false oracles.
그의 잘못된 계시가 들어맞은 것은 없었다.

04
Edison's exceptional ability /
에디슨의 뛰어난 능력은 /

not only revolutionized the world //
세계를 혁신했을 뿐 아니라 //

but also shaped the course of technological advancement /
기술 진전의 과정을 실현시켰다 /

for generations to come.
다가올 세대들을 위한. /

05
Even the computer has not been able to show /
컴퓨터조차도 보여주지 못했다 /

a consistent record of improving education.
교육 개선에 지속적인 기록을.

해석

1 ① 자랑하는 사람　③ 과학자　④ 연설가

해설

1 첫 문장이 주제문으로, 이어지는 예시를 통해 빈칸을 채우는 문제이다. 두 번째 문장부터 분석해 보면 에디슨은 위대한 발명가이긴 했지만 헛된 예언을 계속해 왔음을 알 수 있다. 따라서 정답은 ② '예언가'이다. 지문에 등장하는 wrong predictions(잘못된 예측들), false oracles(잘못된 계시)를 통해 정답을 유추할 수 있다.

2 (A)에서는 에디슨이 다양한 기술이 교육에 가져올 획기적인 변화에 대해 틀린 예언을 했다고 설명한다. (B)에서는 이것들이 전혀 맞지 않았다고 설명하며 (D)에서는 심지어 컴퓨터조차도 그러지 못했다고 덧붙인다. 즉 에디슨이 했던 헛된 추측에 관한 내용이다. 그러나 (C)는 에디슨의 능력이 세계를 바꾸고 다양한 기술적 진보를 이루어 냈다는 내용이므로 다른 문장들의 흐름에는 부합하지 않는다. 따라서 정답은 ③ (C)이다.

전문해석

토머스 에디슨은 위대한 발명가였지만, 형편없는 예언자였다. 1922년 영화가 학교의 교과서를 대체하게 될 것이라고 선언한 이후, 그는 교육을 혁신할 수 있는 다양한 기술력에 대해 놀라울 정도로 틀린 일련의 긴 예언들을 시작했다. 지금까지, 영화에서 TV에 이르기까지 어떤 것도 그의 잘못된 계시에 들어맞은 것은 없었다. 에디슨의 뛰어난 능력은 세계를 혁신했을 뿐 아니라 다가올 세대들을 위한 기술 진전의 과정을 실현시켰다. 컴퓨터조차도 교육 개선에 지속적인 기록을 보여주지 못했다.

어휘

- lousy 형편없는
- motion picture 영화
- a string of 일련의
- prediction 예언
- live up to ~에 부응하다
- exceptional 뛰어난
- shape 실현시키다
- boaster 자랑꾼
- extraordinary 뛰어난
- proclaim 선언하다
- replace 대신하다
- spectacularly 놀라울 정도로
- revolutionize 혁명화하다
- oracle 계시
- revolutionize 혁신하다
- consistent 지속적인
- average 평균의
- steady 꾸준한

정답 1 ② 2 ③ 3 ④

008 다음 글을 읽고 물음에 답하시오.

(A)

In the University of Chicago, we offer special day only sessions of our science camps. These programs feature a convenient 5 day schedule, with classes from 9 a.m. to 5 p.m. each day. Please note that day camp students attend a shortened version of the program offered at the overnight camps.

- **Date**: July 4–July 8
- **Location**: Michigan Science Hall
- **Grade**: 9th–11th
- **Price**: $795
- Each girl will choose a science major that will be the focus of her morning or afternoon classes.
  – Beginning Level: Marine Science, Engineering, Physics
  – Intermediate Level: Astronomy, Marine Biology, Chemistry
- **Reservations**: The participants should make a reservation no later than May 31.

1 (A)에 들어갈 제목으로 가장 알맞은 것은?

① Science Camp for Girls: Day Camp
② A day in the Michigan Science Hall
③ Fun With Science Camp for Boys
④ Let's Look at Sky in the University of Chicago

2 글의 내용과 일치하는 것은?

① 숙박형 프로그램이다.
② 7일간 진행된다.
③ 대상은 4학년에서 8학년까지이다.
④ 중급 과정에 천문학 수업이 있다.

009 다음 글을 읽고 물음에 답하시오.

The International Maritime Organization (IMO)

Founding and Mission
The International Maritime Organization (IMO) is a specialized agency of the United Nations, established in 1948 to regulate shipping. It aims to ensure maritime safety, security, and environmental protection through international cooperation and standards.

Goals and Objectives
The IMO develops and maintains a **comprehensive** framework of global regulations to improve the safety and security of international shipping and to prevent marine pollution from ships. It also addresses legal matters related to shipping and works on issues such as maritime traffic management, sustainable shipping practices, and the reduction of greenhouse gas emissions from ships.

1 IMO에 대한 다음 글의 내용과 일치하지 않는 것은?

① It was established as a U.N. specialized agency to regulate shipping.
② It develops global shipping regulations for safety and security.
③ It handles shipping legal matters and maritime traffic management.
④ It is not involved with environmental issues in the ocean

2 밑줄 친 comprehensive의 의미와 가장 가까운 것은?

① impressive   ② extensive
③ aggressive   ④ impulsive

008

해석

> **(A) 소녀들을 위한 과학 캠프: 주간 캠프**
>
> 시카고 대학교에서는 과학 캠프의 특별 주간 활동을 제공합니다. 이 프로그램은 매일 오전 9시부터 오후 5시까지의 편리한 5일 일정을 특징으로 합니다. 주간 캠프 학생들은 숙박 캠프에서 제공되는 프로그램의 축약된 버전을 참석하게 된다는 것을 유념하세요.
>
> - **날짜**: 7월 4일 – 7월 8일
> - **장소**: 미시간 과학 홀
> - **학년**: 9학년 – 11학년
> - **가격**: $795
> - 각 여학생들은 오전 또는 오후 수업에서 집중하게 될 과학 전공을 선택할 것입니다.
>   - 초급: 해양과학, 공학, 물리학
>   - 중급: 천문학, 해양 생물학, 화학
> - **예약**: 참가자는 늦어도 5월 31일까지는 예약해야 합니다.

1. ② 미시간 과학 홀에서의 하루
   ③ 소년들을 위한 재미있는 과학 캠프
   ④ 시카고 대학교에서 하늘을 살펴보자

해설

1. 시카고 대학에서 제공하는 주간 과학 캠프에 대한 공지글이다. 또한 '각 여학생들'이라고 하며 여학생들을 대상으로 하는 캠프임이 공지문의 후반부에 드러난다. 따라서 제목으로 가장 적합한 것은 ① '소녀들을 위한 과학 캠프: 주간 캠프'이다.

2. ④ 중급 과정에 천문학 수업이 있으므로 글의 내용과 일치한다.
   ① 첫 번째 문장에서 day only sessions, 즉 주간(낮 동안)에만 제공되는 캠프라고 했으므로 글의 내용과 일치하지 않는다.
   ② 두 번째 문장에서 5일간 진행된다고 했으므로 글의 내용과 일치하지 않는다.
   ③ 대상은 9학년에서 11학년이라고 했으므로 글의 내용과 일치하지 않는다.

어휘

- feature 특징으로 하다
- shortened 축약된
- major 전공
- marine science 해양과학
- astronomy 천문학
- marine biology 해양 생물학
- reservation 예약
- no later than 늦어도 ~까지는

정답 1 ① 2 ④

009

해석

> **국제해사기구(IMO)**
>
> **설립과 임무**
> 국제해사기구(IMO)는 1948년에 설립된 유엔의 특별 기관으로, 해운을 규제한다. 이 기구는 국제 협력과 기준을 통해 해양 안전, 보안, 환경 보호를 보장하는 것을 목표로 한다.
>
> **목적과 목표**
> IMO는 국제 해운의 안전과 보안을 개선하고 선박으로 인한 해양 오염을 방지하기 위해 포괄적인 전 세계적 규제 체계를 개발하고 유지한다. 또한 해운과 관련된 법적 문제를 다루고, 해양 교통 관리, 지속 가능한 해운 관행, 선박에서의 온실가스 배출 감소와 같은 문제를 해결한다.

1. ① 유엔 특별 기관으로 해운을 규제하기 위해 설립되었다.
   ② 안전과 보안을 위한 전세계적인 해운 규정을 개발한다.
   ③ 해운 법적 문제와 해양 교통 관리를 다룬다.
   ④ 해양 환경 문제에는 관여하지 않는다.

해설

1. ④ <목적과 목표>의 첫 번째 문장에서 해양 오염을 방지하기 위한 규제 체계를 개발, 유지한다고 했으며 두 번째 문장에서도 온실가스 배출과 같은 문제를 해결한다고 했으므로 글의 내용과 일치하지 않는다.
   ① <설립과 임무>의 첫 번째 문장에서 IMO는 유엔의 특별 기관으로, 해운을 규제한다고 했으므로 글의 내용과 일치한다.
   ② <설립과 임무>의 두 번째 문장에서 IMO는 국제 해운의 안전과 보안을 개선하기 위해 포괄적인 전세계적 규제 체계를 개발하고 유지한다고 했으므로 글의 내용과 일치한다.
   ③ <목적과 목표>의 두 번째 문장에서 IMO는 해운과 관련된 법적 문제를 다루고, 해양 교통 관리와 같은 문제를 해결한다고 했으므로 글의 내용과 일치한다.

어휘

- agency 기관
- regulate 규제하다
- maritime 해양의
- shipping 해운
- comprehensive 전반적인
- address 다루다
- sustainable 지속 가능한
- emission 배출
- impressive 인상적인
- extensive 광범위한
- aggressive 공격적인
- impulsive 충동적인

정답 1 ④ 2 ②

010 다음 글의 목적으로 가장 적절한 것은?

To: Mayor Johnson
From: Olivia Davis
Date: October 26
Subject: Community Facility Issue

Dear Mayor Johnson,

My name is Olivia Davis, and I am a resident of Oakwood in Springfield. I am writing to express my concern about the current state of our local park, Evergreen Park.

Recently, the park's maintenance has significantly declined. The grass is overgrown, playground equipment is broken, and litter is scattered everywhere. These issues not only diminish the park's beauty but also pose safety risks for children and other residents.

I urge the city to address these concerns and ensure our park is properly maintained for the benefit of all.

Thank you for your attention to this matter.

Sincerely,
Olivia Davis

① To request more new playgrounds to be built
② To ask for improved maintenance of a local park
③ To propose a new event for the local park
④ To propose changing the name of the local park

DAY 01~02 Exercises

[1~4] 양쪽에 주어진 말의 의미가 일맥상통하도록 선으로 연결하세요.

1. accountable   ① allow you to enter, use, or view something

2. legacy   ② responsible for something

3. grant you access to something   ③ something that is received from someone who has died

4. leave request   ④ a formal application for time off from work

[5~7] 다음 문장의 끊어 읽기를 참고하여, 빈칸에 알맞은 해석을 쓰세요.

5. Biologists often say / that the tallest tree in the forest is the tallest / not just because it grew from the hardiest seed.
생물학자들은 흔히 말한다 / 숲에서 가장 키가 큰 나무가 가장 키가 큰 것은 / _____.

6. After a while / they were tremendous / and they reached the great falls of the Missouri River about noon.
잠시 뒤에 / _____ / 그리고 그들은 12시 무렵에 미주리강의 거대한 폭포에 도착했다.

7. The organization's efforts are crucial / in facilitating smooth international trade / and protecting the marine environment for future generations.
이 조직의 노력은 매우 중요하다 / _____ / 그리고 미래 세대를 위해 해양 환경을 보호하는 데.

정답 1 ② 2 ③ 3 ① 4 ④ 5 단지 가장 튼튼한 씨앗에서 자랐다고 해서만은 아니라고 6 그것들은 엄청났다 7 원활한 국제 무역을 촉진하는 데

011 각 문장을 끊어 읽고 해석한 후 제시된 문제에 답하시오.

01
Milk is one of the most popular beverages in the world.
02
We have been told it does a body good and is important for growth in children and maintaining health in adults.

03
(A) For example, opponents of milk argue that milk contributes to obesity, allergies, heart disease, cancer, and other diseases.
04
(B) But some scientific studies have found that contrary to popular belief, drinking milk may do more harm to our bodies than good.
05
(C) They state that claims regarding milk's benefits are merely advertising campaigns designed to promote dairy sales and that many nutritious **alternatives** to cow's milk exist.

1 주어진 문장 이후에 이어질 글의 순서로 올바른 것은?
① (A) – (B) – (C) ② (B) – (A) – (C)
③ (C) – (A) – (B) ④ (C) – (B) – (A)

2 글의 제목으로 가장 적절한 것은?
① The Impact of Milk on Global Beverage Consumption
② Debunking Common Myths About Milk
③ The History and Cultural Significance of Milk
④ The Goodness of Milk: Unlocking its Health Benefits

3 밑줄 친 부분의 의미와 가장 가까운 것은?
① settlement
② treatment
③ complement
④ substitution

문장 분석 및 해설

011 구문분석 & 문장분석

01
Milk is one (of the most popular beverages / in the world). /
우유는 (가장 인기 있는 음료 중의 / 세상에서) 하나이다. /

02
We have been told // it does a body good //
우리는 계속 들어 왔다 // 이것이 몸에 이롭고 //

and is important /
중요하다고 /

for growth (in children) and maintaining health (in adults).
(아이들의) 성장과 (어른들의) 건강 유지에.

03
(A) For example, / opponents (of milk) argue //
예를 들어, / (우유에) 반대하는 사람들은 주장한다 //

that milk contributes to obesity, allergies, heart disease, cancer, and other diseases.
우유가 비만, 알레르기, 심장병, 암, 그리고 다른 질병들의 원인이 된다고.

04
(B) But / some scientific studies have found //
그러나 / 어떤 과학적 연구는 발견했다 //

that contrary to popular belief, /
대중적인 믿음과는 반대로, /

drinking milk may do more harm / to our bodies /
우유를 마시는 것은 해로울지도 모른다는 사실을 / 우리 몸에 /

than good.
이롭기보다.

05
(C) They state // that claims (regarding milk's benefits) /
그들은 말한다 // (우유의 이로움에 관한) 주장들은 /

are merely advertising campaigns (designed to promote dairy sales) //
단순히 (유제품 판매를 촉진하기 위해 고안된) 광고 캠페인일 뿐이라고 //

and that many nutritious alternatives (to cow's milk) exist.
그리고 (우유에 대한) 많은 영양가 있는 대안이 존재한다고.

해석

2 ① 세계의 음료 소비에 미치는 우유의 영향
② 우유에 관한 일반적 통념에 대한 반박
③ 우유의 역사적·문화적 중요성
④ 우유의 장점: 우유의 건강에 대한 혜택 밝히기

해설

1 비판, 반박 유형의 글로서 보편적 사실 또는 과거에 인정받던 사실을 먼저 언급하고 이를 반박하는 방식으로 구성되어 있다. 주어진 문장에서는 우유에 대해 일반인들이 알고 있는 사실을 설명한 후 (B)에서 새로운 과학적 연구를 통해 이 대중적 믿음을 반박할 수 있음을 알린다. 덧붙여 이에 대한 예시가 (A)에 제시되고 추가적인 설명이 (C)로 이어진다. 따라서 정답은 ② (B) – (A) – (C)이다.

2 주어진 문장에서 우유가 이롭다는 일반적인 통념을 진술한 후 이를 반박하는 형식의 지문이다. 내용 전환이 이루어지는 But의 문장이 주제문으로 우유가 이롭기보다는 해가 된다는 주장이 있다고 언급한 후, 이어지는 문장들에서 이를 뒷받침하고 있다. 따라서 이 글의 제목으로 가장 적합한 것은 ② '우유에 관한 일반적 통념에 대한 반박'이다. ①, ③은 언급되지 않았고 ④는 주어진 문장에서 언급된 통념에 관한 내용이므로 답이 될 수 없다.

전문해석

우유는 세상에서 가장 인기 있는 음료 중의 하나이다. 우리는 계속 이것이 몸에 이롭고 아이들의 성장과 어른들의 건강 유지에 중요하다고 들어 왔다. 그러나 어떤 과학적 연구는 대중적인 믿음과는 반대로 우유를 마시는 것은 우리 몸에 이롭기보다 해로울지도 모른다는 사실을 발견했다. 예를 들어, 우유에 반대하는 사람들은 우유가 비만, 알레르기, 심장병, 암, 그리고 다른 질병들의 원인이 된다고 주장한다. 그들은 우유의 이로움에 관한 주장들은 단순히 유제품 판매를 촉진하기 위해 고안된 광고 캠페인일 뿐이며 우유에 대한 많은 영양가 있는 대안이 존재한다고 말한다.

어휘

- do ~ good ~에게 이롭다
- opponent 반대자
- obesity 비만
- do ~ harm ~에게 해가 되다
- merely 단지
- alternative 대안
- beverage 음료
- debunk 반박하다
- treatment 치료
- substitution 대체물
- maintain 유지하다
- contribute 기여하다
- contrary to ~와는 반대로
- regarding ~에 관하여
- nutritious 영양이 있는
- impact 영향
- consumption 소비
- settlement 정착
- complement 보충

정답 1 ② 2 ② 3 ④

012 각 문장을 끊어 읽고 해석한 후 제시된 문제에 답하시오.

01
Taking time to clear your mind through meditation can **boost** your spirits and your immunity. (A) Psychologist, Richard Davidson, gave 40 people a flu vaccine; Half of them followed a regular meditation schedule for an hour a day, six days a week and the others just got the vaccine. (B) They were also better able to deal with stress and had increased activity in the area of the brain linked to good moods. (C) "Meditation produces measurable biological changes in the brain and body," says Davidson. (D) "It is safe and can be of great benefit."

1 글의 제목으로 가장 적절한 것은?
① Relationship Between Flu Vaccine and Antibody
② Process of Forming Immune System
③ Length of Meditation and Stress
④ Positive Effects of Meditation

2 다음 문장이 들어갈 위치로 가장 적절한 것은?

> After eight weeks, the meditators had higher levels of flu-fighting antibodies than those who didn't meditate.

① (A) ② (B)
③ (C) ④ (D)

3 밑줄 친 부분의 의미와 가장 가까운 것은?
① diminish
② suspend
③ pacify
④ elevate

012 구문분석 & 문장분석

01
Taking time (to clear your mind / through meditation) /
(당신의 정신을 맑게 하는 / 명상을 통해서) 시간을 갖는 것은 /

can boost your spirits and your immunity.
당신의 정신과 면역력을 증진시킬 수 있다.

02
Psychologist, (Richard Davidson), gave 40 people a flu vaccine; //
심리학자, (Richard Davidson은) 40명의 사람들에게 독감 백신을 주었다; //

Half of them followed a regular meditation schedule /
그들 중 절반은 규칙적인 명상 일정을 따랐다 /

for an hour a day, six days a week //
하루에 1시간, 일주일에 6일 //

and the others just got the vaccine.
그리고 다른 절반은 그냥 백신만 맞았다.

삽입 문장
After eight weeks, /
8주 후에 /

the meditators had higher levels of flu-fighting antibodies /
명상을 한 사람들은 더 높은 수준의 항독감 항체들이 생겼다 /

than those who didn't meditate.
명상을 하지 않았던 사람들보다.

03
They were also better able to deal with stress //
그들은 또한 스트레스를 더 잘 다룰 수 있었다, //

and had increased activity (in the area of the brain (linked to good moods)).
그리고 ((좋은 기분과 관련된) 뇌 영역에서의) 활동이 증가되었다.

04
"Meditation produces measurable biological changes (in the brain and body),"// says Davidson.
"명상은 (뇌와 신체에서) 측정 가능한 생물학적 변화들을 만들어 냅니다," // Davidson은 말한다.

05
"It is safe // and can be of great benefit."
"그것은 안전하고 // 상당한 도움이 될 수 있습니다."

해석

1 ① 독감 백신과 항체 사이의 관계
   ② 면역 체계 형성 과정
   ③ 명상 기간과 스트레스
   ④ 명상의 긍정적 효과

해설

1 첫 문장이 주제문인 전형적인 두괄식 구조의 글이다. 두 번째 문장부터 실험, 즉 예시를 통해 글쓴이의 의견을 부연 설명하고 있다. 첫 문장에 따르면, 명상을 통해 정신을 맑게 하는 것이 정신과 건강(면역 체계)에 좋다고 했으므로, 글의 제목으로는 ④ '명상의 긍정적인 효과'가 가장 적절하다.

2 이 글은 실험에 대해 설명하고 있으므로, 주어진 문장은 실험이 시작된 지 8주 후에 그 실험의 결과가 어떻게 되었는지 언급하는 것임을 알 수 있다. (B)의 앞에서는 실험이 어떤 조건으로 시작되었는지를 설명하고 있다. 또한 (B)의 뒤에서는 실험의 결과에 대해 언급하고 있는데 also가 온 것으로 보아 주어진 문장의 실험 결과에 부연되는 설명임을 알 수 있다. 따라서 주어진 내용은 ② (B)의 위치에 와야 한다.

전문해석

명상을 통해서 당신의 정신을 맑게 하는 시간을 갖는 것은 당신의 정신과 면역력을 증진시킬 수 있다. 심리학자 Richard Davidson은 40명의 사람들에게 독감 백신을 주었다; 그들 중 절반은 일주일에 6일, 하루에 1시간 동안 규칙적인 명상 일정을 따랐고 다른 절반은 그냥 백신만 맞았다. 8주 후에 명상을 한 사람들은 명상을 하지 않았던 사람들보다 더 높은 수준의 항독감 항체들이 생겼다. 그들은 또한 스트레스를 더 잘 다룰 수 있었고, 좋은 기분과 관련된 뇌 영역에서의 활동이 증가되었다. "명상은 뇌와 신체에서 측정 가능한 생물학적 변화들을 만들어 냅니다. 그것은 안전하고, 상당한 도움이 될 수 있습니다."라고 Davidson은 말한다.

어휘

- meditation 명상
- immunity 면역력
- flu 독감
- deal with ~을 다루다
- biological 생물학적
- antibody 항체
- meditate 명상하다
- suspend 중단하다
- elevate 상승시키다
- boost 높이다
- psychologist 심리학자
- vaccine 백신
- measurable 측정 가능한
- be of benefit 도움이 되다
- length 기간
- diminish 감소하다
- pacify 진정시키다

정답 1 ④ 2 ② 3 ④

013 각 문장을 끊어 읽고 해석한 후 제시된 문제에 답하시오.

> 01
> Given the general knowledge of the health risks of smoking, it is no wonder that the majority of smokers have tried at some time in their lives to quit. (A) But in most cases their attempts have been unsuccessful. (B)
> 03
> People begin smoking, often when they are adolescents, for a variety of reasons, including the example of parents and pressure from peers. (C) The installation of smoke detectors in buildings is required by law. (D) If some in one's group of friends are starting to smoke, it can be hard to resist going along with the crowd; Once people start smoking, they are likely to **yield** to its temptation.

1 글의 흐름상 가장 어색한 것은?
① (A)　② (B)
③ (C)　④ (D)

2 글의 내용과 일치하지 않는 것은?
① Many smokers have attempted to quit at some point in their lives.
② If some members of your friend group are starting to smoke, it is likely that you will join.
③ It is harder to quit smoking if one starts during adolescence.
④ A significant number of individuals initiate smoking during their adolescence.

3 밑줄 친 부분의 의미와 가장 가까운 것은?
① adhere
② object
③ appeal
④ surrender

문장 분석 및 해설

013 구문분석 & 문장분석

01
Given the general knowledge (of the health risks of smoking), //
(흡연이 건강에 위험하다는 것을) 일반적으로 알고 있는 상황에서, //

it is no wonder /
전혀 놀랄 일이 아니다 /

that the majority of smokers have tried /
대다수 흡연자가 노력했다는 것은 /

at some time (in their lives) / to quit.
(그들의 인생의) 어떤 지점에서 / 담배를 끊으려고.

02
But / in most cases /
그러나 / 대개 /

their attempts have been unsuccessful.
그들의 시도는 실패했다.

03
People begin smoking, //
사람들은 흡연을 시작한다, //

often when they are adolescents, /
보통 그들이 청소년일 때 /

for a variety of reasons, /
여러 가지 이유로 /

including the example (of parents) and pressure (from peers).
(부모의) 흡연과 (친구의) 강요를 포함하여.

04
The installation (of smoke detectors / in buildings) /
(연기 탐지기의 / 건물에) 설치가 /

is required by law.
법적으로 요구된다.

05
If some (in one's group of friends) are starting to smoke, //
만일 (한 무리의 친구 중) 몇몇이 담배를 피우기 시작하면 //

it can be hard /
어려울 수 있다 /

to resist going along with the crowd; //
그 무리에 동조하지 않으려 저항하는 것은; //

Once people start smoking, //
일단 사람들이 담배를 피우기 시작하면 //

they are likely to yield to its temptation.
그들은 그것의 유혹에 쉽게 굴복한다.

해석

2 ① 많은 흡연자가 인생의 어떤 지점에서 금연을 시도한다.
② 당신의 친구 중 몇몇이 흡연을 시작하면 당신도 이에 참여하기 쉽다.
③ 청소년기에 흡연을 시작하면 금연이 더 어렵다.
④ 상당한 수의 사람들이 청소년기에 흡연을 시작한다.

해설

1 (A), (B), (D)는 흡연의 해로움을 알면서도 그것을 끊지 못하는 이유를 설명하면서 청소년기에 또래 집단의 압박으로 흡연을 시작하게 되고 이에 중독됨으로써 결국 이를 끊지 못하게 된다는 데에 초점을 두고 있다. 그러나 (C)는 연기 탐지기 설치의 의무화를 언급하고 있다. 따라서 ③ (C)는 글의 전체적인 흐름에 맞지 않는다.

2 ③ 세 번째 문장에서 많은 사람이 보통 청소년기에 흡연을 시작하는 경우가 많다고는 언급했으나 금연이 더 어렵다는 설명은 없다. 따라서 글의 내용과 일치하지 않는다.
① 첫 번째 문장에서 대다수 흡연자가 인생에서 언젠가 담배를 끊으려 했다고 했으므로 글의 내용과 일치한다.
② 마지막 문장에서 친구 중 몇몇이 담배를 피우기 시작하면 그 무리에 동조하지 않기는 어렵다고 했으므로 글의 내용과 일치한다.
④ 세 번째 문장에서 많은 사람이 보통 청소년기에 흡연을 시작하는 경우가 많다고 언급했으므로 글의 내용과 일치한다.

전문해석

흡연이 건강에 위험하다는 것을 일반적으로 알고 있는 상황에서, 대다수 흡연자가 그들의 인생의 어떤 지점에서 담배를 끊으려고 노력했다는 것은 전혀 놀랄 일이 아니다. 그러나 대개 그들의 시도는 실패했다. 사람들은 부모의 흡연과 친구의 강요를 포함하여 여러 가지 이유로 보통 그들이 청소년일 때 흡연을 시작한다. 만일 한 무리의 친구 중 몇몇이 담배를 피우기 시작하면 그 무리에 동조하지 않으려 저항하는 것은 어려울 수 있다. 일단 사람들이 담배를 피우기 시작하면 그들은 그것의 유혹에 쉽게 굴복한다.

어휘

- it is no wonder that ~은 전혀 놀랄 일이 아니다
- attempt 시도
- adolescent 청소년
- pressure 강요
- peer 또래
- installation 설치
- smoke detector 연기 탐지기
- resist 저항하다
- go along with ~에 동조하다
- yield 굴복하다
- temptation 유혹
- object 반대하다
- appeal 항소하다, 관심을 끌다
- adhere 고수하다
- surrender 굴복하다

정답 1 ③ 2 ③ 3 ④

014 다음 글의 목적으로 가장 적절한 것은?

To: Dr. Jason Lee
From: Nancy Watson
Date: July 10
Subject: A Request for Your Attention

Dear Dr. Lee,

My name is Nancy Watson, and I am the captain of the student dance club at Gullard High School. We are one of the biggest faces of the school, winning a lot of awards and trophies.

However, the school isn't allowing our club to practice on the school field because a lot of teachers worry that we are going to mess up the field. This is causing us to lose practice time and ultimately results in creating a bad high school experience for us. We promise to use the space respectfully.

Therefore, I'm asking you to allow us to use the school field for our dance practice. I would be grateful if you reconsider your decision.

Thank you for your attention to this matter. I look forward to your positive response.

Sincerely,
Nancy Watson

① to report on the performance of the student club
② to promote a special dance club performance
③ to suggest renovating the dance club room facilities
④ to ask for permission to use the dance club's playground

015 다음 글을 읽고 물음에 답하시오.

(A)

Are you eager to take control of your financial future? Join our workshop to explore essential strategies for budgeting, saving, and investing wisely. Led by financial experts, this interactive session will equip you with practical skills to manage debt effectively, plan for retirement, and build a strong financial foundation.

Date: September 20
Time: 5 p.m. - 8 p.m.
Location: Finance Focus Center, 15 Money Street, Suite 101, Cityville, 67890

Registration & Fee:
- Register online at www.smartfocuscenter.com/workshops
- **Fee**: $50 per person (includes workshop materials)

Notes:
- Limited seats available; early registration is recommended.
- No refunds or rescheduling for cancellations made less than 72 hours before the workshop.

1 (A)에 들어갈 윗글의 제목으로 가장 적절한 것은?
① Gain Mastery over Your finances with Expert Guidance
② Discover the Hidden Charms of Coastal Living
③ Save Up for Your Old Age and Retirement
④ Explore the Art of Culinary Excellence

2 Smart Focus Workshop에 관한 글의 내용과 일치하지 않는 것은?
① 부채 관리 및 퇴직 계획을 세우는 기술을 배울 수 있다.
② 수업 시간은 세 시간이다.
③ 좌석이 한정되어 있어 조기 등록이 권장된다.
④ 워크숍 시작 전 72시간 이내에 취소하면 환불과 예약 변경을 할 수 있다.

014

해석

> **수신:** Jason Lee 박사
> **발신:** Nancy Watson
> **날짜:** 7월 10일
> **제목:** 당신의 관심이 필요한 요청
>
> Lee 박사님께
>
> 제 이름은 Nancy Watson이며, Gullard 고등학교 학생 댄스 동아리의 회장입니다. 저희 동아리는 학교를 가장 대표하는 존재 중 하나로, 많은 상과 트로피를 수상한 바 있습니다.
>
> 하지만 많은 선생님들께서 저희가 운동장을 훼손할 것이라고 걱정하셔서 현재 학교 측에서 저희 동아리의 운동장 사용을 허락하지 않고 있습니다. 이로 인해 저희는 연습 시간을 잃게 되고, 궁극적으로 고등학교에서 좋지 않은 경험을 얻는 결과로 이어지고 있습니다. 저희는 공간을 존중하며 사용할 것을 약속드립니다.
>
> 따라서 저희에게 학교 운동장에서 댄스 연습을 할 수 있도록 허락해 주시기를 부탁드립니다. 다시 한번 이 문제를 재고해 주시면 감사하겠습니다.
>
> 이 문제에 대한 관심에 감사 드립니다. 긍정적인 회신을 주실 것을 기대합니다.
>
> Nancy Watson

① 학생 동아리의 성과를 보고하려고
② 댄스 동아리 특별 공연을 홍보하려고
③ 댄스 동아리방 시설 보수를 건의하려고
④ 댄스 동아리의 운동장 사용 허락을 요청하려고

해설

이메일의 제목에서 학교 운동장 사용 요청이라고 언급하고 있다. 또한 이메일의 마지막 부분에서 '학교 운동장에서 댄스 연습을 할 수 있도록 허락해 주시기를 부탁드린다고' 말하고 있다. 글을 쓰고 있는 사람이 댄스 동아리의 회장이므로 정답은 ④ '댄스 동아리의 운동장 사용 허락을 요청하려고'이다.

어휘

- request 요청
- mess up 훼손하다
- respectfully 존중하며
- reconsider 재고하다
- promote 홍보하다
- permission 허락
- face 대표자
- ultimately 궁극적으로
- grateful 감사하는
- performance 성과, 공연
- renovate 보수하다

정답 ④

015

해석

> (A) 전문가의 조언으로 재정 관리에 통달하세요
>
> 재정적 미래를 제어하고 싶으신가요? 예산 관리, 저축 및 현명한 투자를 위한 전략을 탐구하는 우리의 워크숍에 참여하세요. 재정 전문가가 이끄는 이 쌍방향 강의는 당신에게 효과적인 부채 관리, 은퇴 계획, 강력한 재정 기반 구축을 위한 실용적인 기술을 제공합니다.
>
> **날짜:** 9월 20일
> **시간:** 오후 5시~8시
> **장소:** 파이낸스 포커스 센터, 15 머니 스트리트, 스위트 101, 시티빌, 67890
>
> **등록 및 비용:**
> - 온라인 등록: www.smartfocuscenter.com/workshops
> - 비용: 1인당 $50 (워크숍 자료 포함)
>
> **참고 사항:**
> - 좌석 수가 제한되어 있으므로 조기 등록을 권장합니다.
> - 워크숍 시작 72시간 이내에 취소할 경우 환불이나 일정 변경이 불가합니다.

1 ② 해안 생활의 숨겨진 매력을 발견하세요
   ③ 노후와 은퇴를 위해 저축하세요
   ④ 요리의 우수함을 탐구하세요

해설

1 글의 앞부분에서 전문가의 도움을 받아 재정적 미래를 탐구하라고 조언하고 있다. 따라서 정답은 ① '전문가의 조언으로 재정 관리에 통달하세요'이다. 다양한 분야에 관해 관리 능력을 키우라고 했으므로 노후와 은퇴만을 언급하는 ③은 답이 될 수 없다.

2 ④ 워크숍 시작 72시간 이내에 취소할 경우 환불이나 일정 변경이 불가능하다고 했으므로 글의 내용과 일치하지 않는다.
   ① 부채 관리, 은퇴 계획, 강력한 재정 기반 구축을 위한 실용적인 기술을 제공한다고 했으므로 글의 내용과 일치한다.
   ② 오후 5시 – 8시까지 진행된다고 했으므로 글의 내용과 일치한다.
   ③ 좌석 수가 제한되어 있으므로 조기 등록이 권장된다고 했으므로 글의 내용과 일치한다.

어휘

- be eager to ~을 원하다
- financial 재정적인
- expert 전문가
- equip A with B A에게 B를 제공하다
- foundation 기반
- reschedule 일정 변경
- gain mastery 통달하다
- coastal 해안의
- culinary 요리의
- take control of 통제하다
- budget 예산을 세우다
- registration 등록
- cancellation 취소
- charm 매력
- retirement 은퇴
- excellence 우수함

정답 1 ① 2 ④

016 각 문장을 끊어 읽고 해석한 후 제시된 문제에 답하시오.

01 Dogs have long had special standing in the medical world. (A) 02 Trained to help people with disabilities, dogs have become **indispensable** companions for them. (B) 03 However, dogs appear to be far more than four-legged health care workers. (C) 04 A Melbourne study of 6,000 people also showed that owners of dogs and other pets had lower cholesterol, blood pressure and heart attack risk compared with people who didn't have pets. (D) 05 Obviously, the better health of pet owners could be explained by a variety of factors, but many experts believe companion animals improve health at least in part by lowering stress.

1 글의 제목으로 가장 적절한 것은?

① The Friendliness of Dogs
② The Healing Power of Dogs
③ Dogs as Health Care Workers
④ Japanese Dogs for Disabled People

2 다음 문장이 들어갈 위치로 가장 적절한 것은?

> One Japanese study found pet owners made 30 percent fewer visits to doctors.

① (A) ② (B)
③ (C) ④ (D)

3 밑줄 친 부분의 의미와 가장 가까운 것은?

① popular
② additional
③ caring
④ necessary

016 구문분석 & 문장분석

01
Dogs have long had special standing /
개는 오랫동안 특별한 지위를 가지고 있다 /

in the medical world.
의학계에서.

02
Trained to help people with disabilities, //
장애가 있는 사람들을 돕도록 훈련받은, //

dogs have become indispensable companions for them.
개는 그들에게 없어서는 안 되는 동반자이다.

03
However, / dogs appear to be far more than four-legged health care workers.
하지만, / 개는 네 다리를 가진 건강 관리사 그 이상인 것처럼 보인다.

삽입 문장
One Japanese study found //
한 일본의 연구는 발견했다 //

pet owners made 30 percent fewer visits to doctors.
애완동물을 기르는 사람들은 30퍼센트 적게 병원에 간다는 것을.

04
A Melbourne study of 6,000 people also showed //
6천 명에 대한 한 멜버른의 연구는 또한 보여줬다 //

that owners of dogs and other pets /
개나 다른 애완동물들을 가진 사람이 /

had lower cholesterol, blood pressure and heart attack risk //
더 낮은 콜레스테롤 수치, 혈압, 그리고 심장 발작 위험을 가진다 //

compared with people (who didn't have pets).
(애완동물을 가지지 않은) 사람들과 비교해 볼 때.

05
Obviously, / the better health of pet owners /
분명히, / 애완동물을 가진 사람들의 더 나은 건강 상태는 /

could be explained by a variety of factors, //
다양한 요인들로 설명될 수 있다, //

but many experts believe //
그러나 많은 전문가들은 믿는다 //

companion animals improve health at least in part /
반려동물들은 적어도 부분적으로라도 건강을 증진시킨다고 /

by lowering stress.
스트레스를 감소시킴으로써.

해석

1 ① 개들의 다정함
② 개들의 치유력
③ 건강 관리인으로서의 개들
④ 장애인들을 위한 일본 개들

해설

1 글의 전반부는 장애인(people with disabilities)을 위한 개의 역할을 설명하고 있다. 그러나 However 이후에서 글의 전환이 이루어지며, 개는 '건강 관리인(health care worker)' 이상의 역할을 한다고 설명한다. 하지만 뒤에서는 동물과 함께 지내는 것 자체가 건강을 향상시킬 수 있다는 내용이 이어지고 있으므로 3은 답이 될 수 없다. 개는 건강 관리인 이상의 역할을 한다고 하였으므로 그 내용을 포괄하는 ② '개들의 치유력'이 정답이다.

2 However 이후에 개가 건강 관리사 이상의 역할을 한다고 설명한다. 그 이후에 호주에서의 연구가 이어지는데 also를 통해 앞에 또 다른 예시가 미리 등장해야 함을 유추할 수 있다. 따라서 주어진 문장이 However 이후에 와서 첫 번째 예시가 되고 멜버른의 연구가 also로 이어져 두 번째 예시가 되어야 한다. 정답은 ③ (C)이다.

전문해석

개는 의학계에서 오랫동안 특별한 지위를 가지고 있다. 장애를 가진 사람들을 돕도록 훈련받은 개는 그들에게 없어서는 안 되는 동반자이다. 하지만, 개는 네 다리를 가진 건강 관리사 그 이상인 것처럼 보인다. 한 일본의 연구는 애완동물을 기르는 사람들은 30퍼센트 적게 병원에 간다는 것을 발견했다. 6천 명에 대한 한 멜버른의 연구는 애완동물을 가지지 않은 사람들과 비교해 볼 때 개나 다른 애완동물을 가진 사람이 더 낮은 콜레스테롤 수치, 혈압, 그리고 심장 발작 위험을 가진다는 것을 또한 보여 줬다. 분명히, 애완동물을 가진 사람들의 더 나은 건강 상태는 다양한 요인들로 설명될 수 있지만 많은 전문가들은 반려동물들은 스트레스를 감소시킴으로써, 적어도 부분적으로라도 건강을 증진시킨다고 믿는다.

어휘

- standing 지위
- disability (신체적·정신적) 장애
- companion 동반자
- health care 건강 관리
- obviously 분명히
- factor 요소
- lower 낮추다
- popular 유명한
- caring 보살피는
- medical 의료의
- indispensable 없어서는 안 될
- four-legged 네 다리의
- heart attack 심장 마비
- a variety of 다양한
- at least 적어도
- disabled 장애가 있는
- additional 추가의
- necessary 필수적인

정답 1 ② 2 ③ 3 ④

017 각 문장을 끊어 읽고 해석한 후 제시된 문제에 답하시오.

01
No matter how satisfying our work is, it is a mistake to rely on work as our only source of satisfaction. (A) Just as humans need a varied diet to supply a variety of needed vitamins and minerals to maintain health, so we need a varied diet of activities that can supply a sense of enjoyment and satisfaction. (B) People's dietary choices are often affected by a variety of factors, including ethical and religious beliefs, clinical need, or a desire to control weight. (C) They can be gardening, cooking, a sport, learning a new language, or volunteer work. (D) If you shift your interest and attention to other activities for a while, eventually the cycle will swing again, and you can return to your work with renewed interest and <u>enthusiasm</u>.

1 글의 요지로 가장 적절한 것은?
① 다양한 비타민 섭취를 통해 건강한 삶을 유지할 수 있다.
② 성공적인 직장 생활은 일 자체를 즐김으로써 이루어진다.
③ 만족스러운 삶을 위해서는 일 외의 다양한 활동이 필요하다.
④ 직장과 가정생활의 조화가 업무 효율성을 높이는 지름길이다.

2 글의 흐름상 가장 어색한 문장은?
① (A) ② (B)
③ (C) ④ (D)

3 밑줄 친 부분의 의미와 가장 가까운 것은?
① relief
② anxiety
③ reward
④ passion

017 구문분석 & 문장분석

01
No matter how satisfying our work is, //
우리의 일이 얼마나 만족스럽든지 간에, //

it is a mistake to rely on work /
일에 의존하는 것은 실수이다 /

as our only source of satisfaction.
우리의 만족의 유일한 원천으로서.

02
Just as humans need a varied diet (to supply a variety of needed vitamins and minerals) /
인간이 (필요한 다양한 비타민과 미네랄을 공급해 줄) 다양한 식단을 필요로 하는 것처럼 /

to maintain health, //
건강을 유지하기 위해, //

so we need a varied diet of activities (that can supply / a sense of enjoyment and satisfaction).
우리는 (제공해 줄 수 있는 / 즐거움과 만족감을) 다양한 활동으로 구성된 식단을 필요로 한다.

03
People's dietary choices are often affected /
사람들의 식단 선택은 종종 영향을 받는다 /

by a variety of factors, /
다양한 요소들에 의해, /

including ethical and religious beliefs, clinical need, or a desire to control weight.
윤리적이고 종교적인 믿음과 의학적 필요성, 혹은 체중을 조절하기 위한 욕구를 포함한.

04
They can be /
그것들은 될 수 있다 /

gardening, cooking, a sport, learning a new language, or volunteer work.
정원 손질, 요리, 운동, 새로운 언어를 배우는 것, 또는 봉사 활동이.

05
If you shift your interest and attention /
만약 당신이 당신의 흥미와 관심을 옮긴다 하더라도 /

to other activities / for a while, //
다른 활동들로 / 잠시 동안, //

eventually the cycle will swing again, //
결국에는 주기가 다시 돌아올 것이다, //

and you can return to your work /
그리고 당신은 당신의 일로 돌아올 수 있다 /

with renewed interest and enthusiasm.
새로운 관심과 열정을 갖고서.

해설

1 첫 두 문장이 주제문인 두괄식 구조다. 일이 아무리 만족스러워도 일 외의 다른 활동을 통해서 만족감을 더해야 한다는 내용의 글이다. 다양한 비타민과 미네랄을 섭취해야 건강을 유지할 수 있다는 것에 비유하여, 일 외에 다양한 활동을 해야 만족스러운 삶을 살 수 있다고 두 번째 문장에서 분명히 밝히고 있다. 따라서 정답은 ③ '만족스러운 삶을 위해서는 일 외의 다양한 활동이 필요하다.'이다.

2 이글은 인간이 생존을 위해 다양한 식단이 필요한 것처럼 일을 하는 것만으로는 부족하며 다양한 취미활동들을 더해 만족감을 더해야 한다는 내용이다. 그러나 (B)의 문장은 식단에 영향을 주는 다양한 요소들에 대한 설명이므로 diet라는 소재가 앞 문장과 중복되기는 하지만 내용상 연결되지 않는다. 따라서 흐름상 어색한 문장은 ② (B)이다. (C)의 They는 (A)의 activities를 의미한다.

전문해석

우리의 일이 얼마나 만족스럽든지 간에 우리의 만족의 유일한 원천으로서 일에 의존하는 것은 실수이다. 인간이 건강을 유지하기 위해 필요한 다양한 비타민과 미네랄을 공급해 줄 다양한 식단을 필요로 하는 것처럼, 우리는 즐거움과 만족감을 제공해 줄 수 있는 다양한 활동으로 구성된 식단을 필요로 한다. 그것들은 정원 손질, 요리, 운동, 새로운 언어를 배우는 것, 또는 봉사 활동이 될 수 있다. 만약 당신이 당신의 흥미와 관심을 다른 활동들로 잠시 동안 옮긴다 하더라도, 결국에는 주기가 다시 돌아오고 당신은 새로운 관심과 열정을 갖고서 당신의 일로 돌아올 수 있다.

어휘

- satisfying 만족스러운
- source 원천
- diet 식단
- varied 다양한
- ethical 윤리적인
- clinical 의학적인
- gardening 원예
- swing 선회하다
- enthusiasm 열정
- anxiety 불안
- passion 열정
- rely on ~에 의존하다
- a variety of 다양한
- affect 영향을 끼치다
- factor 요인
- religious 종교적인
- weight 체중
- shift 옮기다
- renewed 새로워진
- relief 위안
- reward 보상

정답 1 ③ 2 ② 3 ④

018 Regulations and Safety Measures for Electric Scooters in Paris에 관한 다음 글의 내용과 일치하지 않는 것은?

Regulations and Safety Measures for Electric Scooters in Paris

In recent years, the popularity of electric scooters has soared in Paris. Electric scooters have become favored for their convenience and eco-friendliness, but they also pose certain challenges. In response, the government has implemented various regulations aimed at ensuring citizen safety and protecting urban spaces. Key regulations include a typical speed limit of 25 km/h to prevent collisions with pedestrians and other vehicles. Usage in specific zones may be restricted or prohibited, including parks and pedestrian-only areas. Additionally, users of electric scooters are required to undergo safety training before use. Parking regulations stipulate that scooters must only be parked in designated areas; leaving them on sidewalks or emergency exits is strictly prohibited. These regulations are crucial measures aimed at guaranteeing citizen safety and efficiently managing public spaces in the city.

① The typical speed of the electric scooters is limited to 25km/h.
② The use of electronic scooters is restricted in certain areas.
③ Electric scooter users should receive safety training prior to use.
④ Electric scooters can only be parked at the emergency exits.

019 다음 글을 읽고 물음에 답하시오.

To: Sarah Thompson
From: David Wilson
Date: August 3
Subject: Important Update

Dear Sarah and Mark,

I'm writing to inform you about your rental agreement for the apartment at 456 Oak Avenue. Your current lease is set to expire on September 30. Due to planned property renovations and upgrades, we regret to inform you that we will not be able to renew your lease at this time. These improvements are necessary to enhance living conditions and meet safety standards.

We understand this may inconvenience you. Here's how we can assist:

Extended Move-Out Period: You have to vacate the apartment until October 31.

Moving Assistance: We will **cover** the cost of a professional moving service to help you relocate.

Deposit Refund: Your security deposit will be fully refunded, minus normal wear and tear.

Please reach out if you have questions or need assistance during this transition. We appreciate your understanding.

Best regards,
David Wilson

1 윗글의 목적으로 가장 적절한 것은?

① to announce the end of the lease
② to share the terms and conditions of the lease
③ to ask for a lease extension
④ to inform you of the change in the terms of the contract

2 밑줄 친 cover의 의미와 가장 가까운 것은?

① conceal   ② protect
③ fill in   ④ pay for

018

해석

파리의 전동 스쿠터 규정 및 안전 조치

최근 몇 년간 파리에서 전동 스쿠터의 인기가 급증하고 있다. 전동 스쿠터는 편리하고 친환경적이어서 인기를 끌고 있지만, 몇 가지 문제를 제기한다. 이에 대한 대응으로 정부는 시민 안전 보장 및 도시 공간 보호를 목표로 다양한 규제를 시행하고 있다. 주요 규정으로는 보행자 및 다른 차량과의 충돌을 방지하기 위해 25km/h의 일반 속도제한이 포함되어 있다. 공원 및 보행자 전용 구역 등을 포함한 특정 구역에서는 사용이 제한되거나 금지될 수 있다. 또한, 전동 스쿠터 사용자들은 사용 전에 안전 교육을 받아야 한다. 주차 규정은 스쿠터가 지정된 구역에만 주차해야 한다고 규정한다; 인도나 비상구에 놔두는 것은 엄격히 금지된다. 이러한 규정은 시민의 안전을 보장하고 도시 공공 공간을 효율적으로 관리하기 위한 중요한 조치이다.

① 전동 스쿠터의 일반 속도는 25km/h로 제한된다.
② 전동 스쿠터의 사용은 특정 지역에서 제한될 수 있다.
③ 전동 스쿠터 사용자는 사용 전에 안전 교육을 받아야 한다.
④ 전동 스쿠터는 비상구에만 주차할 수 있다.

해설

④ 일곱 번째 문장에서 인도나 비상구에 주차하는 것은 엄격히 금지된다고 했으므로 글의 내용과 일치하지 않는다.
① 네 번째 문장에서 규정에는 25km/h의 일반 속도제한이 포함되어 있다고 했으므로 글의 내용과 일치한다.
② 다섯 번째 문장에서 공원 및 보행자 전용 구역 등을 포함한 특정 구역에서는 사용이 제한되거나 금지될 수 있다고 했으므로 글의 내용과 일치한다.
③ 여섯 번째 문장에서 전동 스쿠터 사용자들은 사용 전에 안전 교육을 받아야 한다고 했으므로 글의 내용과 일치한다.

어휘

- regulation 규정
- soar 급증하다
- implement 시행하다
- collision 충돌
- restrict 제한하다
- undergo 받다
- designate 지정하다
- crucial 중요한
- popularity 인기
- pose 제기하다
- ensure 보장하다
- pedestrian 보행자
- prohibit 금지하다
- stipulate 규정하다
- emergency exit 비상구
- prior to ~보다 앞선

정답 ④

019

해석

수신: Sarah Thompson
발신: David Wilson
날짜: 8월 3일
제목: 중요한 업데이트

친애하는 Sarah와 Mark,

456 오크 가에 있는 아파트의 임대계약에 대해 알려드리고자 합니다. 현재 임대계약이 9월 30일 자로 만료됩니다. 계획된 건물 개보수와 업그레이드로 인해, 이번에는 임대계약을 갱신할 수 없음을 알려드리게 되어 유감입니다. 이러한 개선 작업은 생활 환경을 개선하고 안전 기준을 충족하기 위해 필요합니다.

이로 인해 불편을 드려 죄송합니다. 다음과 같이 도움을 드리겠습니다:
연장된 이사 기간: 10월 31일까지 아파트를 비워주시면 됩니다.
이사 지원: 이사를 돕기 위해 전문 이사 서비스 비용을 전액 부담하겠습니다.
보증금 환급: 보증금은 정상적인 사용에 따른 손상을 제외하고 전액 환급됩니다.

이사 과정 중 질문이나 도움이 필요하시면 연락주세요. 여러분의 이해에 감사드립니다.

David Wilson

① 임대계약 종료를 알리려고
② 임대계약 조건을 공유하려고
③ 임대계약 연장을 요청하려고
④ 계약 조건의 변경을 알리려고

해설

1 이메일의 첫 문장인 I am writing to ~ 이하에서 '아파트의 임대계약에 대해 알려드린다'라고 한 뒤 이어지는 다음 문단에서 임대계약이 곧 만료되며 건물 보수로 인해 임대계약의 갱신이 불가능하다고 설명한다. 따라서 정답은 ①이다.

어휘

- termination 종료
- lease 임대계약(서)
- expire 만료되다
- renew 갱신하다
- inconvenience 불편함
- vacate 비워주다
- deposit 보증금
- wear and tear (일상적인 사용에 따른) 손상
- transition 변화
- conceal 감추다
- fill in 채우다
- rental agreement 임대계약
- be set to ~할 것이다
- property 자산
- enhance 강화하다
- extend 연장하다
- relocate 이전하다
- cover (돈을) 내다
- protect 보호하다
- pay for ~에 대한 비용을 지출하다

정답 1 ① 2 ④

020 Serenity Woods Campground에 관한 글의 내용과 일치하지 않는 것은?

Serenity Woods Campground

Escape into nature and embark on an unforgettable adventure at our campground! We welcome you to enjoy the beauty of the outdoors and indulge in a serene camping experience.

Our campground features spacious and secure camping areas, blending seamlessly with the peaceful ambiance of nature. We've recently upgraded our facilities to include a playground for children to play and a convenience store for added convenience.

Basic Facilities:
- Restrooms and shower facilities
- BBQ grills and picnic tables available
- Electricity and water supply

Reservations & Inquiries:
- **Phone**: 010-1234-5678
- **Email**: serenitywoods@campsite.com

Additional Information:
- Please observe fire safety precautions during your stay.
- Pets are welcome with an additional fee.

Immerse yourself in nature and create lasting memories with us at Serenity Woods Campground!

① 최근 시설이 업그레이드되어 반려견 놀이터가 생겼다.
② 화장실과 샤워 시설을 이용할 수 있다.
③ 전기와 수도를 이용할 수 있다.
④ 반려동물을 데려오려면 추가 요금을 내야 한다.

DAY 03~04 Exercises

[1~4] 양쪽에 주어진 말의 의미가 일맥상통하도록 선으로 연결하세요.

1 debunk ○   ① to lift your mood

2 surrender ○   ② to hold a distinguished or notable position

3 boost your spirits ○   ③ to give up control of something

4 have special standing ○   ④ to show that something is not true

[5~7] 다음 문장의 끊어 읽기를 참고하여, 빈칸에 알맞은 해석을 쓰세요.

5 But some scientific studies have found / that contrary to popular belief, / drinking milk may do more harm to our bodies / than good.

그러나 어떤 과학적 연구는 사실을 발견했다 / _____ / 우유를 마시는 것은 우리 몸에 해로울지도 모른다는 / 이롭기보다.

6 Given the general knowledge of the health risks of smoking, / it is no wonder / that the majority of smokers have tried at some time in their lives to quit.

_____, / 전혀 놀랄 일이 아니다 / 대다수 흡연자가 그들의 인생의 어떤 지점에서 담배를 끊으려고 노력했다는 것은.

7 No matter how satisfying our work is, / it is a mistake / to rely on work as our only source of satisfaction.

_____ / 실수이다 / 우리의 만족의 유일한 원천으로서 일에 의존하는 것은.

정답 1 ④ 2 ③ 3 ① 4 ② 5 대중적인 믿음과는 반대로 6 흡연이 건강에 위험하다는 것을 일반적으로 알고 있는 상황에서 7 우리의 일이 얼마나 만족스럽든지 간에

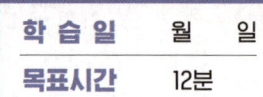

021 각 문장을 끊어 읽고 해석한 후 제시된 문제에 답하시오.

01
Dogs are considered by many to be a man's best friend, because they are considered loyal and adorable.
02
However, keeping this loyal and courageous family member by our side comes with a price.

03
(A) Added to this caring cost is the social cost of canine aggression; In one year, insurance companies in America paid 250 million dollars to victims of dog attacks.
04
(B) Every year, people in America spend more than five billion dollars on dog food and seven billion dollars on veterinary care for their canine pets.
05
(C) When other costs are included, experts estimate that aggressive dogs cost society billions of dollars a year.

1 주어진 글 이후에 이어질 글의 순서로 올바른 것은?

① (A) – (C) – (B) ② (A) – (B) – (C)
③ (B) – (A) – (C) ④ (C) – (A) – (B)

2 글의 제목으로 가장 적절한 것은?

① The Price of Loyalty: The Costs of Keeping Dogs
② Dog Ownership as a Rewarding Investment
③ The Hidden Benefits of Owning a Dog
④ The Thrifty Dog Owner's Guide to Saving Money

3 글의 내용과 일치하지 않는 것은?

① The ownership of a dog involves certain financial obligations.
② In the US, dog owners spend over five billion dollars annually on dog food.
③ Insurance companies rarely compensate victims of dog attacks in the US.
④ Aggressive dogs are estimated to cost society billions of dollars annually.

021 · 구문분석 & 문장분석

01
Dogs are considered / by many /
개는 생각된다 / 많은 사람들에 의해 /

to be a man's best friend, //
인간의 가장 좋은 친구라고, //

because they are considered loyal and adorable.
개들은 충성스럽고 사랑스럽기 때문에.

02
However, / keeping this loyal and courageous family member by our side / comes with a price.
하지만, / 이러한 충성스럽고 용감한 가족 구성원들을 우리 옆에 두는 것은 / 비용을 치러야 한다.

03
(A) Added to this caring cost /
이 돌봐 주는 비용에 추가된다 /

is the social cost (of canine aggression); /
(개의 공격으로 말미암은) 사회적 비용이; /

In one year, /
1년에, /

insurance companies (in America) paid 250 million dollars /
(미국의) 보험 회사들은 2억 5천만 달러를 지급했다 /

to victims (of dog attacks).
(개의 공격으로) 피해를 본 사람들에게.

04
(B) Every year, / people (in America) spend more than five billion dollars / on dog food /
매년, / (미국)인들은 50억 달러 이상을 쓴다 / 개 사료에 /

and seven billion dollars /
그리고 70억 달러를 /

on veterinary care (for their canine pets).
(애완견을 위한) 수의적 보살핌에.

05
(C) When other costs are included, //
다른 비용이 포함될 경우, //

experts estimate //
전문가들은 추산하고 있다 //

that aggressive dogs cost society billions of dollars a year.
공격성이 있는 개들 때문에 사회에 연간 수십억 달러의 비용이 드는 것으로.

해석

1 ① 충성의 대가: 개를 키우는 데 드는 비용
② 보상이 있는 투자로서의 개를 키우는 것
③ 개를 키우는 것의 숨겨진 장점
④ 알뜰한 개 주인을 위한 비용 절약을 위한 가이드

3 ① 개를 키우는 것은 어느 정도의 재정적 책임을 수반한다.
② 미국에서 개의 주인들은 개사료에 연간 50억 달러 이상을 쓴다.
③ 미국의 보험 회사는 개 공격의 피해자들에게 거의 보상하지 않는다.
④ 공격적인 개들은 사회가 연간 수십억 달러를 쓰게 한다고 추정된다.

해설

1 However 이후가 주제문으로 개를 키우는 데 비용이 든다고 설명한다. 이에 대한 첫 번째 예시로 개사료와 병원 진료에 드는 비용이 (B)에서 제시된다. 이 내용은 (A)의 Added to this caring cost로 이어지는데, (A)에서는 개의 공격성으로 요구되는 사회적 비용의 예시를 든다. (A)의 canine aggression은 (C)의 aggressive dogs로 이어져 부연 설명된다. 따라서 정답은 ③ (B) - (A) - (C)이다.

2 개들이 사람의 가장 좋은 친구로 여겨진다는 일반적인 진술 이후에 오는 However 문장이 주제문이다. 개를 키우는 데는 비용이 든다고 설명한 후, 이어서 이를 뒷받침하는 내용들이 보험과 사료 비용 등 기타 여러 가지 예시와 함께 등장한다. 따라서 이 글의 제목으로 가장 적절한 것은 ① '충성의 대가: 개를 키우는 데 드는 비용'이다.

3 ③ 네 번째(03번) 문장에서 미국의 보험 회사들은 개의 공격으로 피해를 본 사람에게 일 년에 약 2억 5천만 달러를 지급했다고 했으므로 글의 내용과 일치하지 않는다.
① 두 번째 문장에서 개를 우리 옆에 두기 위해서는 비용을 치러야 한다고 했으므로 본문의 내용과 일치한다.
② 세 번째(04번) 문장에서 미국인들은 개 사료에 50억 달러 이상을 쓴다고 했으므로 글의 내용과 일치한다.
④ 마지막(05번) 문장에서 다른 비용도 고려하면, 전문가들은 공격성이 있는 개들 때문에 미국 사회에 연간 수십억 달러가 드는 것으로 추산하고 있다고 했으므로 글의 내용과 일치한다.

전문해석

개들은 충성스럽고 사랑스럽기 때문에 인간의 가장 좋은 친구라고 많은 사람들에 의해 생각된다. 하지만 이러한 충성스럽고 용감한 가족 구성원들을 우리 옆에 두는 것은 비용을 치러야 한다. 매년 미국인들은 개 사료에 50억 달러 이상을 쓰고, 애완견을 위한 수의적 보살핌에 70억 달러를 쓴다. 이 돌봐주는 비용에 개의 공격으로 말미암은 사회적 비용이 추가된다; 1년에, 미국의 보험 회사들은 개의 공격으로 피해를 본 사람들에게 2억 5천만 달러를 지급했다. 다른 비용이 포함될 경우, 전문가들은 공격성이 있는 개들 때문에 사회에 연간 수십억 달러의 비용이 드는 것으로 추산하고 있다.=

어휘

- loyal 충성스러운
- adorable 사랑스러운
- courageous 용감한
- canine 개의
- aggression 공격성
- insurance 보험
- victim 피해자
- attack 공격
- veterinary 수의(학)의
- estimate 추산하다
- aggressive 공격적인
- thrifty 알뜰한
- obligation 책임
- compensate 보상하다

정답 1 ③ 2 ① 3 ③

022 각 문장을 끊어 읽고 해석한 후 제시된 문제에 답하시오.

01
Feedback, particularly the negative kind, should be descriptive rather than judgmental or evaluative. (A) No 02
matter how upset you are, keep the feedback job-related and never criticize someone personally because of an 03
inappropriate action. (B) Telling people they're stupid, incompetent, or the like is almost always counterproductive, because it **provokes** such an emotional reaction that the performance deviation itself is apt to be overlooked. (C) 04
When you receive feedback from colleagues, it is very important to be open to it and to approach it with a growth 05
mindset. (D) When you're criticizing, remember that you're talking about a job-related behavior, not the person.

1 피드백에 대한 글쓴이의 주장으로 가장 적절한 것은?

① 상대방에게 직접 전달하는 것이 바람직하다.
② 상대방의 인격보다는 업무에 초점을 두어야 한다.
③ 긍정적인 평가가 부정적인 것보다 더 많아야 한다.
④ 상대방의 지위와 감정을 고려해야 한다.

2 글의 흐름상 가장 어색한 문장은?

① (A) ② (B)
③ (C) ④ (D)

3 밑줄 친 부분의 의미와 가장 가까운 것은?

① relieves
② induces
③ prevents
④ heightens

022 구문분석 & 문장분석

01
Feedback, (particularly the negative kind), /
피드백, (특히 부정적 종류의 피드백은) /

should be descriptive /
서술적이어야 한다 /

rather than judgmental or evaluative.
판단하거나 평가적이기보다는 오히려.

02
No matter how upset you are, //
당신이 아무리 화가 나더라도, //

keep the feedback job-related /
피드백은 업무와 관련시켜라 /

and never criticize someone personally /
그리고 절대 누군가를 인간적으로 비난하지는 마라 /

because of an inappropriate action.
부적절한 행동 때문에.

03
Telling people //
사람들에게 말하는 것은 //

they're stupid, incompetent, or the like /
그들이 멍청하다, 무능하다, 또는 그와 유사한 것들을 /

is almost always counterproductive, //
거의 항상 역효과를 초래한다 //

because it provokes such an emotional reaction //
왜냐하면 그것이 매우 감정적인 반응을 유발해서

that the performance deviation itself is apt to be overlooked.
업무수행의 문제점 자체가 간과되도록 하기 때문이다.

04
When you receive feedback from colleagues, //
당신이 동료로부터 피드백을 받을 때, //

It is very important / to be open to it /
매우 중요하다 / 이를 열린 마음으로 듣는 것이 /

and to approach it with a growth mindset.
그리고 성장하려는 마음가짐으로 그것에 접근하는 것이.

05
When you're criticizing, // remember //
당신이 비난하고 있을 때는, // 기억하라 //

that you're talking a job-related behavior, /
업무 관련 행동에 관해 이야기하고 있는 것임을, /

not the person.
그 사람이 아니라.

해설

1 첫 번째 문장에서 글의 Topic인 Feedback을 제시한 후, 두 번째 문장에서 글쓴이가 주장하는 바를 명확하게 전달하고 있으므로 두 번째 문장이 주제문이다. 두 번째 문장에서 글쓴이는 '피드백은 업무와 관련시켜야 한다'고 설명한다. 그 이후에 잘못된 피드백의 예시를 통해 주제문을 좀 더 뒷받침하는 부연 설명을 제시한 후, 마지막 문장에서 반복을 통해 주제문을 강조하고 있다. 따라서 글쓴이의 주장으로 가장 적절한 것은 ② '상대방의 인격보다는 업무에 초점을 두어야 한다.'이다.

2 직장에서 피드백을 줄 경우에 기억해야 할 점을 알려주고 있는 글이다. 특히 부정적인 피드백을 줄 경우, 그것이 개인적인 내용이 되지 않도록 해야 하며, 반드시 업무와 관련된 부분에 관해서 이야기하도록 주의하라는 내용이다. 그러나 (C)의 경우 피드백을 상대방에게 줄 경우가 아니라 동료로부터 자신에 관한 피드백을 들었을 경우의 마음가짐에 대해 이야기하고 있다. 따라서 문맥상 어색한 문장은 ③ (C)이다.

전문해석

피드백, 특히 부정적 종류의 피드백은 판단하거나 평가적이기보다는 오히려 서술적이어야 한다. 당신이 아무리 화가 나더라도 피드백은 업무와 관련시키고, 부적절한 행동 때문에 절대 누군가를 인간적으로 비난하지 마라. 사람들에게 그들이 멍청하다, 무능하다, 또는 그와 유사한 것들을 말하는 것은 거의 항상 역효과를 초래하는데, 왜냐하면 그것이 매우 감정적인 반응을 유발해서 업무수행의 문제점 자체가 간과되도록 하기 때문이다. 당신이 비난하고 있을 때는, 그 사람이 아니라 업무 관련 행동에 관해 이야기하고 있는 것임을 기억하라.

어휘

- descriptive 서술적인
- evaluative 평가하는
- inappropriate 부적절한
- or the like 또는 그 밖에 유사한 것
- counterproductive 역효과를 낳는
- emotional 감정적인
- deviation 일탈
- overlook 무시하다
- relieve 완화하다
- prevent 막다
- judgmental 판단의
- personally 인간적인
- incompetent 무능한
- provoke 유발하다
- performance 업무수행
- be apt to ~하기 쉽다
- mindset 마음가짐
- induce 유발하다
- heighten 고조시키다

정답 1 ② 2 ③ 3 ②

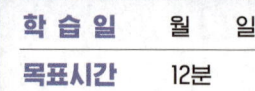

023 각 문장을 끊어 읽고 해석한 후 제시된 문제에 답하시오.

01
The sources of this economic paralysis are somewhat
02
different in the two countries. (A) In Japan, a combination of highly constraining social patterns, consensus-based decision making and an ossified political process have suppressed new ideas and made
03
the country resistant to change. (B) In the U.S., there is no shortage of fresh thinking, debate and outrage — the paralysis is caused by a _____ of consensus
04
on how problems should be tackled. (C) In a rich nation like the U.S., it's easy to be fooled into thinking there's
05
always more time for problems to get solved. (D) The Japanese are wealthy enough that they don't suffer too much from the **prolonged** period of stunted growth.

1 빈칸에 들어갈 말로 가장 적절한 것은?
① number ② variety
③ lack ④ ground

2 다음 문장이 들어갈 위치로 가장 적절한 것은?

| So it has been in Japan. |

① (A) ② (B)
③ (C) ④ (D)

3 밑줄 친 부분의 의미와 가장 가까운 것은?
① instant
② lengthy
③ noticeable
④ proper

문장 분석 및 해설

023 구문분석 & 문장분석

01
The sources (of this economic paralysis) /
(경제 마비의) 원인은 /

are somewhat different / in the two countries.
다소 다르다 / 두 나라에서.

02
In Japan, / a combination (of highly constraining social patterns), consensus-based decision making /
일본에서는 / (고도로 제한적인 사회적 패턴의) 결합, 합의에 기반한 의사결정 /

and an ossified political process /
그리고 경직된 정치적 절차가 /

have suppressed new ideas //
새로운 아이디어를 억압하고 //

and made the country resistant to change.
국가가 변화에 저항하도록 만들어 왔다.

03
In the U.S., / there is no shortage (of fresh thinking, debate and outrage) //
미국에서는, / (새로운 아이디어, 토론, 그리고 격분에는) 부족함이 없다 //

— the paralysis is caused /
— 마비는 유발된다 /

by a lack (of consensus (on how problems should be tackled)).
((문제가 어떻게 다루어져야 하는지에 대한) 합의의) 부족에 의해.

04
In a rich nation (like the U.S.), /
(미국과 같이) 부유한 나라에서, /

it's easy to be fooled into thinking //
생각하도록 속기 쉽다 //

there's always more time (for problems to get solved).
(문제들이 해결되는 데는) 시간은 항상 더 있다고.

삽입 문장
So it has been in Japan.
일본에서도 그래 왔다.

05
The Japanese are wealthy enough //
일본인들은 충분히 부유하다 //

that they don't suffer too much /
너무 많은 고통을 겪지 않을 만큼 /

from the prolonged period of stunted growth.
장기 간의 억제된 성장으로.

[해석]
1 ① 많은　② 다양한　④ 배경

[해설]

1 첫 문장에서 일본과 미국의 경제 마비의 이유가 다르다고 설명한 뒤, 일본은 제한적 패턴과 합의에 기반한 의사결정을 강조하고 새로운 아이디어를 억제했다고 말한다. 빈칸은 미국에 대한 설명인데, 일본과 달라야 하므로 미국이 새로운 아이디어에 부족함이 없는 반면 합의가 '부족'하다는 내용이 되는 것이 논리적으로 타당하다. 따라서 빈칸에는 부족을 의미하는 ③ lack이 들어가야 한다.

2 주어진 문장에서는 일본도 마찬가지라고 했으므로 이 앞에는 일본과 같은 미국의 상황이 제시되어야 한다. (D) 앞에서 미국은 부유한 나라라서 늘 문제 해결 시간이 많다는 잘못된 생각을 하기 쉽다고 했고 (D) 뒤에서 일본 역시 부유해서 장기간의 경제 마비에 크게 고통받지 않았다고 했으므로 주어진 문장은 ④ (D)에 들어가는 것이 적절하다.

[전문해석]
경제 마비의 원인은 두 나라에서 다소 다르다. 일본에서는, 고도로 제한적인 사회적 패턴의 결합, 합의에 기반한 의사결정, 그리고 경직된 정치적 절차가 새로운 아이디어를 억압하고 국가가 변화에 저항하도록 만들어왔다. 미국에서는, 새로운 아이디어, 토론, 그리고 격분에는 부족함이 없다 — 마비는 문제가 어떻게 다루어져야 하는지에 대한 합의의 부족에 의해 유발된다. 미국과 같이 부유한 나라에서, 문제들이 해결되는 데는 시간은 항상 더 있다고 생각하도록 속기 쉽다. 일본에서도 그래 왔다. 일본인들은 장기간의 억제된 성장으로 너무 많은 고통을 겪지 않을 만큼 충분히 부유하다.

[어휘]
- paralysis 마비
- combination 결합
- consensus 합의
- suppress 억압하다
- outrage 격분
- prolong 장기화하다
- somewhat 다소
- constrain 제한하다
- ossify 경화시키다
- resistant 저항하는
- tackle 다루다
- stunted growth 억제된 성장

정답 1 ③ 2 ④ 3 ②

024 다음 글을 읽고 물음에 답하시오.

(A)

California State University, Channel Islands (CI)

Just 10 minutes from the beach and downtown Camarillo, the CI campus provides what you need in your educational endeavors.

- CI offers walking tours of the campus led by a student guide.
- The tour lasts approximately 1 hour.
- Reservations are strongly recommended.

WEEKDAY TOURS

- Tours are offered Monday through Friday at 11:30 a.m.
- Tours begin in Sage Hall.

SATURDAY TOURS

- Saturday tours are available only on the first Saturday of each month and begin at 11:00 a.m.
- Tours begin in the enrollment center located in Malibu Hall.

PARKING

- Free parking permits will be provided only to those who have registered in advance.
- If you do not have a permit, you will be required to pay the $6 daily parking fee.

---

1 (A)에 들어갈 제목으로 가장 알맞은 것은?

① Campus Tour Volunteering
② Campus Tour in CI
③ Admission Guide to CI
④ Campus Jobs for College Students

2 글의 내용과 일치하지 않는 것은?

① 학생 가이드가 안내한다.
② 전체 소요 시간은 1시간 정도이다.
③ 평일 투어는 Sage Hall에서 시작한다.
④ 매주 토요일마다 오전 11시에 출발한다.

025 Free Cultural Passes에 관한 다음 글의 내용과 일치하지 않는 것은?

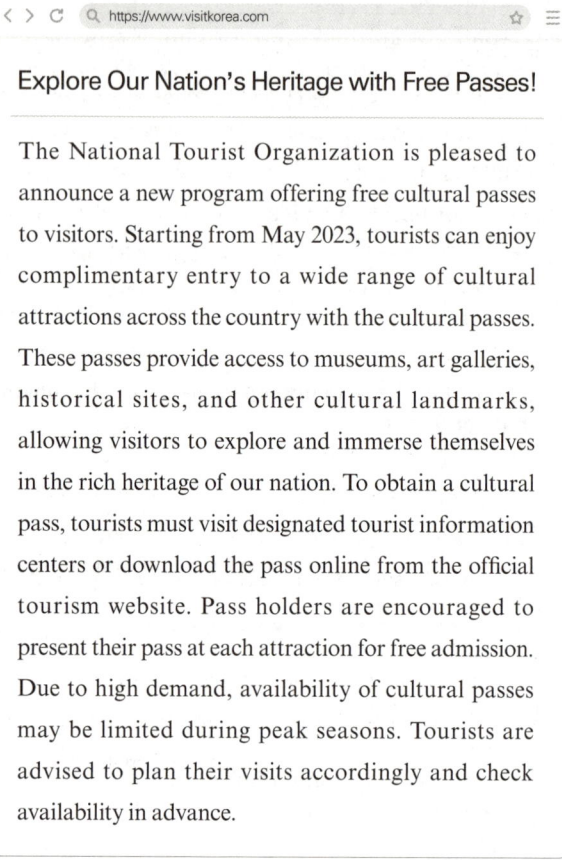

Explore Our Nation's Heritage with Free Passes!

The National Tourist Organization is pleased to announce a new program offering free cultural passes to visitors. Starting from May 2023, tourists can enjoy complimentary entry to a wide range of cultural attractions across the country with the cultural passes. These passes provide access to museums, art galleries, historical sites, and other cultural landmarks, allowing visitors to explore and immerse themselves in the rich heritage of our nation. To obtain a cultural pass, tourists must visit designated tourist information centers or download the pass online from the official tourism website. Pass holders are encouraged to present their pass at each attraction for free admission. Due to high demand, availability of cultural passes may be limited during peak seasons. Tourists are advised to plan their visits accordingly and check availability in advance.

① The cultural passes are available indefinitely without any restrictions.
② Tourists can access a variety of cultural attractions with the cultural pass.
③ Cultural passes can be obtained at tourist information centers or online.
④ Presentation of the cultural pass grants free entry to participating attractions.

024

해석

> (A) CI 캠퍼스 투어
>
> 캘리포니아 주립 대학교, 채널 아일랜즈(CI)
> 해변과 카마릴로 도심에서 단 10분 거리에 있는 CI 캠퍼스는 여러분의 교육적 노력을 하는 데 필요한 모든 것을 제공합니다.
> - CI는 학생 가이드가 인솔하는 캠퍼스 도보 투어를 제공합니다.
> - 투어는 약 1시간 동안 진행됩니다.
> - 예약을 강력히 권장합니다.
>
> **평일 투어**
> - 투어는 월요일부터 금요일까지 오전 11시 30분에 제공됩니다.
> - 투어는 세이지 홀에서 시작합니다.
>
> **토요일 투어**
> - 토요일 투어는 매달 첫 번째 토요일에만 가능하며 오전 11시에 시작합니다.
> - 투어는 말리부 홀에 위치한 등록 센터에서 시작합니다.
>
> **주차**
> - 사전에 등록한 사람들에게만 무료 주차 허가증이 제공됩니다.
> - 허가증이 없는 경우, $6의 일일 주차 요금을 지불해야 합니다.

1 ① 캠퍼스 투어 자원봉사
   ③ CI 입학 안내
   ④ 대학생을 위한 교내 일자리

해설

1 캠퍼스 투어에 대해서 설명하는 글이다. 자원봉사에 관한 내용이 아니라 투어를 안내하고 있는 글이므로 정답은 ② 'CI 캠퍼스 투어'이다.

2 ④ 토요일 투어는 매달 첫 번째 토요일에만 가능하다고 했으므로 글의 내용과 일치하지 않는다.
   ① 학생 가이드가 인솔하는 캠퍼스 도보 투어를 제공한다고 했으므로 글의 내용과 일치한다.
   ② 투어는 약 1시간 동안 진행된다고 했으므로 글의 내용과 일치한다.
   ③ 평일 투어는 세이지 홀에서 시작한다고 했으므로 글의 내용과 일치한다.

어휘

- downtown 도심
- approximately 대략적으로
- enrollment 등록
- register 등록하다
- be required to ~해야만 하다
- endeavor 노력
- recommend 추천하다
- permit 허가증
- in advance 미리

정답 1 ② 2 ④

025

해석

> **무료 입장권으로 우리나라의 유산을 탐험하세요!**
>
> 국립 관광 기구는 방문객들에게 무료 문화 입장권을 제공하는 새로운 프로그램을 발표하게 되어 기쁩니다. 2023년 5월부터 시작하여, 관광객들은 문화 입장권으로 전국의 다양한 문화명소에 무료로 입장할 수 있습니다. 이 입장권은 박물관, 미술관, 역사적인 장소 및 기타 문화 유명장소에 대한 접근을 제공하여 방문객들이 우리나라의 풍부한 유산을 탐험하고 몰입할 수 있도록 합니다. 문화 입장권을 받으려면 관광객들은 지정된 관광 안내 센터를 방문하거나 공식 관광 웹사이트에서 온라인으로 다운로드해야 합니다. 입장권 소지자는 각 명소에서 무료입장을 위해 입장권을 제시해야 합니다. 높은 수요로 인해 성수기에는 문화 입장권의 이용 가능 여부가 제한될 수 있습니다. 관광객들은 이에 따라 방문 계획을 적절히 세우고 사전에 이용 가능 여부를 확인하는 것이 권고됩니다.

① 문화 입장권은 무제한으로 제공되며 아무런 제한이 없다.
② 관광객은 문화 입장권을 사용하여 다양한 문화명소에 접근할 수 있다.
③ 문화 입장권은 관광 안내 센터나 온라인에서 받을 수 있다.
④ 문화 입장권을 제시하면 참여하는 명소에 무료로 입장할 수 있다.

해설

① 여섯 번째 문장에서 높은 수요로 인해 성수기에는 문화 입장권의 이용 가능 여부가 제한될 수 있다고 했으므로 글의 내용과 일치하지 않는다.
② 두 번째 문장에서 관광객은 문화 입장권을 사용하여 다양한 문화명소에 무료로 접근할 수 있다고 했으므로 글의 내용과 일치한다.
③ 네 번째 문장에서 지정된 관광 안내 센터를 방문하거나 공식 관광 웹사이트에서 온라인으로 다운로드하여 문화 입장권을 받을 수 있다고 했으므로 글의 내용과 일치한다.
④ 다섯 번째 문장에서 입장권 소지자는 각 명소에서 무료입장을 위해 입장권을 제시해야 한다고 했으므로 글의 내용과 일치한다.

어휘

- organization 기구
- entry 입장
- attraction 명소
- immerse 몰입시키다
- designate 지정하다
- indefinitely 무기한으로
- grant 주다
- complimentary 무료의
- a wide range of 다양한
- landmark 유명장소
- heritage 유산
- admission 입장
- restriction 제한

정답 ①

026 각 문장을 끊어 읽고 해석한 후 제시된 문제에 답하시오.

⁰¹ There is a widely held notion that does plenty of damage, the notion of 'scientifically proved', but in fact it is nearly an oxymoron. ⁰² The very foundation of science is maintaining a willingness to doubt and **consistently** questioning our own assumptions, which allow for the continual improvement of our understanding. ⁰³ Therefore a good scientist is 'never sure of anything.' ⁰⁴ Lack of certainty is precisely what makes conclusions more reliable than the conclusions of those who are certain, because the good scientist will be ready to shift to a different point of view if better evidence or novel arguments emerge. ⁰⁵ Therefore _____ is not only something useless but is also even damaging, if we value reliability.

1 글의 요지로 가장 적절한 것은?
① Reliability values knowledge.
② Scientific confidence is of no use.
③ Changeable conclusions are infinite.
④ Questioning worsens theoretical validity.

2 빈칸에 들어갈 말로 가장 적절한 것은?
① science   ② assumption
③ certainty   ④ doubt

3 밑줄 친 부분의 의미와 가장 가까운 것은?
① continually
② unexpectedly
③ strictly
④ positively

026 구문분석 & 문장분석

01
There is a widely held notion (that does plenty of damage), (the notion of 'scientifically proved'), //
('과학적으로 증명된' 개념이라는) (많은 해를 끼치는) 널리 수용되는 개념이 있다 //

but (in fact) it is nearly an oxymoron.
그러나 (사실상) 이는 거의 모순이라 할 수 있다.

02
The very foundation (of science) /
(과학의) 진정한 기반은 /

is maintaining a willingness to doubt /
기꺼이 의심하는 것이다, /

and consistently questioning our own assumptions, /
그리고 우리의 가정에 대해 계속해서 질문을 던지는 것이다, /

which allow for the continual improvement (of our understanding).
이는 (우리의 이해가) 계속 향상되도록 해 준다.

03
Therefore / a good scientist is 'never sure of anything.'
따라서 / 훌륭한 과학자는 '절대 어떤 것도 확신하지 않는다.'

04
Lack (of certainty) is //
(확실성의) 결여는 //

precisely what makes conclusions more reliable /
바로 결론을 더 믿을 수 있게 만들어주는 것이다 /

than the conclusions (of those (who are certain)), //
((확신에 찬) 사람들의) 결론보다, //

because the good scientist will be ready to shift /
왜냐하면 훌륭한 과학자는 옮겨갈 준비가 되어 있기 때문에 /

to a different point of view //
바로 다른 관점으로 //

if better evidence or novel arguments emerge.
더 좋은 증거나 새로운 주장이 등장하면.

05
Therefore / certainty is not only something useless //
따라서 / 확실성은 쓸모가 없을 뿐 아니라, //

but is also even damaging, // if we value reliability.
심지어 해롭다, // 우리가 신뢰성을 가치 있게 여긴다면.

해석

1 ① 신뢰성은 지식에 가치를 둔다.
② 과학적 확신은 쓸모가 없다.
③ 변화 가능한 결론은 무한하다.
④ 의문은 이론적 타당성을 악화시킨다.

2 ① 과학   ② 가정   ④ 의심

해설

1 일반적 진술에 대한 반박으로 도입부가 시작된 후 이어지는 두 번째 문장이 주제문으로 명확하게 글쓴이의 주장을 펼친 후, 이에 대한 부연 설명이 이어지는 유형의 글이다. 도입부에서 언제나 수용되는 확실한 개념은 사실상 모순이라고 한 뒤, 두 번째 문장에서 과학의 기반은 의심하고 질문을 던지는 것이라고 주장하고, 이후에 이를 뒷받침하는 부연 설명이 이어진다. 훌륭한 과학자란 어떤 것도 확신하지 않는 사람이라고 말하며 이러한 확실성이 부족한 것이야말로 과학을 더 믿을 만하게 만들어 주는 것이라고 주장한다. 이처럼 글의 전반에 걸쳐 과학적으로 절대적인 확신이란 있을 수 없다고 설명하고 있으므로 이 글의 요지로 가장 적절한 것은 ② '과학적 확신은 쓸모가 없다.'이다.

2 두 번째 문장에서 과학의 기반은 '계속 의심하는 것'이라고 설명한다. 따라서 훌륭한 과학자는 어떤 것도 확신하지 않는다고 이야기하며 확실성의 결여가 오히려 결론을 더욱 믿을 만하게 만들어 준다는 것이다. 빈칸에 들어간 것이 쓸모가 없을 뿐 아니라 해가 되기조차 한다고 설명하였으므로 빈칸에는 ③ '확실성'이 오는 것이 가장 적합하다.

전문해석

'과학적으로 증명된' 개념이라는 많은 해를 끼치는 보편적으로 수용되는 개념이 있으나, 사실상 이는 거의 모순이라 할 수 있다. 과학의 진정한 기반은 기꺼이 의심하고, 우리의 가정에 대해 계속해서 질문을 던지는 것이며, 이는 우리의 이해가 계속 향상되도록 해 준다. 따라서 훌륭한 과학자는 '절대 어떤 것도 확신하지 않는다.' 훌륭한 과학자는 더 좋은 증거나 새로운 주장이 등장하면 바로 다른 관점으로 옮겨갈 준비가 되어 있기 때문에 확실성의 결여는 바로 확신에 찬 사람들의 결론보다 결론을 더 믿을 수 있게 만들어 주는 것이다. 따라서 우리가 신뢰성을 가치 있게 여긴다면, <u>확실성</u>은 쓸모가 없을 뿐 아니라 심지어 해롭다.

어휘

- widely held 널리 수용되는
- notion 개념
- oxymoron 모순어법
- foundation 근본
- maintain 유지하다
- willingness 기꺼이 하는 마음
- consistently 계속해서
- assumption 가정
- precisely 바로
- reliable 믿을 수 있는
- shift 변화하다
- point of view 관점
- emerge 나타나다
- confidence 확신
- of no use 쓸모없는
- infinite 무한한
- theoretical 이론적인
- validity 타당성
- strictly 엄격하게
- positively 긍정적으로

정답 1 ② 2 ③ 3 ①

027 각 문장을 끊어 읽고 해석한 후 제시된 문제에 답하시오.

01
Not even their bedrooms were private.

02
The greater our desire for privacy got, the more **prevalent**
03
the individualism became. (A) In the seventeenth century middle-class families were served by servants listening to their conversations as they ate and lived in rooms leading one to another through wide double doors. (B)
04
_____ ⓐ _____, in the eighteenth century families began to eat alone, preferring to serve themselves than to have servants listening to everything they had to say. (C)
05
_____ ⓑ _____, they rebuilt the insides of their homes, putting in corridors, so that every person in the family had their own private bedroom. (D)

1 주어진 문장이 들어갈 위치로 가장 적절한 곳은?
① (A) ② (B)
③ (C) ④ (D)

2 ⓐ, ⓑ에 들어갈 말로 가장 적절한 것은?

	ⓐ	ⓑ
①	For instance	Indeed
②	Yet	Similarly
③	In fact	By contrast
④	However	Besides

3 밑줄 친 부분의 의미와 가장 가까운 것은?
① proficient
② widespread
③ convinced
④ isolated

027 구문분석 & 문장분석

01
Not even their bedrooms were private.
심지어 그들의 침실들조차 사적이지 않았다.

02
The greater / our desire for privacy got, //
더 커질수록 / 사생활에 대한 우리의 욕망이, //
the more prevalent / the individualism became.
더 널리 퍼졌다 / 개인주의가.

03
In the seventeenth century /
17세기에 /
middle-class families were served /
중산층 가정들은 시중을 받았다 /
by servants (listening to their conversation // as they ate) //
(그들의 대화를 듣는 // 그들이 먹을 때) 하인들에게 //
and lived in rooms (leading one to another / through wide double doors).
그리고 (한 방에서 다른 방으로 이어지는 / 양쪽으로 열리는 넓은 문을 통해) 방들에 살았다.

04
However, / in the eighteenth century /
그러나, / 18세기에 /
families began to eat alone, //
가정들은 다른 사람 없이 식사하기 시작했다, //
preferring to serve themselves /
그들 스스로 돌보는 것을 선호했다 /
than to have servants listening to everything (they had to say).
하인들이 (그들이 말해야 한) 모든 것을 듣게 하기보다.

05
Besides, / they rebuilt the insides of their homes, //
게다가, / 그들은 자신들의 집 내부를 다시 지었다, //
putting in corridors, //
복도를 만들었다, //
so that every person in the family /
그래서 가족의 모든 구성원들이 /
had their own private bedroom.
그들 자신의 사적인 침실을 갖게 되었다.

해설

1 주어진 문장은 침실조차 개인적이지 않았다는 내용이므로 이 앞에는 개인적이지 않았던 다른 것에 대한 언급이 나와야 한다. (B) 앞에서는 하인들이 식사 시간에 그들의 대화를 엿들었고 방들이 서로 연결되어 있었다고 했고 (B) 뒤에서는 개인적인 것을 선호하는 새로운 성향에 대한 진술이 이어진다. 따라서 개인적이지 않았다는 내용의 주어진 문장은 (B)에 들어가는 것이 가장 적절하다.

2 ⓐ 앞에서는 개인적이지 않은 성향을, ⓐ 뒤에서는 개인적인 성향을 설명하고 있으므로 ⓐ에는 역접을 의미하는 Yet이나 However가 들어가는 것이 적절하다. ⓑ의 앞뒤에는 모두 개인적인 성향에 대한 설명이 계속되므로 ⓑ에는 부가, 첨가를 의미하는 Besides가 들어가는 것이 가장 적절하다. 따라서 두 가지를 모두 충족하는 ④가 정답이다.

전문해석

사생활에 대한 우리의 욕망이 더 커질수록 개인주의가 더 널리 퍼졌다. 17세기에 중산층 가정들은 그들이 먹을 때 그들의 대화를 듣는 하인들에게 시중을 받았고 양쪽으로 열리는 넓은 문을 통해 한 방에서 다른 방으로 이어지는 방들에 살았다. 심지어 그들의 침실들조차 사적이지 않았다. 그러나 18세기에 가정들은 그들이 말해야 한 모든 것을 하인들이 듣게 하기보다 그들 스스로 돌보는 것을 선호했기 때문에 다른 사람 없이 식사하기 시작했다. 게다가, 그들은 자신들의 집 내부를 다시 짓고 복도를 만들어서, 가족의 모든 구성원들이 그들 자신의 사적인 침실을 갖게 되었다.

어휘

- prevalent 널리 퍼진
- individualism 개인주의
- alone 다른 사람 없이
- prefer 선호하다
- rebuild 다시 짓다
- corridor 복도
- proficient 능숙한
- widespread 널리 퍼진
- convinced 확신하는
- isolated 고립된

정답 1 ② 2 ④ 3 ②

028 New Attendance Tracking System에 관한 다음 글의 내용과 일치하지 않는 것은?

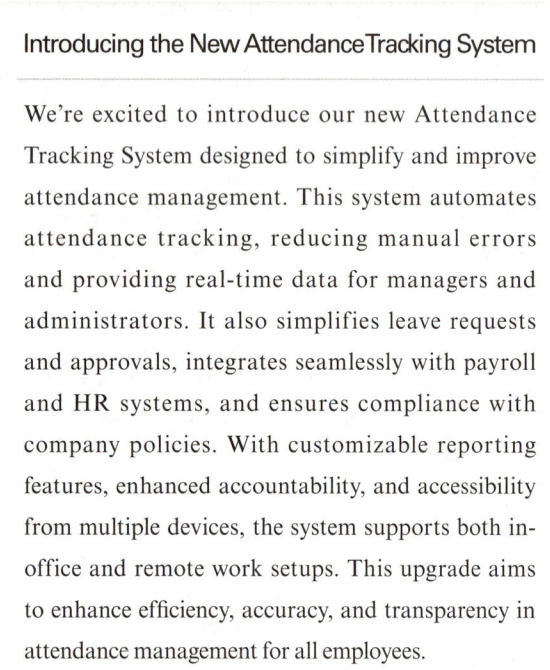

Introducing the New Attendance Tracking System

We're excited to introduce our new Attendance Tracking System designed to simplify and improve attendance management. This system automates attendance tracking, reducing manual errors and providing real-time data for managers and administrators. It also simplifies leave requests and approvals, integrates seamlessly with payroll and HR systems, and ensures compliance with company policies. With customizable reporting features, enhanced accountability, and accessibility from multiple devices, the system supports both in-office and remote work setups. This upgrade aims to enhance efficiency, accuracy, and transparency in attendance management for all employees.

① Real-time updates are provided to managers and administrators.
② Leave requests and approvals are streamlined.
③ It can be accessed across various devices with ease.
④ It is available only for in-office employees, not remote workers.

029 다음 글의 목적으로 가장 적절한 것은?

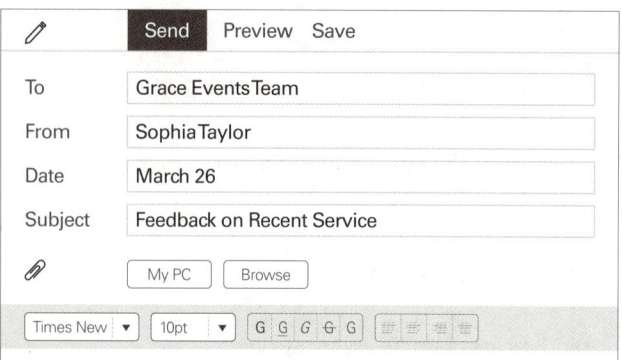

Dear Grace Events Team,

I hope this message finds you well. My name is Sophia Taylor, and I hired your services for the recent corporate event. I am writing to express my dissatisfaction with several aspects of the service provided.

The decorations did not match what we agreed upon during our consultation. The theme and colors were not as discussed, which was disappointing. Additionally, the catering service was not up to expectations. The food arrived late and did not meet our agreed menu expectations. Lastly, the entertainer arrived late and was unprepared, causing disruption and disappointment.

Given these issues, I believe a refund or compensation is appropriate. I look forward to your prompt response to resolve this matter.

Sincerely,
Sophia Taylor

① to request a refund or compensation for the event team's services
② to provide positive feedback on the event decorations
③ to check the details of the planned event
④ to ask for guidance on the latest service from the event team

028

해석

새로운 출석 추적 시스템 소개

저희는 출석 관리의 간소화 및 개선을 위해 설계된 새로운 출석 추적 시스템을 소개하게 되어 기쁩니다. 이 시스템은 출석 추적을 자동화하여 수작업 오류를 줄이고 관리자 및 행정 담당자를 위한 실시간 데이터를 제공한다. 또한 휴가 요청 및 승인을 간소화하고, 급여 및 인사 시스템과 원활하게 통합되며, 회사 정책 준수를 보장합니다. 맞춤형 보고 기능, 향상된 책임성, 다양한 기기에서의 접근성을 갖춘 이 시스템은 사무실 내 근무와 원격 근무 상황을 모두 지원합니다. 이번 업그레이드는 전 직원의 출석 관리의 효율성, 정확성, 투명성을 향상시키는 것을 목표로 하고 있습니다.

① 실시간 업데이트가 관리자와 행정 담당자에게 제공된다.
② 휴가 요청과 승인이 간소화된다.
③ 다양한 장치에서 쉽게 접근할 수 있다.
④ 사무실 근무자만을 대상으로 하며 원격 근무자에게는 해당되지 않는다.

해설

④ 네 번째 문장에서 사무실 내 근무와 원격 근무를 모두 지원한다고 했으므로 글의 내용과 일치하지 않는다.
① 두 번째 문장에서 이 시스템은 관리자 및 행정 담당자를 위한 실시간 데이터를 제공한다고 했으므로 글의 내용과 일치한다.
② 세 번째 문장에서 휴가 요청 및 승인을 간소화했다고 했으므로 글의 내용과 일치한다.
③ 네 번째 문장에서 다양한 기기에서의 접근성을 갖추었다고 했으므로 글의 내용과 일치한다.

어휘

- simplify 간소화하다
- manual 수기의
- leave 휴가
- approval 승인
- seamlessly 원활하게
- compliance 준수
- enhance 강화하다
- transparency 투명성
- automate 자동화하다
- administrator 행정담당자
- request 요청
- integrate 통합하다
- payroll 보수
- customizable 맞춤화할 수 있는
- accountability 책임성
- streamline 간소화하다

정답 ④

029

해석

수신: 그레이스 행사 팀
발신: Sophia Taylor
날짜: 3월 26일
제목: 최근 서비스에 대한 피드백

그레이스 행사 팀께,

안녕하세요. 제 이름은 Sophia Taylor이며, 최근 회사 행사에 귀사의 서비스를 이용했습니다. 제공된 서비스의 몇 가지 측면에 대해 불만을 표명하고자 글을 드립니다.

장식이 저희가 상담 시 합의한 내용과 일치하지 않았습니다. 주제와 색상이 논의된 것과 달랐고, 이 점이 실망스러웠습니다. 또한, 케이터링 서비스의 질이 기대에 미치지 못했습니다. 음식이 늦게 도착했고, 합의된 메뉴에 대한 기대에 미치지 못했습니다. 마지막으로, 연예인이 늦게 도착하고 준비가 부족하여 혼란과 실망을 초래했습니다.

이러한 문제들을 고려할 때, 환불이나 보상이 적절하다고 생각합니다. 이 문제를 해결하기 위해 신속한 답변을 기다리겠습니다.

감사합니다,
Sophia Taylor

① 행사 팀의 서비스에 대해 환불 또는 보상을 요구하려고
② 행사 장식에 대해 긍정적인 피드백을 제공하려고
③ 예정된 행사의 세부 계획을 확인하려고
④ 행사 팀의 최신 서비스에 대한 안내를 요청하려고

해설

이메일의 세 번째 문장에서 제공된 서비스의 몇 가지 측면에 대해 불만을 표명하고자 한다고 하며 이메일의 목적을 제시하고 있다. 이후 마지막 문장에서 이 문제에 대한 환불이나 보상이 적절하다고 결론짓는다. 따라서 정답은 ① '행사 팀의 서비스에 대해 환불 또는 보상을 요구하려고'이다.

어휘

- corporate 회사의
- aspect 측면
- be not up to ~에 미치지 못하다
- compensation 보상
- prompt 즉각적인
- dissatisfaction 불만족
- consultation 상담
- disruption 혼란
- appropriate 적절한
- resolve 해결하다

정답 ①

030 Kiln & Wheel Pottery Studio Class에 관한 글의 내용과 일치하지 않는 것은?

Kiln & Wheel Pottery Studio Class

Welcome! Our pottery workshop offers you the opportunity to experience various pottery techniques under the guidance of expert instructors.

Program Highlights:
- Learn basic pottery modeling skills
- Master pottery wheel techniques
- Explore various decoration and glazing methods

Location: Pottery Village Workshop, 100 Arts Road
Class Times: Every Monday and Wednesday, 10:00 AM - 12:00 PM
Audience: Open to children and adults of all skill levels
Registration & Inquiries:
- Phone: 010-1234-5678
- Email: kilnandwheel@pottery.com

Notes:
- Materials are included in the class fee.
- Cancellations are accepted up to 48 hours before the class.

Join us at the pottery workshop for a creative and enjoyable experience!

* kiln: 가마

① 도예 물레를 이용한 도예 기술을 배울 수 있다.
② 어린이 대상의 수업이다.
③ 전화와 이메일로 등록할 수 있다.
④ 재료비가 수업료에 포함되어 있다.

DAY 05~06 Exercises

[1~4] 양쪽에 주어진 말의 의미가 일맥상통하도록 선으로 연결하세요.

1 thrifty ○   ① unwilling or unable to adapt to new conditions

2 deviation ○   ② careful about spending money and not wasting things

3 resistant to change ○   ③ departure from a standard or norm

4 a widely held notion ○   ④ a common belief

[5~7] 다음 문장의 끊어 읽기를 참고하여, 빈칸에 알맞은 해석을 쓰세요.

5 No matter how upset you are, / keep the feedback job-related / and never criticize someone personally / because of an inappropriate action.

당신이 아무리 화가 나더라도 / _____, / 그리고 절대 누군가를 인간적으로 비난하지 마라 / 부적절한 행동 때문에.

6 Due to high demand, / availability of cultural passes / may be limited during peak seasons.

높은 수요로 인해 / _____ / 성수기에는 제한될 수 있다.

7 The theme and colors were not as discussed, / which was disappointing.

_____, / 그리고 이 점이 실망스러웠습니다.

정답 1 ② 2 ③ 3 ① 4 ④ 5 피드백은 업무와 관련시켜라 6 문화 입장권의 이용 가능 여부가 7 주제와 색상이 논의된 것과 달랐다

031 각 문장을 끊어 읽고 해석한 후 제시된 문제에 답하시오.

01
The immediate effect of the printing press was to
02
multiply the output and cut the costs of books. It thus made information available to a much larger segment of the population who were eager for information of any
03
variety. Libraries could now store greater quantities of
04
information at much lower cost. Printing also facilitated the dissemination and preservation of knowledge in standardized form — this was most important in the
05
advance of science, technology and scholarship. The printing press certainly initiated an 'information revolution' **on par with** the Internet today by spreading new ideas quickly and with greater impact.

1 글의 주제로 가장 적절한 것은?

① the role of the Internet on information revolution
② the storage of a large quantity of information
③ the relationship between printing and the Internet
④ the contribution of printing press to information revolution

2 글의 내용과 일치하지 않는 것은?

① The printing press greatly increased book production and reduced costs.
② Printing accelerates spreading and preserving knowledge in standardized form.
③ The printing press hindered the advancement of science and scholarship.
④ Printing allowed for the spread of new ideas with greater speed and impact.

3 밑줄 친 부분의 의미와 가장 가까운 것은?

① contrast to
② comparable to
③ fuelled by
④ connected with

031 구문분석 & 문장분석

01
The immediate effect of the printing press /
인쇄기의 즉각적인 효과는 /

was to multiply the output and cut the costs (of books).
(책의) 생산량을 증대시키고 비용을 절감시킨 것이었다.

02
It (thus) made information available /
(따라서) 그것(인쇄기)은 정보를 이용 가능하게 만들었다 /

to a much larger segment of the population
인구의 훨씬 더 많은 계층에게

(who were eager for information of any variety).
(어떤 다양한 정보를 갈구했던).

03
Libraries could now store greater quantities of information /
도서관들은 이제 더 많은 양의 정보를 저장할 수 있다 /

at much lower cost.
훨씬 낮은 비용으로.

04
Printing also facilitated /
인쇄술은 또한 용이하게 했다 /

the dissemination and preservation of knowledge /
지식의 보급과 보존을 /

in standardized form // — this was most important /
표준화된 형태로 // — 이것은 가장 중요했다 /

in the advance of science, technology and scholarship.
과학 기술, 학문의 발전에 있어.

05
The printing press certainly initiated /
인쇄기는 분명히 일으켰다 /

an 'information revolution' /
'정보 혁명'을 /

on par with the Internet today /
오늘날의 인터넷과 동등하게 /

by spreading new ideas quickly and with greater impact.
빨리 그리고 더 강력한 효과를 가지고 새로운 사상을 퍼뜨림으로써.

해석

1 ① 정보 혁명에서 인터넷의 역할
② 많은 양의 정보의 저장
③ 인쇄와 인터넷의 관계
④ 정보 혁명에 대한 인쇄기의 공헌

2 ① 인쇄기는 책의 생산을 크게 증가시켰고 비용을 감소시켰다.
② 인쇄는 규격화된 형태로 지식을 보급하고 보존하는 것을 가속화시켰다.
③ 인쇄기는 과학과 학문의 발전을 방해했다.
④ 인쇄는 더 빠른 속도와 더 큰 영향력을 갖고 새로운 사상이 퍼져나가도록 했다.

해설

1 첫 문장을 통해 이 글의 주요 소재(Topic)가 인쇄기(printing press)임을 쉽게 파악할 수 있다. 이후 인쇄기가 정보의 보급에 끼친 영향들이 순서대로 나열되고 있다. 그리고 이것이 정보 혁명(information revolution)을 이끌게 되었다고 결론 내리고 있다. 따라서 이를 언급한 ④ '정보 혁명에 대한 인쇄기의 공헌'이 글의 주제로 가장 적절하다.

2 ③ 네 번째 문장에서 인쇄술이 지식의 보급과 보존을 용이하게 했으며 이것이 과학, 기술, 학문의 발전에 중요한 역할을 하였다고 했으므로 글의 내용과 일치하지 않는다.
① 첫 번째 문장에서 인쇄기의 즉각적인 효과는 생산량을 증대시키고, 책의 비용을 절감시켰다고 했으므로 글의 내용과 일치한다.
② 세 번째 문장에서 인쇄술은 또한 표준화된 형태로 지식의 보급과 보존을 용이하게 했다고 했으므로 글의 내용과 일치한다.
④ 마지막 문장에서 인쇄기는 빨리 그리고 더 강력한 효과를 가지고서 새로운 사상을 퍼뜨렸다고 했으므로 글의 내용과 일치한다.

전문해석

인쇄기의 즉각적인 효과는 책의 생산량을 증대시키고 비용을 절감시키는 것이었다. 따라서 인쇄기는 어떤 다양한 정보를 갈구했던 인구의 훨씬 더 많은 계층에게 정보를 이용 가능하게 만들었다. 도서관들은 이제 훨씬 낮은 비용으로 더 많은 양의 정보를 저장할 수 있다. 인쇄술은 또한 표준화된 형태로 지식의 보급과 보존을 용이하게 했다 — 이것은 과학, 기술, 학문의 발전에 있어 가장 중요했다. 인쇄기는 빨리 그리고 더 강력한 효과를 가지고서 새로운 사상을 퍼뜨림으로써 오늘날의 인터넷과 동등하게 '정보 혁명'을 일으켰다.

어휘

- immediate 즉각적인
- printing press 인쇄기
- multiply 증가시키다
- segment 부분
- eager 간절한
- facilitate 용이하게 하다
- dissemination 보급
- preservation 보존
- standardized 표준화된
- form 형식
- scholarship 학문
- initiate 개시하다
- on par with ~와 동등하게
- spread 확산시키다
- contribution 공헌
- hinder 방해하다
- contrast to ~와 대조적인
- comparable to ~에 필적할 만한(동등한)
- fuelled by ~에 의해 부채질 된
- connected with ~와 연관된

정답 1 ④ 2 ③ 3 ②

032 각 문장을 끊어 읽고 해석한 후 제시된 문제에 답하시오.

01
ⓐ She recommended better meal planning, more protein and fresh vegetables, and supplements containing B vitamins, magnesium, and F-theanine.

02
Angie was always anxious and impatient, and she often skipped meals, ending up driving through fast-food restaurants to eat just as her blood sugar was crashing.
03
(A) ⓑ She usually felt fuzzy-brained and desperately **drowsy**, and then eventually sought the advice of a physician for her continual fatigue. (B) ⓒ Her response to eating more protein was nothing short of dramatic. (C)
05
Several months later, Angie's sister described her as a new person — ⓓ she slept more soundly and woke up feeling alert and energetic. (D)

1 주어진 문장이 들어갈 위치로 가장 적절한 곳은?
① (A) ② (B)
③ (C) ④ (D)

2 다음 중 지칭하는 바가 다른 하나는?
① ⓐ ② ⓑ
③ ⓒ ④ ⓓ

3 밑줄 친 부분의 의미와 가장 가까운 것은?
① lone ② careful
③ sleepy ④ unaware

032 구문분석 & 문장분석

01
She recommended / better meal planning, /
그녀는 권했다 / 더 나은 식습관과, /

more protein and fresh vegetables, /
더 많은 단백질과 신선한 채소, /

and supplements (containing B vitamins, magnesium, and F-theanine).
그리고 (비타민 B군, 마그네슘, 그리고 F-테아닌을 함유한) 보충제를.

02
Angie was always anxious and impatient, //
Angie는 항상 불안해하고 짜증을 냈다, //

and she often skipped meals, //
그리고 그녀는 자주 끼니를 걸렀다, //

ending up driving through fast-food restaurants /
결국 패스트푸드 음식점으로 차를 몰고 갔다 /

to eat // just as her blood sugar was crashing.
먹기 위해 // 그녀의 혈당이 뚝 떨어질 때.

03
She usually felt fuzzy-brained and desperately drowsy, //
그녀는 종종 머리가 멍하고 몹시 졸리게 느꼈다, //

and then eventually sought the advice of a physician /
그래서 결국 의사의 조언을 구했다 /

for her continual fatigue.
그녀의 지속적인 피로에 대해.

04
Her response (to eating more protein) /
(단백질을 더 많이 먹는 것에 대한) 그녀의 반응은 /

was nothing short of dramatic.
극적인 것이나 다름없었다.

05
Several months later, / Angie's sister described her /
몇 달 후, / Angie의 여동생은 그녀를 묘사했다 /

as a new person // — she slept more soundly //
새사람이라고 // — 그녀는 잠을 더 푹 잤고 //

and woke up feeling alert and energetic.
맑은 정신에 활기차게 일어났다.

해설

1 주어진 문장에는 식단 및 보충제에 관한 조언이 제시되고 있으므로 이 앞에는 그런 조언을 줄 만한 사람에 대한 언급이나 와야 하고, 이 뒤에는 그 조언의 결과가 나올 것으로 예측할 수 있다. (B)의 앞에서 의사를 찾아갔다고 했고, (B)의 뒤에서 조언을 따른 반응이 언급되고 있다. 따라서 주어진 문장이 들어갈 곳으로는 ② (B)가 가장 적절하다.

2 ⓐ는 의사를 가리키는 데 비해 ⓑ, ⓒ, ⓓ는 모두 Angie를 가리킨다.

전문해석

Angie는 항상 불안해하고 짜증을 냈고, 그녀는 자주 끼니를 거르다가 그녀의 혈당이 뚝 떨어질 때 먹기 위해 결국 패스트푸드 음식점으로 차를 몰고 갔다. 그녀는 종종 머리가 멍하고 몹시 졸리게 느껴졌고, 그녀의 지속적인 피로에 대해 결국 의사의 조언을 구했다. <u>그녀는 더 나은 식습관과 더 많은 단백질과 신선한 채소 그리고 비타민 B군, 마그네슘, F-테아닌을 함유한 보충제를 권했다.</u> 단백질을 더 많이 먹는 것에 대한 그녀의 반응은 극적인 것이나 다름없었다. 몇 달 후, Angie의 여동생은 그녀를 새사람이라고 묘사했다 — 그녀는 잠도 더 푹 잤고 맑은 정신에 활기차게 일어났다.

어휘

- supplement 보충제
- impatient 짜증난
- fuzzy-brained 머리가 멍한
- drowsy 졸린
- fatigue 피로
- soundly 충분히
- lone 혼자의
- anxious 불안한
- crash 뚝 떨어지다
- desperately 몹시
- physician 의사
- nothing short of ~와 다름없는
- alert 기민한

정답 1 ② 2 ① 3 ③

033 각 문장을 끊어 읽고 해석한 후 제시된 문제에 답하시오.

01
Leadership is centered on the communication between leaders and followers rather than on the unique qualities of the leader. 02 (A) Thought of as a relationship, leadership becomes a process of collaboration that occurs between leaders and followers. 03 (B) A leader affects and is affected by followers, and both leader and followers are affected in turn by the situation that surrounds them. 04 (C) For example, a leader in the fund-raising campaign who knows every step and procedure in the fund-raising process is able to use this knowledge to run an effective campaign. 05 (D) This approach **accentuates** that leadership is not a linear one-way course, but rather _____ _____.

1 글의 흐름상 가장 어색한 것은?
① (A)   ② (B)
③ (C)   ④ (D)

2 빈칸에 들어갈 말로 가장 적절한 것은?
① an interactive one
② a top down management style
③ an inherited one
④ a competency to obtain a goal

3 밑줄 친 부분의 의미와 가장 가까운 것은?
① accuses
② conflicts
③ weakens
④ stresses

033 구문분석 & 문장분석

01
Leadership is centered /
리더십은 중심을 둔다 /

on the communication (between leaders and followers) /
(지도자와 따르는 사람들 사이의) 의사소통에 /

rather than on the unique qualities (of the leader).
(지도자의) 고유한 자질보다는.

02
Thought of as a relationship, //
하나의 관계라고 여겨지기 때문에, //

leadership becomes a process (of collaboration (that occurs between leaders and followers)).
리더십은 ((지도자와 따르는 사람 사이에서 발생하는) 협력의) 과정이 된다.

03
A leader affects // and is affected by followers, //
지도자는 영향을 미친다 // 그리고 따르는 사람들에게 영향을 받는다, //

and both leader and followers are affected / in turn /
그리고 지도자와 따르는 사람들 모두 영향을 받는다 / 결과적으로 /

by the situation (that surrounds them).
(그들을 둘러싼) 상황에.

04
For example, / a leader (in the fund-raising campaign) who knows every step and procedure (in the fund-raising process) /
예를 들어, / ((기금 모금 과정의) 모든 단계와 절차를 알고 있는) (기금 모금 캠페인의) 지도자는 /

is able to use this knowledge /
이 지식을 이용할 수 있다. /

to run an effective campaign.
효과적인 캠페인을 운영하기 위해.

05
This approach accentuates //
이러한 접근은 강조한다 //

that leadership is not a linear one-way course, /
리더십이 직선으로 나아가는 일방적인 과정이 아니라, /

but rather an interactive one.
상호적인 것이라는 점을.

해석

2 ② 상의하달식 관리 방식
   ③ 물려받은 것
   ④ 목적을 달성하는 능력

해설

1 이 글의 요지는 지도자의 자질보다 지도자와 이를 따르는 사람 사이의 소통이 중요하다는 것이다. 지도자와 따르는 사람은 서로 영향을 끼치고 받는다고 설명하며 리더십이란 일방적인 것이 아니라 상호적인 과정이라고 이야기한다. 그러나 (C)는 지도자가 알고 있는 지식으로 캠페인을 효과적으로 운영할 수 있는 방법에 대한 것으로 글의 흐름상 어색하다.

2 마지막 문장에서는 not A but (rather) B, 즉 'A가 아니라 B'의 구문이 사용되었으므로 빈칸에는 직선적이고 일방적인 과정의 반대되는 내용이 들어가야 한다. 또한 앞서 언급된 협력의 과정이나 서로 영향을 주고받는다는 내용을 통해서도 빈칸의 내용을 유추할 수 있다. 따라서 가장 적절한 것은 ① '상호적인 것'이다. ②는 지도자가 따르는 사람에게 일방적으로 명령하는 관계를 의미하므로 빈칸에 들어갈 내용과 반대된다.

전문해석

리더십은 지도자의 고유한 자질보다는 지도자와 따르는 사람들 사이의 의사소통에 중심을 둔다. 하나의 관계라고 여겨지기 때문에, 리더십은 지도자와 따르는 사람 사이에서 발생하는 협력의 과정이 된다. 지도자는 따르는 사람들에게 영향을 미치고 영향을 받으며, 지도자와 따르는 사람들 모두 그들을 둘러싼 상황에 결과적으로 영향을 받는다. 이러한 접근은 리더십이 직선으로 나아가는 일방적인 과정이 아니라, <u>상호적인 것</u>이라는 점을 강조한다.

어휘

- be centered on ~에 중점을 두다
- process 과정
- affect 영향을 끼치다
- surround 둘러싸다
- procedure 절차
- linear 직선의
- top down 상의하달식의
- competency 능력
- accuse 비난하다
- quality 자질
- collaboration 협력
- inturn 결과적으로
- fund-raising 기금 모금
- accentuate 강조하다
- interactive 상호적인
- inherited 물려받은
- obtain 달성하다
- conflict 충돌하다

정답 1 ③ 2 ① 3 ④

034 다음 글의 목적으로 가장 적절한 것은?

To: Customer Service Manager
From: Susan Lee
Date: April 21
Subject: Feedback on Product Label

To whom it may concern:

I am writing this email concerning one of your products. The image on your product "Indian Green" soup is not of an Indian dance but a Korean one. The image shows Buchaechum, a traditional Korean fan dance. It is clear that in the image the dancers are wearing traditional Korean dress. I searched online for images of an Indian fan dance, and of course, it looks very different from a Korean one.

I know your company is putting a lot of effort into presenting authentic flavors, but I'm afraid that this one small mistake could damage your company's reputation. I sincerely hope that you correct this as soon as possible.

Sincerely,
Susan Lee

① 고객 응대가 불친절한 것을 항의하려고
② 제품에 사용한 이미지 교체를 요청하려고
③ 인도와 한국 부채춤 문화를 설명하려고
④ 제품 불량으로 인한 피해 보상을 요구하려고

035 다음 글을 읽고 물음에 답하시오.

(A)

Join us for an insightful health and wellness seminar series! Discover practical strategies to enhance your well-being and lead a healthier life.

Seminar Details

Topics: Nutrition, Stress Management, and Fitness
Dates: Every Wednesday in November 2025
Eligibility: Open to all community members interested in improving their well-being.
Guest Speakers: Experts in nutrition, psychology, and physical fitness.

How to Participate

Attend sessions in person at the community center.
Register online at wellnessseminar.org to secure your spot.
Engage in interactive discussions and Q&A sessions with our guest speakers.

Don't miss this opportunity to prioritize your health and learn valuable wellness tips!

1 (A)에 들어갈 윗글의 제목으로 가장 적절한 것은?

① Citywide Fitness Program
② Health and Wellness Seminar
③ Effective Stress Management Techniques
④ Benefits of Physical Fitness

2 seminar series에 관한 윗글의 내용과 일치하지 않는 것은?

① 일 년 동안 매주 한 번씩 열린다.
② 지역주민이면 누구나 참여할 수 있다.
③ 세미나는 주민센터에서 열린다.
④ 초빙 강사와 질의응답을 할 수 있다.

034

해석

> 수신: 고객 서비스 매니저
> 발신: SuSan Lee
> 날짜: 4월 21일
> 제목: 제품 라벨에 관한 피드백
>
> 관계자님께
>
> 귀사의 제품 중 하나에 대해 이메일을 작성하게 되었습니다. 귀사의 Indian Green 수프 제품에 사용된 이미지는 인도 춤이 아니라 한국 춤입니다. 이 이미지는 전통 한국의 부채춤을 보여주고 있으며, 춤을 추는 사람들이 전통 한국 의상을 입고 있는 것이 명확합니다. 인터넷에서 인도 부채춤 이미지를 검색해 보았으나, 한국 춤과는 많이 다릅니다.
>
> 귀사가 정통한 맛을 제공하기 위해 많은 노력을 기울이고 있는 것은 잘 알고 있지만, 이런 작은 실수가 귀사의 명성에 영향을 미칠 수 있을 것 같아 우려됩니다. 가능한 한 빨리 이 문제를 수정해 주시기를 진심으로 바랍니다.
>
> 진심을 담아,
> Susan Lee

해설

이메일의 첫 부분에서 Indian Green이라는 제품의 이미지가 잘못 사용되었음을 지적하고 두 번째 단락에서 이미지 변경을 요청하였다. 따라서 정답은 ② '제품에 사용한 이미지 교체를 요청하려고'이다.

어휘

- concerning ~과 관련하여
- traditional 전통적인
- present 제공하다
- authentic 정통한
- reputation 명성

정답 ②

035

해석

> (A) 건강 및 웰빙 세미나
>
> 우리와 함께 통찰력 있는 건강 및 웰빙 세미나 시리즈에 참여하세요! 당신의 웰빙을 향상시키며 더 건강한 삶을 살기 위해 실용적인 전략들을 발견해 보세요.
>
> **세미나 세부 사항**
> - 주제: 영양, 스트레스 관리, 피트니스
> - 날짜: 2025년 11월 매주 수요일
>
> **자격**: 웰빙 향상에 관심이 있는 모든 지역 사회 구성원에게 개방
> **특별 연사**: 영양, 심리학, 신체 피트니스 분야의 전문가들
>
> **참여 방법**
> - 주민센터에서 직접 모임에 참석하세요.
> - 자리를 확보하려면 wellnessseminar.org에서 온라인 등록을 하세요.
> - 특별 연사와 함께하는 쌍방향 토론 및 Q&A 강의에 참여하세요.
>
> 건강을 우선시하고 귀중한 웰빙 팁을 배울 수 있는 이 기회를 놓치지 마세요!

1. ① 시 전역 피트니스 프로그램
   ③ 효과적인 스트레스 관리 기법
   ④ 신체 건강의 이점

해설

1. 첫 번째 문장에서 통찰력 있는 건강 및 웰빙 세미나 시리즈에 참여하라고 권하고 있다. 따라서 이 글의 제목으로 가장 적합한 것은 ② '건강 및 웰빙 세미나'이다.

2. ① 2025년 11월 매주 수요일에 열린다고 했으므로 글의 내용과 일치하지 않는다.
   ② 웰빙 향상에 관심이 있는 모든 지역 사회 구성원에게 개방되었다고 했으므로 글의 내용과 일치한다.
   ③ 주민센터에서 직접 모임에 참석하라고 했으므로 글의 내용과 일치한다.
   ④ 특별 연사와 함께하는 쌍방향 토론 및 Q&A 강의에 참여하라고 했으므로 글의 내용과 일치한다.

어휘

- insightful 통찰력 있는
- strategy 전략
- enhance 강화하다
- eligibility 자격
- nutrition 영양
- in person 직접
- register 등록하다
- secure 확보하다
- spot 자리
- engage in ~에 참여하다
- interactive 쌍방향의
- prioritize 우선시하다
- effective 효과적인
- benefit 혜택

정답 1 ② 2 ①

036 각 문장을 끊어 읽고 해석한 후 제시된 문제에 답하시오.

01
Gray, which is neither black nor white but a combination of these two opposites, is an **ambiguous**, indefinite color. **02** (A) It suggests fog, mist, smoke and twilight — **03** conditions that blur shapes and colors. (B) An all-gray costume can indicate a modest, retiring individual, someone who prefers not to be noticed, or someone who whether they wish it or not merges with their background like Lily Briscoe in Virginia Woolf's *To the Lighthouse*. **04** (C) It is a significant work exploring psychological realism in its commitment to portraying its characters and their multitude of perspectives. **05** (D) When a livelier, prettier girl enters the room, the narrator reports, Lily Briscoe "became _____ than ever, in her little gray dress."

1 빈칸에 들어갈 말로 가장 적절한 것은?
① more resonant
② more distinguished
③ more sophisticated
④ more inconspicuous

2 글의 흐름상 가장 어색한 것은?
① (A) ② (B)
③ (C) ④ (D)

3 밑줄 친 부분의 의미와 가장 가까운 것은?
① intelligent ② refined
③ uncertain ④ vivid

문장 분석 및 해설

036 구문분석 & 문장분석

01
Gray, (which is neither black nor white /
회색은 (검정색도 흰색도 아닌 /
but a combination of these two opposites), /
그러나 이 두 가지 정반대의 조합인) /
is an ambiguous, indefinite color.
애매하고 불명료한 색깔이다.

02
It suggests / fog, mist, smoke and twilight /
이는 암시한다 / 안개, 연무, 연기 그리고 어스름을 /
— conditions (that blur shapes and colors).
— (모양과 색을 흐리는) 조건들.

03
An all-gray costume can indicate /
전체가 회색인 의상은 나타낼 수 있다 /
a modest, retiring individual, /
겸손하고 내성적인 사람, /
someone (who prefers not to be noticed), /
((눈에 띄지 않는 것을 선호하는) 누군가, /
or someone (who (whether they wish it or not) merges with their background) /
혹은 ((그들이 원하든 원하지 않든) 배경과 동화되는) 누군가 /
like Lily Briscoe (in Virginia Woolf's To the Lighthouse)).
(버지니아 울프의 <등대로>의) Lily Briscoe처럼.

04
It is a significant work (exploring psychological realism /
이것은 중요한 작품이다 (심리적 사실주의를 탐구하는 /
in its commitment / to portraying its characters and their multitude of perspectives).
전념하면서 / 등장인물과 그들의 수많은 관점을 묘사하는 데).

05
When a livelier, prettier girl enters the room, //
더 생기 있고, 더 예쁜 소녀가 방에 들어오자 //
the narrator reports, //
서술자는 기록한다 //
Lily Briscoe "became more inconspicuous /
Lily Briscoe가 '더 눈에 띄지 않게 되었다고 /
than ever, / in her little gray dress."
그 어느 때보다 / 그녀의 작은 회색 드레스를 입으니'라고.

해석

1 ① 더 울려퍼지게 ② 더 눈에 띄게 ③ 더 세련되게

해설

1 회색이 갖는 중간적이고 모호하며 눈에 띄지 않는 특징을 소설 속 인물의 예로 설명하는 글이다. 회색의 특성 때문에 회색 옷을 입고 있는 사람들이 어떠한 인상을 주는지 부연한 다음 소설의 등장인물을 예로 들어 그 주장을 뒷받침하고 있으므로, 그 회색 옷을 입고 있는 소녀가 더 이목을 끌지 않게 되었다는 내용임을 유추할 수 있다. 따라서 정답은 ④ '더 눈에 띄지 않게'이다. ②는 회색의 특징과 정반대되는 단어이므로 답이 될 수 없다.

2 이 글은 전체적으로 회색이 갖는 모호한 특징을 설명하는 글이고, 이 주장을 뒷받침하기 위해 소설의 등장 인물을 끌어 왔을 뿐 소설 작품 자체가 어떤 의미나 위상을 가지는지 설명하고 있지 않다. 따라서 회색이 아닌 소설의 특징을 설명하는 (C) 문장은 글의 흐름상 어색하다. 정답은 ③ (C)이다.

전문해석

검정도 흰색도 아닌, 그러나 이 두 가지 정반대의 조합인 회색은 애매하고 불명료한 색깔이다. 이는 안개, 연무, 연기 그리고 어스름을 암시한다. — 모양과 색을 흐리게 하는 조건들인 것이다. 전체가 회색인 의상은 겸손하고 내성적인 사람, 눈에 띄지 않는 것을 선호하는 누군가, 혹은 버지니아 울프의 <등대로>의 Lily Briscoe처럼 원하든 원치 않든 배경과 동화되는 누군가를 나타낼 수 있다. 서술자는 더 생기 있고 더 예쁜 소녀가 방에 들어오자 Lily Briscoe가 '그녀의 작은 회색 드레스를 입으니 그 어느 때보다 더 눈에 띄지 않게 되었다.'라고 기록한다.

어휘

- combination 조합
- opposite 정반대
- ambiguous 애매한
- indefinite 불명료한
- suggest 암시하다
- twilight 어스름
- blur 흐릿하게 하다
- retiring 내성적인
- merge 동화시키다
- commitment 전념
- perspective 관점
- resonant 울려 퍼지는
- distinguished 눈에 띄는
- sophisticated 세련된
- inconspicuous 눈에 띄지 않는
- refined 세련된
- vivid 선명한

정답 1 ④ 2 ③ 3 ③

037 각 문장을 끊어 읽고 해석한 후 제시된 문제에 답하시오.

01
In recent years, some Americans have been giving their
02
children two last names. (A) This is a direct result of some women thinking it is sexist and **obsolete** to take on
03
their husband's name. (B) It is also sexist that the child would only carry the name of one parent, especially since the unnamed parent is the one who carried the
04
child for nine months. (C) The only logical solution is to
05
give the kid a split last name. (D) As this is a recent phenomenon, we have yet to see what happens when one split-named person marries another split-named person: Does their kid _____?

1 빈칸에 들어갈 말로 가장 적절한 것은?
① go back to the mother's last name
② insist on three last names
③ end up with four last names
④ give up the first name

2 다음 문장이 들어갈 위치로 가장 적절한 것은?

> As a result, we have children growing up named Elijah Sadler-Moore.

① (A) ② (B)
③ (C) ④ (D)

3 밑줄 친 부분의 의미와 가장 가까운 것은?
① outdated
② current
③ rough
④ trivial

037 구문분석 & 문장분석

01
In recent years, / some Americans have been giving /
최근에 / 일부 미국인들은 주고 있다 /

their children two last names.
그들의 자녀에게 두 개의 성을.

02
This is a direct result (of some women (thinking // it is
이것은 ((생각하는 // 성차별적이고, 구식이라고 /

sexist and obsolete /
남편의 성을 따르는 것이)

to take on their husband's name)).
몇몇 여성들의) 직접적인 결과이다.

03
It is also sexist / that the child would only carry the
또한 성차별적이다 / 아이가 (한 부모의) 성만을

name (of one parent), //
따르는 것은, //

especially since the unnamed parent /
특히 이름을 붙여주지 못한 부모가 /

is the one (who carried the child / for nine months).
(아이를 품었던 / 아홉 달 동안) 쪽이라는 것 때문에.

04
The only logical solution /
유일한 논리적 해결책은 /

is to give the kid a split last name.
아이에게 분할된 성을 주는 것이다.

삽입 문장
As a result, /
그 결과 /

we have children /
우리는 아이를 갖게 된다 /

(growing up named Elijah Sadler-Moore).
(Elijah Sadler-Moore라는 이름으로 성장하는).

05
As this is a recent phenomenon, //
이것은 최근 나타나는 현상이기 때문에 //

we have yet to see // what happens //
우리는 아직 두고 봐야 한다 // 무슨 일이 생길지 //

when one split-named person marries another split-named person: //
이 '분할된 성'을 가진 사람이 또 다른 '분할된 성'을 가진 사람과 결혼한다면: //

Does their kid end up with four last names?
그들의 아이는 결국 네 개의 성을 가지는 걸까?

해석
1 ① 엄마의 성으로 돌아가는
  ② 세 개의 성을 주장하는
  ④ 이름을 포기하는 해설

해설
1 이 글은 아이에게 양쪽 부모의 성을 모두 부여하는 미국에서 일어난 최근의 현상을 설명하고 있다. 빈칸 앞에서 부모의 성을 분할해서 쓰는 (즉, 두개의 성을 쓰는) 사람들끼리 결혼하는 경우에 무슨 일이 생길지는 두고 봐야 한다고 했다. 그러나 이전에 이미 부모 양쪽으로부터 받은 분할된 성을 갖게 된다는 예시가 있었으므로 이를 근거로 하여 분할된 성을 갖고 있는 양쪽 부모의 성을 모두 따르게 되어 결국 네 개의 성을 갖게 된다고 유추할 수 있다. 따라서 빈칸에는 ③ '네 개의 성을 가지는' 이 들어가야 적절하다.

2 주어진 문장은 어떤 일의 결과로 아이가 두 개의 성을 붙여서 쓰는 예시가 생겼다고 설명한다. 따라서 이 앞에는 부모 양쪽의 성을 분할하여 붙여 쓰는 내용이 나와야 한다. (D)의 앞에서 두 개의 분할된 성에 대한 설명이 이어졌고 (D)의 뒤에서 두 개의 분할된 성을 쓰는 두 사람이 결합하는 경우를 가정하고 있으므로 주어진 문장은 ④ (D)에 들어가야 한다.

전문해석
최근에 일부 미국인들은 그들의 자녀에게 두 개의 성을 주고 있다. 이것은 남편의 성을 따르는 것이 성차별적이고, 구식이라고 생각하는 몇몇 여성들의 직접적인 결과이다. 아이가 한 부모의 성만을 따르는 것은, 특히 이름을 붙여주지 못한 부모가 아홉 달 동안 아이를 품었던 쪽이라는 것 때문에 또한 성차별적이다. 유일한 논리적 해결책은 아이에게 분할된 성을 주는 것이다. 그 결과 우리는 Elijah Sadler-Moore라는 이름으로 성장하는 아이를 갖게 된다. 이것은 최근 나타나는 현상이기 때문에, 우리는 이 '분할된 성'을 가진 사람이 또 다른 '분할된 성'을 가진 사람과 결혼한다면 무슨 일이 생길지 아직 두고 봐야 한다: 그들의 아이는 결국 네 개의 성을 가지는 걸까?

어휘
☐ sexist 성차별적인   ☐ obsolete 구식의
☐ split 분할된   ☐ phenomenon 현상
☐ have yet to 아직 ~하지 못했다   ☐ outdated 구식의
☐ trivial 사소한

정답 1 ③ 2 ④ 3 ①

038 다음 글을 읽고 물음에 답하시오.

UK Student Tuition Loan System

Financial Support for Higher Education

The student tuition loan system in the UK provides essential financial support for many students pursuing higher education. Currently, UK universities can charge up to £9,250 annually in tuition fees, and a key means of supporting these costs is through government-provided student tuition loans. These loans help students cover not only tuition fees but also living expenses.

Loan Application and Repayment

Students can borrow the full amount needed for their education, and repayment begins only after graduation. Student tuition loans are available to all students in the UK and can be conveniently applied for and managed online. Interest rates on these loans **fluctuate** according to inflation.

Promoting Educational Equality

Students typically repay them over a specified period post-graduation. This system aims to enable students to complete their education without financial burden, thereby enhancing equality of educational opportunity.

1 UK Student Tuition Loan System에 관한 내용이 일치하지 않는 것은?

① It is a government-funded loan for university entry.
② Loan repayment is required before graduation.
③ Students can apply for the loan online.
④ The interest rate on the loan varies with inflation.

2 밑줄 친 fluctuate의 의미와 가장 가까운 것은?

① decide　　② change
③ increase　　④ begin

039 다음 글의 목적으로 가장 적절한 것은?

To: All Corporate Tenants
From: Building Management
Date: August 3
Subject: Maintenance Notification

Dear Corporate Tenants,

In our ongoing effort to ensure the best possible service for our corporate tenants, we will be conducting maintenance on the main floor restrooms from August 7 to August 11. During this period, these restrooms will be unavailable for use.

We kindly request that tenants and their guests utilize the restrooms located on the 2nd floor during this time.

We apologize for any inconvenience this may cause and appreciate your cooperation and understanding as we make these necessary improvements. Should you have any questions or need assistance, please contact the management office.

Thank you for your understanding.

Best regards,
Building Management

① 건물의 일시적 폐쇄에 양해를 구하려고
② 신설 화장실 보수공사 완료를 공지하려고
③ 화장실 사용의 일시 중지를 알리려고
④ 건물 보수공사에 대한 도움을 요청하려고

038

해석

영국 학생 학자금 대출 시스템

고등 교육을 위한 재정 지원
영국의 학생 학자금 대출 시스템은 고등 교육을 추구하는 많은 학생들을 위한 필수적인 재정 지원을 제공한다. 현재 영국의 대학은 연간 최대 9,250파운드의 학비를 부과할 수 있으며, 이러한 비용을 지원하는 주요 수단 중 하나가 정부가 제공하는 학생 학자금 대출이다. 이 대출은 학비뿐만 아니라 생활비도 학생들이 충당하게 도와준다.

대출 신청 및 상환
학생은 교육을 위한 전체 자금을 빌릴 수 있으며, 상환은 졸업 후에만 시작된다. 학생 학자금 대출은 영국의 모든 학생들에게 제공되며, 온라인으로 편리하게 신청하고 관리할 수 있다. 대출의 이자율은 인플레이션에 따라 변동한다.

교육 평등 증진
학생들은 일반적으로 졸업 후 지정된 기간 동안 상환한다. 이 시스템은 학생들이 재정적 부담 없이 교육을 완료할 수 있도록 하여 결과적으로 교육 기회의 평등을 향상시킨다.

1. ① 정부가 지원하는 대학 입학 대출이다.
   ② 대출 상환은 모든 학생은 졸업 전에 해야 한다.
   ③ 학생들은 대출을 온라인으로 신청할 수 있다.
   ④ 대출의 이자율은 인플레이션에 따라 달라진다.

해설

1. ② 네 번째 문장에서 학생들은 오직 졸업 후에만 상환한다고 했으므로 글의 내용과 일치하지 않는다.
   ① 두 번째 문장에서 정부가 제공하는 학생 학자금 대출이라고 설명하였으므로 글의 내용과 일치한다.
   ③ 다섯 번째 문장에서 온라인으로 편리하게 신청하고 관리할 수 있다고 했으므로 글의 내용과 일치한다.
   ④ 여섯 번째 문장에서 대출의 이자율은 인플레이션에 따라 변동한다고 했으므로 글의 내용과 일치한다.

어휘

- tuition 학비
- currently 현재
- means 수단
- interest 이자
- burden 부담
- loan 대출
- annually 매년
- expense 비용
- fluctuate 변동하다

정답 1 ② 2 ②

039

해석

수신: 모든 기업 임차인
발신: 건물 관리팀
날짜: 8월 3일
제목: 유지보수 안내

기업 임차인 여러분,

우리의 기업 임차인 여러분에 대한 최상의 서비스를 제공하기 위한 노력의 일환으로, 8월 7일부터 8월 11일까지 1층 화장실에 대한 유지보수를 실시할 예정입니다. 이 기간 동안 1층 화장실은 사용하실 수 없습니다.

이 기간 동안 임차인과 방문객들께서는 2층에 위치한 화장실을 이용해 주시길 바랍니다.

이로 인해 불편을 드리게 되어 사과드리며, 필요한 개선 작업을 진행하는 데에 여러분의 협조와 이해에 감사드립니다. 질문이나 도움이 필요하시면 관리 사무실로 연락해 주세요.

이해해 주셔서 감사합니다.

안부를 전하며,
건물 관리팀

해설

이메일 제목 부분에서 유지보수에 대해 통지하고 있음을 알 수 있다. 또한 이메일의 첫 번째와 두 번째 문장에서 화장실 유지보수 공사 일정을 알린 뒤, 이 화장실이 당분간 사용 중지될 것이라 말하고 있다. 뒤에서는 이에 대한 양해를 구하는 내용이 이어진다. 따라서 정답은 ③ '화장실 사용의 일시 중지를 알리려고'이다. 건물 전체에 대한 폐쇄가 아니므로 ①은 정답이 될 수 없다.

어휘

- management 관리
- corporate 기업의
- conduct 실시하다
- utilize 사용하다
- maintenance 유지보수
- tenant 임차인
- request 요구하다

정답 ③

040 Dutch Ice Hotel에 관한 내용과 일치하지 않는 것은?

Your Life Just Got Cooler
The Dutch Ice Hotel

$259 per night (including breakfast)

Do you want a cool holiday? The Dutch Ice Hotel offers all the comforts, except warmth:
- Shuttle bus service from the airport
- Free welcome beverage
- Coupons for the Ice Sculpture Festival

The Dutch Ice Hotel has three rooms and is located in a refrigerated warehouse, where the temperature stays just above freezing. Each room is decorated with furniture carved from ice blocks. Its main attraction is a square ice cube bed with lights installed underneath the bed. Guests are provided with sleeping bags. The Dutch Ice Hotel is available only from December 1 to January 31. Don't miss the chance to try the Dutch Ice Hotel.

① 조식은 숙박료에 포함된다.
② 얼음 조각 축제 쿠폰이 제공된다.
③ 침대 밑에 조명이 설치되어 있다.
④ 투숙객은 침낭을 지참해야 한다.

040

해석

당신의 삶이 더 멋져졌습니다
더치 아이스 호텔

1박당 $259 (조식 포함)

멋진 휴가를 원하십니까? 더치 아이스 호텔은 따뜻함을 제외한 모든 편의를 제공합니다:
- 공항 셔틀버스 서비스
- 무료 환영 음료
- 아이스 조각 축제 쿠폰

더치 아이스 호텔은 세 개의 객실을 갖추고 있으며, 냉장창고에 위치해 있어 온도가 항상 섭씨 0도 근처에 유지됩니다. 각 객실은 얼음 덩어리로 조각된 가구로 장식되어 있습니다. 주요 볼거리는 침대 아래에 조명이 설치된 정사각형 얼음 침대입니다. 숙박객에게는 침낭이 제공됩니다. 더치 아이스 호텔은 12월 1일부터 1월 31일까지만 이용할 수 있습니다. 더치 아이스 호텔을 경험할 기회를 놓치지 마세요.

해설

④ 숙박객에게는 침낭이 제공된다고 했으므로 글의 내용과 일치하지 않는다.
① 숙박료가 1박당 $259 (조식 포함)이라고 했으므로 글의 내용과 일치한다.
② 아이스 조각 축제 쿠폰이 제공된다고 했으므로 글의 내용과 일치한다.
③ 침대 아래에 조명이 설치된 정사각형 얼음 침대가 있다고 했으므로 글의 내용과 일치한다.

어휘

- sculpture 조각
- decorate 장식하다
- attraction 볼거리
- underneath ~ 아래에
- refrigerated 냉장의
- carve 조각하다
- install 설치하다

정답 ④

DAY 07~08 Exercises

[1~4] 양쪽에 주어진 말의 의미가 일맥상통하도록 선으로 연결하세요.

1 inconspicuous ○   ① exceptionally striking or impressive

2 resonant ○   ② the spreading of information

3 nothing short of dramatic ○   ③ producing a deep, clear, and strong sound

4 the dissemination of knowledge ○   ④ not clearly visible or attracting attention

[5~7] 다음 문장의 끊어 읽기를 참고하여, 빈칸에 알맞은 해석을 쓰세요.

5 The immediate effect of the printing press / was to multiply the output / and cut the costs of books.
   _____ / 책의 생산량을 증대시키는 것이었다 / 그리고 비용을 절감시키는 것이었다.

6 Gray, which is neither black nor white but a combination of these two opposites, / is an ambiguous, indefinite color.
   _____, / 애매하고 불명료한 색깔이다.

7 This system aims to enable students to complete their education / without financial burden, / thereby enhancing equality of educational opportunity.
   이 시스템은 학생들이 교육을 완료할 수 있도록 하여 / 재정적 부담 없이 / _____.

정답 1 ④ 2 ③ 3 ① 4 ② 5 인쇄기의 즉각적인 효과는 6 검정도 흰색도 아니고 이 두 가지 정반대의 조합인 회색은 7 결과적으로 교육 기회의 평등을 향상시킨다

041 각 문장을 끊어 읽고 해석한 후 제시된 문제에 답하시오.

01
Worry is a complete waste of time and creates so much clutter in your mind that you cannot think clearly about anything. 02 (A) The way to learn to stop worrying is by first understanding that you energize whatever you focus your attention on. 03 (B) Worrying becomes such an ingrained habit that to avoid it you should train yourself to do otherwise. 04 (C) Whenever you catch yourself having a fit of worry, stop and change your thoughts. 05 (D) Focus on what you want to happen and **mull over** what's good in your life so that greater stuff will come your way.

1 글의 요지로 가장 적절한 것은?
① What effects does worry have on life?
② Where does worry originate from?
③ When should we worry?
④ How do we cope with worrying?

2 다음 문장이 들어갈 위치로 가장 적절한 곳은?

> Therefore, the more you allow yourself to worry, the more likely things are to go wrong.

① (A)　② (B)
③ (C)　④ (D)

3 밑줄 친 부분의 의미와 가장 가까운 것은?
① accept　② utilize
③ emphasize　④ ponder

041 구문분석 & 문장분석

01
Worry is a complete waste of time //
걱정은 완전한 시간 낭비이다 //

and creates so much clutter / in your mind //
그리고 너무 많은 혼란을 만든다 / 당신의 정신에 //

that you cannot think clearly about anything.
당신은 어떤 것에 대해서도 명확히 생각할 수 없다.

02
The way (to learn to stop worrying) /
(걱정하는 것을 멈추도록 배우는) 방법은 /

is by first understanding // that you energize //
우선 이해함으로써이다 // 당신이 활발하게 한다는 것을 //

whatever you focus your attention on.
당신이 관심을 집중하는 어떤 것이든.

삽입 문장
Therefore, / the more you allow yourself to worry, /
그러므로 / 당신이 스스로에게 더 걱정하도록 허락하면 할수록, /

the more likely things are to go wrong.
일들은 더욱 잘못될 수 있다.

03
Worrying becomes such an ingrained habit //
걱정하는 것은 너무 몸에 밴 습관이 되어서 //

that to avoid it / you should train yourself /
그것을 피하기 위해 / 당신은 자신을 훈련시켜야 한다 /

to do otherwise.
다르게 하도록.

04
Whenever you catch yourself having a fit of worry, //
당신이 걱정의 감정에 휩싸인 자신을 알아챌 때마다 //

stop and change your thoughts.
멈추고 당신의 사고를 바꾸어라.

05
Focus on // what you want to happen // and mull over //
집중하라 // 당신이 일어나길 바라는 일에 // 그리고 곰곰이 생각하라 //

what's good in your life //
당신 삶 속의 멋진 것을 //

so that greater stuff will come your way.
더 근사한 일들이 당신에게 일어나도록.

해석

1 ① 걱정은 삶에 어떤 영향을 미치는가?
   ② 걱정은 어디에서 유래하는가?
   ③ 우리는 언제 걱정해야 하는가?
   ④ 우리는 어떻게 걱정을 극복해야 하는가?

해설

1 도입 부분에서 걱정은 시간 낭비라고 언급한 후, 걱정을 어떻게 극복해야 하는지에 대해서 술하고 있는 글이다. 걱정을 멈추는 방법에 대해 말하는 두 번째 문장이 주제문이며 그 이후에서는 주제문을 뒷받침하는 구체적인 설명들을 제시하고 있다. 따라서 글의 주제로는 ④ '우리는 어떻게 걱정을 극복해야 하는가?'가 가장 적절하다.

2 주어진 문장은 인과 관계를 의미하는 연결어 Therefore로 시작하고, 걱정할수록 일이 더 잘못될 수 있다고 말하므로 이 문장의 앞에는 걱정의 특성, 혹은 우리가 무언가에 매진할수록 그것이 더 심화될 수 있다는 일반론이 제시되어야 한다. (A)의 앞에서 걱정의 특성을 설명하고 (B)의 앞에서 우리가 어떤 것에 관심을 두는 것은 점점 그것을 활발하게 하는 셈이라고 했으며 (B)의 뒤에서는 걱정을 피하는 방법들이 연이어 설명된다. 따라서 주어진 문장이 들어갈 위치로 가장 적절한 곳은 ② (B)이다.

전문해석

걱정은 완전한 시간 낭비이고, 당신의 정신에 너무 많은 혼란을 만들어서 당신은 어떤 것에 대해서도 명확히 생각할 수 없다. 걱정하는 것을 멈추도록 배우는 방법은 당신이 관심을 집중하는 어떤 것이든 당신이 그것을 활발하게 한다는 것을 우선 이해함으로써이다. 그러므로 당신이 스스로에게 더 걱정하도록 허락하면 할수록, 일들은 더욱 잘못될 수 있다. 걱정하는 것은 너무 몸에 밴 습관이 되어서 그것을 피하기 위해 당신은 다르게 하도록 훈련시켜야 한다. 당신이 걱정의 감정에 휩싸인 자신을 알아챌 때마다, 멈추고 당신의 사고를 바꾸어라. 더 근사한 일들이 당신에게 일어나도록 당신이 일어나기를 바라는 일에 집중하고 당신 삶 속의 멋진 것을 곰곰이 생각하라.

어휘

- worry 걱정; 걱정하다
- energize 활발하게 하다
- fit 격한 감정
- cope with ~을 극복하다
- utilize 사용하다
- ponder 숙고하다
- clutter 혼란
- ingrained 몸에 밴
- mull over ~을 곰곰이 생각하다
- accept 수용하다
- emphasize 강조하다

정답 1 ④ 2 ② 3 ④

042 각 문장을 끊어 읽고 해석한 후 제시된 문제에 답하시오.

01
Social media is a great way to stay in contact with friends and family, but it's also being used to help generate funds for charities the world over. (A) Social
02
networking sites are organizing events to benefit others.
03
(B) Twestival, for example, is a one-day gathering of users all across the social media sites to raise funds for non-profit organizations, and last year, it raised $1.75
04
million. (C) Since the supporters will be participating remotely, it's easy for people to lose interest in the events
05
posted on the social media sites. (D) Campaigns like this have sprung up all over the world, and with the help of social media, donation rates are higher than ever before.

1 글의 제목으로 가장 적절한 것은?
① What Is Social Media?
② Social Media for Social Good
③ A New Money-making Business
④ Social Media Networking Tips

2 글의 흐름상 가장 어색한 문장은?
① (A) ② (B)
③ (C) ④ (D)

3 글의 내용과 일치하지 않는 것은?
① Social media platforms are now becoming used to raise funds for charities.
② Twestival is a social media-driven event that raises money for non-profit groups.
③ Twestival failed to reach its goal of raising $1.75 million in the previous year.
④ Donation rates was seen to increase due to the utilization of social media.

문장 분석 및 해설

042 구문분석 & 문장분석

01
Social media is a great way (to stay in contact with friends and family), //
소셜 미디어는 (친구들이나 가족과 연락을 유지하는) 좋은 방법이다 //

but it's also being used /
그러나 이것은 또한 사용되고 있다 /

to help generate funds (for charities) the world over.
전 세계에 걸쳐 (자선을 위한) 기금 마련을 돕기 위해.

02
Social networking sites /
소셜 네트워킹 사이트는 /

are organizing events (to benefit others).
(다른 사람들에게 이익이 되는) 이벤트를 조직하고 있다.

03
Twestival, (for example), / is a one-day gathering of users (all across the social media sites) /
(예를 들어) Twestival은 / (모든 소셜 미디어 사이트들의) 사용자들이 하루 동안 모이는 것이다 /

to raise funds (for non-profit organizations), //
(비영리 단체를 위한) 기금을 모으기 위해 //

and last year, / it raised $1.75 million.
그리고 작년에 / 이 페스티벌은 175만 달러를 모금했다.

04
Since the supporters will be participating remotely, //
후원자들이 먼 거리에서 참여하기 때문에 //

it's easy for people to lose interest in the events (posted on the social media sites).
사람들이 (소셜 미디어 사이트에 게시된) 사건들에 대한 흥미를 잃기 쉽다.

05
Campaigns (like this) have sprung up /
(이와 같은) 캠페인들은 발생했다 /

all over the world, // and with the help of social media, /
세계 곳곳에서, // 그리고 소셜 미디어의 도움으로 /

donation rates are higher / than ever before.
기부율은 더 높다 / 그 어느 때보다.

해석

1 ① 소셜 미디어란 무엇인가? ② 사회적 선행을 위한 소셜미디어 ③ 새로운 재정 모금 사업 ④ 소셜 미디어 네트워킹에 대한 조언

3 ① 소셜 미디어 플랫폼이 자선을 위한 기금을 마련하는 데에 사용되고 있다.
② Twestival은 비영리 단체를 위한 기금을 모금하는 소셜 미디어에 기반을 둔 행사이다.
③ Twestival은 작년에 175만 달러를 모금하려 했던 목표 달성에 실패했다.
④ 소셜 미디어 사용으로 인한 기부율의 증가가 목격되었다.

해설

1 지문의 첫 문장을 통해 이 글이 소셜 미디어에 관한 글 임을 알 수 있다. 또한 첫 문장의 but 이후 내용이 글의 주제로 소셜 미디어가 자선기금 마련에 도움이 된다고 주장한다. 따라서 ② '사회적 선행을 위한 소셜 미디어'가 글의 제목으로 적절하다.

2 첫 문장의 but 이후는 글의 주제문으로 소셜 미디어가 전세계적으로 자선을 위한 기금마련을 돕기 위해 사용되고 있다고 설명한다. 이에 대한 예시로 Twestival이라는 행사를 소개한 후, 이와 비슷한 행사가 계속 생겨나고 있다는 내용으로 글이 마무리되고 있다. 이처럼 소셜 미디어가 자선기금 모금에 미치는 긍정적인 영향에 대해 설명하고 있는데 (C)의 문장은 소셜 미디어 행사에 참여하는 후원자들이 물리적 거리가 떨어져 있어 행사에 쉽게 관심을 잃을 수 있다는 온라인 모금의 부정적인 면에 대해 설명하고 있다. 따라서 (C)의 내용은 글의 흐름에 적합하지 않고 정답은 ③ (C)이다.

3 ③ 세 번째 문장에서 Twestival은 작년에 175만 달러를 모금했다고 했으므로 글의 내용과 일치하지 않는다.
① 첫 번째 문장에서 소셜 미디어가 자선을 위한 기금 마련을 돕기 위해 사용되고 있다고 했으므로 글의 내용과 일치한다.
② 세 번째 문장에서 Twestival은 모든 소셜 미디어 사이트들의 사용자들이 비영리 단체를 위한 기금을 모으기 위한 시도였다고 했으므로 글의 내용과 일치한다.
④ 마지막 문장에서 소셜 미디어의 도움으로 기부율은 그 어느 때보다 더 높다고 했으므로 글의 내용과 일치한다.

전문해석

소셜 미디어는 친구들이나 가족과 연락을 유지하는 좋은 방법이지만 또한 전 세계에 걸쳐 자선을 위한 기금 마련을 돕기 위해 사용되고 있다. 소셜 네트워킹 사이트는 다른 사람들에게 이익이 되는 이벤트를 조직하고 있다. 예를 들어 Twestival은 모든 소셜 미디어 사이트들의 사용자들이 비영리 단체를 위한 기금을 모으기 위해 하루 동안 모이는 것이며 작년에 이 페스티벌은 175만 달러를 모금했다. 이와 같은 캠페인들은 세계 곳곳에서 발생했으며, 소셜 미디어의 도움으로 기부율은 그 어느 때보다 더 높다.

어휘

- □ stay in contact with ~와 연락하다
- □ charity 자선
- □ gathering 모임
- □ raise 모금하다
- □ spring up 발생하다
- □ utilization 사용
- □ generate 일으키다
- □ benefit 이익이 되다
- □ non-profit 비영리의
- □ remotely 멀리서
- □ social good 사회적 선행

정답 1 ② 2 ③ 3 ③

DAY 09

043 각 문장을 끊어 읽고 해석한 후 제시된 문제에 답하시오.

01 As early as 525 BCE, a Greek named Theagenes identified myths as scientific analogies — an attempt to explain natural occurrences that people could not understand. 02 To him, for instance, the mythical stories of gods having their own **attributes** were allegories 03 representing the forces of nature. This is the source of many "causal" myths with the accounts found in every civilization that explain the creation of the universe, 04 seasons, and the course of the stars. These "scientific" myths were, in some ways, the _____ of 05 science. Mythical explanations for the workings of nature began to be replaced by a rational attempt to understand the world, especially in the remarkable era of Greek science and philosophy at about 500 BCE.

1 글의 제목으로 가장 적절한 것은?

① Myths: Basis of Scientific Inquiry
② Dispelling the Myths about Science
③ How Are Creation Myths Universal?
④ How Much Myths Affect Our World Views?

2 빈칸에 들어갈 말로 가장 적절한 것은?

① posterity ② summit
③ counterpart ④ forerunners

3 밑줄 친 부분의 의미와 가장 가까운 것은?

① elasticities
② characteristics
③ implements
④ novices

문장 분석 및 해설

043 구문분석 & 문장분석

01
As early as 525 BCE, / a Greek (named Theagenes), /
아주 오래전인 기원전 525년에 / (Theagenes라는) 그리스인은 /
identified myths as scientific analogies /
신화를 과학적 비유라고 인정했다 /
— an attempt (to explain natural occurrences (that people could not understand)).
— ((사람들이 이해할 수 없었던) 자연적 사건들을 설명하려는) 시도였다.

02
To him, (for instance), / the mythical stories of gods (having their own attributes) /
(예를 들어) 그에게는 / (자기만의 특성을 가진) 신들에 관한 신화적 이야기는 /
were allegories (representing the forces of nature).
(자연의 힘을 나타내는) 우화였다.

03
This is the source (of many "causal" myths, (with the accounts (found in every civilization) (that explain the creation of the universe, seasons, and the course of the stars))).
이것은 (((모든 문명에서 발견되는) (우주의 탄생, 계절, 그리고 별의 경로를 설명하는) 이야기가 있는) 많은 '인과적' 신화의) 원천이다.

04
These "scientific" myths were, (in some ways), /
(어떤 면에서) 이러한 '과학적' 신화들은 ~이다 /
the forerunners of science.
과학의 선구자들.

05
Mythical explanations (for the workings of nature) /
(자연의 작용에 대한) 신화적 설명들은 /
began to be replaced /
대체되기 시작했다 /
by a rational attempt (to understand the world), /
(세상을 이해하려는) 합리적 시도로, /
especially in the remarkable era (of Greek science
특히 (그리스 과학과 철학의 /
and philosophy / at about 500 BCE).
약 기원전 500년의) 두드러진 시대에.

해석

1 ① 신화: 과학적 탐구의 기반
② 과학에 관한 신화의 철폐
③ 어떻게 창조 신화는 전 세계 공통인가?
④ 신화가 얼마나 우리의 세계관에 영향을 주는가?

2 ① 후손　　② 정상　　③ 상대 해설

해설

1 서두에서 그리스인 Theagenes의 이론을 예로 들어 신화란 당시에 이해하지 못한 자연 현상을 상징이나 비유로 표현한 이야기라고 설명한다. 그에게 신화가 자연을 설명하는 이야기로 여겨진 것처럼, 우주의 창조, 계절, 별의 움직임 같은 인과 관계를 다루는 탐구가 시작되었다는 것이다. 따라서 글의 제목으로 가장 적절한 것은 ① '신화: 과학적 탐구의 기반'이다.

2 글 전반에서 인간은 이해하기 어려운 자연 현상을 설명하기 위해 먼저 신화를 사용했고, 이후에 점차 과학이 그 자리를 대체했다고 설명하고 있으므로, 결국 '과학적' 내용을 다루는 신화는 과학보다 앞서간 존재라는 의미이다. 그런 면에서 빈칸에 들어갈 말로 가장 적절한 것은 ④ '선구자들'이다.

전문해석

오래전인 기원전 525년에 Theagenes라는 그리스인은 신화를 과학적 비유로 인정했다 — 그것은 사람들이 이해할 수 없었던 자연적 사건들을 설명하려는 시도였다. 예를 들어, 그에게는 자기만의 특성을 가진 신들에 관한 신화적 이야기는 자연의 힘을 나타내는 우화였다. 이것은 우주의 탄생, 계절, 그리고 별의 경로를 설명하는 모든 문명에서 발견되는 이야기가 있는 많은 '인과적' 신화의 원천이다. 이러한 '과학적' 신화들은 어떤 면에서 과학의 선구자들이다. 자연의 작용에 대한 신화적 설명들은 특히 약 기원전 500년의 그리스 과학과 철학의 두드러진 시대에 세상을 이해하려는 합리적인 시도로 대체되기 시작했다.

어휘

- BCE 기원전
- analogy 비유
- mythical 신화적인
- represent 나타내다
- replace 대체하다
- remarkable 눈에 띄는
- philosophy 철학
- inquiry 탐구
- universal 전 세계의
- summit 정상
- forerunner 선구자
- characteristics 특징
- novice 초보자
- identify A as B A를 B라고 인정하다
- occurrence 사건
- attribute 특성
- causal 인과 관계의
- rational 합리적인
- era 시대
- basis 기반
- dispel 쫓아내다
- posterity 후손
- counterpart 상대
- elasticity 탄력성
- implement 도구

정답 1 ① 2 ④ 3 ②

044 다음 글을 읽고 물음에 답하시오.

Dear Mr. Thompson,

I am writing to express my disappointment with the custom cake order I received from Sweet Delights Bakery on June 30.

The cake did not meet my specifications: It was Vanilla instead of Chocolate Fudge. The design was **plain** instead of the requested Unicorn Theme. The inscription was misspelled as "Happy 5th Birthday, Emely."

This cake was for my daughter Emily's 5th birthday, and the inaccuracies caused significant disappointment. I request a replacement adhering to the original specifications by July 3, or a full refund.

Thank you for your prompt attention to this matter.

Best regards,
Sarah Mitchell

1 윗글의 목적으로 가장 적절한 것은?

① to ask for a solution to the wrong cake
② to change the delivery time of the cake
③ to protest against the use of allergenic ingredients in cakes
④ to express gratitude for preparing the cake

2 밑줄 친 plain의 의미와 가장 가까운 것은?

① fancy   ② vivid
③ simple   ④ excellent

045 Quarterly Unemployment and Sector Highlights에 관한 다음 글의 내용과 일치하지 않는 것은?

Quarterly Unemployment and Sector Highlights

Recent economic reports indicate that the country's unemployment rate rose by 1.5% to reach 6.5% during the last quarter. This increase was particularly notable in the service sector, which saw a 2.0% increase in unemployment due to economic slowdowns affecting retail and hospitality industries. However, the manufacturing sector experienced a slight decrease in unemployment by 0.5%, reflecting some resilience in industrial production despite broader economic challenges. Conversely, the healthcare sector continued to demonstrate robust employment growth, adding 30,000 new jobs during the same period. This growth was driven by increased demand for healthcare services and ongoing investments in medical facilities and personnel training.

① The country's unemployment rose by 1.5% to 6.5% last quarter.
② The service sector experienced a 2.0% rise in unemployment.
③ Manufacturing sector's employment decreased by 0.5%.
④ Healthcare sector added 30,000 new jobs, showing strong growth.

044

해석

> 수신: Ben Thompson
> 발신: Sarah Mitchell
> 날짜: 7월 2일
> 제목: 주문 문제
>
> Thompson 씨께,
>
> 6월 30일에 Sweet Delights 제과점에서 받은 맞춤 케이크에 대해 실망감을 표하고자 글을 드립니다.
>
> 케이크가 제 사양에 맞지 않았습니다. 초콜릿 퍼지 케이크가 아닌 바닐라 케이크였고, 디자인은 요청한 유니콘 테마가 아닌 단순한 디자인이었습니다. 또한, 문구가 "Happy 5th Birthday, Emely"로 잘못 적혀 있었습니다.
>
> 이 케이크는 제 딸 에밀리의 5번째 생일을 위한 것이었고, 이러한 불일치로 큰 실망을 하였습니다. 원래의 사양에 맞는 교체 케이크를 7월 3일까지 받거나 전액 환불을 요청합니다.
>
> 이 문제에 대해 신속히 처리해 주시길 바랍니다.
>
> Sarah Mitchell 드림

① 잘못된 케이크에 대한 해결을 요청하기 위해
② 케이크의 배달 시간을 변경하기 위해
③ 알레르기를 유발하는 케이크의 재료 사용에 항의하기 위해
④ 케이크 제작에 대한 감사 인사를 전하기 위해

해설

이메일의 첫 번째 문장에서 잘못된 맞춤 케이크 주문으로 인한 실망감을 표현하기 위해 글을 쓰는 것임을 명확히 하고 있다. 이후, 마지막 문장에서 이를 환불해 주거나 아니면 대체 케이크로 교체해 줄 것을 요구한다. 따라서 정답은 ① '잘못된 케이크에 대한 해결을 요청하기 위해'이다. 케이크 재료에 대한 항의가 아니므로 ③은 답이 될 수 없다.

어휘

- incorrect 부정확한
- custom 맞춤
- plain 평범한
- inscription 각인
- inaccuracy 부정확
- adhere to ~을 고수하다
- prompt 신속한
- vivid 생생한
- disappointment 실망
- specification 사양
- request 요청하다
- misspell 철자를 틀리다
- replacement 교체
- original 원래의
- fancy 화려한
- excellent 뛰어난

정답 ① ② ③

045

해석

> **분기별 실업률 및 부문별 하이라이트**
>
> 최근 경제 보고서에 따르면 지난 분기 동안 국가의 실업률이 1.5% 상승하여 6.5%에 도달한 것으로 나타났다. 이러한 증가는 특히 서비스 부문에서 두드러졌는데, 이는 소매 및 접대 산업에 영향을 미치는 경제 후퇴로 인하여 2.0%의 실업률 증가를 보여주었다. 반면 제조업 부문은 실업률이 0.5% 소폭 감소하여 경제 전반의 어려움에도 불구하고 산업 생산에 있어서의 회복력을 반영하였다. 반대로, 의료 부문은 같은 기간 동안 3만 개의 신규 일자리를 추가하며 견고한 고용 성장을 지속했다. 이러한 성장은 의료 서비스에 대한 수요 증가와 의료 시설 및 인력 교육에 대한 지속적인 투자에 의해 촉진되었다.

① 지난 분기 동안 국가의 실업률이 1.5% 상승하여 6.5%가 되었다.
② 서비스 부문은 실업률이 2.0% 증가했다.
③ 제조업 부문은 고용이 0.5% 감소했다.
④ 의료 부문은 3만 개의 새로운 일자리를 추가하여 강한 성장을 보였다.

해설

③ 세 번째 문장에서 제조업 부문은 실업률이 0.5% 소폭 감소하였다고 했으므로 글의 내용과 일치하지 않는다.
① 첫 번째 문장에서 지난 분기 동안 국가의 실업률이 1.5% 상승하여 6.5%에 도달한 것으로 나타났다고 했으므로 글의 내용과 일치한다.
② 두 번째 문장에서 서비스 부문은 경제 후퇴로 인해 2.0% 실업률이 증가했다고 했으므로 글의 내용과 일치한다.
④ 네 번째 문장에서 의료 부문은 같은 기간 동안 3만 개의 신규 일자리를 추가하였다고 했으므로 글의 내용과 일치한다.

어휘

- indicate 지시하다
- notable 주목할 만한
- slowdown 후퇴
- hospitality 접대
- reflect 반영하다
- conversely 반대로
- robust 튼튼한
- unemployment rate 실업률
- sector 부문
- retail 소매업
- manufacture 제조하다
- resilence 회복력
- demonstrate 보여주다

정답 ③

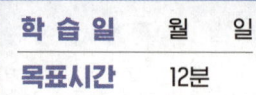

046 각 문장을 끊어 읽고 해석한 후 제시된 문제에 답하시오.

> 01
> The way in which we phrase our words has an enormous
> 02
> psychological impact on our reasoning. The most famous idiom to illustrate this point is to say that a glass is "half
> 03
> full" instead of "half empty." The positive connotations of a half-full glass allow for a more content and **susceptible** frame of mind, as opposed to the negative distancing
> 04
> effect of considering a glass half-empty. For instance, more people are likely to buy a box of cookies that are advertised as being 75% fat free than a box that was
> 05
> simply 25% fat. The subtle effects of carefully choosing our words are _____.

1 빈칸에 들어갈 말로 가장 적절한 것은?
① selectively influential and limited
② from private and individual experiences
③ far-reaching and extraordinarily common
④ directly related to interpersonal relationships

2 글의 주제로 가장 적절한 것은?
① Positive thinking always leads to positive results.
② Our choice of language can influence our thinking.
③ Advertising slogans with well-known idioms work best.
④ Negative feelings have an effect on language fluency.

3 밑줄 친 부분의 의미와 가장 가까운 것은?
① sensitive
② dull
③ doubtful
④ placid

046 구문분석 & 문장분석

01
The way (in which we phrase our words) /
(우리가 단어들을 표현하는) 방법은 /
has an enormous psychological impact /
엄청난 심리적인 영향을 미친다 /
on our reasoning.
우리의 논리에.

02
The most famous idiom (to illustrate this point) /
(이 점을 설명해 주는) 가장 유명한 관용구는 /
is to say // that a glass is "half full" /
말하는 것이다 // 잔이 "반이나 찼네."라고 /
instead of "half empty."
"반이나 비었네." 대신에.

03
The positive connotations (of a half-full glass) /
(잔이 반이나 찼다는) 긍정적인 함축성은 /
allow for a more content and susceptible frame of mind, /
더 만족스럽고 민감한 기분을 가질 수 있게 한다, /
as opposed to the negative distancing effect (of considering a glass half-empty).
(잔이 반이나 비었다고 여기는) 부정적인 거리 효과와는 반대로.

04
For instance, / more people are likely to buy /
예를 들어, / 더 많은 사람들이 살 것이다 /
a box of cookies (that are advertised / as being 75% fat free) /
(광고된 / 지방이 75% 없다고) 쿠키 상자를 /
than a box (that was simply 25% fat).
(지방이 단 25%라는) 상자보다.

05
The subtle effects (of carefully choosing our words) /
(우리가 신중하게 단어를 선택하는 것의) 미묘한 효과는 /
are far-reaching and extraordinarily common.
방대한 영향을 미치고, 아주 흔한 것이다.

해석

1 ① 선택적으로 영향력이 있고 제한적인
② 개인적이고 사적인 경험으로부터 오는
④ 대인 관계에 직접적으로 관련되어 있는

2 ① 긍정적인 사고가 긍정적인 결과로 항상 이어진다.
② 우리의 언어 선택은 우리의 사고에 영향을 미칠 수 있다.
③ 잘 알려진 관용구가 있는 광고 문구는 최고의 효과를 거둔다.
④ 부정적인 감정은 언어의 유창함에 영향을 미친다.

해설

1 첫 문장에서 글의 주제를 제시하고, 예시를 통해 주장을 뒷받침한 다음 마지막 문장에서 주제를 재진술하는 구조이다. 우리의 단어 선택이 우리의 논리에 엄청난 영향을 준다고 했고 빈칸 앞에서 우리가 흔히 접하는 광고의 단어 선택에 따라 어떤 효과가 생기는지 설명했다. 그러므로 신중한 단어 선택이 미치는 영향력이 대단히 크고 흔하다는 내용이 빈칸에 들어가는 것이 적절하다. 따라서 정답은 ③ '방대한 영향을 미치고 아주 흔한'이다.

2 이 글은 우리의 언어 선택이 우리의 논리, 즉 사고방식이나 심리에 영향을 미친다는 내용이므로 글의 주제로 가장 적절한 것은 ② '우리의 언어 선택은 우리의 사고에 영향을 미칠 수 있다.'이다. ③은 주제를 뒷받침하기 위한 예시로 advertising이 언급되기는 했지만, well-known idioms에 관한 내용은 없으므로 답이 될 수 없다.

전문해석

우리가 단어들을 표현하는 방법은 우리의 논리에 엄청난 심리적인 영향을 미친다. 이 점을 설명해 주는 가장 유명한 관용구는 잔이 "반이나 비었네." 대신에 "반이나 찼네."라고 말하는 것이다. 잔이 반이나 비었다고 여기는 부정적인 거리 효과와는 반대로, 잔이 반이나 찼다는 긍정적인 함축성은 더 만족스럽고, 민감한 기분을 가질 수 있게 한다. 예를 들어, 지방이 단 25%라는 상자보다 지방이 75% 없다고 광고한 쿠키 상자를 더 많은 사람들이 살 것이다. 우리가 신중하게 단어를 선택하는 것의 미묘한 효과는 <u>방대한 영향을 미치고 아주 흔한</u> 것이다.

어휘

- phrase ~을 표현하다
- enormous 엄청난
- impact 영향
- reasoning 논리
- illustrate 설명하다
- connotation 함축
- content 만족스러운
- susceptible 민감한
- distancing effect 거리 효과
- subtle 미묘한
- far-reaching 방대한
- interpersonal relationship 대인관계
- fluency 유창함
- dull 둔한
- doubtful 의심스러운
- placid 차분한

정답 1 ③ 2 ② 3 ①

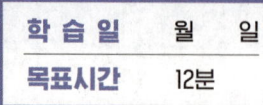

047 각 문장을 끊어 읽고 해석한 후 제시된 문제에 답하시오.

01
The Renaissance kitchen had an **explicit** hierarchy of helps who worked together to produce the elaborate
02
banquets. (A) At the top, as we have seen, was the steward, who was in charge of not only the kitchen, but
03
also the dining room. (B) The dining room was supervised by the butler, who was in charge of the silverware and linen and also served the dishes that began and ended the banquet — the cold dishes, salads, cheeses, and fruit at the beginning and the sweets at the
04
end of the meal. (C) This elaborate decoration and serving was what in restaurants is called "the front of the
05
house." (D) The kitchen was supervised by the head cook, who directed the undercooks, pastry cooks, and kitchen help.

1 글의 흐름상 가장 어색한 문장은?
① (A)　② (B)
③ (C)　④ (D)

2 글의 제목으로 가장 적절한 것은?
① A Strict Class System in the Renaissance Kitchen
② Who Was in Charge of the Renaissance Kitchen?
③ The Characteristics of the Renaissance Kitchen
④ The Development of the Renaissance Cooking System

3 밑줄 친 부분의 의미와 가장 가까운 것은?
① uncertain
② complex
③ justly
④ clear

문장 분석 및 해설

047 구문분석 & 문장분석

01
The Renaissance kitchen had an explicit hierarchy (of helps (who worked together / to produce the elaborate banquets)).
르네상스의 부엌은 ((함께 일한 / 정교한 연회를 만들어내기 위해) 종업원들의) 뚜렷한 계급이 있었다.

02
At the top, (as we have seen), / was the steward,
(우리가 본 바대로), 최상위에 / 집사장이 있었다

(who was in charge of not only the kitchen, /
그는 (주방뿐 아니라, /

but also the dining room).
홀까지 담당했다).

03
The dining room was supervised by the butler, /
홀은 평집사에 의해 지휘됐는데, /

who was in charge of the silverware and linen //
그는 은식기와 식탁보를 담당했다 //

and also served the dishes (that began and ended the banquet) /
그리고 또한 (연회를 시작하고 끝내는) 요리를 내갔다 /

— the cold dishes, salads, cheeses, and fruit at the beginning /
— 차가운 요리, 샐러드, 치즈, 그리고 과일을 맨 처음에 /

and the sweets at the end of the meal.
그리고 단 음식은 식사 끝에.

04
This elaborate decoration and serving was //
이 정교한 장식과 서빙은 ~이었다 //

what in restaurants is called "the front of the house."
식당에서 '그 집의 얼굴'이라고 불린 것.

05
The kitchen was supervised by the head cook, /
주방은 주방장에 의해 지휘됐는데, /

who directed the undercooks, pastry cooks, and kitchen help.
그는 보조 요리사, 과자 요리사, 그리고 주방 보조를 지휘했다.

해석

2 ① 르네상스 부엌의 엄격한 계급 제도
② 누가 르네상스 부엌을 담당했는가?
③ 르네상스 부엌의 특징
④ 르네상스 요리 체계의 발달

해설

1 첫 문장에서 파악할 수 있듯이 글은 르네상스 시대의 주방과 홀에 존재했던 위계질서 체계를 설명하는 글이다. 식당의 정교한 장식과 서빙이 '그 집의 얼굴'이었다는 네 번째 문장의 설명은 주방의 계급과는 관련이 없는 내용이다. 따라서 정답은 ③ (C)이다.

2 이 글은 첫 문장에서 르네상스의 주방에 엄격한 계급 체계가 존재했다고 전제한 뒤, 각각의 신분이 어떤 일을 담당했는지 설명하고 있다. 따라서 글의 제목으로 가장 적절한 것은 ① '르네상스 부엌의 엄격한 계급 제도'이다. 나머지 보기는 글의 핵심어인 '계급' 또는 위계가 언급되지 않아서 답이 될 수 없다.

전문해석

르네상스의 부엌은 정교한 연회를 만들어내기 위해 함께 일한 종업원들의 뚜렷한 계급이 있었다. 우리가 본 바대로, 주방뿐 아니라 홀까지 담당했던 집사장이 최상위에 있었다. 홀은 평집사에 의해 지휘됐는데, 그는 은식기와 식탁보를 담당했고, 또한 연회를 시작하고 끝내는 요리를 내갔다 — 차가운 요리, 샐러드, 치즈, 그리고 과일을 맨 처음에, 그리고 단 음식은 식사 끝에. 주방은 주방장에 의해 지휘됐는데, 그는 보조 요리사, 과자 요리사, 그리고 주방 보조를 지휘했다.

어휘

- explicit 명확한
- hierarchy 계급
- help 종업원
- elaborate 정교한
- banquet 연회
- steward 집사장
- be in charge of ~을 담당하다
- supervise 지휘하다
- butler 평집사
- silverware 은식기
- linen 식탁보
- undercook 요리사의 조수
- pastry cook 과자 전문 요리사
- justly 공정한

정답 1 ③ 2 ① 3 ④

048 다음 글을 읽고 물음에 답하시오.

To Whom It May Concern:

I bought a electric rice cooker about five months ago at Mincefield Department Store (Model 20-V, with a 1-year warranty). When I tried to use it last week, however, the start button would not work. I tried to return the item to the store, but the department manager would not **honor** the warranty, because it is going out of business. The manager suggested that I contact you, the manufacturer.

So, I'm sending you the cooker with this letter. Please have the cooker repaired and return it to my work address: 2003 Mountainview, Houston, TX 79050. I use the cooker quite frequently, so I would appreciate your promptness.

Sincerely,
Susan Tiffin

1 이 글의 목적으로 가장 알맞은 것은?

① 제품의 수리를 요청하려고
② 제품의 배송지를 변경하려고
③ 직원의 불친절에 항의하려고
④ 제품의 보증기간을 연장하려고

2 밑줄 친 honor의 의미와 가장 가까운 것은?

① destroy
② revise
③ fulfill
④ confront

049 다음 글을 읽고 물음에 답하시오.

UNICEF: Championing Children's Rights Globally

Mission
UNICEF works in the world's toughest places to reach the most disadvantaged children and adolescents — and to protect the rights of every child, everywhere. Across more than 190 countries and territories, we do whatever it takes to help children survive, thrive and fulfill their potential, from early childhood through adolescence.

Support
The world's largest provider of vaccines, we support child health and nutrition, safe water and sanitation, quality education and skill building, HIV prevention and treatment for mothers and babies, and the protection of children and adolescents from violence and exploitation.

Commitment
Before, during and after humanitarian emergencies, UNICEF is on the ground, bringing lifesaving help and hope to children and families. Non-political and **impartial**, we are never neutral when it comes to defending children's rights and safeguarding their lives and futures. And we never give up.

1 UNICEF에 관한 다음 글의 내용과 일치하지 않는 것은?

① It works for protecting children's right around the world.
② It helps the children to make their potentials come true.
③ It gives the protection of children and adolescents from violence.
④ It maintains its neutral position when protecting children in need.

2 밑줄 친 impartial의 의미와 가장 가까운 것은?

① unbiased   ② unfair
③ invaluable   ④ unintentional

048

해석

수신: 고객 서비스 매니저
발신: Susan Tiffin
날짜: 7월 25일
제목: 도움 요청

관계자님께,

약 5개월 전 Mincefield 백화점에서 전기 밥솥(Model 20-V, 1년 보증 포함)을 구입했습니다. 그러나 지난주에 사용하려고 했을 때 시작 버튼이 작동하지 않았습니다. 그래서 매장에 반품하려 했지만, 백화점 매니저는 매장이 폐업하기 때문에 보증을 이행해 주지 않았습니다. 매니저는 제조업체인 귀사에 연락할 것을 제안했습니다.

따라서 이 편지와 함께 밥솥을 보내드립니다. 수리 후 제 직장 주소로 반환해 주시기 바랍니다: 2003 Mountainview, Houston, TX 79050. 저는 이 밥솥을 자주 사용하기 때문에 신속하게 처리해 주시면 감사하겠습니다.

감사합니다,
Susan Tiffin

해설

1 두 번째 문단에서 이메일을 쓴 이유에 대한 명확한 이유가 등장한다. 글쓴이는 전기밥솥을 수리하여 직장으로 보내줄 것을 요청하고 있다. 따라서 정답은 ① '제품의 수리를 요청하려고'이다.

어휘

- electric rice cooker 전기밥솥
- warranty 보증
- honor 이행하다
- go out of business 폐업하다
- manufacturer 제조사
- promptness 신속함
- destroy 파괴하다
- revise 수정하다
- fulfill 이행하다
- confront 대면하다

정답 1 ① 2 ③

049

해석

유니세프: 세계 아동 인권 옹호

사명
유니세프(UNICEF)는 가장 혜택받지 못하는 아동과 청소년들을 돕기 위해 가장 힘든 지역에서 일하고 있다 — 그리고 모든 곳에서 모든 아동의 권리를 보호하기 위해. 190개 이상의 국가와 지역에 걸쳐 우리는 아동기 초반부터 청소년기까지의 아이들이 생존하고 잘 성장하며 잠재력을 발휘할 수 있는 데 필요한 것이라면 무엇이든 하고 있다.

지원
세계 최대의 백신 공급자로서, 우리는 아동 건강 및 영양, 안전한 식수 및 위생, 질 높은 교육 및 기술 습득, 어머니와 아기를 위한 HIV 예방 및 치료, 그리고 아동과 청소년을 폭력과 착취로부터 보호하는 일을 지원한다.

공약
인도주의적 비상사태가 발생하기 전, 도중, 그리고 후에도 유니세프는 현장에서 아동과 가족에게 생명을 구하는 도움과 희망을 제공한다. 유니세프는 비정치적이고 공정하지만, 아동의 권리를 옹호하고 그들의 삶과 미래를 보호하는 일에 있어서는 결코 중립적이지 않다. 그리고 결코 포기하지 않는다.

1 ① 전 세계 아동의 권리를 보호하기 위해 일한다.
  ② 아이들이 잠재력을 실현할 수 있도록 돕는다.
  ③ 아이들과 청소년을 폭력으로부터 보호한다.
  ④ 어려움에 처한 아동을 보호할 때 항상 중립을 지킨다.

해설

1 ④ 마지막 문장에서 아동의 권리를 옹호하고 그들의 삶과 미래를 보호하는 일에 있어서는 결코 중립적이지 않다고 했으므로 글의 내용과 일치하지 않는다.
  ① 첫 번째 문장에서 모든 아이들의 권리를 보호하기 위해 일한다고 했으므로 글의 내용과 일치한다.
  ② 두 번째 문장에서 아동들과 청소년들이 잠재력을 발휘할 수 있는데 필요한 것이라면 무엇이든 하고 있다고 했으므로 글의 내용과 일치한다.
  ③ 세 번째 문장에서 아동들과 청소년을 폭력과 착취로부터 보호하는 일을 지원한다고 했으므로 글의 내용과 일치한다.

어휘

- disadvantaged 혜택을 받지 못하는
- adolescent 청소년
- territory 지역
- thrive 성장하다
- potential 잠재력
- nutrition 영양
- sanitation 위생
- prevention 예방
- exploitation 착취
- humanitarian 인도주의적인
- impartial 공정한
- when it comes to ~에 관한 한
- unbiased 편견 없는
- invaluable 귀중한
- unintentional 의도하지 않은

정답 1 ④ 2 ①

050 Luscious Festival에 관한 다음 글의 내용과 일치하지 않는 것은?

Toast to Christmas: Indulge in Global Wine Delights

Celebrate Christmas with us at our Wine Festival! Join us for an evening of tasting a variety of wines from selected regions around the world, learning from wine experts, and enjoying delicious food and wine pairings.

Event Highlights:

- Tasting sessions featuring high-quality wines from various countries and regions
- Wine talks and guided tastings by wine experts
- Delicious food options paired perfectly with wines

Date: December 22
Time: 3:00 PM - 8:00 PM
Location: City Wine & Dining, 25 Wine Street

Registration & Fee:

- **Register online**: www.lusciousfestiv.com
- **Fee**: ₩50,000 per person (includes tastings and food pairings)

Notes:

- Adults only (age 19 and above)
- Cancellations are accepted up to 72 hours before the event.

Join us in celebrating Christmas with wine in a festive atmosphere!

① 다양한 국가에서 선별한 고품질 와인을 시음할 수 있다.
② 5시간 동안 진행된다.
③ 한 사람당 5만 원이고, 시음비는 따로 지불해야 한다.
④ 19세 이상의 성인만 참가할 수 있다.

DAY 09~10 Exercises

[1~4] 양쪽에 주어진 말의 의미가 일맥상통하도록 선으로 연결하세요.

1. novice ○　　　　　　　　　　　　① a person who is not experienced in a job or situation

2. placid ○　　　　　　　　　　　　② to create, accumulate, or raise financial resources

3. generate a fund ○　　　　　　　　③ not easily excited or annoyed

4. come your way ○　　　　　　　　④ to arrive or happen to you

[5~7] 다음 문장의 끊어 읽기를 참고하여, 빈칸에 알맞은 해석을 쓰세요.

5. This increase was particularly notable in the service sector, / which saw a 2.0% increase in unemployment / due to economic slowdowns affecting retail and hospitality industries.

   이러한 증가는 특히 서비스 부문에서 두드러졌는데, / _____ / 소매 및 접대 산업에 영향을 미치는 경제 후퇴로 인하여.

6. Focus on what you want to happen / and mull over what's good in your life / so that greater stuff will come your way.

   당신이 일어나기를 바라는 일에 집중하라 / 그리고 당신 삶 속의 멋진 것을 곰곰이 생각하라 / _____.

7. The Renaissance kitchen had an explicit hierarchy of helps / who worked together / to produce the elaborate banquets.

   _____ / 함께 일한 / 연회를 만들어내기 위해.

정답 1 ① 2 ③ 3 ② 4 ④ 5 이는 2.0%의 실업률 증가를 보여주었다 6 더 근사한 일들이 당신에게 일어나도록 7 르네상스의 부엌은 종업원들의 뚜렷한 계급이 있었다

051 각 문장을 끊어 읽고 해석한 후 제시된 문제에 답하시오.

01
Some geographers say urbanization is a good thing because it **alleviates** pressure on the land, and in many countries on the land, there are too many people for the work available.

02
(A) Moreover, it is generally the young members of the population who tend to migrate, leaving the old and the infirm to run the farms, which is hardly likely to **03** improve the efficiency of the farms. There is thus a decline in rural industries and food supply.
04
(B) In countries where there are already very great problems of food supply, this massive increase in the size of towns will place a big strain on the surrounding agricultural areas.
05
(C) However, more and more geographers consider that urbanization is a bad thing because a city depends very much on food being supplied from the surrounding countryside.

1 주어진 문장 다음에 이어질 글의 순서로 올바른 것은?
① (B) – (A) – (C) ② (B) – (C) – (A)
③ (C) – (A) – (B) ④ (C) – (B) – (A)

2 글의 요지로 가장 적절한 것은?
① Urbanization will not benefits the economy and job availability.
② Urbanization can relieve population pressure on limited land resources.
③ Migration of young individuals from rural areas boosts industry.
④ Urbanization negatively affects on the food supply and farming efficiency.

3 밑줄 친 부분의 의미와 가장 가까운 것은?
① intensifies
② diminishes
③ removes
④ causes

051 구문분석 & 문장분석

01
Some geographers say // urbanization is a good thing //
일부 지리학자들은 말한다 // 도시화는 좋은 것이라고 //

because it alleviates pressure (on the land), //
그것은 (토지에 대한) 압박을 완화하기 때문에 //

and in many countries (on the land) /
그리고 (토지가 있는) 많은 시골에는 /

there are too many people (for the work) available.
(일자리에) 이용 가능한 사람들이 너무 많기 때문에.

02
(A) Moreover, / it is generally the young members of
게다가 / 일반적으로 인구의 젊은 구성원들이다 /

the population / who tend to migrate, //
이주하는 사람들은, //

leaving the old and the infirm to run the farms, /
노인들과 병약자들이 농장을 운영하도록 내버려 둔 채, /

which is hardly likely to improve the efficiency (of the farms).
이것은 (농장의) 효율성을 개선시킬 가능성이 거의 없다.

03
There is thus a decline /
(따라서) 쇠퇴하고 있다 /

in rural industries and food supply.
시골의 산업과 식량 공급은.

04
(B) In countries (where there are already very great problems (of food supply)), /
(이미 (식량 공급에 관한) 매우 큰 문제들이 있는) 나라들에서, /

this massive increase (in the size of towns) /
이와 같은 (도시 크기의) 엄청난 증가는 /

will place a big strain /
큰 부담을 줄 것이다 /

on the surrounding agricultural areas.
주변의 농경 지대들에.

05
(C) However, / more and more geographers consider //
그러나, / 점점 더 많은 지리학자들은 여긴다 //

that urbanization is a bad thing //
도시화는 좋지 않은 것이라고 //

because a city depends very much /
도시가 너무 많이 의존하기 때문에 /

on food (being supplied / from the surrounding countryside).
(공급되는 / 주변의 시골 지역에서) 식량에.

해석

2
① 도시화는 경제와 일자리 가능성에 도움이 되지 않을 것이다.
② 도시화는 제한된 토지 자원에 대한 인구 압박을 덜어줄 것이다.
③ 시골 지역으로부터의 젊은이들의 이주는 산업을 활성화한다.
④ 도시화는 식량 공급과 농장 효율성에 부정적인 영향을 준다.

해설

1 일반적 진술-반박 구조의 글이다. 도시화에 대한 긍정적 견해를 가진 몇몇 지리학자들의 주장을 소개하며 글이 시작된 후, 이를 반박하는 주제문이 등장하며 전환이 이어진다. (C)의 However 이후가 일반 진술을 반박하는 주제문이다. 도시화가 좋은 것이라는 앞 문장에 반박하며 그것이 주변 농촌에 식량을 너무 의존하기 때문에 좋지 않은 것이라고 설명한다. (B)는 식량 의존으로 발생하는 문제에 대한 부연 설명이다. 이후 Moreover에서 젊은 층이 도시로 이주하게 되면 노인과 병약자가 농장을 운영하게 되어 효율성이 떨어진다는 두 번째 이유로 이어지는 것이 자연스럽다. 따라서 정답은 ④ (C) - (B) - (A)이다.

2 However 이후의 반박 문장이 주제문이다. 도시화를 부정적인 것으로 보는 지리학자들의 견해를 글쓴이는 강조하고 있다. 그 이유로 첫 번째가 식량 공급에 대한 압박이 이어지고 두 번째 이유로 농촌 지역 농장의 효율성이 떨어질 것이라고 언급하고 있다. 이를 포괄하는 내용인 ④를 이 글의 요지로 볼 수 있다.

전문해석

일부 지리학자들은 도시화가 토지에 대한 압박을 완화하고, 토지가 있는 많은 시골에는 일자리에 이용 가능한 사람들이 너무 많기 때문에, 도시화는 좋은 것이라고 말한다. 그러나 점점 더 많은 지리학자들은 도시가 주변의 시골 지역에서 공급되는 식량에 너무 많이 의존하기 때문에 도시화는 좋지 않은 것이라고 여긴다. 이미 식량 공급에 관한 매우 큰 문제들이 있는 나라들에서 이와 같은 도시 크기의 엄청난 증가는 주변의 농경 지대들에 큰 부담을 줄 것이다. 게다가 노인들과 병약자들이 농장을 운영하도록 내버려 둔 채 이주하는 사람들은 일반적으로 인구의 젊은 구성원들인데, 이것은 농장의 효율성을 개선시킬 가능성이 거의 없다. 따라서 시골의 산업과 식량 공급은 쇠퇴하고 있다.

어휘

- geographer 지리학자
- alleviate 완화하다
- infirm 병약한
- decline 쇠퇴
- place a strain on ~에 부담을 주다
- benefit 도움을 주다
- pressure 압박
- intensify 강화하다
- remove 제거하다
- urbanization 도시화
- migrate 이주하다
- efficiency 효율성
- massive 엄청난
- agricultural 농경의
- relieve 덜어주다
- migration 이주
- diminish 감소시키다
- cause 야기하다

정답 1 ④ 2 ④ 3 ②

052 각 문장을 끊어 읽고 해석한 후 제시된 문제에 답하시오.

01
Among life's cruelest truths is this one: Wonderful things are especially wonderful the first time they happen, but their wonderfulness wanes with repetition.
02
(A) Just compare the first and last time your partner said "I love you" and you'll know exactly what I mean. (B)
03
When you have an experience — hearing a particular sonata, making love with a particular person — on successive occasions, we quickly begin to adapt to it, and the experience _____ each time.
04
(C) In other words, as we spend more time together and continue to engage in conversations, activities, and experiences, we develop a stronger bond and a deeper
05
understanding of each other. (D) Psychologists call this habituation, economists call it diminishing marginal utility, and the rest of us call it marriage.

1 필자가 주장하는 바로 가장 적절한 것은?
① 성공적인 대화는 공감을 바탕으로 이루어진다.
② 아무리 좋은 일도 반복되면 식상해진다.
③ 치밀한 계획을 세우자.
④ 성공은 좌절을 극복함으로써 얻을 수 있다.

2 글의 흐름상 가장 어색한 문장은?
① (A)   ② (B)
③ (C)   ④ (D)

3 빈칸에 들어갈 말로 가장 적절한 것은?
① reinforces our daily routine
② leads to mature relationship
③ makes us more comfortable
④ yields less pleasure

052 구문분석 & 문장분석

01

Among life's cruelest truths / is this one: //
인생의 가장 잔인한 진실들 중에 / 이것이 있다: //

Wonderful things are especially wonderful //
대단한 것들은 특히 더 대단하다 //

the first time they happen, //
그것들이 처음 일어날 때 //

but their wonderfulness wanes with repetition.
그러나 그들의 대단함은 반복됨에 따라 감소된다.

02

Just compare the first and last time (your partner said "I love you") //
(당신의 배우자가 "사랑해"라고 말했던) 처음과 마지막을 비교해 보라 //

and you'll know exactly what I mean.
그럼 당신은 내가 의미하는 바가 무엇인지 정확히 알게 될 것이다.

03

When you have an experience (— hearing a particular sonata, / making love with a particular person) /
당신이 경험이 있다면 (— 특별한 소나타를 듣고 / 어떤 특별한 사람과 사랑을 한) /

— on successive occasions, //
— 연속적인 사건으로 //

we quickly begin to adapt to it, //
우리는 빠르게 적응하기 시작한다, //

and the experience yields less pleasure each time.
그리고 그 경험은 매번 더 적은 즐거움을 가져온다.

04

In other words, / as we spend more time together /
다시 말해 / 우리가 함께 더 많은 시간을 보낼수록 /

and continue to engage in conversations, activities, and experiences, //
그리고 대화와 활동, 경험에 계속 참여할수록, //

we develop a stronger bond and a deeper understanding (of each other).
우리는 (서로에 대한) 더 강한 유대감과 더 깊은 이해를 발달시킨다.

05

Psychologists call this habituation, //
심리학자들은 이것을 습관화라고 부른다, //

economists call it diminishing marginal utility, //
경제학자들은 그것을 한계 효용 체감이라 부른다, //

and the rest of us call it marriage.
그리고 나머지 우리들은 그것을 결혼이라고 부른다.

해석

3 ① 우리의 반복적인 일상을 강화한다
　② 성숙한 관계를 낳는다
　③ 우리가 더욱 편안하도록 만든다

해설

1 주제문이 지문의 전반부에 등장하는 두괄식 구조의 글이다. 일반적 진술로 시작해 but에서 전환이 이루어지며 대단한 일들도 반복됨에 따라 그 대단함이 감소된다고 말하고 있다. 이후 다양한 예시 등을 통해 주제문을 뒷받침하고 있다. 따라서 필자의 주장으로 적절한 것은 ② '아무리 좋은 일도 반복되면 식상해진다.'이다.

2 글의 전반부에서부터 글쓴이가 계속해서 말하는 것은 아무리 놀라운 기쁨이라고 해도 그것이 반복되면 그것으로부터 얻는 우리의 즐거움은 감소하게 된다는 것이다. 그러나 (C)의 문장은 함께 보내는 경험이 계속 많을수록 유대감과 이해심이 강해지게 된다고 하였으므로 글 전체의 내용 흐름과는 오히려 정반대의 주장이다. 따라서 정답은 ③ (C)이다.

3 첫번째 문장이 주제문이고 그러한 주제문을 뒷받침해 줄 수 있는 예시가 두 번째와 세 번째 문장에서 제시된다. 주제문에서 대단한 일이 반복됨에 따라 그 대단함이 감소된다고 설명한다. 빈칸의 바로 앞 문장에서 역시 우리는 빠르게 그 경험(it)에 익숙해진다고 설명하고 있다. 따라서 빈칸에 들어갈 말로 가장 적절한 것은 ④ '더 적은 즐거움을 가져오게'이다.

전문해석

이것은 인생의 가장 잔인한 진실들 중에 이것이 있다: 대단한 것들은 그것들이 처음 일어날 때 특히 더 대단하지만 그들의 대단함은 반복됨에 따라 감소된다. 당신의 배우자가 "사랑해"라고 말했던 처음과 마지막을 비교해 보면 당신은 내가 의미하는 바가 무엇인지 정확히 알게 될 것이다. 당신이 연속적인 사건으로 특별한 소나타를 듣고 어떤 특별한 사람과 사랑을 한 경험이 있다면 우리는 빠르게 적응하기 시작하고 그 경험은 매번 더 적은 즐거움을 가져온다. 심리학자들은 이것을 습관화라고 부르고, 경제학자들은 그것을 한계 효용 체감이라 부르고, 나머지 우리들은 그것을 결혼이라고 부른다.

어휘

- cruel 잔인한
- wane 감소되다
- repetition 반복
- compare 비교하다
- particular 특별한
- successive 연속적인
- occasion 사건
- adapt 적응하다
- engage in ~에 참여하다
- bond 유대감
- psychologist 심리학자
- habituation 습관화
- diminishing marginal utility 한계 효용 체감
- reinforce 강화하다
- yield 가져오다

정답 1 ② 2 ③ 3 ④

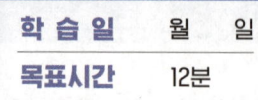

053 각 문장을 끊어 읽고 해석한 후 제시된 문제에 답하시오.

⁰¹ As mothers, students, caretakers, and professionals, many women lead **hectic** lives, filled with both obvious and subtle stressors that are on our mind, and they have prolonged difficulties achieving good sleep. ⁰² The sheer numbers of over-the-counter and prescription sleep aids give you an idea of how widespread insomnia is today. ⁰³ But the problem with these sleep aids is that even though they induce drowsiness, they do not promote real sleep — deep, lasting, and refreshing. ⁰⁴ And some of these agents, if taken over the course of months, may lead to dependency or stop working altogether. ⁰⁵ Consequently, many of the cautious and trustworthy physicians are _____.

* over-the-counter: 처방전 없이 살 수 있는

1 글의 주제로 가장 적절한 것은?

① Women, as opposed to men, suffer from insomnia.
② The safety of many sleep pills on the market isn't guaranteed.
③ Many women get prescription to alleviate insomnia.
④ Women tend to experience the side effects of sleeping pills.

2 빈칸에 들어갈 말로 가장 적절한 것은?

① apt to have trouble in achieving good sleep
② preferable to use sleeping medicine
③ aware of the risk of insomnia
④ less likely to prescribe sleeping pills

3 밑줄 친 부분의 의미와 가장 가까운 것은?

① constant   ② busy
③ isolated   ④ routine

문장 분석 및 해설

053 구문분석 & 문장분석

01
As mothers, students, caretakers, and professionals, /
어머니, 학생, 간호인, 그리고 전문가로서, /
many women lead hectic lives, (filled with both obvious and subtle stressors (that are on our mind)), //
많은 여성들은 ((우리의 마음에 있는) 분명하고도 미묘한 스트레스 유발 요소들로 가득 차 있는) 정신없이 바쁜 삶을 살고 있다 //
and they have prolonged difficulties achieving good sleep.
그리고 그들은 질 좋은 수면을 취하는 데 지속적인 어려움을 겪는다.

02
The sheer numbers (of over-the-counter and prescription sleep aids) /
(처방전 없이 그리고 처방에 의해 팔리는 수면제의) 순전한 숫자만으로도 /
give you an idea (of how widespread insomnia is today).
(오늘날 불면증이 얼마나 널리 퍼져 있는지에 관한) 생각을 보여준다.

03
But the problem (with these sleep aids) is //
그러나 (이런 수면제들이 가진) 문제는 //
that even though they induce drowsiness, //
그것들이 졸림을 유발하기는 하지만, //
they do not promote real sleep /
그것들이 실제 수면을 촉진하지는 않는다는 것이다 /
— deep, lasting, and refreshing.
— 깊고, 지속적이며, 개운한.

04
And some of these agents, //
그리고 이런 약들 중 일부는 //
(if taken over the course of months), //
(몇 달에 걸쳐 복용하게 되면), //
may lead to dependency //
중독을 유발하거나 //
or stop working altogether.
효과가 완전히 사라질 수 있다.

05
Consequently, / many of the cautious and trustworthy physicians /
결과적으로 / 많은 조심성 있고 믿을 만한 의사들은 /
are less likely to prescribe sleeping pills.
수면제를 적게 처방할 가능성이 있다.

해석

1 ① 남성과는 반대로 여성들은 불면증에 시달린다.
② 시장에 나와 있는 많은 수면제의 안전성은 보장되어 있지 않다.
③ 많은 여성들이 불면증을 완화시키기 위해 처방전을 받고 있다.
④ 여성들은 수면제의 부작용을 겪는 경향이 있다.

2 ① 질 좋은 수면을 하는 데 어려움을 겪는 경향이
② 수면 약물을 사용하는 것에 대한 선호가
③ 불면증의 위험에 대한 인식이

해설

1 지문의 첫 문장에서 불면증이라는 글의 소재가 등장한다. 이에 대한 부연 설명이 등장한 후, But으로 시작하는 문장에서 글의 분위기 전환이 이어지며, 이 문장이 바로 글 전체의 주제문이 된다. 불면증이 널리 퍼져 있는 것이 사회적 현상이기는 하지만 이를 위해 복용되는 수면제가 사실상 부작용만 있을 뿐, 수면을 도와주지는 않는다는 것이다. 이후에는 수면제의 효과에 대해 의문을 제기하는 내용이 부연 설명으로 계속해서 이어진다. 따라서 이 글의 주제로 가장 적절한 것은 ② '시장에 나와 있는 많은 수면제의 안전성은 보장되어 있지 않다.'이다. ③, ④는 언급되기는 했으나 지엽적 내용이므로 주제가 될 수 없다.

2 문장의 주어가 '조심성 있고 믿을만한 의사들'이므로 이들이 취하는 현명한 행동에 대한 언급이 와야 함을 유추할 수 있다. 이 글이 수면제의 부작용과 효과 없음에 대한 설명을 제시하고 있는 글이므로 조심성 있고 믿을 만한 의사들은 수면제를 잘 처방하지 않는다는 내용의 ④가 빈칸에 들어가야 문맥상 적합하다. ②는 글의 내용과 반대되며 ①, ③은 언급되지 않았다.

전문해석

어머니, 학생, 간호인, 그리고 전문가로서, 많은 여성들은 우리의 마음에 있는 분명하고도 미묘한 스트레스 유발 요소들로 가득 차 있는 정신없이 바쁜 삶을 살고 있고 그들은 질 좋은 수면을 취하는 데 지속적인 어려움을 겪는다. 처방전 없이 그리고 처방에 의해 팔리는 수면제의 순전한 숫자만으로도 오늘날 불면증이 얼마나 널리 퍼져 있는지를 보여준다. 그러나 이런 수면제들이 가진 문제는 그것들이 졸림을 유발하기는 하지만, 깊고, 지속적이며, 개운한 실제 수면을 촉진하지는 않는다는 것이다. 그리고 이런 약들 중 일부는, 몇 달에 걸쳐 복용하게 되면, 중독을 유발하거나 효과가 완전히 사라질 수 있다. 결과적으로 많은 조심성 있고 믿을 만한 의사들은 <u>수면제를 적게 처방할 가능성이</u> 있다.

어휘

- caretaker 간호인
- subtle 미묘한
- lasting 지속적인
- prescription 처방
- widespread 널리 퍼진
- drowsiness 졸림
- dependency 중독
- trustworthy 믿을 만한
- guarantee 보장하다
- side effect 부작용
- isolated 고립된
- hectic 정신없이 바쁜
- stressor 스트레스 유발 요소
- sheer 순전한
- sleep aid 수면제
- insomnia 불면증
- agent 약(품)
- cautious 조심성 있는
- physician 내과 의사
- alleviate 완화시키다
- constant 지속적인
- routine 반복적인

정답 1 ② 2 ④ 3 ②

054 India's Wealth Gap에 관한 다음 글의 내용과 일치하지 않는 것은?

India's Wealth Gap

Despite India's rapid economic growth, the country still faces a significant wealth gap. The top 1% of the population holds a substantial portion of the nation's wealth, while the bottom 50% struggle with basic living conditions. Disparities in access to education and healthcare between urban and rural areas exacerbate this inequality, and social structures like the caste system further restrict economic opportunities for certain groups. Furthermore, economic policies have often favored large corporations and the wealthy, leaving small businesses and the lower-income population at a disadvantage. To achieve sustainable development, India must improve the quality of education and healthcare, eliminate social discrimination, support small and medium enterprises, and implement inclusive economic policies that ensure equitable growth for all segments of society.

① The top 1 percent of India's population accounts for a significant portion of the country's wealth.
② Differences in access to healthcare between urban and rural areas in India intensify inequality.
③ India's caste system limits economic opportunities for certain groups.
④ India's economic policies have been made in favor of small businesses and low-income families.

055 Oakville Community Festival에 관한 다음 글의 내용과 일치하지 않는 것은?

We're pleased to announce the upcoming Oakville Community Festival, a celebration of our vibrant community and diverse culture!

Details:

Date: August 15th
Location: Oakville Park
Time: 11:00 AM - 8:00 PM

Highlights:

Live Music: Enjoy performances by local bands and artists covering jazz, blues, rock, and pop.
Food Trucks: Sample gourmet burgers, tacos, vegan dishes, and sweet treats from a variety of food trucks.
Kids' Activities: Keep children entertained with face painting, bounce houses, and games.
Cultural Exhibits: Immerse yourself in our community's heritage with exhibits.
Workshops: Join informative sessions on gardening, cooking, and physical fitness led by local experts.

Join us for a day of festivities, camaraderie, and fun for the whole family at the Oakville Community Festival! We can't wait to celebrate with you.

① 지역 밴드와 예술가들이 공연을 연다.
② 푸드트럭에서 비건 요리를 먹어볼 수 있다.
③ 아이들만을 위한 활동이 준비되어 있다.
④ 환경 보호에 관한 워크숍에 참여할 수 있다.

054

해석

인도의 부의 격차

인도의 빠른 경제 성장에도 불구하고 여전히 큰 부의 격차에 직면해 있다. 인구의 상위 1%가 국가의 부의 상당 부분을 차지하고 있는 반면, 하위 50%는 기본적인 생활 조건에도 어려움을 겪고 있다. 도시와 농촌 간의 교육 및 의료 접근성의 격차는 이 불평등을 악화시키며, 카이스트 시스템과 같은 사회 구조는 특정 그룹의 경제적 기회를 더욱 제한한다. 게다가, 경제 정책은 종종 대기업과 부유층에 유리하게 작용하여, 소기업과 저소득층에게 불이익을 안겨주고 있다. 지속 가능한 발전을 성취하기 위해 인도는 교육과 의료의 질을 향상시키고, 사회적 차별을 없애며, 중소기업을 지원하고, 모든 사회 계층에 공평한 성장을 보장하는 포괄적인 경제 정책을 시행해야 한다.

① 인도의 인구 상위 1%가 국가의 상당 부분을 차지한다.
② 인도의 도시와 농촌 간의 의료 접근의 격차는 불평등을 심화시킨다.
③ 인도의 카이스트 시스템은 특정 그룹의 경제적 기회를 제한한다.
④ 인도의 경제 정책은 소기업과 저소득 가구에 유리하게 만들어졌다.

해설

④ 네 번째 문장에서 경제 정책은 종종 대기업과 부유층에 유리하게 작용하며 소기업과 저소득층에게 불이익을 안겨주고 있다고 했으므로 글의 내용과 일치하지 않는다.
① 두 번째 문장에서 인구의 상위 1%가 국가의 부의 상당 부분을 차지하고 있다고 했으므로 글의 내용과 일치한다.
② 세 번째 문장에서 도시와 농촌 간의 교육 및 의료 접근성의 격차는 이 불평등을 악화시킨다고 했으므로 글의 내용과 일치한다.
③ 세 번째 문장에서 카이스트 시스템과 같은 사회 구조는 특정 그룹의 경제적 기회를 더욱 제한한다고 했으므로 글의 내용과 일치한다.

어휘

- rapid 빠른
- portion 부분
- exacerbate 악화시키다
- favor 선호하다
- sustainable 지속적인
- discrimination 차별
- implement 시행하다
- segment 분야
- in favor of ~을 선호하여
- substantial 상당한
- disparity 격차
- inequality 불평등
- disadvantage 불이익
- eliminate 제거하다
- enterprise 사업
- inclusive 포괄적인
- account for 차지하다

정답 ④

055

해석

우리의 활기찬 커뮤니티와 다양한 문화를 축하하는, 다가오는 Oakville 커뮤니티 페스티벌을 알리게 되어 기쁩니다.

세부 사항:
- **날짜**: 8월 15일
- **장소**: Oakville 공원
- **시간**: 오전 11시 – 오후 8시

볼거리
- **라이브 음악**: 재즈, 블루스, 록, 팝을 연주하는 지역 밴드와 예술가들의 공연을 즐기세요.
- **푸드트럭**: 다양한 푸드트럭에서 고급진 버거, 타코, 비건 요리, 달콤한 간식을 맛보세요.
- **어린이 활동**: 페이스 페인팅, 바운스 하우스, 게임으로 아이들을 즐겁게 해주세요.
- **문화 전시**: 전시회를 통해 우리의 커뮤니티 유산에 흠뻑 빠져보세요.
- **워크숍**: 지역 전문가가 진행하는 원예, 요리, 피트니스에 관한 유익한 세션에 참여하세요.

Oakville 커뮤니티 페스티벌에서 온 가족이 함께 즐길 수 있는 축제, 우정, 재미의 하루를 함께하세요! 여러분과 함께 축하할 수 있기를 기대합니다.

해설

④ <워크숍> 항목에서는 환경 보호가 아니라, 원예, 요리, 피트니스에 관한 유익한 세션에 참여하라고 했으므로 글의 내용과 일치하지 않는다.
① <라이브 음악> 항목에서 지역 밴드와 예술가들의 공연을 즐기라고 했으므로 글의 내용과 일치한다.
② <푸드트럭> 항목에서 다양한 푸드트럭에서 고메 버거, 타코, 비건 요리, 달콤한 간식을 맛볼 수 있다고 했으므로 글의 내용과 일치한다.
③ <어린이 활동> 항목에서 페이스 페인팅, 바운스 하우스, 게임 등이 있다고 했으므로 글의 내용과 일치한다.

어휘

- upcoming 다가오는
- sample 맛보다
- treat 대접
- bounce house 바운스 하우스(공기를 불어 넣어 집 모양으로 만든 놀이기구)
- immerse 빠뜨리다
- exhibit 전시회
- festivity 축제
- vibrant 활기찬
- gourmet (음식이) 고급인
- entertain 즐겁게 하다
- heritage 유산
- informative 유익한
- camaraderie 우정

정답 ④

056 각 문장을 끊어 읽고 해석한 후 제시된 문제에 답하시오.

The sales talk of the old-fashioned businessman was essentially rational. (A) He knew his merchandise and the needs of the customer, and on the basis of which he tried to sell. (B) In order to be efficient, his sales talk had to be a rather rational and sensible. (C) Like any other kind of hypnoid suggestion, it tries to impress its customers emotionally, by all sorts of means such as the repetition of the same formula again and again. (D) All these methods are essentially _____; they have nothing to do with the qualities of the merchandise, and they suppress and kill the critical capacities of the customers.

1 글의 제목으로 가장 적절한 것은?

① Significance of the Sales Talk
② Change in Advertising Methods
③ Critical Capacities of the Customers
④ Importance of Emotional Advertising Slogans

2 다음 문장이 들어갈 위치로 가장 적절한 것은?

> A vast sector of modern advertising is different; it does not appeal to reason but to emotion.

① (A)　　② (B)
③ (C)　　④ (D)

3 빈칸에 들어갈 말로 가장 적절한 것은?

① reasonable
② knowledgeable
③ irrational
④ indifferent

056 구문분석 & 문장분석

01
The sales talk (of the old-fashioned businessman) /
(전통적인 비즈니스맨들의) 판매 권유는 /

was essentially rational.
근본적으로 합리적이었다.

02
He knew his merchandise and the needs (of the customer), //
그는 자신의 상품을 알았고 (소비자의) 욕구를 알았으며, //

and on the basis of which / he tried to sell.
그리고 이에 기반을 두어 / 그는 판매를 하려고 했다.

03
In order to be efficient, /
효율적이기 위해서, /

his sales talk had to be a rather rational and sensible.
그의 판매 권유는 꽤 합리적이고 분별이 있어야 했다.

삽입 문장
A vast sector of modern advertising is different;
대부분의 현대 광고는 (그와는) 다르다;

it does not appeal to reason // but to emotion.
그것은 이성에 호소하지 않는다 // 감성에 (호소한다).

04
Like any other kind of hypnoid suggestion, /
그 모든 다른 종류의 최면 암시와 마찬가지로, /

it tries to impress its customers emotionally, /
그것은 고객들에게 감성적으로 인상을 남기려고 노력한다 /

by all sorts of means (such as the repetition of the same formula again and again).
(같은 공식의 계속적 반복과 같은) 모든 종류의 방법을 사용해서.

05
All these methods are essentially irrational; //
이 모든 방법들은 본질적으로 비이성적이다; //

they have nothing to do with the qualities (of the merchandise), //
그것들은 (상품의) 품질과는 관계가 없다, //

and they suppress and kill the critical capacities (of the customers).
그리고 그것들은 (소비자의) 비판 능력을 억누르고 죽인다.

문장 분석 및 해설

해석

1 ① 판매 권유의 중요성
   ② 광고 방법의 변화
   ③ 소비자의 비판적 능력
   ④ 감성적 광고 슬로건들의 중요성

3 ① 합리적인   ② 박식한   ④ 무관심한

해설

1 글의 전반부에서 sales talk라는 글의 Topic이 소개되면서 과거의 sales talk는 합리적이었다고 설명한다. 그 후 이 합리적인 sales talk에 대한 부연 설명이 이어진다. 글의 중반부에서 과거의 sales talk와는 다른 현대의 광고를 소개하는데, 현대의 광고는 이성이 아닌 감성에 호소한다고 설명한다. 이후에는 감성적인 현대 광고를 구체적으로 부연 설명한다. 따라서 과거와 현대의 광고의 변화를 의미하는 ② '광고 방법들의 변화'가 글의 제목으로 가장 적절하다.

2 주어진 문장 앞에는 modern advertising이 아닌 다른 광고나 홍보에 대한 내용이 와야 함을 알 수 있다. 또한 이 글에서 전환이 이루어지므로 뒤에는 위 내용에 대한 부연 설명이 와야 함을 유추할 수 있다. (C)의 앞 문장은 old-fashioned businessman의 합리적이고 이성적인 sales talk에 대한 설명인데 (C)의 뒤에서는 그와는 다른 방식의 감성적 광고에 대한 설명이 이어진다. 따라서 주어진 문장은 (C)에 와야 함을 알 수 있다. 따라서 정답은 ③ (C)이다.

3 주어진 문장에서 현대적 광고는 이성적이지 않으며 감성에 호소한다고 설명한다. 또한 빈칸 이후에 이어지는 부연 설명에서는 현대적 광고는 상품의 품질과는 관련이 없고 소비자의 비판적인 능력을 억누르고 죽인다고 설명한다. 따라서 빈칸에 가장 적합한 것은 ③ '비이성적인'이다.

전문해석

전통적인 비즈니스맨들의 판매 권유는 근본적으로 합리적이었다. 그는 자신의 상품과 소비자의 요구를 알았으며, 이것에 기반을 두어 판매를 하려고 했다. 효율적이기 위해서, 그의 판매 권유는 꽤 합리적이고 분별 있어야 했다. 방대한 영역의 현대적 광고는 (그와는) 다르다; 그것은 이성에 호소하지 않고 감성에 호소한다. 그 모든 다른 종류의 최면 암시와 마찬가지로, 현대 광고는 같은 공식의 계속적 반복과 같은 모든 종류의 방법을 사용해서 고객들에게 감성적으로 인상을 남기려고 노력한다. 이 모든 방법들은 본질적으로 비이성적이다. 그것들은 상품의 품질과는 관련이 없고 소비자의 비판 능력을 억누르고 죽인다.

어휘

- sales talk 판매 권유
- old-fashioned 전통적인
- essentially 근본적으로
- rational 합리적인
- merchandise 물품, 상품
- hypnoid 최면의
- suggestion 암시
- impress 깊은 인상을 주다
- emotionally 감성적으로
- formula 공식
- have nothing to do with ~와 관계가 없다
- quality 특징
- suppress 억누르다
- critical 비판적인
- capacity 능력
- slogan 구호
- appeal 호소하다
- reasonable 합리적인
- knowledgeable 박식한
- irrational 비이성적인
- indifferent 무관심한

정답 1 ② 2 ③ 3 ③

057 각 문장을 끊어 읽고 해석한 후 제시된 문제에 답하시오.

01
The earliest ancient Egyptians buried their dead in small
02
pits in the desert. (A) The heat and dryness of the sand dehydrated the bodies quickly, creating lifelike and
03
natural 'mummies.' (B) Later, the ancient Egyptians **commenced** the practice of burying their dead in coffins
04
to protect them from wild animals in the desert. (C) So over many centuries, the ancient Egyptians developed a method of preserving bodies so they would remain
05
lifelike. (D) The process included embalming the bodies and wrapping them in strips of linen, which is called mummification today.

1 다음 문장이 들어갈 위치로 가장 적절한 것은?

> However, they realized that bodies placed in coffins decayed when they were not exposed to the hot, dry sand of the desert.

① (A)　　② (B)
③ (C)　　④ (D)

2 글의 주제로 가장 적절한 것은?
① the developmental process of burial practices in ancient Egypt
② importance of desert in the process of mummification
③ the transition from pit burials to coffin burials in ancient Egypt
④ contrasts in burial practices between ancient and modern Egypt

3 밑줄 친 부분의 의미와 가장 가까운 것은?
① stopped
② resumed
③ continued
④ began

057 구문분석 & 문장분석

01
The earliest ancient Egyptians / buried their dead /
가장 초기의 고대 이집트인들은 / 그들의 시체를 묻었다 /
in small pits in the desert.
사막에 있는 작은 구덩이에.

02
The heat and dryness of the sand /
모래의 열과 건조함은 /
dehydrated the bodies quickly, //
시체를 빨리 건조시켰고, //
creating lifelike and natural 'mummies.'
실물과 똑같고 자연스러운 '미라'를 만들어냈다.

03
Later, / the ancient Egyptians /
나중에, / 고대 이집트인들은 /
commenced the practice of burying their dead in coffins /
시체를 관에 넣어 묻는 풍습을 시작했다 /
to protect them from wild animals (in the desert).
시체를 (사막의) 야생 동물로부터 보호하기 위해.

삽입 문장
However, / they realized //
그러나 / 그들은 깨달았다 //
that bodies placed in coffins decayed //
관에 놓여 있는 시체들이 부패한다는 것을 //
when they were not exposed to the hot, dry sand of the desert.
시체들이 뜨겁고 건조한 사막의 모래에 노출되지 않았을 때.

04
So / over many centuries, /
그래서 / 수 세기에 걸쳐, /
the ancient Egyptians developed a method (of preserving bodies) //
고대 이집트인들은 (시체를 보존하는) 방법을 개발했다 //
so they would remain lifelike.
그래서 그것들이 실물처럼 유지될 수 있도록.

05
The process included / embalming the bodies /
그 과정은 포함했다 / 시체를 방부 처리하고 /
and wrapping them in strips of linen, /
그들을 리넨 섬유 조각에 싸는 것을, /
which is called mummification today.
그것은 오늘날 '미라화'라고 불린다.

해석

2 ① 고대 이집트에서의 매장 풍습의 발전 과정
② 미라화 과정에서 사막의 중요성
③ 고대 이집트에서 있었던 구덩이 매장에서 관 매장으로의 변환
④ 고대와 현대 이집트 간의 매장 풍습 간의 차이점들

해설

1 주어진 문장에서 However라는 역접의 연결어가 사용되어 시체가 관에 보관될 때 부패한다는 것을 깨달았다고 설명되었으므로 이 문장의 앞에는 시체가 관에 보관되는 것이 언급되어야 한다. (C)의 앞에서 시체를 관에 묻기 시작했다고 설명했고, (C)의 뒤에서는 그래서 고대 이집트인들이 시체를 보존하는 방법을 개발해 왔다고 했으므로 주어진 문장의 적절한 위치는 ③ (C)이다.

2 이 글은 고대 이집트의 매장 풍습의 변화 과정을 시간적 순서로 설명한 글이다. 첫 번째 문장에서는 최초의 이집트인들의 매장 풍습(the earliest ancient Egyptians)이 설명되었으며 이후 세 번째 문장의 Later를 통해 그러한 매장 풍습이 어떻게 변화했는지를 설명한다. over many centuries를 통해 이후 그러한 풍습들이 어떻게 발전되었는지를 설명하고 있다. 따라서 이 글의 주제로 가장 적합한 것은 ① '고대 이집트에서의 매장 풍습의 발전 과정'이다. ②, ③은 글의 중간에 언급되었으나 글 전체를 포괄한다고 볼 수 없으며, ④는 언급되지 않은 내용이므로 답이 될 수 없다.

전문해석

가장 초기의 고대 이집트인들은 사막에 있는 작은 구덩이에 그들의 시체를 묻었다. 모래의 열과 건조함은 시체를 빨리 건조시켰고, 실물과 똑같고 자연스러운 '미라'를 만들어 냈다. 나중에, 고대 이집트인들은 시체를 사막의 야생 동물로부터 보호하기 위해 시체를 관에 넣어 묻는 풍습을 시작했다. 그러나 그들은 시체들이 뜨겁고 건조한 사막의 모래에 노출되지 않을 때 관에 놓여 있는 시체들이 부패한다는 것을 깨달았다. 그래서 수 세기에 걸쳐, 고대 이집트인들은 시체들을 보존하는 방법을 개발했고, 그래서 그것들이 실물과 똑같이 유지되었다. 이 과정은 시체를 방부 처리하고, 리넨 섬유 조각에 싸는 것을 포함했으며, 오늘날 이것은 '미라화'라고 불린다.

어휘

- pit 구덩이
- dehydrate 건조시키다
- mummy 미라
- practice 풍습
- preserve 보존하다
- wrap 싸다
- linen 리넨 섬유
- decay 부패하다
- burial 매장
- resume 재개하다
- desert 사막
- lifelike 실물과 똑같은
- commence 시작하다
- coffin 관
- embalm 방부 처리를 하다
- strip 조각
- mummification 미라화
- expose 노출시키다
- transition 변환

정답 1 ③ 2 ① 3 ④

058 SwiftBank's New Mobile Banking App에 관한 다음 글의 내용과 일치하지 않는 것은?

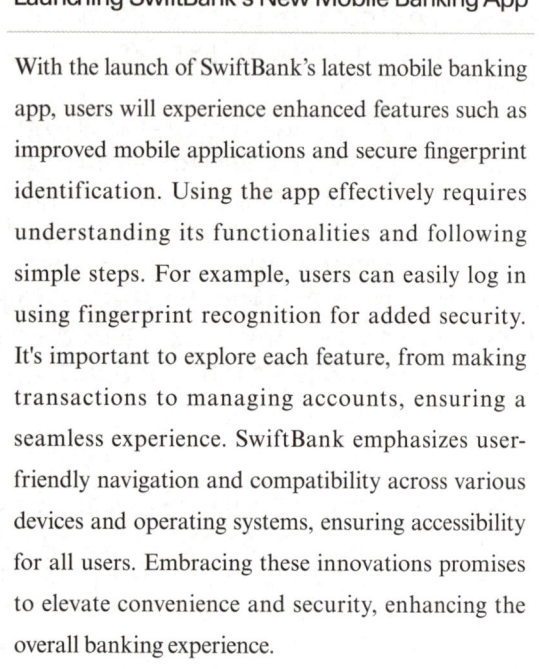

With the launch of SwiftBank's latest mobile banking app, users will experience enhanced features such as improved mobile applications and secure fingerprint identification. Using the app effectively requires understanding its functionalities and following simple steps. For example, users can easily log in using fingerprint recognition for added security. It's important to explore each feature, from making transactions to managing accounts, ensuring a seamless experience. SwiftBank emphasizes user-friendly navigation and compatibility across various devices and operating systems, ensuring accessibility for all users. Embracing these innovations promises to elevate convenience and security, enhancing the overall banking experience.

① To use the app effectively, it's important to understand its features.
② Users can log in using fingerprint recognition for enhanced security.
③ Security features in the app are minimal compared to other banking apps.
④ It is designed to be compatible with a wide range of devices.

059 다음 글을 읽고 물음에 답하시오.

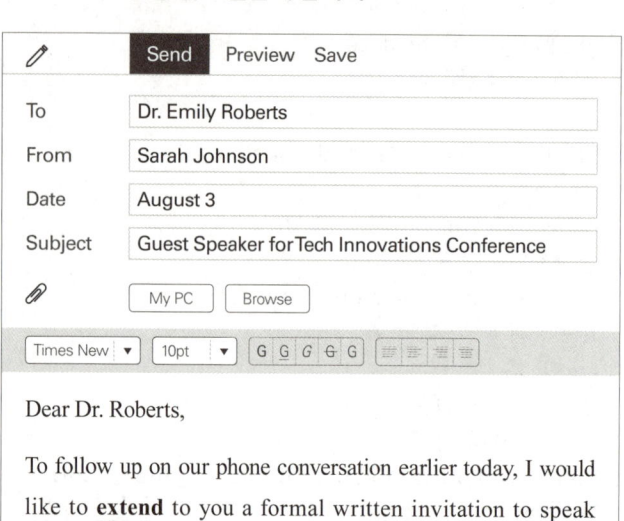

Dear Dr. Roberts,

To follow up on our phone conversation earlier today, I would like to **extend** to you a formal written invitation to speak at the Tech Innovations Conference. We are excited about the possibility of you sharing your expertise on emerging technologies and their impact on various industries.

Your insights would be a valuable addition to our event, and we believe our attendees would greatly benefit from your knowledge and experience. The conference will be held from October 15 to October 17, at the Grand Conference Center in San Francisco.

Please email me to confirm your acceptance at your earliest convenience. If you have any questions or require further details, feel free to reach out.

Thank you, and I look forward to your positive response.

Best regards,
Sarah Johnson

1 윗글의 목적으로 가장 적절한 것은?
① 회의 참석을 요청하려고
② 회의 초대를 수락하려고
③ 초청 강사를 정식으로 초빙하려고
④ 회의 준비에 대한 도움을 요청하려고

2 밑줄 친 extend의 의미와 가장 가까운 것은?
① lengthen   ② give
③ make   ④ stretch

058

🔵 해설

SwiftBank의 새로운 모바일 뱅킹 앱 출시

SwiftBank의 최신 모바일 뱅킹 앱 출시로 사용자들은 개선된 모바일 애플리케이션과 안전한 지문 확인과 같은 향상된 기능을 경험할 수 있다. 앱을 효과적으로 사용하려면 기능을 이해하고 간단한 단계를 따라야 한다. 예를 들어, 사용자들은 보안성 강화를 위해 지문 인식을 이용하여 간편하게 로그인할 수 있다. 거래 수행부터 계좌 관리까지 각 기능을 탐색하는 것이 중요하며 원활한 사용 경험을 보장한다. SwiftBank는 사용자 친화적인 탐색과 다양한 기기 및 운영 체제와의 호환성을 강조하여 모든 사용자가 접근할 수 있도록 보장한다. 이러한 혁신을 수용하면 편리함과 보안이 향상되어 전반적인 은행 업무 경험이 향상될 것이다.

① 앱을 효과적으로 사용하려면 그 기능을 이해하는 것이 중요하다.
② 사용자는 보안을 강화하기 위해 지문 인식을 사용하여 로그인할 수 있다.
③ 이 앱의 보안 기능은 다른 은행 앱에 비해 미흡하다.
④ 이 앱은 다양한 기기와 호환되도록 설계되었다.

🟠 해설

③ 다른 앱과 비교하는 내용은 없으므로 글의 내용과 일치하지 않는다.
① 두 번째 문장에서 앱을 효과적으로 사용하려면 기능을 이해해야 한다고 했으므로 글의 내용과 일치한다.
② 세 번째 문장에서 사용자들은 보안성 강화를 위해 지문 인식을 이용하여 간편하게 로그인할 수 있다고 했으므로 글의 내용과 일치한다.
④ 다섯 번째 문장에서 다양한 기기 및 운영 체제와의 호환성을 강조하였다고 했으므로 글의 내용과 일치한다.

🔷 어휘

☐ launch 출시하다; 출시 ☐ latest 최신의
☐ enhance 강화하다 ☐ fingerprint 지문
☐ identification 확인 ☐ functionality 기능
☐ recognition 인식 ☐ feature 특징
☐ transaction 거래 ☐ seamless 원활한
☐ compatibility 호환성 ☐ accessibility 접근성
☐ embrace 포용하다 ☐ innovation 혁신
☐ elevate 높이다 ☐ overall 전반적인
☐ minimal 최소한의 ☐ a wide range of 다양한

정답 ③

059

🔵 해설

수신: Emily Roberts 박사
발신: Sarah Johnson
날짜: 8월 3일
제목: 기술 혁신 컨퍼런스 초청 강사

친애하는 Roberts 박사님,

오늘 이전 전화 통화에 이어, 기술 혁신 컨퍼런스에서 연설을 하시도록 공식 서신 초대장을 보내드립니다. 새로운 기술과 다양한 산업에 미치는 그 영향에 대한 박사님의 전문지식을 공유해 주실 수 있기를 기대합니다.

박사님의 통찰력은 우리의 행사에 큰 가치를 더할 것이며, 참석자들은 박사님의 지식과 경험으로부터 많은 이익을 얻을 것이라 믿습니다. 컨퍼런스는 10월 15일부터 10월 17일까지 샌프란시스코의 Grand Conference Center에서 열릴 예정입니다.

수락 여부를 가능한 한 빨리 이메일로 알려주세요. 추가 질문이나 자세한 정보가 필요하시면 언제든지 연락해 주세요.

감사드리며, 긍정적인 답변을 기다리겠습니다.

Sarah Johnson

🟠 해설

1 이메일의 제목 부분에서 초청 강사에 대한 언급이 나와 있다. 또한 글의 앞부분에서 '연설을 하시도록 공식 서신 초대장을 보낸다'라는 언급이 있다. 글의 마지막 부분에서 긍정적인 답변을 기다린다고 하였으므로 정답은 ③ '초청 강사를 정식으로 초빙하려고'이다.

🔷 어휘

☐ innovation 혁신
☐ follow up on ~을 이어 끝까지 하다
☐ extend 제공하다 ☐ expertise 전문지식
☐ emerge 나타나다 ☐ industry 산업
☐ insight 통찰력 ☐ attendee 참석자
☐ lengthen 늘리다 ☐ stretch 늘리다

정답 1 ③ 2 ②

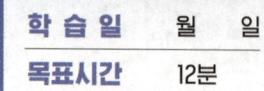

060 Green Marathon에 대한 다음 안내문의 내용과 일치하는 것은?

Green Marathon
Run for the Earth

Green Marathon is an annual fundraising event held in Orange City. If you participate, you will contribute to preserving our environment. Get involved and run for charity — here's how:

Event Schedule
- Starts at 8 a.m. on Sunday, November 18th
- From Sports Complex to City Hall

Entry Fee
- US $80 (non-refundable)
- The fee must be paid in advance when you register.

With Your Entry You Get
- Running t-shirt
- Fully supported aid stations on the course (beverages, medical support)

Awards
- All the finishers will receive medals.
- The top three finishers will be awarded a watch imprinted with the Green Marathon logo.

Entry Application
Please visit the website at www.runforgreen.com and apply for the race by Wednesday, November 14th.

① 2년에 한 번씩 개최된다.
② 참가비는 환불이 가능하다.
③ 참가자는 티셔츠를 받는다.
④ 상위 3인에게 상금이 주어진다.

060

해석

그린 마라톤
지구를 위한 달리기

그린 마라톤은 오렌지 시에서 매년 열리는 기금 모금 행사입니다. 참가하면 환경 보호에 기여하게 됩니다. 참여하여 자선행사를 위해 달려보세요 — 방법은 다음과 같습니다:

행사 일정
- 11월 18일 일요일 오전 8시 시작
- 종합운동장에서 시청까지

참가비
- 80달러 (환불 불가)
- 등록 시 사전 지불해야 합니다.

참가 시 제공 사항
- 러닝 티셔츠
- 코스 내 완벽한 지원 장소 (음료, 의료 지원)

시상
- 모든 완주자에게 메달이 수여됩니다.
- 상위 3명에게는 그린 마라톤 로고가 새겨진 시계가 수여됩니다.

참가 신청
웹사이트 www.runforgreen.com을 방문하여 11월 14일 수요일까지 신청해 주세요.

해설

③ <참가 시 제공 사항>에 러닝 티셔츠가 있으므로 글의 내용과 일치한다.
① 첫 문장에서 그린 마라톤은 오렌지 시에서 매년 열리는 기금 모금 행사라고 했으므로 글의 내용과 일치하지 않는다.
② <참가비>에 80달러이며 환불 불가라고 써 있으므로 글의 내용과 일치하지 않는다.
④ <시상>에서 상위 3명에게는 그린 마라톤 로고가 새겨진 시계가 수여된다고 했으므로 글의 내용과 일치하지 않는다.

어휘

- annual 매년의
- preserve 보호하다
- sports complex 종합운동장
- register 등록하다
- imprint 새기다
- fundraise 기금을 모금하다
- charity 자선
- in advance 사전에
- aid 도움

정답 ③

DAY 11~12 Exercises

[1~4] 양쪽에 주어진 말의 의미가 일맥상통하도록 선으로 연결하세요.

1. enterprise ① the ability of one computer, piece of software, etc. to work with another

2. old-fashioned ② of or relating to the past

3. practice ③ a business organization

4. compatibility ④ something that is done often or regularly

[5~7] 다음 문장의 끊어 읽기를 참고하여, 빈칸에 알맞은 해석을 쓰세요.

5. Psychologists call this habituation, / economists call it diminishing marginal utility, / and the rest of us call it marriage.
심리학자들은 이것을 습관화라고 부른다, / 경제학자들은 그것을 한계 효용 체감이라 부른다, / _____.

6. And some of these agents, / if taken over the course of months, / may lead to dependency / or stop working altogether.
그리고 이런 약들 중 일부는 / _____, / 중독을 유발하거나 / 효과가 완전히 사라질 수 있다

7. The process included / embalming the bodies / and wrapping them in strips of linen, / which is called mummification today.
그 과정은 포함했다 / 시체를 방부 처리하고 / 그들을 리넨 섬유 조각에 싸는 것을, / _____.

정답 1 ③ 2 ② 3 ④ 4 ① 5 그리고 나머지 우리들은 그것을 결혼이라고 부른다. 6 몇 달에 걸쳐 복용하게 되면 7 그것은 오늘날 '미라화'라고 불린다.

061 각 문장을 끊어 읽고 해석한 후 제시된 문제에 답하시오.

01 Because women were not permitted to participate in theater productions in ancient Greece, male actors played female roles in dramatic productions. 02 It was possible for actors to play a number of roles, male and female, due to the use of masks. 03 This prevented audience members from identifying an actor's face with one particular character in a play and served to **get rid of** the physical inconsistency of men pretending to be women. 04 Specifically, masks with subtle modification allowed audience members to identify the gender, age, and social position of characters. 05 They were also presented with special emotions, letting the audience know if a character was happy, sad, tired, or frightened.

1 글의 제목으로 가장 적절한 것은?
① The Evolution of Theater Productions in Ancient Greece
② The Inconsistency of Mask Use and Its Criticisms in Greece
③ Why Women Couldn't Act on Stage in Ancient Greece
④ Different Use of Masks that Made Theater Available in Greece

2 글의 내용과 일치하지 않는 것은?
① Audience couldn't recognize the face of an actor in a certain role due to the mask.
② Women actors had to wear masks to play male characters in theater productions.
③ The use of masks in ancient Greek theater allowed actors to play multiple roles.
④ Masks conveyed emotions to help the audience understand the characters' feelings.

3 밑줄 친 부분의 의미와 가장 가까운 것은?
① exchange
② ignore
③ highlight
④ eliminate

문장 분석 및 해설

061 구문분석 & 문장분석

01
Because women were not permitted /
여성들은 허용받지 못했기 때문에 /

to participate in theater productions /
연극 제작에 참여하는 것을 /

in ancient Greece, // male actors played female roles /
고대 그리스에서는, // 남자 배우들이 여성의 역할들을 했다 /

in dramatic productions.
연극 제작에서.

02
It was possible / for actors to play a number of roles, (male and female), /
가능했다 / 배우들은 (남성과 여성의) 많은 역할들을 하는 것이, /

due to the use of masks.
마스크의 사용 덕택에.

03
This prevented audience members /
이것은 관람객들로 하여금 못하도록 했다 /

from identifying an actor's face (with one particular character / in a play) //
(한 특정 인물을 연기하는 / 연극 속의) 배우의 얼굴을 식별하는 것을 //

and served to get rid of the physical inconsistency (of men pretending to be women).
그리고 (남성이 여성인 척하는 것의) 신체적 불일치를 없애는 데 도움이 되었다.

04
Specifically, / masks (with subtle modification) allowed /
특히, / (미묘한 변형이 있는) 마스크들은 가능하게 했다 /

audience members to identify the gender, age, and social position (of characters).
관람객들로 하여금 (등장인물들의) 성별, 나이, 사회적 지위를 식별하는 것을.

05
They were also presented with special emotions, //
그것들은 또한 특별한 감정들을 나타내고 있어서, //

letting the audience know //
관람객들로 하여금 알 수 있게 해 주었다 //

if a character was happy, sad, tired, or frightened.
등장인물이 행복한지, 슬픈지, 지쳤는지, 무서워하는지를.

어휘
- permit 허락하다
- serve 도움이 되다
- inconsistency 불일치
- specifically 분명히
- modification 변형
- criticism 비판
- exchange 교환하다
- highlight 강조하다
- identify 식별하다
- get rid of ~을 제거하다
- pretend ~인 척하다
- subtle 미묘한
- frightened 무서워하는
- recognize 인식하다
- ignore 무시하다
- eliminate 제거하다

해석
1
① 고대 그리스에서 연극 제작의 발전
② 그리스에서 마스크 사용에 있어서의 불일치와 그것에 대한 비판
③ 고대 그리스에서 여성이 무대에 설 수 없었던 이유
④ 그리스에서 연극을 가능하게 했던 마스크들의 다양한 사용

2
① 마스크 때문에 관객들은 특정 인물을 연기하는 배우의 얼굴을 확인할 수가 없었다.
② 여성 배우들은 연극 제작에서 남성 인물의 역할을 하기 위해 마스크를 써야 했다.
③ 고대 그리스의 마스크 사용은 배우들로 하여금 다중 역할을 연기하는 것을 가능하게 했다.
④ 마스크는 등장인물의 기분을 관객들이 이해하는 것을 돕기 위해 감정을 전달했다.

해설
1 특정한 주제문 없이 글 전체에 다양한 예시가 등장하며, 이를 바탕으로 해서 글의 주제문을 유추해야 하는 문제이다. 첫 번째에서 세 번째문장에서, 고대 그리스의 연극에서는 마스크로 인해 남성들이 여성 역할을 할 수 있었다고 설명하고 있다. 또한 네 번째 문장에서는 이러한 마스크가 등장인물의 성별과 나이, 사회적 지위를 식별하게 하였다고 했고 마지막 문장에서는 등장인물들의 감정 상태를 나타내기도 했다고 설명한다. 이러한 구체적인 예시들은 모두 마스크가 고대 그리스 연극에서 어떤 역할을 했는지에 대한 예시이므로 이들을 모두 포괄할 수 있는 제목은 ④ '그리스에서 연극을 가능하게 했던 마스크들의 다양한 사용'이다. ①, ②, ③은 모두 글에서 언급되지 않았다.

2 ② 첫 번째 문장에서 여성들은 연극 제작에 참여하는 것이 허용되지 않았다고 했으므로 글의 내용과 일치하지 않는다.
① 세 번째 문장에서 이것(This = a mask)이 관람객들로 하여금 특정 인물을 연기하는 배우의 얼굴을 식별하지 못하게 했다고 설명했으므로 글의 내용과 일치한다.
③ 두 번째 문장에서 마스크 사용 때문에 배우들이 남성과 여성의 많은 역할을 할 수 있었다고 했으므로 글의 내용과 일치한다.
④ 마지막 문장에서 마스크는 등장인물의 감정을 나타내서 관객들이 등장인물의 감정을 이해할 수 있었다고 했으므로 글의 내용과 일치한다.

전문해석
고대 그리스에서 여성들은 연극 제작에 참여하는 것을 허용받지 못했기 때문에 남자 배우들이 연극 제작에서 여성의 역할들을 했다. 마스크의 사용 덕택에 배우들은 남성과 여성의 많은 역할들을 하는 것이 가능했다. 이로 인해 관람객들은 연극 속의 한 특정 인물을 연기하는 배우의 얼굴을 식별할 수 없었으며, 그것은 남성이 여성인 척하는 것의 신체적 불일치를 없애는 데 도움이 되었다. 특히, 미묘한 변형이 있는 마스크들은 관람객들로 하여금 등장인물들의 성별, 나이, 사회적 지위를 식별하는 것을 가능하게 했다. 그것들은 또한 특별한 감정들을 나타내고 있어서, 관람객들로 하여금 등장인물이 행복한지, 슬픈지, 지쳤는지, 무서워하는지를 알 수 있게 해 주었다.

정답 1 ④ 2 ② 3 ④

062 각 문장을 끊어 읽고 해석한 후 제시된 문제에 답하시오.

01
According to government figures, the **preponderance** of jobs in the next century will be in service-related fields such as health and business. (A) Jobs will also be plentiful in technical fields and in retail establishments such as stores and restaurants. (B) The expansion in these fields is due to several factors: an aging population, numerous technical breakthroughs, and our changing lifestyles. (C) However, people still prefer the traditional types of jobs which will be highly-paid in the future. (D) So the highest-paying jobs will go to people with degrees in science, computers, engineering, and health care.

1 글의 흐름상 가장 어색한 문장은?
① (A) ② (B)
③ (C) ④ (D)

2 다음 글의 제목으로 가장 적절한 것은?
① Extinction of Service-related Jobs in the 21st Century
② Unemployment Crisis: Diminishing Jobs in the Future
③ Thriving Fields in the Job Market of the Next Century
④ The Irrelevance of Education in the Future Job Market

3 밑줄 친 부분의 의미와 가장 가까운 것은?
① dominance
② adventure
③ decline
④ disappearance

문장 분석 및 해설

062 구문분석 & 문장분석

01
According to government figures, /
정부가 내놓은 수치에 따르면, /

the preponderance of jobs (in the next century) /
(다음 세기에) 우세를 보일 직업군은 /

will be in service-related fields (such as health and business).
(건강 사업과 같은) 서비스 관련 분야가 될 것이다.

02
Jobs will also be plentiful /
일자리가 또한 풍부할 것이다 /

in technical fields and in retail establishments (such as stores and restaurants).
기술 관련 분야나 (가게, 식당과 같은) 소매점에도.

03
The expansion in these fields /
이러한 분야의 팽창은 /

is due to several factors: /
몇 가지 요인 때문이다: /

an aging population, numerous technical breakthroughs, and our changing lifestyles.
노령화 인구, 다양한 기술 혁신 그리고 변화하는 우리의 생활양식.

04
However, / people still prefer the traditional types of jobs (which will be highly-paid in the future).
그러나, / 사람들은 여전히 (앞으로 높은 급여를 받게 될) 전통적인 방식의 직업들을 선호한다.

05
So / the highest-paying jobs /
그래서 / 가장 높은 급여를 받는 직업들은 /

will go to people (with degrees in science, computers, engineering, and health care).
(과학, 컴퓨터, 공학, 그리고 의료 서비스 관련 학위를 가진) 사람들에게 갈 것이다.

해석

2 ① 21세기 서비스 관련 직종의 소멸
② 실업 위기: 미래에 사라질 직업들
③ 다음 세기 직업 시장에서 번창하는 직종
④ 미래 직업 시장에서 교육의 무관함

해설

1 첫 번째 문장에서 중심 소재인 jobs in the next century가 언급 된 후, 이에 대한 부연 설명이 이어진다. 첫 번째 문장은 서비스 관련 분야, 두 번째 문장은 기술직과 소매업종이 미래에 주목받게 될 것이라 언급 한 후, 이러한 추세의 발생 이유를 세 번째 문장에서 설명한다. 이후 마지막 문장에서 이런 추세로 인해 미래에 가장 높은 보수를 받을 직업을 언급 한다. 그러나 네 번째 문장은, 일반적인 사람들은 전통적 유형의 일을 선호한다는 내용으로 글의 주제와 관련 없는 정보이다. 따라서 정답은 ③ (C)이다.

2 첫 번째 문장이 주제문으로 다음 세기에 유망한 직업이 어떤 것인지를 설명하고 있는 글이다. 위에서 설명하였듯이 유망한 분야들에는 어떤 것들이 있는지 각 문장마다 병렬적으로 서술되고 있는 유형의 글이다. 따라서 제목으로는 ③ '다음 세기 직업 시장에서 유망한 직종'이 적합 하다. 소멸되고 있는 분야에 대해서는 언급이 없으므로 ①, ②는 답이 아니며 다섯 번째 문장에서 학위가 있는 직업이 보수가 높을 것이라고 말했으므로 ④는 반대되는 내용이다.

전문해석

정부가 내놓은 수치에 따르면, 다음 세기에 우세를 보일 직업군은 예를 들어, 건강 사업과 같은 서비스 관련 분야가 될 것이다. 기술 관련 분야나 가게, 식당과 같은 소매점에도 일자리가 또한 풍부할 것이다. 이러한 분야의 팽창은 몇 가지 요인 때문인데 노령화 인구, 다양한 기술 혁신 그리고 변화하는 우리의 생활양식이 거기에 속한다. 그래서 가장 높은 급여를 받는 직업들은 과학, 컴퓨터, 공학, 그리고 의료 서비스 관련 학위를 가진 사람들에게 갈 것이다.

어휘

- preponderance 우세함
- establishment 기관
- due to ~ 때문에
- breakthrough 돌파구
- healthcare 의료 서비스
- unemployment 실업
- thriving 번창하는
- dominance 우세함
- decline 감소
- retail 소매업
- expansion 팽창
- factor 요소
- degree 학위
- extinction 소멸
- diminish 사라지다
- irrelevance 무관함
- adventure 모험
- disappearance 사라짐

정답 1 ③ 2 ③ 3 ①

063 각 문장을 끊어 읽고 해석한 후 제시된 문제에 답하시오.

01
The highs and lows of life may seem to have no predictable plan, but scientists now know there are very definite life patterns that almost all people share. Today, 02 when we live 20 years longer than our great-grandparents, it is clearer than ever that the "game of life" is really a game of _____03_____. As we age, we trade strength for **ingenuity**, speed for thoroughness, 04 passion for reason. These exchanges may not always seem fair, but at every age, there are some advantages.
05
So it is reassuring to note that even if you've passed some of your "prime," you still have other prime years to experience in the future.

1 빈칸에 들어갈 말로 가장 적절한 것은?
① chance ② survival
③ trade-offs ④ thoughtfulness

2 글의 요지로 가장 적절한 것은?
① Life patterns are completely unpredictable with no discernible plan.
② Increased longevity has made the game of life more challenging.
③ The exchanges in life are always fair, regardless of age.
④ Each life stage offers its own set of advantages and opportunities.

3 밑줄 친 부분의 의미와 가장 가까운 것은?
① skill ② sincerity
③ insolence ④ modesty

문장 분석 및 해설

063 구문분석 & 문장분석

01
The highs and lows of life /
인생의 기복은 /

may seem to have no predictable plan, //
예측할 수 있는 계획이 없는 것처럼 보일 수도 있다, //

but scientists now know //
그러나 과학자들은 이제 안다 //

there are very definite life patterns (that almost all people share).
(거의 모든 사람이 공유하는) 매우 분명한 인생의 패턴이 있다는 것.

02
Today, / when we live 20 years longer /
오늘날, / 우리가 20년을 더 살 때 /

than our great-grandparents, // it is clearer than ever /
우리의 증조부모보다, // 어느 때보다 더 분명하다 /

that the "game of life" / is really a game of trade-offs. /
'인생이라는 게임'이 / 진정 교환의 게임이라는 것이. /

03
As we age, // we trade strength for ingenuity, /
우리가 나이를 먹을수록, // 우리는 힘을 재주로, /

speed for thoroughness, / passion for reason. /
속도를 철저함으로, / 열정을 이성으로 교환한다. /

04
These exchanges may not always seem fair, //
이러한 교환은 늘 공평해 보이지 않을 수도 있다, //

but at every age, / there are some advantages. /
그러나 각각의 나이마다, / 어떤 장점들이 있다. /

05
So / it is reassuring to note //
그래서 / 기억하는 것은 안심이 된다 //

that even if you've passed some of your "prime," //
당신이 어떤 '전성기'를 지났을지라도, //

you still have other prime years (to experience in the future.)
당신은 여전히 (미래에 경험하게 될) 다른 전성기를 가질 것이라는 사실을.

해석

1 ① 우연 ② 생존 ④ 사려 깊음

2 ① 삶의 패턴은 어떠한 인식할 수 있는 계획 없이 완전히 예측할 수 없다.
② 연장된 수명은 삶의 게임을 더욱 힘들게 만들었다.
③ 삶의 교환법은 나이와 관련 없이 언제나 공정하다.
④ 각각의 삶의 단계는 각 단계만의 장점과 기회를 제공한다.

해설

1 빈칸이 있는 주제문을 완성하는 문제이다. 주제문 이후의 부연 설명을 통해 빈칸의 주제문을 유추할 수 있다. 밑줄 친 빈칸 이후의 내용을 보면 우리가 인생에서 나이가 들어감에 따라 힘을 재주로, 속도를 철저함으로, 열정을 이성으로 교환한다고 설명하고 있다. 즉, 인생이라는 게임은 가지고 있던 것은 없어지고 새로운 것이 생기는 교환의 게임으로 볼 수 있는 것이다. 따라서 정답은 ③ '교환'이 적합하다.

2 인생이 예측불허라고 누구나 생각할 수 있다는 일반적 진술로 글이 시작된 후 but 이후에서 과학자들이 공통의 패턴을 발견해 냈다는 전환이 이루어진다. 두 번째 문장 중 뒷부분인 it is clearer ~ 이후가 주제문으로 인생이란 바로 '교환의 게임'이라고 설명한 후, 이에 대한 부연 설명이 이어진다. 교환의 게임이라는 것이 모든 인생의 단계마다 장점이 있으며 그것을 다음 단계의 장점과 교환해 가는 것이 인생의 법칙이라는 것이다. 따라서 이 글의 요지로는 ④ '각각의 삶의 단계는 각 단계만의 장점과 기회를 제공한다.'가 적절하다. ①, ③은 글의 내용과 반대이며 ②는 언급되지 않았다.

전문해석

인생의 기복은 예측할 수 있는 계획이 없는 것처럼 보일 수도 있지만 과학자들은 이제 거의 모든 사람이 공유하는 매우 분명한 인생의 패턴이 있다는 것을 안다. 오늘날, 우리가 증조부모보다 20년을 더 살 때, '인생이라는 게임'이 진정 교환의 게임이라는 것이 그 어느 때보다 더 분명하다. 우리가 나이를 먹을수록, 우리는 힘을 재주로, 속도를 철저함으로, 열정을 이성으로 교환한다. 이러한 교환은 늘 공평해 보이지 않을 수도 있지만, 각각의 나이마다 어떤 장점들이 있다. 그래서 당신이 어떤 '전성기'를 지났을지라도 여전히 미래에 경험하게 될 다른 전성기를 가질 것이라는 사실을 기억하는 것은 안심이 된다.

어휘

☐ highs and lows 기복 ☐ predictable 예측할 수 있는
☐ definite 분명한 ☐ ingenuity 재주
☐ thoroughness 철저함 ☐ fair 공정한
☐ reassuring 안심시키는 ☐ prime 전성기
☐ chance 우연 ☐ survival 생존
☐ trade-off 교환 ☐ thoughtfulness 사려 깊음
☐ discernible 인식할 수 있는 ☐ regardless of ~와는 관련 없이
☐ sincerity 진실함 ☐ insolence 거만함
☐ modesty 겸손함

정답 1 ③ 2 ④ 3 ①

064 다음 글의 목적으로 가장 적절한 것은?

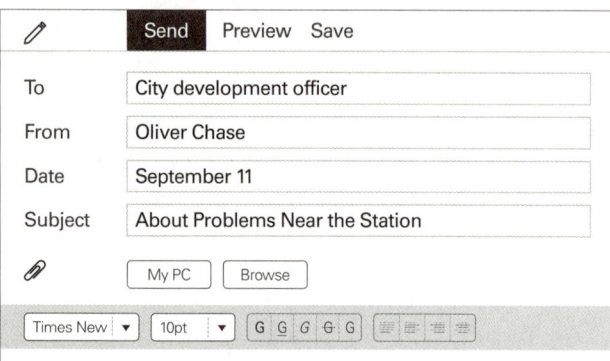

Dear City development officer,

I hope this message finds you well. I am writing to express a concern regarding the area near the train station.

These days, there has been an increase in the presence of inebriated individuals and homeless people in the vicinity. This situation is causing discomfort and inconvenience for commuters and residents alike. It is becoming challenging to navigate through the area safely, especially during late hours.

Could we please explore possible solutions to address this issue? Improving safety and cleanliness around the station would greatly benefit everyone who uses this area.

Thank you for your attention to this matter. I look forward to your response.

Best regards,
Oliver Chase

① 역 주변의 노숙자 쉼터에 관한 운영 방안을 건의하려고
② 역 주변 공공장소의 보안 강화를 위한 제안을 전달하려고
③ 역 주변의 취객과 노숙자 문제에 대한 조치를 요청하려고
④ 역 주변의 보도 및 도로 유지보수 공사 일정을 문의하려고

065 (A)에 들어갈 글의 제목으로 가장 적절한 것은?

(A)

Celebrate the wonders of wildlife through our upcoming conservation campaign!

Campaign Details
- **Theme**: Preserving Wildlife Habitats
- **Deadline**: August 15
- **Eligibility**: Open to all nature enthusiasts aged 18 and above.
- **Conservation Web Seminars**: Participants will have exclusive access to web seminars hosted by experts in wildlife conservation.

How to Participate
- Share compelling stories or images highlighting wildlife habitats.
- Submit your entries via email to submissions@wildlifeconservation.org.
- Include your name, contact details, and a brief description of each submission.

Join us in raising awareness and protecting our planet's incredible biodiversity!

① Share Your Personal Experiences with Us
② Enroll in Web Seminars on Wildlife
③ Join the Wildlife Conservation Campaign
④ Compete for Incredible Biodiversity

064

해석

> 수신: 도시 개발 담당자
> 발신: Oliver Chase
> 날짜: 9월 11일
> 제목: 역 주변의 문제에 관해
>
> 도시 개발 담당자분께,
>
> 안녕하세요. 저는 기차역 주변 지역에 관한 우려를 표명하기 위해 글을 씁니다.
>
> 요즘, 그 부근에 술에 취한 사람들과 노숙자들의 출현이 증가하고 있습니다. 이 상황은 통근자들과 주민들에게 똑같이 불안과 불편을 조성하고 있습니다. 특히 늦은 시간 동안, 그 지역을 안전하게 돌아다니기가 힘들어지고 있습니다.
>
> 이 문제를 해결하기 위해 가능한 해결책을 조사해주실 수 있을까요? 역 주변의 안전과 청결은 이 지역을 이용하는 모두에게 대단히 도움이 될 것입니다.
>
> 이 문제에 보여주신 관심에 감사드립니다. 귀하의 답변을 기대하겠습니다.
>
> 안부를 전하며,
> Oliver Chase

해설

글의 중심 소재는 이메일의 제목인 역 주변의 문제이다. 구체적인 내용은 두 번째 문단에 드러나 있는데, 취객과 노숙자들의 출현이 증가해 통근자와 주민에게 불안과 불편을 끼친다고 한다. 세 번째 문단에서는 이 문제에 대한 해결을 요청하고 있다. 따라서 글의 목적으로 가장 적절한 것은 ③ '역 주변의 취객과 노숙자 문제에 대한 조치를 요청하려고'이다.

어휘

- □ express 표현하다
- □ regarding ~에 관한
- □ inebriate 취하게 하다
- □ discomfort 불안
- □ commuter 통근자
- □ alike 똑같이
- □ navigate through ~을 돌아다니다
- □ explore 조사하다
- □ address 다루다
- □ safety 안전
- □ benefit 도움이 되다
- □ response 답변
- □ concern 우려
- □ presence 출현
- □ vicinity 부근
- □ inconvenience 불편
- □ resident 주민
- □ challenging 어려운
- □ solution 해결책
- □ improve 개선하다
- □ cleanliness 청결
- □ look forward to ~을 기대하다

정답 ③

065

해석

> **(A) 야생 동물 보호 캠페인에 참여하세요**
>
> 다가오는 보호 캠페인을 통해 야생 동물의 경이로움을 축하하세요!
>
> **캠페인 세부 사항**
> - 주제: 야생 동물 서식지 보존
> - 마감일: 8월 15일
> - 자격: 만 18세 이상의 모든 자연 애호가에게 개방
> - 보호 웹 세미나: 참가자는 야생 동물 보존 전문가가 주최하는 웹 세미나에 독점적으로 참여할 수 있습니다.
>
> **참여 방법**
> - 야생 동물 서식지를 강조하는 감동적인 이야기나 이미지를 공유하세요.
> - 이메일 submissions@wildlifeconservation.org로 참여 신청서를 보내주세요.
> - 각 제출물에 대한 간단한 설명과 함께 이름, 연락처를 포함하세요.
>
> 우리와 함께 지구의 놀라운 생물 다양성을 보호하고 인식을 높이는 데 동참하세요!

① 귀하의 개인적인 경험을 저희와 공유하세요
② 야생 동물에 관한 웹 세미나에 등록하세요
④ 놀라운 생물 다양성에 도전하세요

해설

글의 첫 번째 줄에서 야생 동물 보호 캠페인에 참여할 것을 권장하고 있다. 따라서 정답은 ③이다. 웹 세미나는 캠페인 프로그램의 일부에 해당하므로 ②는 답이 될 수 없다.

어휘

- □ wildlife 야생 동물
- □ preserve 보존하다
- □ host 주최하다
- □ highlight 강조하다
- □ submit 제출하다
- □ submission 제출
- □ biodiversity 생물다양성
- □ compete 도전하다
- □ conservation 보호
- □ enthusiast 애호가
- □ compelling 감동적인
- □ habitat 서식지
- □ entry 참여
- □ awareness 인식
- □ enroll 등록하다

정답 ③

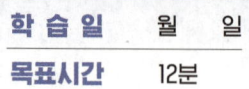

066 각 문장을 끊어 읽고 해석한 후 제시된 문제에 답하시오.

> 01
> Fear and pain are _____ and the
> 02
> most useful things that men and animals possess. If fire did not hurt when it burnt, children would play with it
> 03
> until their hands were burnt away. Similarly, if pain existed but fear did not, a child would burn himself again and again, because fear would not warn him to
> 04
> **circumvent** the fire. A really fearless soldier is not a good soldier, because he is soon killed and a dead soldier
> 05
> is of no use to his army. Fear and pain are therefore two guards, without which human beings and animals might soon die out.

1 글의 제목으로 가장 적절한 것은?
① Obscurity of Fear and Pain in Soldiers
② Fear and Pain: Indispensable and Inseparable
③ Disapproval of Fear and Pain
④ Children's Close Association with Fear and Pain

2 빈칸에 들어갈 말로 가장 적절한 것은?
① the best of both worlds
② birds of a feather flock together
③ the whole nine yards
④ two sides of the same coin

3 밑줄 친 부분의 의미와 가장 가까운 것은?
① avoid
② initiate
③ stimulate
④ control

066 구문분석 & 문장분석

01
Fear and pain are two sides of the same coin /
두려움과 고통은 동전의 양면이다 /
and the most useful things (that men and animals possess).
그리고 (인간과 동물이 가진) 가장 유용한 것들이다.

02
If fire did not hurt // when it burnt, //
만일 불이 아프지 않다면 // 그것이 탈 때 //
children would play with it //
아이들은 그것을 가지고 놀 것이다 //
until their hands were burnt away.
그들의 손이 다 타버릴 때까지.

03
Similarly, / if pain existed but fear did not, //
마찬가지로, / 고통은 있지만 두려움이 없다면, //
a child would burn himself / again and again, //
아이는 스스로를 데게 할 것이다 / 계속해서, //
because fear would not warn him / to circumvent the fire.
두려움이 그에게 경고하지 않을 것이기 때문이다 / 불을 피하라고.

04
A really fearless soldier / is not a good soldier, //
정말로 두려움이 없는 병사는 / 훌륭한 병사가 아니다, //
because he is soon killed //
그는 곧 죽음을 당하기 때문이다 //
and a dead soldier is of no use / to his army.
그리고 죽은 병사는 쓸모가 없다 / 그의 군대에.

05
Fear and pain are (therefore) two guards, /
(그러므로) 두려움과 고통은 두 개의 방어막이다, /
without which / human beings and animals might soon die out.
그것이 없다면 / 인간과 동물은 곧 소멸할지도 모른다.

해석

1 ① 병사들이 느끼는 두려움과 고통의 모호함
② 두려움과 고통: 필수불가결하고 분리할 수 없는
③ 두려움과 고통에 대한 반감
④ 두려움과 고통에 대한 아이들의 밀접한 연관성

2 ① 일거양득　　② 유유상종　　③ 모든것

해설

1 첫 문장에서 주제를 제시하고 부연 설명을 한 뒤 마지막 문장에서 주제를 요약하는 구조의 글이다. 두려움과 고통이 서로 떼려야 뗄 수 없는 관계가 있다는 점과 두 가지 모두 인간과 동물에게 유용한 감정이라고 주장한다. 따라서 글의 제목으로 가장 적절한 것은 ② '두려움과 고통: 필수불가결하고 분리할 수 없는'이다. 아이들과 병사는 주제에 대한 부연 설명을 위한 예시로 언급되었으므로 ④는 답이 될 수 없다.

2 이 글에 따르면, 우리가 고통에 대한 두려움을 느끼면 다음에 다시 다치지 않도록 조심 할 것이고, 고통을 느끼지 못하면 다칠 만한 행동을 두려워하지 않고 피하지 않게 되므로 둘은 불가분의 관계라 할 수 있다. 따라서 빈칸에는 서로 밀접한 관련이 있다는 의미의 ④ '동전의 양면'이 들어가는 것이 가장 적절하다.

전문해석

두려움과 고통은 동전의 양면이고 인간과 동물이 가진 가장 유용한 것들이다. 불이 탈 때 불이 아프지 않다면 아이들은 그들의 손이 다 타버릴 때까지 그것을 가지고 놀 것이다. 마찬가지로, 고통은 있지만 두려움이 없다면 아이는 계속해서 스스로를 데게 할 것인데, 왜냐하면 두려움이 그에게 불을 피하라고 경고하지 않을 것이기 때문이다. 정말로 두려움이 없는 병사는 훌륭한 병사가 아닌데, 그는 곧 죽음을 당하게 되고 죽은 병사는 그의 군대에 쓸모가 없기 때문이다. 그러므로 두려움과 고통은 두 개의 방어막이고, 그것들이 없다면 인간과 동물은 곧 소멸할지도 모른다.

어휘

- fear 공포
- pain 고통
- possess 지니다
- circumvent 피하다
- of no use 쓸모없는
- die out 소멸하다
- obscurity 모호함
- indispensable 필수불가결한
- inseparable 분리할 수 없는
- disapproval 반감
- association 연관성
- the best of both worlds 일거양득
- birds of a feather flock together 유유상종
- the whole nine yards 모든 것
- two sides of the same coin 동전의 양면
- avoid 피하다
- initiate 착수시키다
- stimulate 자극하다
- control 통제하다

정답 1 ② 2 ④ 3 ①

067 각 문장을 끊어 읽고 해석한 후 제시된 문제에 답하시오.

(A) When the state spends money which it has raised by taxation, it takes money from the pockets of the taxpayers to put it back into their pockets. (B) The term "tax refund" refers to a reimbursement made to a taxpayer for any excess amount paid in taxes to the government. (C) The expenditure may be really an investment: education, for instance, is an investment in the young, and is universally recognized as a duty of the state. (D) In such a case, provided the investment is sound, public expenditure is obviously justified. The community would not be ultimately **ameliorated** by ceasing to educate its children, nor by neglecting public works.

1 글의 요지로 가장 적절한 것은?

① The state should inform its taxpayers of its investment plans.
② Reducing public expenditure will make the community richer.
③ Public expenditure can be justified through a proper investment.
④ The government should return surplus revenues to the taxpayers.

2 글의 흐름상 가장 어색한 문장은?

① (A) ② (B)
③ (C) ④ (D)

3 밑줄 친 부분의 의미와 가장 가까운 것은?

① improved
② deteriorated
③ condoned
④ bartered

067 구문분석 & 문장분석

01
When the state spends money (which it has raised by taxation), //
국가가 (그것이 조세로 모은) 돈을 쓸 때, //

it takes money /
그것은 돈을 꺼낸다 /

from the pockets (of the taxpayers) /
(납세자들의) 주머니에서 /

to put it back into their pockets.
그들의 주머니 안으로 다시 넣기 위해.

02
The term ("tax refund") refers to /
('세금 환급'이라는) 용어는 가리킨다 /

a reimbursement (made to a taxpayer / for any excess amount (paid in taxes to the government).
(납세자에게 주어진 / 정부에게 세금으로 지불된) 어떤 초과 금액에 대한) 환급을.

03
The expenditure may be really an investment: //
지출은 사실상 투자일 수도 있다: //

education, (for instance), is an investment in the young, //
(예를 들어) 교육은 젊은이들에게 하는 투자이며, //

and is universally recognized /
일반적으로 인식된다 /

as a duty of the state.
국가의 의무로.

04
In such a case, / provided the investment is sound, //
그런 경우에, / 투자가 건전하다면, //

public expenditure is obviously justified.
공공 지출은 분명히 정당화된다.

05
The community would not be ultimately ameliorated /
지역사회가 궁극적으로 개선되지는 않을 것이다 /

by ceasing to educate its children, /
어린이들을 교육하는 것을 중단함으로써, /

nor by neglecting public works.
또는 공공사업을 등한시함으로써.

해석

1
① 국가는 납세자에게 투자 계획을 알려야 한다.
② 공공 지출을 줄이면 지역사회가 더욱 부유해질 것이다.
③ 공공 지출은 적절한 투자를 통해 정당화될 수 있다.
④ 정부는 잉여 세입을 납세자에게 되돌려줘야 한다.

해설

1 국가가 세금을 소비하는 것은 결국 납세자를 위한 것이므로 교육과 같은 공공 부문에 대한 지출은 투자이자 국가의 의무라고 설명한다. 이때 공공 부문에 건전하게 투자하는 것은 정당화된다고 했으므로 이 글의 요지로 가장 적절한 것은 ③ '공공 지출은 적절한 투자를 통해 정당화될 수 있다.'이다.

2 이 글은 국가의 공공 부문에 대한 지출이 적절하게 이루어져야 한다는 내용을 전반적으로 다루고 있으므로, 세금 환급과는 관련이 없다. 따라서 가장 어색한 문장은 ② (B)이다.

전문해석

국가가 조세로 모은 돈을 쓸 때, 그것(국가)은 그들(납세자들)의 주머니 안으로 돈을 다시 넣기 위해 납세자들의 주머니에서 돈을 꺼낸다. 지출은 사실상 투자일 수 있다: 예를 들어, 교육은 젊은이들에게 하는 투자이며, 일반적으로 국가의 의무로 인식된다. 그런 경우에, 투자가 건전하다면 공공 지출은 분명히 정당화된다. 어린이들을 교육하는 것을 중단하거나 공공사업을 등한시함으로써 지역사회가 궁극적으로 개선되지는 않을 것이다.

어휘

- state 국가
- taxation 조세
- refund 환급
- reimbursement 환급
- expenditure 지출
- provided ~한다면
- community 지역사회
- ameliorate 개선하다
- neglect 등한시하다
- reduce 줄이다
- revenue 세입
- deteriorate 악화하다
- barter 물물교환하다
- raise 모으다
- taxpayer 납세자
- refer to ~을 가리키다
- excess 초과한
- investment 투자
- justify 정당화하다
- ultimately 궁극적으로
- cease 중단하다
- public works 공공사업
- surplus 잉여
- improve 개선하다
- condone 용납하다

정답 1 ③ 2 ② 3 ①

068 HM-Lion에 관한 다음 글의 내용과 일치하지 않는 것은?

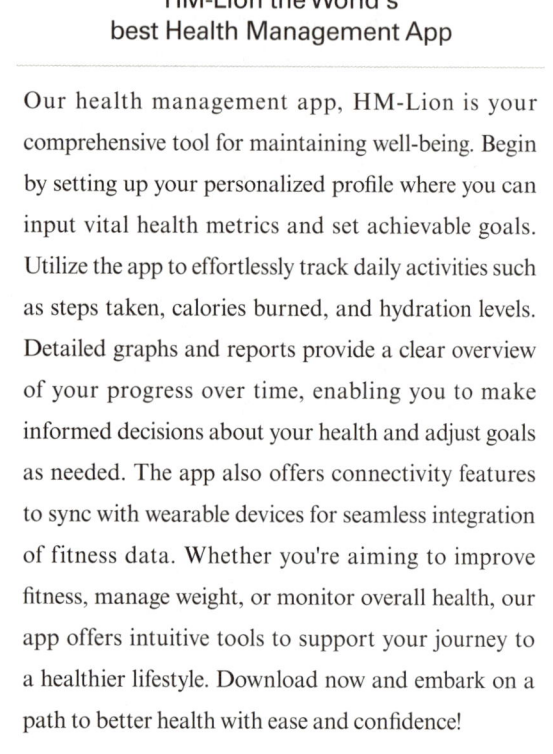

① It allows you to input your health goals.
② It provides information on calories burned.
③ It enables you to track your fitness progress over time.
④ It does not support syncing with wearable devices.

069 다음 글을 읽고 물음에 답하시오.

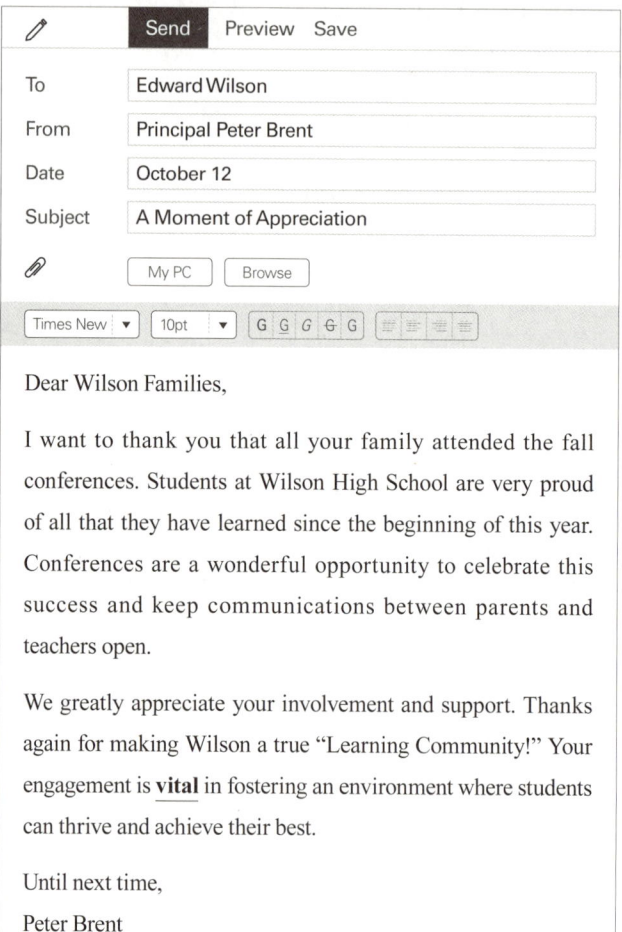

Dear Wilson Families,

I want to thank you that all your family attended the fall conferences. Students at Wilson High School are very proud of all that they have learned since the beginning of this year. Conferences are a wonderful opportunity to celebrate this success and keep communications between parents and teachers open.

We greatly appreciate your involvement and support. Thanks again for making Wilson a true "Learning Community!" Your engagement is **vital** in fostering an environment where students can thrive and achieve their best.

Until next time,
Peter Brent

1 이 글의 목적으로 알맞은 것은?
① 교사와 학부모 사이에 의사소통의 장을 열려고
② 가을 협의회에 참석한 것에 고마움을 표하려고
③ 경매 개최 성과를 보고하려고
④ 자원봉사를 해준 것에 감사하려고

2 밑줄 친 vital의 의미와 가장 가까운 것은?
① helpful
② important
③ noticeable
④ generous

068

해석

세계 최고의 건강 관리 앱, HM-Lion

우리의 건강 관리 앱 HM-Lion은 건강 유지를 위한 당신의 총체적인 도구이다. 중요한 지표를 입력하고 달성 가능한 목표를 세울 수 있는 개인화된 프로필을 설정하여 시작해 보아라. 걸은 걸음 수, 소모한 칼로리, 수분 섭취량 등을 손쉽게 추적할 수 있도록 이 앱을 사용해 보아라. 상세한 그래프와 보고서는 시간 경과에 따른 진행 상황에 관한 명확한 설명을 제공하며, 당신으로 하여금 건강에 대하여 정보에 입각한 결정을 내리고 필요시 목표를 조정할 수 있도록 해준다. 또한 이 앱은 건강 데이터의 통합을 원활하게 하기 위해 웨어러블 장치와 동기화 할 수 있는 연동 기능을 제공한다. 건강을 향상시키는 것이, 체중을 관리하는 것이, 혹은 전반적인 건강을 지켜보는 것이 목적이든 간에, 우리의 앱은 더 건강한 생활로 가는 당신의 여정을 돕기 위한 직관적인 도구를 제공한다. 지금 다운로드하고 쉽고 자신감있게 더 나은 건강으로 가는 길로 떠나보자.

① 건강 목표를 입력할 수 있다.
② 칼로리 소모에 대한 정보를 제공한다.
③ 피트니스 진행 상황을 시간에 따라 추적할 수 있다.
④ 웨어러블 기기와의 동기화를 지원하지 않는다.

해설

④ 다섯 번째 문장에서 건강 데이터의 통합을 원활하게 하기 위해 웨어러블 장치와 동기화 할 수 있는 연동 기능을 제공한다고 했으므로 글의 내용과 일치하지 않는다
① 두 번째 문장에서 달성 가능한 목표를 세울 수 있는 개인화된 프로필을 설정하여 시작해 보라고 했으므로 글의 내용과 일치한다.
② 세 번째 문장에서 걸은 걸음 수, 소모한 칼로리, 수분 섭취량 등을 손쉽게 추적할 수 있다고 했으므로 글의 내용과 일치한다.
③ 네 번째 문장에서 상세한 그래프와 보고서는 시간 경과에 따른 진행 상황에 관한 명확한 설명을 제공해 준다고 했으므로 글의 내용과 일치한다.

어휘

- comprehensive 총체적인
- personalized 개인화된
- metrics 수치
- track 추적하다
- feature 특징
- wearable 휴대할 수 있는
- overall 전반적인
- embark 시작하다
- confidence 자신감
- maintain 유지하다
- vital 중요한
- effortlessly 손쉽게
- connectivity 연결
- sync with ~와 동기화하다
- device 장치
- intuitive 직관적인
- path 길

정답 ④

069

해석

수신: Edward Wilson
발신: Peter Brent 교장
날짜: 10월 12일
제목: 감사의 순간

Wilson 가족 여러분께,

가을 협의회에 가족 모두 참석해 주셔서 감사합니다. Willson 고등학교 학생들은 올해 초부터 배운 모든 것을 매우 자랑스럽게 생각하고 있습니다. 협의회는 이러한 성공을 축하하고 학부모와 교사 간의 소통을 유지할 수 있는 훌륭한 기회입니다.

여러분의 참여와 지원에 깊이 감사드립니다. Willson을 진정한 '학습 공동체'로 만들어 주셔서 다시 한번 감사드립니다! 여러분의 참여는 학생들이 번창하고 최선을 다할 수 있는 환경을 조성하는 데 매우 중요합니다.

다음에 또 뵙겠습니다,
Peter Brent 드림

해설

이메일의 첫 번째 문장에서 행사에 참석해 준 것에 대해 감사를 표현하고 있다. 따라서 정답은 ②이다.

어휘

- principal 교장
- opportunity 기회
- support 도움
- vital 중요한
- thrive 성공하다
- generous 너그러운
- appreciation 감사
- involvement 참여
- engagement 참여
- foster 강화하다
- noticeable 뚜렷한

정답 1 ② 2 ②

070 다음 캠페인의 요지로 가장 적절한 것은?

Join our community campaign and embark on a journey of discovery and enrichment! If you face challenges with reading, connect with others in similar situations and learn together. Children needing support with literacy skills are especially welcome to join.

Campaign Details
- **Initiative**: Promoting a love for reading and teaching how to read and write for children and adults
- **Duration**: September 1-30
- **Activities**: Storytelling sessions, book exchanges, and author talks
- **Partners**: Local libraries, schools, and literacy organizations.

How to Participate
- Attend literacy events throughout the month at participating locations.
- Volunteer to read to children or assist with literacy activities.

Together, let's cultivate a community where everyone has access to the joy of reading!

① This campaign builds emotional bonds among people in similar situations.
② This campaign aims to support financially struggling libraries and schools.
③ This campaign's main goal is to foster a love for reading the children.
④ This campaign's focuses on promoting reading and literacy in our community.

DAY 13~14 Exercises

[1~4] 양쪽에 주어진 말의 의미가 일맥상통하도록 선으로 연결하세요.

1 vicinity   ① everything

2 extinction   ② the area around or near a particular place

3 the whole nine yards   ③ a sum paid to cover money that has been spent or lost

4 reimbursement   ④ the state or situation that results when something has died out completely

[5~7] 다음 문장의 끊어 읽기를 참고하여, 빈칸에 알맞은 해석을 쓰세요.

5 Because women were not permitted / to participate in theater productions / in ancient Greece, / male actors played female roles / in dramatic productions.

   여성들은 허용받지 못했기 때문에 / 연극 제작에 참여하는 것을 / 고대 그리스에서는, / _____ / 연극 제작에서.

6 The highs and lows of life / may seem to have no predictable plan, / but scientists now know / there are very definite life patterns / that almost all people share.

   인생의 기복은 / _____, / 그러나 과학자들은 이제 안다 / 매우 분명한 인생의 패턴이 있다는 것을 / 거의 모든 사람이 공유하는.

7 If fire did not hurt / when it burnt, / children would play with it / until their hands were burnt away.

   만일 불이 아프지 않다면 / 그것이 탈 때 / 아이들은 그것을 가지고 놀 것이다 / _____.

정답 1 ② 2 ④ 3 ① 4 ③ 5 남자 배우들이 여성의 역할들을 했다 6 예측할 수 있는 계획이 없는 것처럼 보일 수도 있다 7 그들의 손이 다 타버릴 때까지

071 각 문장을 끊어 읽고 해석한 후 제시된 문제에 답하시오.

01
Today, farmers in the majority of industrialized countries primarily focus on cultivating cash crops. (A) This
02
means that they usually grow large amounts of only a few commercial crops, such as soybeans, wheat, or corn.
03
(B) They sell these crops and use the money to buy what
04
they need for their families and their farms. (C) A common practice among farmers was to cultivate a
05
diverse range of crops. (D) They occasionally sold a portion of the crops in cases of **surplus**, but _____ _____.

1 빈칸에 들어갈 말로 적절한 것은?

① most of the crops were kept to feed the farmer's family
② they preferred to sell all of the crops for cash
③ people in the city needed food, too
④ they grew a few kinds of crops

2 다음 문장이 들어갈 위치로 가장 적절한 것은?

In the past, farming was quite different.

① (A) ② (B)
③ (C) ④ (D)

3 밑줄 친 부분의 의미와 가장 가까운 것은?

① benefit
② lack
③ superiority
④ excess

071 구문분석 & 문장분석

01
Today, / farmers (in the majority of industrialized countries) /
오늘날, / (산업화된 대다수 국가의) 농부들은 /

primarily focus on cultivating cash crops.
환금 작물을 재배하는 데 주로 중점을 둔다.

02
This means //
이는 의미한다 //

that they usually grow large amounts of only a few commercial viable crops, (such as soybeans, wheat, or corn).
그들이 대부분 (대두, 밀, 옥수수 등과 같은) 몇몇 상업 작물만을 대량으로 재배한다는 것을.

03
They sell these crops // and use the money /
그들은 이러한 작물을 판매하고 // 그 돈을 사용한다 /

to buy what they need /
그들이 필요한 물품을 구입하려고 /

for their families and their farms.
가족과 농장을 위해.

삽입 문장
In the past, / farming was quite different.
과거에는 / 농업이 상당히 다른 형태였다.

04
A common practice among farmers /
농부들 사이에서 흔한 관행은 /

was to cultivate a diverse range of crops.
다양한 작물을 재배하는 것이었다.

05
They occasionally sold a portion of the crops /
그들은 작물의 일부를 가끔 판매하기도 했다 /

in cases of surplus, // but most of the crops were kept /
남을 경우, // 그러나 대부분의 농작물들은 보존되었다 /

to feed the farmer's family.
농부의 가족들을 먹이기 위해.

해석
1 ② 그들은 모든 종류의 농작물을 팔아 현금화하길 선호했다
③ 도시에 있는 사람들 또한 식량을 필요로 했다
④ 그들은 몇 가지 농작물을 재배했다

해설
1 현재와 과거의 농작물 재배에 대한 관점의 차이를 대조형식으로 설명하는 글이다. 현재는 주로 농작물을 판매하여 돈을 벌기 위한 목적임을 알 수 있다. 반면 과거는 달랐다고 한 것으로 판단컨대 과거의 농작물 재배는 판매가 주목적이 아니라 가족들을 먹이기 위한 것임을 유추할 수 있다. 따라서 정답은 ① '대부분의 농작물들은 농부의 가족들을 먹이기 위해 보존되었다'이다.

2 현재와 과거의 농업 관행에 대해 비교하고 있는 글이다. Today로 시작하여 현재의 농업 관행에 관해 설명한다. 그리고 그 이후에 In the past로 과거의 농업 관행에 대한 설명이 이어지는 것이다. (C)의 앞까지는 돈이 되는 작물만을 경작하는 현재의 농업 관행에 관해 설명하고 있다. 그러나 (C)의 뒤에서는 다양한 범위의 작물을 재배하는 과거의 관행으로 시제 역시 과거이다. 따라서 주어진 문장은 (C)에 오는 것이 적합하다. 정답은 ③ (C)이다.

전문해석
오늘날, 산업화된 대다수 부분의 국가의 농부들은 주로 환금 작물을 재배하는 데 중점을 둔다. 이는 그들이 대부분 대두, 밀, 옥수수 등과 같은 몇몇 상업 작물만을 대량으로 재배한다는 것을 의미한다. 그들은 이러한 작물을 판매하고 가족과 농장을 위해 그들이 필요한 물품을 구입하려고 그 돈을 사용한다. 과거에는 농업이 상당히 다른 형태였다. 농부들 사이에서 흔한 관행은 다양한 작물을 재배하는 것이었다. 그들은 가끔 남을 경우 작물의 일부를 판매하기도 했으나 대부분의 농작물들은 농부의 가족들을 먹이기 위해 보존되었다.

어휘
- majority 대다수
- industrialized 산업화된
- primarily 주로
- cultivate 경작하다
- cash crop 환금 작물: 시장에 내다 팔기 위해 재배하는 농작물
- commercial crop 상업[경제] 작물: 수익성이 높은 작물
- soybean 대두
- practice 관행
- diverse 다양한
- range 범위
- occasionally 때때로
- portion 일부
- surplus 나머지
- benefit 혜택
- lack 부족
- superiority 우월성
- excess 초과

정답 1 ① 2 ③ 3 ④

072 각 문장을 끊어 읽고 해석한 후 제시된 문제에 답하시오.

01
It is a common experience that doing something for the first time seems to take longer than doing it a **subsequent**
02
time. Simply asking people to estimate the length of time they are exposed to a train of stimuli shows that novel stimuli seem to last longer than repetitive or
03
unremarkable ones. In fact, just being the first stimulus in a repetitive series appears to be sufficient to
04
_____. Presumably, the reason why our brain has evolved to work like this might be because novel stimuli require more thought than familiar
05
ones. Therefore, it makes sense for the brain to allocate subjectively longer time to them.

1 글의 요지로 적절한 것은?

① Response to stimuli is an by-product of brain training.

② The intensity of stimuli increases with their repetition.

③ Our physical response to stimuli influences our thoughts.

④ Novelty makes people feel time is passing more slowly.

2 빈칸에 들어갈 말로 가장 적절한 것은?

① manipulate our experiences

② induce subjective time expansion

③ underestimate the passage of time

④ define the perceived course of life

3 밑줄 친 부분의 의미와 가장 가까운 것은?

① following

② limited

③ real

④ imaginary

072 구문분석 & 문장분석

01
It is a common experience /
흔한 경험이다 /
that doing something for the first time /
무언가를 처음으로 하는 것이 /
seems to take longer /
더 오래 걸리는 것처럼 보이는 것은 /
than doing it a subsequent time.
이후의 시간에 그것을 하는 것보다.

02
Simply asking people /
단지 사람들에게 요구하는 것은 /
to estimate the length of time (they are exposed to a train of stimuli) /
(일련의 자극에 노출된) 시간의 길이를 추정하도록 /
shows // that novel stimuli seem to last longer /
보여준다 // 새로운 자극이 더 오래 지속되는 것 같다는 것을 /
than repetitive or unremarkable ones.
반복적이거나 평범한 자극들보다.

03
In fact, /
사실, /
just being the first stimulus (in a repetitive series) /
(반복적으로 연속되는 것의) 단지 첫 번째 자극이 되는 것은 /
appears to be sufficient /
충분한 것으로 보인다 /
to induce subjective time expansion.
주관적인 시간 확장을 유발하기에.

04
Presumably, / the reason (why our brain has evolved to work like this) might be //
아마도, / (우리의 뇌가 이렇게 작용하도록 진화한) 이유는 ~일 것이다 //
because novel stimuli require more thought / than familiar ones.
새로운 자극이 더 많은 생각을 요구하기 때문이다 / 친숙한 것들보다.

05
Therefore, / it makes sense /
그러므로, / 이치에 맞는다 /
for the brain to allocate subjectively longer time to them.
뇌가 그것들에 주관적으로 더 긴 시간을 할당하는 것이.

해석

1 ① 자극에 대한 반응은 두뇌 훈련의 부산물이다.
② 자극의 강도는 자극의 반복과 함께 증가한다.
③ 자극에 대한 우리의 신체적 반응은 우리의 사고에 영향을 준다.
④ 새로운 것은 시간이 더 천천히 흐른다고 사람들이 느끼도록 만든다.

2 ① 우리의 경험을 조종하기
③ 시간의 경과를 과소평가하기
④ 인식된 인생 행로를 정의하기

해설

1 이 글의 주제는 첫 번째 문장으로, 우리가 처음으로 무언가를 경험하면 시간이 더 길게 느껴진다는 것이다. 이후 그에 대한 부연 설명이 이어지고, 새로운 것이 익숙한 것보다 더 많은 생각을 요구하기 때문에 우리의 뇌 역시 그렇게 반응하도록 진화했다고 말한 뒤 마지막 문장에서, 뇌가 새로운 것에 주관적으로 더 긴 시간을 할당하는 것이 당연하다고 결론짓는다. 따라서 글의 요지로 적절한 것은 ④ '새로운 것은 시간이 더 천천히 흐른다고 사람들이 느끼도록 만든다.'이다.

2 처음 두 개의 문장에서 새로운 자극을 경험할 때 우리가 시간을 더 길게, 즉 확장된 것으로 느낀다고 했고, 빈칸 뒤에서 우리의 뇌 역시 새로운 것에 더 많은 생각과 긴 시간을 할당한다고 했다. 또한 빈칸이 있는 문장에서 사용된 In fact는 앞의 내용을 강조하거나 대조할 때 사용하는 연결어인데, 빈칸의 앞뒤 내용이 일관성 있게 이어지고 있으므로 여기서 In fact는 앞 내용을 강조하는 것이다. 따라서 빈칸에는 글의 주제와 일맥상통하는 내용인 ② '주관적인 시간 확장을 유발하기'가 들어가는 것이 가장 적절하다.

전문해석

무언가를 처음으로 하는 것이 이후의 시간에 그것을 하는 것보다 더 오래 걸리는 것처럼 보이는 것은 흔한 경험이다. 단지 사람들에게 일련의 자극에 노출된 시간의 길이를 추정하도록 요구하는 것은 새로운 자극이 반복적이거나 평범한 자극들보다 더 오래 지속되는 것 같다는 것을 보여준다. 사실, 반복적으로 연속되는 것의 단지 첫 번째 자극이 되는 것은 주관적인 시간 확장을 유발하기 충분한 것으로 보인다. 아마도, 우리의 뇌가 이렇게 작용하도록 진화한 이유는 새로운 자극이 친숙한 것들보다 더 많은 생각을 요구하기 때문일 것이다. 그러므로, 뇌가 그것들(새롭고 색다른 자극들)에 주관적으로 더 긴 시간을 할당하는 것이 이치에 맞는다.

어휘

- subsequent 그 후의
- a train of 일련의
- unremarkable 평범한
- allocate 할당하다
- by-product 부산물
- novelty 새로운 것
- induce 유발하다
- underestimate 과소평가하다
- define 정의하다
- following 다음의
- real 진짜의
- exposed 노출된
- stimulus 자극(pl. stimuli)
- presumably 아마
- subjectively 주관적으로
- intensity 강도
- manipulate 조종하다
- expansion 확장
- passage 경과
- perceive 인식하다
- limited 제한된
- imaginary 상상의

정답 1 ④ 2 ② 3 ①

073 각 문장을 끊어 읽고 해석한 후 제시된 문제에 답하시오.

01
That is because the roots of the trees provide channels down which the water flows deep into the ground.

02
(A) A government consultant walking over a field during a rainstorm noticed the water flowing over the land suddenly disappeared when it reached the belts of trees.
03
(B) This prompted major research, which found out the **staggering** facts: water sinks into the soil under the trees at 67 times the rate at which it sinks into the soil under the grass.
04
(C) The soil there becomes a sponge, a reservoir which _____.
05
In the pastures, by contrast, the sharp hooves of the sheep tramp the ground down hard, making it almost impermeable. (D)

1 주어진 문장이 들어갈 위치로 가장 적절한 곳은?
① (A) ② (B)
③ (C) ④ (D)

2 빈칸에 들어갈 말로 가장 적절한 것은?
① makes homes and infrastructure drowned
② sucks up water and then releases it slowly
③ may filter incoming water and remove pollutants
④ is damaged by rainstorms and becomes the flood

3 밑줄 친 부분의 의미와 가장 가까운 것은?
① astonishing
② curious
③ boring
④ temporary

문장 분석 및 해설

073 구문분석 & 문장분석

01
That is because the roots (of the trees) provide /
그것은 (수목들의) 뿌리가 제공하기 때문이다 /
channels (down which the water flows / deep into the ground).
(물이 흘러내려갈 / 땅속 깊은 곳으로) 수로를.

02
A government consultant (walking over a field / during a rainstorm) noticed //
(들판을 걸어가던 / 폭풍우가 내릴 때) 정부의 자문 위원이 알아차렸다 //
the water (flowing over the land) suddenly disappeared //
(땅 위를 흐르던) 물이 갑자기 사라진 것을 //
when it reached the belts of trees.
그것이 나무가 많은 지대에 도착했을 때.

03
This prompted major research, /
이것은 주요 연구를 촉발했다, /
which found out the staggering facts: //
그것은 놀라운 사실을 발견했다: //
water sinks into the soil (under the trees) /
물이 (수목 아래의) 토양으로 스며든다 /
at 67 times the rate (at which it sinks into the soil (under the grass)).
(그것이 (풀 아래의) 토양으로 스며드는) 속도의 67배로.

04
The soil (there) becomes a sponge, (a reservoir (which sucks up water // and then releases it slowly)).
(그곳에서) 토양은 ((물을 빨아들이고 그런 다음 그것을 천천히 방출하는) 저수지) 즉, 스펀지가 된다.

05
In the pastures, (by contrast), /
(그에 반해) 목초지에서는, /
the sharp hooves (of the sheep) /
(양의) 날카로운 발굽들이 /
tramp the ground down hard, //
땅을 단단하게 다진다, //
making it almost impermeable.
그것을 거의 물이 스며들지 않게 만든다.

해석
2 ① 집과 기반시설을 물에 잠기게 하는
③ 유입수를 걸러서 오염 물질을 제거할 수 있는
④ 폭풍우에 손상되어 홍수가 되는

해설
1 주어진 문장은 수목의 뿌리가 땅속으로 물이 흘러갈 수로를 제공하기 때문이라고, 물이 사라지는 원인이 무엇인지 설명했으므로, 이 문장의 앞에는 물이 땅속으로 사라지는 현상에 대한 언급이 먼저 나와야 한다. (C)의 앞까지는 이 현상을 발견하고 연구했다는 내용이고 (C)의 뒤에서는 나무가 많은 지대의 토양이 어떤 역할을 하는지 이야기한다. 또한 there는 내용상 나무 지대에 있는 deep into the ground를 가리키고 있으므로 주어진 문장이 들어갈 자리로 가장 적절한 곳은 ③ (C)이다.

2 빈칸의 뒤에서 빈칸의 내용과 정반대되는(by contrast) 내용이 나온다. 즉, 양의 발굽 때문에 땅이 다져져서 물이 흘러들어가지 못한다는 것이다. 따라서 빈칸에는 물이 토양에 잘 스며든다는 내용이 되어야 하므로 ② '물을 빨아들인 다음 그것을 천천히 방출하는'이 정답이다. ①, ④는 물이 땅에 스며들지 않을 때 생길 수 있는 현상으로 빈칸에 들어갈 내용과 정반대이므로 답이 될 수 없다.

전문해석
폭풍우가 내릴 때 들판을 걸어가던 정부의 자문 위원이 땅 위를 흐르던 물이 나무가 많은 지대에 도착했을 때 갑자기 사라진 것을 알아차렸다. 이것이 주요 연구를 촉발시켰고, 그것은 놀라운 사실을 발견했다: 물이 풀 아래의 토양으로 스며드는 속도의 67배로 수목 아래의 토양으로 스며든다. 그것은 수목들의 뿌리가 물이 땅 속 깊은 곳으로 흘러내려갈 수로를 제공하기 때문이다. 그곳에서 토양은 물을 빨아들인 다음 그것을 천천히 방출하는 저수지, 즉 스펀지가 된다. 그에 반해 목초지에서는 양의 날카로운 발굽들이 땅을 단단하게 다져서 거의 물이 스며들지 않게 만든다.

어휘
- consultant 자문 위원
- channel 수로
- staggering 놀라운
- pasture 목초지
- tramp down (발로 밟아서) 다지다
- impermeable 물이 스며 들지 않는
- infrastructure 기반시설
- release 방출하다
- pollutant 오염물질
- astonishing 놀라운
- temporary 일시적인
- belt (특정) 지대
- prompt 촉발하다
- reservoir 저수지
- hoof 발굽
- drown 물에 빠뜨리다
- filter 거르다
- rainstorm 폭풍우
- curious 호기심 넘치는

정답 1 ③ 2 ② 3 ①

074 Crime Challenges in Mexico에 관한 다음 글의 내용과 일치하지 않는 것은?

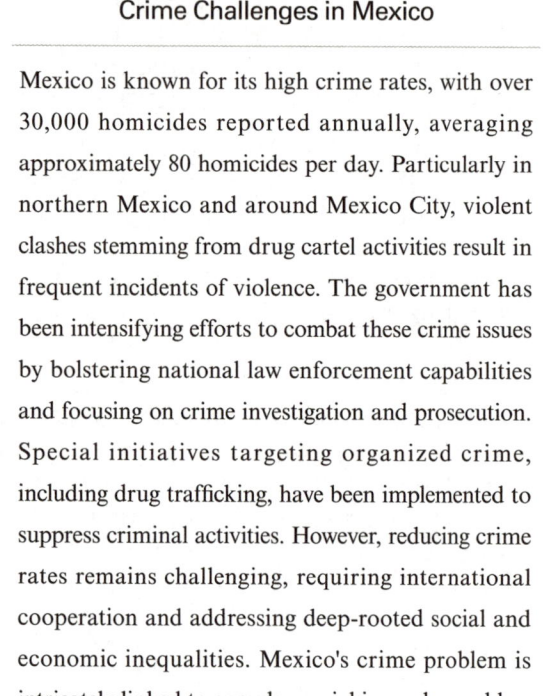

Crime Challenges in Mexico

Mexico is known for its high crime rates, with over 30,000 homicides reported annually, averaging approximately 80 homicides per day. Particularly in northern Mexico and around Mexico City, violent clashes stemming from drug cartel activities result in frequent incidents of violence. The government has been intensifying efforts to combat these crime issues by bolstering national law enforcement capabilities and focusing on crime investigation and prosecution. Special initiatives targeting organized crime, including drug trafficking, have been implemented to suppress criminal activities. However, reducing crime rates remains challenging, requiring international cooperation and addressing deep-rooted social and economic inequalities. Mexico's crime problem is intricately linked to complex social issues beyond law enforcement alone.

① More than 30,000 murders occur in Mexico each year.
② There are clashes between drug cartels in southern Mexico.
③ The government has implemented a special initiatives for organized crime.
④ Mexico's crime is tied to social issues beyond law enforcement.

075 래프팅에 대한 다음 안내문의 내용과 일치하지 않는 것은?

Awesome Rafting Adventure

The King's River is one of the most famous rafting adventure places in the world. You will have an thrilling experience filled with excitements.

Highlights
- Four hours of rafting through World Heritage rain forest
- An outdoor BBQ lunch to recharge for the afternoon

Additional Info
- Participants are picked up at their accommodation in our luxury buses.
- Action and adventure photographs will be on display for purchase every day.
- A life jacket and helmet will be provided for safety.

What to Bring
- Proper footwear for comfort and safety
- A cap or sun visor to prevent sunburn
- Enthusiasm for an exciting day

For more information or to make a reservation, please call (012) 3456-7890.

① 세계 유산인 열대우림지역을 통과한다.
② 점심으로 야외에서 바비큐를 제공한다.
③ 래프팅 활동 모습을 찍은 사진을 구매할 수 있다.
④ 참가자들의 안전을 위해 신발을 지급한다.

074

해석

멕시코의 범죄 문제

멕시코는 높은 범죄율로 알려져 있으며, 매년 30,000건 이상의 살인이 보고되고 있고, 하루 평균 약 80건의 살인이 있다. 특히 멕시코 북부와 멕시코 시티 주변에서는 마약 밀매 조직의 활동으로 인한 폭력적인 충돌이 빈번한 폭력적인 사건을 낳고 있다. 정부는 국가의 법 집행 능력을 강화하고 범죄 조사 및 기소에 집중함으로써 이러한 범죄 문제를 해결하기 위해 노력을 강화해 왔다. 마약 밀매를 포함한 조직범죄를 목표로 하는 특별 조치가 범죄 활동을 억제하기 위해 시행되고 있다. 그러나 범죄율을 줄이는 것은 여전히 도전적인 과제로, 국제 협력과 깊이 뿌리내린 사회적 및 경제적 불평등 문제를 해결하는 것을 요구한다. 멕시코의 범죄 문제는 단순한 법 집행 이상의 복잡한 사회적 문제와 얽혀 있다.

① 멕시코에서 매년 30,000건 이상의 살인이 발생한다.
② 멕시코 남부에서는 마약 밀매 조직 간의 충돌이 발생한다.
③ 정부는 조직범죄를 위한 특별 조치를 시행하고 있다.
④ 멕시코의 범죄는 법 집행을 넘어서는 사회적 문제와 관련이 있다.

해설

② 두 번째 문장에서 멕시코 북부와 멕시코 시티 주변에서는 마약 밀매 조직의 활동으로 인한 폭력적인 충돌이 폭력적인 사건을 낳고 있다고 했으므로 글의 내용과 일치하지 않는다.
① 첫 번째 문장에서 매년 30,000건 이상의 살인이 보고되고 있다고 했으므로 글의 내용과 일치한다.
③ 네 번째 문장에서 마약 밀매를 포함한 조직범죄를 목표로 하는 특별 조치가 범죄 활동을 억제하기 위해 시행되고 있다고 했으므로 글의 내용과 일치한다.
④ 여섯 번째 문장에서 멕시코의 범죄는 법 집행을 넘어서는 사회적 문제와 관련이 있다고 했으므로 글의 내용과 일치한다.

어휘

- homicide 살인
- clash 충돌
- incident 사건
- bolster 강화하다
- capability 능력
- initiative 조치
- implement 시행하다
- address 해결하다
- be tied to ~와 묶여있다
- approximately 대략적으로
- stem from ~에서 발생하다
- intensify 강화하다
- enforcement 집행
- prosecution 기소
- trafficking 밀매
- suppress 억제하다
- intricately 밀접하게

정답 ②

075

해석

멋진 래프팅 어드벤처

King's River는 세계에서 가장 유명한 래프팅 어드벤처 장소 중 하나입니다. 흥분되는 일로 가득찬 스릴 넘치는 경험을 하게 될 것입니다.

하이라이트
- 세계 유산 열대우림을 가로지르는 4시간 래프팅
- 오후를 위한 야외 BBQ 점심 충전

추가 정보
- 참가자들은 우리 고급 버스로 숙소에서 픽업됩니다.
- 액션과 모험의 사진이 매일 전시 중이며 구매할 수 있습니다.
- 안전을 위해 구명조끼와 헬멧이 제공됩니다.

준비물
- 편안하고 안전한 신발
- 햇볕 차단을 위한 모자 또는 햇빛 가리개
- 흥미진진한 하루를 위한 열정

정보를 더 원하시거나 예약을 하시려면 (012) 3456-7890으로 전화해 주세요.

해설

④ <준비물>에서 편안하고 안전한 신발을 준비물로 가져오라고 했으므로 글의 내용과 일치하지 않는다.
① <하이라이트>에서 세계 유산 열대우림을 가로지르는 4시간 래프팅이라고 했으므로 글의 내용과 일치한다.
② <하이라이트>에서 오후를 위한 야외 BBQ 점심 충전이라고 했으므로 글의 내용과 일치한다.
③ <추가 정보>에서 액션과 모험의 사진이 매일 전시되며 구매할 수 있다고 했으므로 글의 내용과 일치한다.

어휘

- thrilling 스릴 넘치는
- heritage 유산
- recharge 충전하다
- on display 전시 중인
- visor 얼굴 가리개
- excitement 흥분되는 일
- rain forest 열대우림
- accommodation 숙소
- footwear 신발
- enthusiasm 열정

정답 ④

076 각 문장을 끊어 읽고 해석한 후 제시된 문제에 답하시오.

> 01
> The definition of success for many people is acquiring wealth and a high material standard of living. (A) It is not surprising, therefore, that people often value education for its monetary value. (B) People widely believe that the more schooling they have, the more money they will earn when they leave school. (C) This belief is strongest regarding the desirability of an undergraduate university degree, or a professional degree such as medicine or law. (D) Increasingly, however, the **advent** of new technologies has meant that more and more education is required to do the work.

1 글의 제목으로 가장 적절한 것은?

① The Monetary Value of Education
② Belief and Success
③ College Degree and Job Market
④ Higher Education in the Age of Technology

2 다음 문장이 들어갈 위치로 가장 적절한 것은?

> In the past, it was possible for workers with skills learned in vocational schools to get a high-paying job without a college education.

① (A) ② (B)
③ (C) ④ (D)

3 밑줄 친 부분의 의미와 가장 가까운 것은?

① emergence
② improvement
③ amazement
④ embrace

076 구문분석 & 문장분석

01
The definition of success for many people /
많은 사람들에게 성공의 정의는 /

is acquiring wealth and a high material standard of living.
부와 물질적으로 풍족한 생활 수준을 얻는 것이다.

02
It is not surprising, (therefore), /
(그러므로) 놀라운 것이 아니다 /

that people often value education for its monetary value.
사람들이 종종 교육을 그것의 금전적인 가치로 평가하는 것은.

03
People widely believe //
사람들은 광범위하게 믿고 있다 //

that the more schooling they have, //
더 많은 학교 교육을 받을수록, //

the more money they will earn //
그들이 더 많은 돈을 벌 것이라는 //

when they leave school.
그들이 학교를 졸업할 때.

04
This belief is strongest /
이러한 믿음은 가장 강력하다 /

regarding the desirability (of an undergraduate university degree, /
(학부 학위를 / 또는 (의학이나 법학 같은)

or a professional degree (such as medicine or law)).
전문적인 학위의) 바람직성과 관련하여.

삽입 문장
In the past, /
과거에는, /

It was possible / for workers with skills learned in vocational schools /
가능했다 / 직업 학교에서 습득한 기술을 가진 노동자들이 /

to get a high-paying job /
높은 보수의 직업을 얻는 것이 /

without a college education.
대학 교육 없이.

05
Increasingly, (however), /
(그러나) 점차 /

the advent of new technologies has meant //
신기술의 출현은 의미하게 되었다 //

that more and more education is required /
점점 더 많은 교육이 필요함을 /

to do the work.
그 일을 하기 위해서는.

해석

1
① 교육의 금전적 가치
② 신념과 성공
③ 대학 졸업장과 취업 시장
④ 기술의 시대에서 고등 교육

해설

1 It is not surprising, therefore, that ~으로 시작하는 두 번째 문장이 글의 주제문이다. 두 번째 문장을 분석해 보면 사람들이 금전적인 가치로 교육을 평가한다는 내용을 담고 있으며 이후의 문장들은 이 주제문을 부연 설명하고 있다. 따라서 이 글의 제목으로는 '교육의 금전적 가치'라는 ①이 적절하다.

2 주제문인 두 번째 문장인 (A) 뒤에 이에 대한 부연 설명이 이어진다. 현재 사람들이 어떤 생각을 하고 있는지에 대한 부연 설명이 People widely believe ~와 This belief로 유기적으로 연결된다. 그러나 (D)의 문장은 however의 연결이 어색하다. 주어진 문장은 과거의 상황에 대한 내용이므로 (D)의 앞에 와서 전환이 이루어진 뒤, (D)의 however로 연결되는 것이 자연스럽다. 따라서 정답은 ④ (D)이다.

전문해석

많은 사람들에게 성공의 정의는 부와 물질적으로 풍족한 생활 수준을 얻는 것이다. 그러므로 사람들이 종종 교육을 그것의 금전적인 가치로 평가하는 것은 놀라운 것이 아니다. 더 많은 학교 교육을 받을수록 학교를 졸업할 때 더 많은 돈을 벌 것이라고 사람들은 광범위하게 믿고 있다. 이러한 믿음은 학부 학위 혹은 의학이나 법학 같은 전문적인 학위의 바람직성과 관련하여 가장 강력하다. 과거에는, 직업 학교에서 습득한 기술을 가진 노동자들이 대학 교육 없이 높은 보수의 직업을 얻는 것이 가능했다. 그러나 점차 신기술의 출현은 그 일을 하기 위해서는 점점 더 많은 교육이 필요함을 의미하게 되었다.

어휘

- definition 정의
- material 물질적인
- schooling 학교 교육
- desirability 바람직성
- degree 학위
- advent 출현
- emergence 출현
- amazement 놀라움
- acquire 얻다
- monetary 금전적인
- regarding ~와 관련하여
- undergraduate 학부의
- professional 전문적인
- vocational school 직업 학교
- improvement 개선
- embrace 포용

정답 1 ① 2 ④ 3 ①

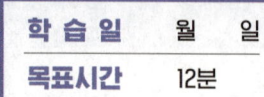

077 각 문장을 끊어 읽고 해석한 후 제시된 문제에 답하시오.

01
Children's book awards have **proliferated** in recent years; today there are well over 100 different awards and prizes by a variety of organizations. (A) The awards may be presented to the best of all children's books published in that year or may honor an author for a lifetime contribution to the world of children's literature. (B) Especially, the national awards given in most countries are the most influential and have helped considerably to raise public awareness about the fine books published for young readers. (C) An award ceremony for outstanding service to the publishing industry is put on hold. (D) Of course, readers are wise not to put too much faith in award-winning books but to use award-winning titles as a starting point when choosing books.

1 다음 글의 흐름상 가장 어색한 문장은?
① (A) ② (B)
③ (C) ④ (D)

2 글의 내용과 일치하는 것은?
① People tend to place too much confidence in prestigious book awards.
② Children's book awards could be given not only to books but also writers.
③ The national awards can rarely affect readers in any country or region.
④ As of late, children's book awards have shown a steady decline in numbers.

3 밑줄 친 부분의 의미와 가장 가까운 것은?
① disappeared
② changed
③ suffered
④ increased

077 구문분석 & 문장분석

01
Children's book awards have proliferated /
아동도서상이 급증했다 /

in recent years; //
최근에; //

today / there are well over 100 different awards and prizes (by a variety of organizations).
오늘날 / (다양한 기관에서 주는) 100여 개가 넘는 다양한 상이 있다.

02
The awards may be presented /
그 상들은 주어질 수 있다 /

to the best of all children's books (published in that year) //
(그 해에 출판된) 모든 어린이 책들 중 가장 좋은 것에게 //

or may honor an author /
또는 작가에게 경의를 표할 수 있다 /

for a lifetime contribution (to the world of children's literature).
(아동 문학계에 바친) 평생의 기여에 대해.

03
Especially, / the national awards (given in most countries) /
특히, / (대부분의 나라에서 주어지는) 국가적인 상은 /

are the most influential //
가장 영향력이 있다 //

and have helped considerably /
그리고 상당히 도움이 되었다 /

to raise public awareness (about the fine books (published for young readers)).
((어린 독자들을 위해 출판되는) 양서에 대한) 대중의 인식을 높이는 데.

04
An award ceremony (for outstanding service /
(훌륭한 봉사를 기리는 /

to the publishing industry) / is put on hold.
출판계에 대한) 시상식이 / 연기된다.

05
Of course, / readers are wise /
물론, / 독자들은 현명하다 /

not to put too much faith in award-winning books /
수상 도서를 지나치게 많이 신뢰하지 않고 /

but to use award-winning titles / as a starting point //
수상이라는 칭호를 이용할 정도로 / 시작점으로 //

when choosing books.
책을 선택할 때.

해석

2 ① 사람들은 명망 있는 도서상을 지나치게 많이 신뢰하는 경향이 있다.
② 아동도서상은 책뿐만 아니라 작가에게도 주어질 수 있다.
③ 국가의 상은 어떤 나라나 지역의 독자들에게도 거의 영향을 미치지 못한다.
④ 최근, 아동도서상은 그 수가 꾸준히 감소해왔다.

해설

1 이글은 다양한 아동도서상이 존재하며, 그것이 독자들에게 어떤 의미가 있는지에 대해 설명하는 글이다. 이에 비해 네 번째 문장은 출판계에 기여한 공로를 기리는 시상식이 연기된 것을 언급하고 있다. 따라서 글의 흐름상 가장 어색한 것은 ③ (C)이다.

2 ② 두 번째 문장에서 상이 가장 좋은 어린이 책에게 주어지거나 작가에게 경의를 표할 수 있다고 했으므로 글의 내용과 일치한다.
① 마지막 문장에서 독자들이 수상 도서를 지나치게 많이 신뢰하지 않는다고 했으므로 글의 내용과 일치하지 않는다.
③ 세 번째 문장에서 국가의 상은 영향력이 커서 양서에 대한 대중의 인식을 높이는 데 도움이 되었다고 했으므로 글의 내용과 일치하지 않는다.
④ 첫 번째 문장에서 최근 아동도서상이 급증했다고 했으므로 글의 내용과 일치하지 않는다.

전문해석

최근에 아동도서상이 급증했다; 오늘날 다양한 기관에서 주는 100여 개가 넘는 다양한 상이 있다. 그 상들은 그 해에 출판된 모든 어린이 책들 중 가장 좋은 것에게 주어지거나 아동 문학계에 바친 평생의 기여에 대해 작가에게 경의를 표할 수 있다. 특히, 대부분의 나라에서 주어지는 국가적인 상은 가장 영향력이 있고 어린 독자들을 위해 출간되는 양서에 대한 대중의 인식을 높이는 데 상당히 도움이 되었다. 물론, 독자들은 수상 도서를 지나치게 많이 신뢰하지 않고 수상이라는 칭호를 책을 선택할 때의 시작점으로 이용할 정도로 현명하다.

어휘

- proliferate 급증하다
- influential 영향력 있는
- awareness 인식
- faith 신념
- prestigious 유명한
- disappear 사라지다
- increase 증가하다
- contribution 기여
- considerably 상당히
- put on hold 연기하다
- confidence 신뢰
- as of late 최근에
- suffer (고통 등을) 겪다

정답 1 ③ 2 ② 3 ④

078 다음 글을 읽고 물음에 답하시오.

Dear Leasing Office,

I hope this message finds you well. I am writing to inquire about the availability of rental units at your property. Specifically, I am interested in a two-bedroom apartment and would like to know more about the leasing **terms**, monthly rent, and any current move-in specials you might be offering.

Additionally, I would appreciate information on the amenities provided, parking options, and the lease duration options available. If possible, I would also like to schedule a tour of the property at your earliest convenience.

Please let me know if there are any application requirements or documents I need to prepare in advance. I look forward to your response and thank you for your assistance.

Best regards,
Alex Martinez

1 윗글의 목적으로 가장 적절한 것은?

① 아파트 임대계약을 연장하려고
② 아파트 임대를 알아보기 위해
③ 임대 조건을 변경하기 위해
④ 이사 갈 동네에 대한 정보를 얻기 위해

2 밑줄 친 terms의 의미와 가장 가까운 것은?

① words
② titles
③ periods
④ conditions

079 Contributions for 'Creative Perspectives'에 관한 다음 글의 내용과 일치하지 않는 것은?

Contributions for 'Creative Perspectives'

Our monthly magazine, 'Creative Perspectives,' invites people to contribute their work. We want a variety of content, like articles, stories, and poems. It takes careful planning to choose interesting pieces that our readers will enjoy. We also make sure everything meets our high standards. Handling all the contributions, giving each one fair consideration, and meeting deadlines are important parts of our job. Despite the challenges, we're dedicated to showcasing talented writers and sharing different perspectives in our magazine.

① The magazine is published every month.
② The magazine calls for contributions from people.
③ Meeting deadlines is considered important for them.
④ The magazine is dedicated to sticking to one perspective.

078

해석

> 수신: 임대 사무실
> 발신: Alex Martinez
> 날짜: 8월 3일
> 제목: 임대 문의
>
> 임대 사무실 귀하
>
> 안녕하세요. 귀사의 부동산 중 임대용 숙소 임대 가능 여부에 대해 문의드리고자 합니다. 특히, 방 2개짜리 아파트에 관심이 있으며, 또한 임대 조건, 월세, 그리고 제공 중인 현재 입주 특별 혜택에 대해 알고 싶습니다.
>
> 추가로, 제공되는 편의시설, 주차 옵션, 그리고 적용 중인 임대 기간 옵션에 대한 정보도 제공해 주시면 감사하겠습니다. 가능하다면, 가급적 빨리 부동산 방문을 예약하고 싶습니다.
>
> 신청 요건이나 미리 준비해야 할 서류가 있다면 알려주시길 바랍니다. 답변을 기다리며, 도움 주셔서 감사합니다.
>
> Alex Martinez

해설

이메일의 제목에서 임대 문의에 관한 내용임을 유추할 수 있다. 이후 이메일의 두 번째 문장에서 I am writing to~ 이하를 통해 임대용 숙소 임대 가능 여부에 대해 문의하고 있는 글임을 확실하게 알 수 있다. 따라서 정답은 ②이다. 새로운 아파트를 알아보는 글이므로 ①, ③은 정답이 될 수 없다.

어휘

- ☐ lease 임대계약(서)
- ☐ rental unit 임대용 숙소
- ☐ term (pl.) 조건
- ☐ amenity 편의시설
- ☐ at your earliest convenience 가급적 빨리
- ☐ requirement 요구
- ☐ assistance 도움
- ☐ inquiry 문의
- ☐ property 부동산
- ☐ current 현재의
- ☐ schedule 약속을 잡다
- ☐ in advance 미리
- ☐ condition 조건

정답 1 ② 2 ④

079

해석

> 'Creative Perspectives' 기고
>
> 저희 월간 잡지 'Creative Perspectives'는 독자 여러분이 작품을 기고하도록 초청합니다. 기사, 이야기, 시 등 다양한 콘텐츠를 원합니다. 독자들이 즐길 수 있는 흥미로운 작품을 선택하기 위해 신중한 계획이 필요합니다. 우리는 또한 모든 작품이 저희의 높은 기준을 충족하도록 하고 있습니다. 모든 기고물을 다루는 데 있어 매 작품을 공정하게 검토하고 마감 기한을 준수하는 것이 저희의 중요한 업무입니다. 어려운 점들이 있음에도 불구하고, 저희는 재능 있는 작가들을 소개하고 잡지에 다양한 관점을 담아내는 데 전념하고 있습니다.

① 그 잡지는 매월 발행된다.
② 그 잡지는 사람들에게 기고물을 요청한다.
③ 그들은 마감 기한을 지키는 것을 중요하게 여긴다.
④ 그 잡지는 한 가지 관점에만 충실하다.

해설

④ 마지막 문장에서 잡지에 다양한 관점을 담아내는 데 전념하고 있다고 했으므로 글의 내용과 일치하지 않는다.
① 첫 번째 문장에서 월간 잡지라고 했으므로 글의 내용과 일치한다.
② 첫 번째 문장에서 독자 여러분이 작품을 기고하도록 초청한다고 했으므로 글의 내용과 일치한다.
③ 다섯 번째 문장에서 마감 기한을 준수하는 것이 중요한 업무라고 했으므로 글의 내용과 일치한다.

어휘

- ☐ contributions 기고(물)
- ☐ submit 제출하다
- ☐ handle 다루다
- ☐ stick to 고수하다
- ☐ perspective 관점
- ☐ content 내용물
- ☐ be dedicated to ~에 헌신하다

정답 ④

080 다음 글을 읽고 물음에 답하시오.

(A)

As summer approaches, we're excited to introduce our special swimwear pop-up store! Join us to discover a wide array of swimsuits that reflect the latest trends.

From classic bikinis to trendy one-pieces, explore swimsuits that will make you stand out on the beach. Enjoy exclusive discounts for first-time buyers and additional benefits for purchasing sets. If you're unsure about which swimsuit to choose, our stylists will provide personalized advice to help you find the perfect fit.

Dates: July 15(Saturday) - July 31(Tuesday)
Time: Daily from 10:00 AM to 7:00 PM
Location: Pop-Up Space, 1st Floor, Town Center Shopping Mall

Additional Information:
- All swimwear is crafted from high-quality materials, ensuring comfort and durability.
- We accept cash and all major credit cards for payments.

Get ready for summer with stylish swimwear! We look forward to welcoming everyone.

1 (A)에 들어갈 윗글의 제목으로 가장 적절한 것은?
① Explore Refreshing Summer Fruit
② Perfect Your Technique with Summer Swim Lessons
③ Experience Unforgettable Trips with Our Agency
④ Discover the Latest Trends at Summer Swimwear Showcase

2 Summer Pop-Up Store에 관한 글의 내용과 일치하지 않는 것은?
① 처음 구매하는 사람에게는 할인 혜택을 제공한다.
② 스타일리스트가 맞춤형 조언을 해준다.
③ 모든 수영복은 고품질 소재로 제작된다.
④ 신용 카드로만 결제할 수 있다.

DAY 15~16 Exercises

[1~4] 양쪽에 주어진 말의 의미가 일맥상통하도록 선으로 연결하세요.

1 superiority ○   ① before something happens

2 infrastructure ○   ② of or relating to money

3 monetary ○   ③ the basic equipment and structures that are needed for a country, region, or organization to function properly

4 in advance ○   ④ the quality or state of being high or higher in quality

[5~7] 다음 문장의 끊어 읽기를 참고하여, 빈칸에 알맞은 해석을 쓰세요.

5 It is a common experience / that doing something for the first time / seems to take longer / than doing it a subsequent time.
흔한 경험이다 / 무언가를 처음으로 하는 것이 / 더 오래 걸리는 것처럼 보이는 것은 / _____.

6 People widely believe / that the more schooling they have, / the more money they will earn / when they leave school.
사람들은 광범위하게 믿고 있다 / 더 많은 학교 교육을 받을수록, / _____ / 그들이 학교를 졸업할 때.

7 Of course, / readers are wise / not to put too much faith in award-winning books / but to use award-winning titles / as a starting point / when choosing books.
물론, / 독자들은 현명하다 / _____ / 수상이라는 칭호를 이용할 정도로 / 시작점으로 / 책을 선택할 때.

정답 1 ④ 2 ③ 3 ② 4 ① 5 그 후의 시간에 그것을 하는 것보다 6 그들이 더 많은 돈을 벌 것이라는 7 수상 도서를 지나치게 많이 신뢰하지 않고

081 각 문장을 끊어 읽고 해석한 후 제시된 문제에 답하시오.

01
The closer the individual film came to being described by the first term in each pair, the more "innovative" it was considered and hence positive.

02
(A) In America, the term "German cinema" marked out an aesthetic space, if you will, somewhere outside the normative boundaries of conventional Hollywood style.
03
(B) At issue, _____ⓐ_____, were how far outside them that was and whether this aesthetic distance from the Hollywood cinema constituted a positive or negative aesthetic difference.
04
(C) Discussions of individual films tended to be framed by three aesthetic criteria, each having both a positive and a negative dimension: spectacular/**exorbitant**, complex/elitist, and artistic/self-
05
indulgent. (D) A film defined by the latter terms, _____ⓑ_____, was seen as too different and hence too "strange."

1 주어진 문장이 들어갈 위치로 가장 적절한 것은?
① (A) ② (B)
③ (C) ④ (D)

2 ⓐ, ⓑ에 들어갈 말로 바르게 짝지어진 것은?

	ⓐ	ⓑ
①	indeed	therefore
②	particularly	however
③	nevertheless	so
④	furthermore	nonetheless

3 밑줄 친 부분의 의미와 가장 가까운 것은?
① corpulent ② harrowing
③ avid   ④ excessive

문장 분석 및 해설

081 구문분석 & 문장분석

01
The closer the individual film came to being described /
각각의 영화가 더 가깝게 묘사될수록 /

by the first term (in each pair), //
(각 쌍 중) 첫 번째 용어로 //

the more "innovative" it was considered /
그것은 더 '혁신적'으로 여겨져서 /

and hence positive.
이런 이유로 긍정적으로 여겨졌다.

02
In America, / the term ("German cinema")
미국에서 / ('독일 영화')라는 용어는

marked out an aesthetic space, /
심미적인 영역을 표현했다, /

(if you will), somewhere (outside the normative boundaries (of conventional Hollywood style)).
(말하자면) ((전통적인 할리우드 스타일의) 표준의 경계 밖) 어딘가를.

03
At issue, / ⓐ (particularly), were //
문제였다 / (특히), //

how far outside them that was //
그것이 거기서 얼마나 멀리 벗어났는지 //

and whether this aesthetic distance (from the Hollywood cinema) /
그리고 ((할리우드 영화로부터의) 이 심미적 거리가 /

constituted a positive or negative aesthetic difference.
긍정적인 혹은 부정적인 심미적 차이에 해당하는지가.

04
Discussions (of individual films) /
(각 영화에 대한) 논의들은 /

tended to be framed / by three aesthetic criteria, //
표현되는 경향이 있는데 / 세 가지 심미적 기준에 의하여 //

each having both a positive and a negative dimension:
각각은 긍정적인 차원과 부정적인 차원을 둘 다 가지고 있다:

/ spectacular/exorbitant, / complex/elitist, /
/ 화려한/과도한, / 복합적인/엘리트주의의, /

and artistic/self-indulgent.
그리고 예술적인/방종한.

05
A film (defined by the latter terms), ⓑ (however), /
(그러나) (후자의 용어로 정의된) 영화는 /

was seen as too different / and hence too "strange."
너무 다르게 여겨졌다 / 그리고 그런 이유로 너무 '이상한' 것으로 여겨졌다.

해석

2 ⓐ ⓑ
① 사실 그러므로
③ 그럼에도 불구하고 그래서
④ 더욱이 그렇더라도

해설

1 미국에서 '독일 영화'라는 말은 할리우드의 영화와 다른 심미적인 영화를 가리킨다는 내용이다. 주어진 문장에서 the first term in each pair를 근거로 한 쌍의 용어들이 이 문장의 앞에 제시된다는 것을 예측할 수 있고, 이 문장의 뒤에는 한 쌍 중 첫 용어가 아닌 두 번째 용어가 언급될 것을 알 수 있다. (D)의 앞에서 할리우드 영화와 독일 영화의 차이를 설명하며 한 쌍으로 제시된 것들 중 어느 것으로 묘사되는지에 따라 그것이 부정적인지 긍정적인지가 정해진다고 설명한다. (D)의 뒤에서는 후자의 용어로 정의된 영화를 설명한다. 따라서 주어진 문장이 들어갈 가장 적절한 위치는 ④ (D)이다.

2 (A) 앞에서는 독일 영화라는 용어가 미국에서 어떤 의미인지 설명했고 (A) 뒤에서는 그에 대한 부연이 이어지고 있으므로 particularly가 들어갈 수 있다. (B)의 앞에서는 한 쌍의 제시된 기준 중 어느 것으로 묘사되는지에 따라 긍정과 부정이 결정된다고 했고 (B)의 뒤에서는 후자의 용어가 부정적으로 여겨졌다고 했으므로 역접의 연결어인 however가 적절하다. 따라서 두 가지를 모두 충족하는 ②가 정답이다.

전문해석

미국에서 '독일 영화'라는 용어는 심미적인 영역, 말하자면 전통적인 할리우드 스타일 표준의 경계 밖 어딘가를 표현했다. 특히, 그것이 거기서 얼마나 멀리 벗어났는지, 그리고 할리우드 영화로부터의 이 심미적 거리가 긍정적인 혹은 부정적인 심미적 차이에 해당하는지가 문제였다. 각 영화에 대한 논의들은 세 가지 심미적 기준에 의하여 표현되는 경향이 있는데, 각각은 긍정적인 차원과 부정적인 차원을 둘 다 가지고 있다: 화려한/과도한, 복합적인/엘리트주의의, 그리고 예술적인/방종한. 각각의 영화가 각 쌍 중 첫 번째 용어로 더 가깝게 묘사될수록, 그것은 더 '혁신적'으로, 그리고 이런 이유로 긍정적으로 여겨졌다. 그러나 후자의 용어로 정의된 영화는 너무 다르게, 그리고 그런 이유로 너무 '이상한' 것으로 여겨졌다.

어휘

- describe 묘사하다
- mark out 표시하다
- if you will 말하자면
- conventional 전통적인
- constitute ~에 해당하다
- criterion 기준(pl. criteria)
- exorbitant 과도한
- self-indulgent 방종한
- harrowing 괴로운
- excessive 과도한
- innovative 획기적인
- aesthetic 심미적
- normative 표준의
- at issue 문제가 되는
- frame 표현하다
- spectacular 화려한
- elitist 엘리트주의의
- corpulent 뚱뚱한
- avid 열렬한

정답 1 ④ 2 ② 3 ④

082 각 문장을 끊어 읽고 해석한 후 제시된 문제에 답하시오.

01
It would be hard to find anything more controversial than the subject of cloning; People find it either totally fantastic or totally frightening.

02
(A) But for most people, the cloning of humans is different. 03 The idea of duplicating human beings the same way we make copies of book pages on a copy machine is terrible.

04
(B) In addition, it could be useful in increasing the world's food supply by the cloning of animals — bigger and healthier animals could be produced.

05
(C) Cloning holds the promise of cures for what are now incurable diseases, sight for the blind, hearing for the deaf, new organs to **supplant** old worn-out ones.

1 주어진 문장 이후에 이어질 글의 순서로 올바른 것은?
① (A) – (C) – (B) ② (B) – (A) – (C)
③ (C) – (A) – (B) ④ (C) – (B) – (A)

2 글의 제목으로 가장 적절한 것은?
① Cloning, the Ultimate Solution for Future
② Exploring the Polarized Debate on Cloning
③ Would Cloning Make Us Lose our Identities as Humans?
④ Why the Human Cloning Must be Banned

3 밑줄 친 부분의 의미와 가장 가까운 것은?
① replace   ② assist
③ improve   ④ advertise

082 구문분석 & 문장분석

01
It would be hard / to find anything (more controversial /
어려울 것이다 / (더 논란이 많은 /

than the subject of cloning); // People find /
생물 복제라는 주제보다) 것을 찾기란; // 사람들은 생각한다 /

it either totally fantastic / or totally frightening.
그것이 완전히 굉장한 것이거나 / 아니면 완전히 무서운 것이라고.

02
(A) But / for most people, /
그러나 / 대다수의 사람들에게, /

the cloning of humans is different.
인간 복제는 다른 문제이다.

03
The idea (of duplicating human beings) /
(인간을 복제한다는) 생각은 /

the same way (we make copies of book pages /
(우리가 책 페이지들을 복사하는 것과 /

on a copy machine) / is terrible.
복사기에서) 같은 방식으로 / 끔찍하다.

04
(B) In addition, / it could be useful /
뿐만 아니라, / 그것은 유용할 수 있다 /

in increasing the world's food supply /
세계 식량 공급을 늘리는 데 /

by the cloning of animals //
동물들을 복제함으로써 //

— bigger and healthier animals could be produced.
— 더 크고 더 건강한 동물들이 생산될 수 있는 것이다.

05
(C) Cloning holds the promise (of cures for what are now incurable diseases, /
생물 복제는 (현재는 치료가 불가능한 질병인 것들에 대해서는 치유를, /

sight for the blind, / hearing for the deaf, /
시각장애인들에게는 시력을, / 청각장애인들에게는 청력을, /

new organs to supplant old worn-out ones).
오래되어 못 쓰게 된 장기를 대체할 새로운 장기에 관한) 약속을 품고 있다.

해석

2 ① 복제, 미래를 위한 궁극적인 해결책
② 복제를 둘러싼 양극화된 논쟁 탐구
③ 복제는 우리로 하여금 정체성을 잃어버리게 할 것인가?
④ 왜 인간 복제는 금지되어야 하는가?

해설

1 주어진 문장에서 생물 복제는 완전히 굉장한 것이거나 완전히 무서운 것이라고 했는데, (B)와 (C)는 전자에 해당하고, (A)는 후자에 해당한다. 그런데 (B)가 In addition으로 시작하고 있으므로 (C)-(B)의 순서가 자연스럽다. 그리고 (A)는 역접의 연결어 But으로 시작하며 (C), (B)와 상반되는 내용을 서술하고 있다. 따라서 ④ (C)-(B)-(A)의 순서로 이어지는 것이 가장 적절하다.

2 첫 번째 문장에서 cloning이라는 Topic을 제시한 후, '세미콜론(;)으로 이어지는 문장에서 복제는 멋지게 여겨지기도, 혹은 끔찍하다고 여겨지기도 한다는 글의 주제문이 제시된다. 마지막 두 개의 문장에서는 복제를 멋지다고 생각하는 사고방식의 예시를, 두 번째 문장에서는 이를 끔찍하다고 여기는 예시를 제시한다. 따라서 이 글의 제목으로는 ② '복제를 둘러싼 양극화된 논쟁 탐구'가 가장 적합하다. ①은 복제를 멋지다고 생각하는 것만 언급하고 있으므로 답이 될 수 없다. ③, ④는 언급되지 않았다.

전문해석

생물 복제라는 주제보다 더 논란이 많은 것을 찾기란 어려울 것이다; 사람들은 그것이 완전히 굉장한 것이거나 아니면 완전히 무서운 것이라고 생각한다. 생물 복제는, 현재는 치료가 불가능한 질병인 것들에 대해서는 치유를, 시각장애인들에게는 시력을, 청각장애인들에게는 청력을, 오래되어 못 쓰게 된 장기를 대체할 새로운 장기에 관한 약속을 품고 있다. 뿐만 아니라 그것은 동물들을 복제함으로써 세계 식량 공급을 늘리는 데 유용할 수 있다. 더 크고 더 건강한 동물들이 생산될 수 있는 것이다. 그러나 대다수의 사람들에게 인간 복제는 다른 문제이다. 우리가 복사기에서 책 페이지들을 복사하는 것과 같은 방식으로 인간을 복제한다는 생각은 끔찍하다.

어휘

- controversial 논란이 많은
- frightening 무서운
- incurable 치료 불가능한
- organ 장기
- worn-out 못 쓰게 된
- ban 금지하다
- assist 보조하다
- cloning (생물) 복제
- duplicate 복제하다
- deaf 청각 장애의
- supplant 대체하다
- polarized 양극화된
- replace 대체하다
- advertise 광고하다

정답 1 ④ 2 ② 3 ①

083 각 문장을 끊어 읽고 해석한 후 제시된 문제에 답하시오.

01
Nowadays, it is much easier to find out where you are and which way to go because you have one of the world's greatest inventions at your fingertips.

02
(A) For thousands of years, humans had difficulty trying to figure out where they were, so they devoted a great deal of time and effort to resolving this problem. (B)
03
They drew **intricate** maps, constructed great landmarks to keep themselves on the right path, and even learned to
04
navigate by looking up at the stars. (C) As long as you have a Global Positioning System(GPS) receiver, you
05
never have to worry about taking a wrong turn. (D) Your GPS receiver can tell you your exact location and give you directions to wherever you need to go, no matter where you are on the planet!

1 주어진 문장이 들어갈 위치로 가장 적절한 것은?
① (A)　　② (B)
③ (C)　　④ (D)

2 글의 제목으로 가장 적절한 것은?
① GPS: the Essence of Science and Technology
② Ancient Wisdom: Astronomy and Mapmaking
③ The Ways to Utilize GPS Data More Efficiently
④ Comparison Between Old and New Ways to Navigate

3 밑줄 친 부분의 의미와 가장 가까운 것은?
① nebulous　　② complicated
③ laudatory　　④ unquenchable

083 구문분석 & 문장분석

01
Nowadays, / it is much easier to find out //
요즘은, / 알아내는 것이 훨씬 더 쉽다 //

where you are // and which way to go //
당신이 어디에 있는지 // 그리고 어느 방향으로 가야 하는지를 //

because you have one (of the world's greatest inventions (at your fingertips)).
당신이 ((손쉽게 이용 가능한) 세계 최고의 발명품들 중) 하나를 가지고 있기 때문에.

02
For thousands of years, / humans had difficulty /
수천 년 동안, / 인간은 어려움을 겪었다 /

trying to figure out // where they were, //
알아내려고 하는 데 // 그들이 어디에 있는지를, //

so they devoted a great deal of time and effort /
그래서 그들은 엄청난 시간과 노력을 쏟았다 /

to resolving this problem.
이 문제를 해결하는 데.

03
They drew intricate maps, //
그들은 복잡한 지도를 그렸다, //

constructed great landmarks / to keep themselves on the right path, //
거대한 주요 지형지물을 건설했다 / 자신들이 올바른 길로 계속 가도록, //

and even learned to navigate /
그리고 심지어 길을 찾는 법을 배웠다 /

by looking up at the stars.
별을 올려다보면서.

04
As long as you have a Global Positioning System (GPS) receiver, //
당신이 GPS 수신기를 가지고 있는 한, //

you never have to worry / about taking a wrong turn.
당신은 걱정할 필요가 전혀 없다 / 잘못된 방향으로 가는 것을.

05
Your GPS receiver can tell you / your exact location //
당신의 GPS 수신기는 당신에게 알려줄 수 있다 / 당신의 정확한 위치를 //

and give you directions (to wherever you need to go), //
그리고 당신에게 (당신이 갈 필요가 있는 어느 곳으로든) 길 안내를 해 줄 수 있다 //

no matter where you are on the planet!
당신이 세상 어디에 있든지!

해석

2 ① GPS: 과학과 기술의 정수
   ② 고대의 지혜: 천문학과 지도 제작
   ③ GPS 데이터를 더 효율적으로 활용하는 방법들
   ④ 길을 찾는 옛날 방법과 새 방법의 비교

해설

1 이 글은 과거와 현재의 위치 확인 방법의 차이를 설명한다. 주어진 문장에서 '요즘'이라고 했고 길 찾기가 훨씬 쉬워졌다고 했으므로, 이 문장의 앞에는 과거의 위치 파악 방법이 나오고, 뒤에는 그것이 어떻게 요즘에는 쉬워졌는지가 구체적으로 설명되어야 함을 추론할 수 있다. (C)의 앞에서 과거에는 어디에 있는지를 알아내기가 어려웠기 때문에 이 문제를 해결하기 위해 시간과 노력을 들였다고 했고 (C)의 뒤에서 GPS 수신기 덕에 길 찾기가 쉬워졌다고 했으므로 주어진 문장이 들어가기에 가장 적절한 위치는 ③ (C)이다.

2 과거에는 자신의 위치를 알아내기가 힘들어서 지도를 그리고 지형지물을 세우고 별을 보며 길을 찾는 법을 익히는 등 다양한 노력을 한 반면, 현재에는 GPS 수신기의 발명으로 길 찾기가 훨씬 수월해졌다고 했으므로 옛날의 길 찾는 방법과 현재의 길 찾는 방법이 대조되고 있음을 알 수 있다. 따라서 정답은 ④ '길을 찾는 옛날 방법과 새 방법의 비교'이다.

전문해석

수천 년 동안, 인간은 그들이 어디에 있는지를 알아내려고 하는 데 어려움을 겪어서 그들은 이 문제를 해결하는 데 엄청난 시간과 노력을 쏟았다. 그들은 복잡한 지도를 그렸고, 자신들이 계속 올바른 길로 가도록 거대한 주요 지형지물을 건설했으며, 심지어 별을 올려다보면서 길을 찾는 법을 배웠다. 요즘은, 손쉽게 이용 가능한 세계 최고의 발명품들 중 하나를 가지고 있기 때문에 당신이 어디에 있는지 그리고 어느 방향으로 가야 하는지를 알아내는 것이 훨씬 더 쉽다. GPS 수신기를 가지고 있는 한, 당신은 잘못된 방향으로 가는 것을 걱정할 필요가 전혀 없다. 당신의 GPS 수신기는 당신이 세상 어디에 있든지 당신의 정확한 위치를 당신에게 알려줄 수 있고 당신이 가야 하는 그 어디로든 길 안내를 당신에게 해 줄 수 있다!

어휘

- invention 발명품
- figure out ~을 알아내다
- resolve 해결하다
- construct 건설하다
- receiver 수신기
- essence 정수
- utilize 활용하다
- complicated 복잡한
- unquenchable 채울 수 없는
- at one's fingertip 손쉽게 이용 가능한
- devote 쏟다
- intricate 복잡한
- navigate 길을 찾다
- location 위치
- astronomy 천문학
- nebulous 흐린
- laudatory 찬미하는

정답 1 ③ 2 ④ 3 ②

084 다음 글을 읽고 물음에 답하시오.

Send Preview Save

To: Joy Porter
From: Michael Evans
Date: July 10
Subject: Looking Forward to discussing

Dear Joy Porter,

I hope this message finds you well. After reviewing your company's innovative approach to creating premium skincare products with natural ingredients, as well as the growth potential in the cosmetics industry, I am confident that this investment aligns with my investment goals and interests.

I am prepared to discuss the details of my investment and **collaborate** on how we can contribute to the future success of Lumina Cosmetics. Please let me know a convenient time for us to meet or have a call to finalize the investment terms.

Looking forward to a successful partnership.

Best regards,
Michael Evans

1 윗글의 목적으로 가장 적절한 것은?
① Lumina Cosmetics의 제품에 대한 리뷰를 요청하기 위해
② Joy Porter에게 비즈니스 회의 장소를 제안하기 위해
③ Lumina Cosmetics에 대한 투자 의향을 표명하기 위해
④ Lumina Cosmetics의 최신 판매 데이터를 요청하기 위해

2 밑줄 친 collaborate의 의미와 가장 가까운 것은?
① resist
② cooperate
③ reward
④ counteract

085 다음 글을 읽고 물음에 답하시오.

Exciting News: (A)

We're Building a New Park in Your Community! If you are a member of the community, come join the meeting.

Join Us for a Community Meeting:
- **Date**: July 25
- **Time**: 6:00 PM - 8:00 PM
- **Location**: Greenfield Community Center, 123 Oak Street

Come and Be a Part of the Planning Process!

- Learn about the plans for our new park, including playgrounds, walking trails, picnic areas, and more.
- Share your ideas and suggestions for park features and amenities.
- Help us prioritize what's important to you and your family.
- Learn about volunteer opportunities to help with park cleanup, planting, and maintenance.
- Enjoy refreshments and meet your neighbors.

We Want to Hear From YOU!

For more information, contact:
Jessica Martin at (555) 123-4567 or jessica.martin@maplewoodparks.org

Let's Create a Beautiful Park Together!

1 (A)에 들어갈 윗글의 제목으로 가장 적절한 것은?
① Greenfield Park Is Coming Soon
② Renovate Outdated Park Facilities
③ Be a Volunteer of Greenfield Community Center
④ Build a Strong Professional Network

2 Community Meeting에 관한 윗글의 내용과 일치하지 않는 것은?
① 새로운 공원의 개장을 위한 회의에 참여할 것을 권하고 있다.
② 환경전문가들의 생각과 제언을 듣기 위한 회의다.
③ 공원과 관련된 자원봉사 기회에 대해 알 수 있다.
④ 회의는 2시간 동안 주민센터에서 열린다.

084

해석

수신: Joy Porter
발신: Michael Evans
날짜: 7월 10일
제목: 논의할 것을 기대하며

Joy Porter님께,

안녕하세요, 귀사의 천연 성분으로 프리미엄 스킨케어 제품을 만드는 혁신적인 접근 방식과 화장품 산업의 성장 잠재력을 검토한 후, 이 투자가 제 투자 목표와 관심사에 부합한다고 확신하게 되었습니다.

투자 세부 사항을 논의하고 Lumina Cosmetics의 미래 성공에 어떻게 기여할 수 있을지 협력하기를 기대합니다. 투자 조건을 확정하기 위해 만남이나 통화가 가능한 시간을 알려주시길 바랍니다.

성공적인 파트너십을 기대합니다.

Michael Evans 드림

해설

글의 제목에서 투자라는 글의 중심 소재를 언급한다. 그리고 두 번째 문장에서 투자가 투자 목적과 관심사에 부합한다고 말한다. 마지막 문장에서는 투자 조건을 확정하겠다고 했으므로 이메일의 목적은 ③ 'Lumina Cosmetics에 대한 투자 의향을 표명하기 위해'이다.

어휘

- investment 투자
- premium 프리미엄
- cosmetics 화장품
- collaborate 협력하다
- finalize 결정하다
- resist 저항하다
- reward 보상하다
- innovative 혁신적인
- ingredient 성분
- align with ~와 일치하다
- contribute 기여하다
- term 조건
- cooperate 협력하다
- counteract 대응하다

정답 1 ③ 2 ②

085

해석

흥미로운 소식: (A) Greenfield 공원이 곧 개장합니다

여러분의 커뮤니티에 새로운 공원이 조성됩니다! 커뮤니티의 일원이라면 오셔서 회의에 참여해 보세요.

커뮤니티 회의에 참여하세요

- 날짜: 7월 25일
- 시간: 오후 6시~8시
- 장소: Greenfield 커뮤니티 센터, 오크 스트리트 123

기획 과정에 참여하세요!

- 놀이터, 산책로, 피크닉 구역 등 다양한 시설이 포함되어 있는 새로운 공원 계획에 대해 알아보세요.
- 공원 시설과 편의시설에 대한 아이디어와 제안을 공유하세요.
- 여러분과 가족에게 중요한 사항을 우선순위에 맞게 정하는 데 도움을 주세요.
- 공원 청소, 식물 심기, 유지보수 등 자원봉사 기회에 대해 알아보세요.
- 다과를 즐기고 이웃들과 만나세요.

여러분의 의견을 듣고 싶습니다!

자세한 정보는 다음 연락처로 문의하세요:
Jessica Martin (555) 123-4567 또는 jessica.martin@maplewoodparks.org

함께 아름다운 공원을 만들어 갑시다!

1 ② 노후화된 공원 시설을 새롭게 바꾸세요
   ③ Greenfield 커뮤니티 센터의 자원봉사자가 되세요
   ④ 강력한 전문 네트워크를 구축하세요

해설

1 여러분의 커뮤니티에 새로운 공원이 조성된다고 말했으므로 새로이 개장하는 공원에 대한 글임을 알 수 있다. 따라서 정답은 ① 'Greenfield 공원이 곧 개장합니다'이다. 노후화된 공원 시설을 바꾸는 것이 아니므로 ③은 답이 될 수 없다.

2 ② 커뮤니티의 일원이라면 오셔서 회의에 참여해 보라고 했으므로 전문가를 위한 회의가 아니라 주민들이 참여할 수 있는 회의임을 알 수 있다. 따라서 글의 내용과 일치하지 않는다.
   ① 새로운 공원 개장을 위해 준비하는 커뮤니티 회의에 참여하라고 했으므로 글의 내용과 일치한다.
   ③ 공원 청소, 식물 심기, 유지보수 등 자원봉사 기회에 대해 알아보라고 했으므로 글의 내용과 일치한다.
   ④ 시간은 오후 6~8시이며 장소는 Greenfield 커뮤니티 센터라고 했으므로 글의 내용과 일치한다.

어휘

- amenity 편의시설
- maintenance 유지보수
- prioritize 우선순위를 정하다
- refreshment 다과

정답 1 ① 2 ②

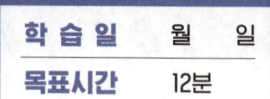

086 각 문장을 끊어 읽고 해석한 후 제시된 문제에 답하시오.

01
People say if you eat a frog at the beginning of the day, nothing worse will happen to you for the rest of the day. **02** (A) Your day will include some difficult tasks, like eating a frog on your plate, and others that are more **03** palatable. (B) On the other hand, the people likely to save the best for last had grown up as an only child or the eldest from a large family. **04** (C) If you put off the tough ones, you will spend time feeling bad because there's a nasty task hanging over you, and eventually **05** you'll have to do it. (D) However, by focusing on the day's hardest task and completing it first, you can avoid <u>procrastinating</u> and increase your self-confidence.

1 글의 제목으로 가장 적절한 것은?

① The Virtue of Frogs: Procrastination
② Frogs? Key to Success!
③ The More Frogs, The Better
④ Eat Your Frogs Early

2 글의 흐름상 가장 어색한 것은?

① (A) ② (B)
③ (C) ④ (D)

3 밑줄 친 부분의 의미와 가장 가까운 것은?

① postponing   ② admonishing
③ hampering   ④ fabricating

문장 분석 및 해설

086 구문분석 & 문장분석

01
People say //
사람들은 말한다 //

if you eat a frog / at the beginning of the day, //
당신이 개구리를 먹는다면 / 하루의 시작에 //

nothing worse will happen to you /
어떤 더 나쁜 일도 당신에게 일어나지 않을 것이다 /

for the rest of the day.
남은 하루 내내.

02
Your day will include /
당신의 하루는 포함할 것이다 /

some difficult tasks, (like eating a frog on your plate), /
(접시 위의 개구리를 먹는 것처럼) 몇 가지 어려운 임무를, /

and others (that are more palatable).
그리고 (더 구미에 맞는) 다른 일들을.

03
On the other hand, / the people (likely to save the best for last) had grown up /
반면에, / (제일 좋은 것을 마지막까지 남겨둘 가능성이 있는) 사람들은 자랐다 /

as an only child / or the eldest from a large family.
외동으로 / 또는 대가족의 첫째로.

04
If you put off the tough ones, //
만약 힘든 일들을 미룬다면, //

you will spend time feeling bad //
당신은 기분이 나쁜 채로 시간을 보낼 것이다 //

because there's a nasty task hanging over you, /
당신의 뇌리를 떠나지 않는 고약한 임무가 있기 때문에, //

and eventually you'll have to do it.
그리고 결국 당신은 그것을 해야만 할 것이기 때문에.

05
However, / by focusing on the day's hardest task /
하지만, / 그날의 가장 힘든 임무에 집중함으로써 /

and completing it first, / you can avoid procrastinating /
그리고 그것을 먼저 완수함으로써, / 당신은 미루기를 피할 수 있다 /

and increase your self-confidence.
그리고 당신의 자신감을 기를 수 있다.

해석

1 ① 개구리의 미덕: 미루기
② 개구리? 성공의 열쇠!
③ 개구리가 더 많을수록 더 낫다
④ 개구리를 일찍 먹어라

해설

1 첫 번째 문장에서 글의 주제를 비유적으로 표현하고 부연 설명을 한 뒤, 마지막 문장에서 다시 주제를 재진술하는 구조의 글이다. 개구리 먹는 일, 다시 말해서 하기 싫은 일을 먼저 끝내게 되면 미루기를 피할 수 있고 남은 하루를 더 자신감 있게 보낼 수 있다는 내용이다. 따라서 글의 제목으로 가장 적절한 것은 하기 싫은 일 혹은 힘든 일을 먼저 해버리라는 의미인 ④ '개구리를 일찍 먹어라'이다.

2 글 전체에서 힘든 일을 먼저 하는 것이 좋다고 주장하는 데 비해 세 번째 문장은 가장 좋은 것을 마지막으로 아껴둘 가능성이 있는 사람은 외동이거나 대가족의 첫째라는 전혀 관련 없는 내용을 다루고 있다. 따라서 가장 어색한 문장은 ② (B)이다.

전문해석

사람들은 당신이 하루의 시작에 개구리를 먹는다면, 남은 하루 내내 어떤 더 나쁜 일도 당신에게 일어나지 않을 것이라고 말한다. 당신의 하루는 접시 위의 개구리를 먹는 것처럼 몇 가지 어려운 과제와 더 구미에 맞는 다른 과제들을 포함할 것이다. 만약 힘든 일들을 미룬다면, 당신의 뇌리를 떠나지 않는 고약한 과제가 있고 결국 당신은 그것을 해야만 할 것이기 때문에, 당신은 기분이 나쁜 채로 시간을 보낼 것이다. 하지만, 그날의 가장 힘든 과제에 집중하고 그것을 먼저 완수함으로써, 당신은 미루기를 피하고 자신감을 기를 수 있다.

어휘

- task 과제
- palatable 구미에 맞는
- nasty 고약한
- procrastinate 미루다
- postpone 미루다
- hamper 방해하다
- plate 접시
- put off ~을 미루다
- hang over ~의 뇌리에서 떠나지 않다
- virtue 미덕
- admonish 훈계하다
- fabricate 꾸며 내다

정답 1 ④ 2 ② 3 ①

087 각 문장을 끊어 읽고 해석한 후 제시된 문제에 답하시오.

01
Much like in a heavy snowfall, data is piling up at a high
02
speed and in a gigantic volume. (A) You could think that
it's good: more data means more **credible** insights. (B)
03
Sometimes, the data you have — despite all the
information it contains — statistically just isn't
04
_____. (C) For
example, opinions on Twitter vs. opinions of the
05
population on the whole. (D) Let alone the bias of the
former, it doesn't even contain the viewpoints of the
entire population (for example, the elderly and the
06
introverts often get excluded). This way, you can get
wrong analysis results easily.

1 빈칸에 들어갈 말로 가장 적절한 것은?

① state-of-the-art enough to find correlations with the population
② the representative sample of the data you need to analyze
③ an impediment in your way of solving the target problem
④ intact because some key information has been eliminated

2 다음 문장이 들어갈 위치로 가장 적절한 것은?

> But in reality, huge volumes of data don't necessarily mean huge volumes of actionable insights.

① (A)　② (B)
③ (C)　④ (D)

3 밑줄 친 부분의 의미와 가장 가까운 것은?

① random　② independent
③ trustworthy　④ separate

문장 분석 및 해설

087 구문분석 & 문장분석

01
Much like in a heavy snowfall, / data is piling up /
폭설에서와 매우 비슷하게, / 자료는 쌓이고 있다 /

at a high speed / and in a gigantic volume.
빠른 속도로 / 그리고 막대한 양으로.

02
You could think that it's good: //
당신은 이것이 좋다고 생각할 수도 있다: //

more data means more credible insights.
더 많은 자료는 더 믿을 수 있는 식견을 의미한다.

삽입 문장
But in reality, /
그러나 사실은 /

huge volumes of data don't necessarily mean /
막대한 분량의 자료가 반드시 의미하는 것은 아니다 /

huge volumes of actionable insights.
막대한 분량의 실행 가능한 식견을.

03
Sometimes, / the data (you have) /
가끔, / (당신이 가지고 있는) 자료는 /

— despite all the information it contains — /
— 그것이 포함하는 모든 정보에도 불구하고 — /

statistically just isn't the representative sample (of the data (you need / to analyze)).
통계적으로 ((당신이 필요한 / 분석하기 위해) 자료의) 전형적인 표본은 아니다.

04
For example, / opinions (on Twitter) vs. opinions (of the population on the whole).
예를 들면, / (트위터에 있는) 의견들 대 (전체 인구의) 의견들.

05
Let alone the bias of the former, /
전자의 편견은 말할 것도 없고, /

it doesn't even contain /
그것은 심지어 포함하지도 않는다 /

the viewpoints (of the entire population) (for example, / the elderly and the introverts / often get excluded). /
(전체 인구의) 관점을 (예를 들어, / 노인들과 내성적인 사람들은 / 종종 배제된다). /

06
This way, / you can get wrong analysis results /
이런 식으로, / 당신은 잘못된 분석 결과를 얻을 수 있다 /

easily.
쉽게.

해석

1 ① 모든 인구와 연관성을 찾을 수 있을 만큼 충분히 최신식인
③ 목표에 관한 문제를 해결하려는 당신의 길에 있어 장애물
④ 몇몇 핵심 정보가 제거되었기 때문에 온전한

해설

1 정보의 홍수 속에서 적절한 자료를 취하는 것의 어려움을 설명하는 글로, 서두에서 문제 제기를 한 후 마지막에 주제를 제시한다. 빈칸이 중간에 있으므로 빈칸 뒤의 예시와 그 결론에 주목하여 답을 유추하도록 한다. 자료의 양과 별개로 그 자료가 반드시 전체를 대표하는 것은 아니라는 내용이 뒤에 이어졌으므로 빈칸에는 ② '당신이 분석하기 위해 필요한 자료의 전형적인 표본'이 들어가는 것이 적절하다.

2 주어진 문장은 역접의 연결어로 시작에서 사실은 데이터 양이 많다고 그것이 실제로 도움이 되는 식견을 의미하지는 않는다고 했다. 그러므로 이 앞에는 막대한 자료가 도움이 된다는 내용이 나오고, 이 뒤에는 막대한 자료가 부정적인 결과를 가져온다는 내용에 대한 부연이나 예시가 나올 것으로 예측할 수 있다. (B)의 앞에서 많은 자료가 믿음직한 식견을 의미한다는 통념이 제시되었고 (B)의 뒤부터 통념에 반대되는 내용이 등장한다. 따라서 정답은 ② (B)이다.

전문해석

폭설에서와 매우 비슷하게 자료는 빠른 속도와 막대한 양으로 쌓이고 있다. 당신은 이것이 좋다고 생각할 수도 있다: 더 많은 자료는 더 믿을 수 있는 식견을 의미한다고. 그러나 사실은 막대한 분량의 자료가 반드시 막대한 분량의 실행 가능한 식견을 의미하는 것은 아니다. 가끔 당신이 가지고 있는 자료는 — 그것이 포함하는 모든 정보에도 불구하고 — 통계적으로 당신이 분석하기 위해 필요한 자료의 전형적인 표본은 아니다. 예를 들면, 트위터에 있는 의견들 대 전체 인구의 의견들. 전자의 편견은 말할 것도 없고, 그것은 심지어 전체 인구의 관점을 포함하지도 않는다(예를 들어, 노인들과 내성적인 사람들은 종종 배제된다). 이런 식으로, 당신은 잘못된 분석 결과를 쉽게 얻을 수 있다.

어휘

- gigantic 거대한
- credible 믿을 수 있는
- let alone ~은 말할 것도 없이
- population 인구
- analysis 분석
- representative 전형적인
- impediment 장애
- eliminate 제거하다
- random 무작위의
- trustworthy 믿을 만한
- volume 양
- statistically 통계상으로
- bias 편향
- introvert 내성적인 사람
- state-of-the-art 최신식의
- analyze 분석하다
- intact 온전한
- actionable 실행 가능한
- independent 독립적인
- separate 분리된

정답 1 ② 2 ② 3 ③

088 다음 글의 내용과 일치하지 않는 것은?

Sunvill High School 37th Birthday Festival!

Date: July 31
Time: 09:00 a.m. – 19:00 p.m.
Location: Sunvill High School Gymnasium

Activities Include:
Live Performances: Admire our spirited student bands and dancers!
Games & Prizes: Join games and win prizes at our fun-filled booths!
Food Galore: Enjoy delicious treats from this city's best street food stalls!
Art Showcase: Appreciate amazing artworks by our talented students!
Awards Ceremony: Celebrate outstanding achievements in our community!

For More Information:
Contact John Loosevelt at JLoosevelt@sunvill.high.ac or 324-275-4892.
Join Us for a Day of Fun and Celebration!

① The school festival will be held on the last day of July.
② People who participate in games can win prizes.
③ Various homemade snacks are provided during the festival.
④ Gifted students will prepare works of art for the festival.

089 MemoTo에 관한 글의 내용과 일치하지 않는 것은?

Enjoy Our Memo To

The English Word Memory App, MemoTo is a versatile tool designed to boost your vocabulary skills efficiently. Whether you're a student, professional, or language enthusiast, this app provides a structured approach to learning and retaining English words. It features a user-friendly interface with categorized word lists, each accompanied by clear definitions, example sentences, and audio pronunciations for comprehensive understanding. The app employs spaced repetition, a method scientifically proven to enhance memory retention by scheduling reviews based on your learning progress. Interactive quizzes and engaging games further reinforce learning while allowing you to track your proficiency level. MemoTo offers a tailored learning experience to meet your goals effectively.

① It is designed only for students.
② It's interface is easy to use.
③ It provides reviews based on user's learning process.
④ It includes quizzes and games to reinforce learning.

088

해석

Sunvill 고등학교의 개교 37주년 축제!

날짜: 7월 31일
시간: 오전 9시 – 오후 7시
장소: Sunvill 고등학교 체육관
포함되는 활동:
라이브 공연: 우리의 활기찬 학생 밴드와 댄서를 감탄하며 보세요!
게임과 상품: 우리의 재미가 가득한 부스에서 게임에 참여하고 상품을 받아 가세요!
푸짐한 음식: 이 도시 최고의 길거리 음식 가판대의 맛있는 음식을 즐기세요!
예술 전시: 우리의 재능 있는 학생들이 만든 놀라운 예술품을 감상하세요!
시상식: 우리 공동체의 뛰어난 성과를 축하해주세요!

추가 정보를 원하신다면:
JLoosevelt@sunvill.high.ac 또는 324-275-4892번으로 John Loosevelt에게 연락하세요.
즐겁고 축하할 날에 우리와 함께하세요!

① 학교 축제가 7월의 마지막 날에 열릴 것이다.
② 게임에 참여하는 사람은 상품을 탈 수 있다.
③ 집에서 만든 다양한 간식이 축제 기간에 제공된다.
④ 재능 있는 학생들이 축제를 위해 예술품을 준비할 것이다.

해설

③ <푸짐한 음식>에서 이 도시 최고의 길거리 음식 가판대의 맛있는 음식을 즐기라고 했으므로 글의 내용과 일치하지 않는다.
① <날짜>가 7월 31일이라고 했으므로 글의 내용과 일치한다.
② <게임과 상품>에서 게임에 참여하고 상품을 받아 가라고 했으므로 글의 내용과 일치한다.
④ <예술 전시>에서 재능 있는 학생들이 만든 놀라운 예술품을 감상하라고 했으므로 글의 내용과 일치한다.

어휘

☐ location 장소
☐ admire 감탄하며 바라보다
☐ galore 푸짐한
☐ stall 가판대
☐ appreciate 감상하다
☐ awards ceremony 시상식
☐ achievement 성과
☐ gymnasium 체육관
☐ spirited 활기찬
☐ treat 간식
☐ showcase 전시
☐ artwork 예술품
☐ outstanding 뛰어난
☐ gifted 재능있는

정답 ③

089

해석

우리의 MemoTo를 즐기세요

영어 단어 암기 앱인 MemoTo는 당신이 효율적으로 어휘 실력을 신장시키기 위해 설계된 활용도가 높은 도구이다. 당신이 학생이든 전문가이든 또는 언어 애호가이든 간에, 이 앱은 영어 단어를 배우고 기억할 수 있는 구조화된 접근 방식을 제공한다. 이것은 분류된 단어 목록을 가진 사용자 친화적 인터페이스를 특징으로 하며, 각각은 포괄적인 이해를 돕기 위해 명확한 정의, 예문, 그리고 음성 발음이 동반된다. 이 앱은 또한, 학습 진행 상황에 근거하여 복습을 예약해 주어 과학적으로 기억 유지력을 향상시키는 것으로 입증된 방법인 간격 반복 학습 방법을 사용한다. 쌍방향으로 진행되는 퀴즈와 재미있는 게임은 학습을 강화하고 자신의 실력향상을 추적하도록 해준다. MemoTo는 효과적으로 목표를 달성할 수 있도록 맞춤형 학습 경험을 제공해 준다.

① 학생만을 위해 설계되었다.
② 인터페이스가 사용하기 쉽다.
③ 사용자의 학습 진행 상황에 따라 복습을 제공한다.
④ 학습 강화를 위한 퀴즈와 게임이 제공된다.

해설

① 두 번째 문장에서 학생이든 전문가이든 또는 언어 애호이든 간에, 이 앱은 영어 단어를 배우고 기억할 수 있는 구조화된 접근 방식을 제공한다고 했으므로 글의 내용과 일치하지 않는다.
② 세 번째 문장에서 분류된 단어 목록을 가진 사용자 친화적 인터페이스를 특징으로 한다고 했으므로 글의 내용과 일치한다.
③ 네 번째 문장에서 학습 진행 상황에 근거하여 복습을 예약해 준다고 했으므로 글의 내용과 일치한다.
④ 다섯 번째 문장에서 쌍방향으로 진행되는 퀴즈와 재미있는 게임은 학습을 강화해 준다고 했으므로 글의 내용과 일치한다.

어휘

☐ versatile 활용도가 높은
☐ enthusiast 애호가
☐ categorize 분류하다
☐ definition 정의
☐ employ 사용하다
☐ enhance 향상시키다
☐ interactive 쌍방향의
☐ track 추적하다
☐ boost 신장시키다
☐ retain 기억하다
☐ accompany 동반하다
☐ comprehensive 포괄적인
☐ repetition 반복
☐ retention 기억
☐ engaging 재미있는
☐ tailor 맞춤화하다

정답 ①

090 다음 글을 읽고 물음에 답하시오.

To: Mr. Perkins
From: Charlie Hamilton
Date: May 15
Subject: Service Announcement

Dear Mr. Perkins,

It has been over six months since we had the opportunity to service your car. We certainly hope that we haven't done anything to offend you. Starting June 1st, we'll be offering our customers **periodic** inspection of vehicles for free. Thus, we're inviting you to bring your car into our shop for a free checkup. The service will last till June 30th, from 8:00 a.m. to 3:00 p.m., Monday through Friday. Feel free to visit our shop at your convenience. An appointment is not necessary.

Sincerely,
Charlie Hamilton

1 이 글의 목적으로 알맞은 것은?

① 자동차 점검 비용을 알려주려고
② 자동차 정비 예약을 권장하려고
③ 자동차 무료 점검을 안내하려고
④ 자동차 정비소 운영 시간을 공지하려고

2 밑줄 친 periodic의 의미로 가장 적절한 것은?

① punctual
② regular
③ formal
④ thorough

090

[해석]

수신: Perkins 씨
발신: Charlie Hamilton
날짜: 5월 15일
제목: 서비스 안내

Perkins 씨께,

차량 점검 기회를 가진 지 6개월이 넘었습니다. 저희가 불편을 드린 것은 아닌지 걱정됩니다. 6월 1일부터 저희는 고객분들을 위해 차량 정기 점검 서비스를 무료로 제공할 예정입니다. 따라서, 무료 차량 점검을 위해 저희 매장을 방문해 주시기를 초대합니다. 서비스는 6월 30일까지 월요일부터 금요일까지 오전 8시부터 오후 3시까지 제공됩니다. 편하신 시간에 방문해 주시면 됩니다. 예약은 필요 없습니다.

Charlie Hamilton 드림

[해설]

이메일의 세 번째와 네 번째 문장에서 6월 1일부터 정기 고객분들을 위해 차량 정기 점검 서비스를 무료로 제공할 예정이니 무료 차량 점검을 위해 매장을 방문해 주시기를 초대한다고 설명하고 있다. 따라서 이 글의 목적으로 가장 적합한 것은 ③이다.

[어휘]

- opportunity 기회
- periodic 정기적인
- vehicle 차량
- appointment 예약
- regular 정기적인
- thorough 꼼꼼한
- offend 불편을 주다
- inspection 점검
- checkup 점검
- punctual 시간이 정확한
- formal 형식적인

정답 1 ③ 2 ②

DAY 17~18 Exercises

[1~4] 양쪽에 주어진 말의 의미가 일맥상통하도록 선으로 연결하세요.

1 at issue   ① extremely good or excellent

2 worn-out   ② under discussion or in dispute

3 random   ③ too old or damaged from use to be used any longer

4 outstanding   ④ chosen, done, etc., without a particular plan or pattern

[5~7] 다음 문장의 끊어 읽기를 참고하여, 빈칸에 알맞은 해석을 쓰세요.

5 They drew intricate maps, / constructed great landmarks / to keep themselves on the right path, / and even learned to navigate / by looking up at the stars.

그들은 복잡한 지도를 그렸다, / 거대한 주요 지형지물을 건설했다 / 자신들이 올바른 길로 계속 가도록, / _____ / 별을 올려다보면서.

6 If you put off the tough ones, / you will spend time feeling bad / because there's a nasty task hanging over you, / and eventually you'll have to do it.

만약 힘든 일들을 미룬다면, / 당신은 기분이 나쁜 채로 시간을 보낼 것이다 / 당신의 뇌리를 떠나지 않는 고약한 임무가 있기 때문에, / _____. /

7 Much like in a heavy snowfall, / data is piling up / at a high speed / and in a gigantic volume.

폭설에서와 매우 비슷하게, / 자료는 쌓이고 있다 / 빠른 속도로 / _____.

정답 1 ② 2 ③ 3 ④ 4 ① 5 그리고 심지어 길을 찾는 법을 배웠다 6 그리고 결국 당신은 그것을 해야만 할 것이기 때문에 7 그리고 막대한 양으로

091 각 문장을 끊어 읽고 해석한 후 제시된 문제에 답하시오.

01
The dictionary emphasizes the **trivial** matters of language. 02 The precise spelling of a word is relatively trivial because, however the word is spelled, it remains only an approximation of the spoken word. 03 _____(A)_____, "a machine chose the chords" is a correctly spelled English sentence, but what is written as 04 "ch" is spoken with the three different sounds. In addition, all dictionaries give a distorted view of a language because of their alphabetical organization, which emphasizes the prefixes coming at the beginning of words rather than the suffixes coming at the end. 05 _____(B)_____, in English and many other languages, suffixes have more effect on words than do prefixes.

1 글의 주제로 적절한 것은?
① Several Flaws of the Dictionary
② Compiling Process of the Dictionary
③ Changes in Attitudes to the Dictionary
④ Cognitive Strategy of Learners

2 (A), (B)에 들어갈 말로 가장 적절한 것은?

	(A)	(B)
①	Indeed	Furthermore
②	In contrast	Therefore
③	For instance	Yet
④	Nevertheless	However

3 밑줄 친 부분의 의미와 가장 가까운 것은?
① inadequate   ② insignificant
③ steady   ④ intellectual

091 구문분석 & 문장분석

01
The dictionary emphasizes the trivial matters (of language).
사전은 (언어의) 사소한 문제들을 강조한다. /

02
The precise spelling (of a word) / is relatively trivial //
(한 단어의) 정확한 철자는 / 상대적으로 사소하다 //

because, / however the word is spelled, /
왜냐하면, / 그 단어가 철자로 어떻게 쓰이든지 간에, /

it remains only an approximation (of the spoken word).
단어는 여전히 (말로 된 단어의) 근사치에 불과하기 때문이다.

03
For instance, / "a machine chose the chords" is a correctly spelled English sentence, //
예를 들어, / 'a machine chose the chords'는 정확하게 철자로 쓰인 영어 문장이다, //

but what is written as "ch" is spoken /
그러나 'ch'로 써진 것은 말해진다 /

with the three different sounds.
세 가지 다른 소리로.

04
In addition, /
게다가, /

all dictionaries give a distorted view (of a language) /
모든 사전은 (언어에 대한) 왜곡된 시각을 준다 /

because of their alphabetical organization, /
그들의 알파벳순 구성으로 인해, /

which emphasizes the prefixes (coming at the beginning of words) /
이것은 (단어의 앞머리에 오는) 접두사를 강조한다 /

rather than the suffixes (coming at the end).
(단어의 끝에 오는) 접미사보다.

05
Yet, / in English and in many other languages, /
그러나, / 영어와 다른 많은 언어에서 /

suffixes have more effect on words /
접미사는 단어에 더 영향을 미친다 /

than do prefixes.
접두사가 그러는 것보다.

해석

1 ① 사전의 몇 가지 결함
② 사전의 편찬 과정
③ 사전에 대한 인식 변화
④ 학습자의 인지 전략

2 (A) (B)
① 사실   더욱이
② 그에 반해서 그러므로
④ 그럼에도 불구하고 그러나

해설

1 이 글에서 저자는 사전의 두 가지 문제점을 나열하고 있다. 첫 번째는 사전이 중요한 것은 나타내지 못하고 사소한 것들만 언급하는 점이고, 두 번째는 사전이 언어에 대한 왜곡된 시각을 주는 점이다. 이 두 가지의 공통점을 포괄하는 ① '사전의 몇 가지 결함'이 주제로 가장 적절하다.

2 (A) 앞에서는 사전에서 철자를 강조하지만 사실 철자란 근사치에 불과하다는 일반론을 제시하고 (A) 뒤에서는 'ch' 발음을 예로 들어 설명하고 있으므로 예시의 연결어인 For instance가 적절하다. (B) 앞에서는 사전이 알파벳 순서로 단어를 제시하는 구조를 가지고 있기 때문에 접미사보다 접두사를 강조하게 된다고 했고 (B) 뒤에서는 영어를 비롯해 많은 언어에서 접미사가 접두사보다 단어에 더 많은 영향을 준다고 했으므로 역접의 연결어인 Yet이나 However가 적절하다. 따라서 이 두 가지를 모두 충족하는 ③이 정답이다.

전문해석

사전은 언어의 사소한 문제들을 강조한다. 한 단어의 정확한 철자는 상대적으로 사소한데, 왜냐하면 그 단어가 철자로 어떻게 쓰이든지 간에, 단어는 여전히 말로 된 단어의 근사치에 불과하기 때문이다. 예를 들어, 'A machine chose the chords'는 정확하게 철자로 쓰인 영어 문장이지만, 'ch'로 써진 것은 세 가지 다른 소리로 말해진다. 게다가, 모든 사전은 그들의 알파벳순 구성으로 인해 언어에 대한 왜곡된 시각을 주는데, 이것은 단어의 끝에 오는 접미사보다 단어의 앞머리에 오는 접두사를 강조한다. 그러나 영어와 다른 많은 언어에서 접미사는 접두사보다 단어에 더 영향을 미친다.

어휘

- trivial 사소한
- spell 철자를 쓰다
- distorted 왜곡된
- suffix 접미사
- compile 편찬하다
- cognitive 인지의
- inadequate 불충분한
- steady 꾸준한
- precise 정확한
- approximation 근사치
- prefix 접두사
- flaw 결함
- process 과정
- strategy 전략
- insignificant 중요하지 않은
- intellectual 지적인

정답 1 ① 2 ③ 3 ②

092 각 문장을 끊어 읽고 해석한 후 제시된 문제에 답하시오.

01
Some organizations do have policies which allow either men or women to take career breaks to look after children.

02
(A) Indeed, the knowledge of this may well be a cause of the low take-up of the scheme by men. 03 Given the low number of men who take leave, many employers lack the formal support needed for returning to work.

04
(B) Organizations, therefore, not only need to establish the structures which allow careers to be more **adaptable**, they also need to change attitudes which typically remain thoroughly traditional.

05
(C) However, not only have very few fathers actually availed themselves of such opportunities, anecdotal evidence also suggests that if they had done so, their careers would have been 'ruined' for life.

1 주어진 글 다음에 이어질 글의 순서로 가장 적절한 것은?
① (A) – (C) – (B) ② (B) – (A) – (C)
③ (C) – (A) – (B) ④ (C) – (B) – (A)

2 글의 제목으로 가장 적절한 것은?
① The Balance Between Male and Female Careers
② Difficulty in Introducing the New Welfare System
③ How to Apply for Maternity and Parental Leaves
④ The Need to Improve and Embrace Paternity Leave

3 밑줄 친 부분의 의미와 가장 가까운 것은?
① dismal   ② flexible
③ candid   ④ assiduous

092 구문분석 & 문장분석

01
Some organizations do have policies (which allow either men or women / to take career breaks / to look after children).
일부 조직은 (남성 혹은 여성에게 허용하는 / 육아 휴직을 갖도록 / 아이들을 돌보기 위해) 정책을 / 가지고 있긴 하다.

02
(A) Indeed, / the knowledge (of this) may well be a cause (of the low take-up (of the scheme)) /
실제로 / (이것에 대한) 인지가 ((그러한 제도를) 적게 이용하는) 원인일 것이다 /
by men.
남성들로 하여금.

03
Given the low number of men (who take leave), //
(육아 휴직을 하는) 남성들의 적은 수를 고려하면, //
many employers lack the formal support (needed for returning to work).
수많은 고용주들이 (직장에 복귀하기 위해 필요한) 공식적인 지원이 부족하다.

04
(B) Organizations, (therefore), not only need to establish the structures (which allow / careers to be more adaptable), //
(그러므로) 조직은 (허용하는 / 경력을 더 유연하도록) 구조를 / 수립할 필요가 있을 뿐 아니라 //
they also need to change attitudes (which typically remain thoroughly traditional).
그들은 또한 (대체로 철저히 전통적인 상태로 남아 있는) 태도를 바꿀 필요가 있다.

05
(C) However, / not only have very few fathers actually availed themselves / of such opportunities, //
그러나 / 실제로 아버지들이 거의 이용하지 않았을 뿐 아니라 / 그러한 기회를 //
anecdotal evidence also suggests //
일화적인 증거 역시 보여준다 //
that if they had done so, //
만약 그들이 그렇게 했다면 //
their careers would have been 'ruined' / for life.
그들의 경력은 '망가졌을' 것이라고 / 평생.

해석

2 ① 남성 경력과 여성 경력 사이의 균형
② 새로운 복지 제도를 도입하는 어려움
③ 출산 휴가와 육아 휴가를 신청하는 방법
④ 아버지의 육아 휴가를 개선하고 수용할 필요성

해설

1 주어진 문장에서는 일부 단체가 육아 휴직 제도를 시행하고 있다고 소개한다. 역접의 연결어가 있는 (C)는 이런 제도를 남성들이 실제로 활용하지 못한다고 설명하고 (A)에서는 그 원인이 남성 육아 휴직에 대한 낮은 인식과 직장 복귀에 대한 공식적 지원의 부족이라고 이야기한다. 결론적으로 (B)에서는 공식적 제도의 측면과 사람들의 사적인 태도를 모두 바꿔야 한다고 주장한다. 따라서 정답은 ③ (C) - (A) - (B)이다.

2 아버지의 육아 휴직 제도를 보다 잘 활용할 수 있도록 제도적인 측면을 보완하고 우리의 인식을 바꾸자는 내용의 글이므로 정답은 ④ '아버지의 육아 휴가를 개선하고 수용할 필요성'이다. ②는 지나치게 일반적인 내용이어서 답이 될 수 없고 나머지는 글에 언급되지 않았다.

전문해석

일부 조직은 남성 혹은 여성에게 아이들을 돌보기 위해 육아 휴직을 갖도록 허용하는 정책을 가지고 있긴 하다. 그러나, 아버지들이 실제로 그러한 기회를 거의 이용하지 않았을 뿐 아니라 만약 그들이 그렇게 했다면(육아 휴직을 사용했다면) 그들의 경력은 평생 '망가졌을' 것이라는 일화적인 증거 역시 보여준다. 실제로 이것에 대한 인지가 남성들로 하여금 그러한 제도를 적게 이용하는 원인일 것이다. 육아 휴직을 하는 남성들의 적은 수를 고려하면, 수많은 고용주들이 직장에 복귀하기 위해 필요한 공식적인 지원이 부족하다. 그러므로 조직은 경력을 더 유연하도록 허용하는 구조를 수립할 필요가 있을 뿐 아니라 그들은 대체로 철저히 전통적인 상태로 남아 있는 태도를 바꿀 필요가 있다.

어휘

- organization 조직
- break 휴직
- scheme 제도
- take leave 휴직하다
- avail oneself 이용하다
- anecdotal 일화적인
- ruin 망치다
- embrace 받아들이다
- paternity leave 아버지의 출산[육아] 휴가
- dismal 음울한
- candid 솔직한
- policy 정책
- take-up 이용하는 사람의 비율
- given ~을 고려하여
- adaptable 유연한
- opportunity 기회
- evidence 증거
- maternity leave 출산 휴가
- flexible 유연한
- assiduous 근면한

정답 1 ③ 2 ④ 3 ②

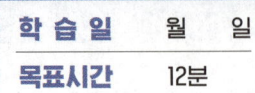

093 각 문장을 끊어 읽고 해석한 후 제시된 문제에 답하시오.

01
Almost all babies start smiling at a very young age. (A)
02
One might think that babies learn to smile by observing others and **emulating** the facial expressions they see, but evidence argues against this proposal. (B) Likewise, one
03
study compared the facial expressions of three groups of athletes receiving their award medals at the 2004
04
Paralympic Games. (C) One group had been blind since birth; a second group had some years of visual experience but was now fully blind; a third group had
05
normal sight. (D) The study showed essentially no _____ among these groups in their facial expressions.

1 빈칸에 들어갈 말로 가장 적절한 것은?

① difference   ② change
③ effect   ④ link

2 다음 문장이 들어갈 위치로 가장 적절한 것은?

> For example, babies who are born blind start smiling at the same age as sighted babies, and they smile when interacting with others just like sighted babies.

① (A)   ② (B)
③ (C)   ④ (D)

3 밑줄 친 부분의 의미와 가장 가까운 것은?

① resisting   ② copying
③ avoiding   ④ boosting

093 구문분석 & 문장분석

01
Almost all babies start smiling / at a very young age.
거의 모든 아기들은 웃기 시작한다 / 아주 어린 나이에.

02
One might think // that babies learn to smile /
누군가는 생각할지도 모른다 // 아기들이 웃는 법을 배운다고 /

by observing others /
다른 사람들을 관찰함으로써 /

and emulating the facial expressions (they see), //
그리고 (그들이 보는) 얼굴 표정을 흉내 냄으로써, //

but evidence argues against this proposal.
하지만 증거는 이 제안에 반대론을 편다.

삽입 문장
For example, /
예를 들어, /

babies who are born blind start smiling /
시각 장애를 가지고 태어난 아기들은 웃기 시작한다 /

at the same age as sighted babies, //
앞이 보이는 아기들과 같은 나이에, //

and they smile /
그들은 웃는다 /

when interacting with others /
다른 사람들과 상호작용을 할 때 /

just like sighted babies.
앞이 보이는 아기와 똑같이.

03
Likewise, / one study compared /
마찬가지로, / 한 연구는 비교했다 /

the facial expressions (of three groups of athletes (receiving their award medals / at the 2004 Paralympic Games)).
((그들의 메달을 받는 / 2004년 장애인 올림픽에서) 세 집단의 운동선수들의) 얼굴 표정을.

04
One group had been blind since birth; //
한 집단은 출생 시부터 시각 장애가 있었다; //

a second group had some years of visual experience //
두 번째 집단은 몇 년간의 시각적 경험을 가지고 있었다 //

but was now fully blind; //
그러나 지금은 완전히 시각 장애가 있는 상태였다; //

a third group had normal sight.
세 번째 집단은 정상적인 시력을 가지고 있었다.

05
The study showed essentially no difference /
이 연구는 본질적으로 아무런 차이가 없음을 보여주었다 /

among these groups / in their facial expressions.
이들 세 집단 간의 / 얼굴 표정에.

해석
1 ② 변화　③ 영향　④ 연결

해설
1 글의 전반부에서는 아기들이 표정을 흉내 냄으로써 웃는 법을 배운다는 통념을 반박하는 연구가 있다고 소개한 뒤, 장애인 올림픽에 출전한 선수들의 예시를 통해 이 새로운 주장을 재진술한다. 즉 '다른 사람을 관찰하고 모방하여 배워야만 어떤 표정을 짓게 되는 것은 아니다'라는 것이 핵심이므로 빈칸에는, 선수들의 후천적인 시각 경험이 어떻게 다르든 간에 그들의 표정이 같았다는 내용이 들어가야 하므로 정답은 ① '차이'이다.

2 주어진 문장은 시각 장애가 있는 아기와 그렇지 않은 아기가 웃음을 배우는 시기와 방법이 같다는 구체적인 예시를 설명한다. (B)의 뒤에서 Likewise로 세 집단의 얼굴 표정을 비교한 연구를 설명하므로 앞에 다른 예시가 들어가야 한다. 즉, 주어진 문장은 아기의 웃는 법에 관한 통념을 반박한다는 내용과, 장애인 올림픽 선수들에 관한 새로운 예시의 사이에 들어가야 한다. 따라서 정답은 ② (B)이다.

전문해석
거의 모든 아기들은 아주 어린 나이에 웃기 시작한다. 누군가는 아기들이 다른 사람들을 관찰하고 그들이 보는 얼굴 표정을 흉내 냄으로써 웃는 법을 배운다고 생각할지 모르지만, 증거는 이 제안에 반대론을 편다. 예를 들어, 시각 장애를 가지고 태어난 아기들은 앞이 보이는 아기들과 같은 나이에 웃기 시작하고, 그들은 앞이 보이는 아기와 똑같이 다른 사람들과 상호작용을 할 때 웃는다. 마찬가지로, 한 연구는 2004년 장애인 올림픽에서 메달을 받은 세 집단의 운동선수들의 얼굴 표정을 비교했다. 한 집단은 출생 시부터 시각 장애가 있었고, 두 번째 집단은 몇 년간의 시각적 경험을 가지고 있었지만 지금은 완전히 시각 장애가 있는 상태였고, 세 번째 집단은 정상적인 시력을 가지고 있었다. 이 연구는 이들 세 집단 간의 얼굴 표정에 본질적으로 아무런 차이가 없음을 보여주었다.

어휘
- emulate 모방하다
- facial expression 얼굴 표정
- argue against ~에 반대론을 펴다
- proposal 제안
- essentially 본질적으로
- resist 저항하다
- copy 따라하다
- avoid 피하다
- boost 신장시키다

정답 1 ① 2 ② 3 ②

094 다음 글을 읽고 물음에 답하시오.

Send Preview Save
To: Tim Robinson
From: Customer Service
Date: October 17
Subject: Regarding Your Visit

Dear Valued Customer,

Thank you for visiting Galaxy Electronics Store last week. We hope you had a positive experience shopping with us.

To ensure we continue to provide excellent service, we kindly request your feedback. Your opinion is crucial to us as we strive to improve our products and services to better **meet** your needs. Please take a moment to complete our short survey, which covers aspects such as your overall satisfaction, the helpfulness of our staff, the range of products available, and any suggestions you may have for enhancing your shopping experience.

[Survey Link: www.galaxyelectronics.com/survey]

Your responses will help us understand your preferences and expectations better, allowing us to serve you more effectively in the future. We genuinely appreciate your time and input.

Thank you once again for choosing Galaxy Electronics Store.

Best regards,
Customer Service Team

1 윗글의 목적으로 가장 적절한 것은?

① 신제품을 홍보하려고
② AS 불만을 사과하려고
③ 쇼핑 만족도를 조사하려고
④ 제품 주문서 수령을 확인하려고

2 밑줄 친 meet의 의미와 가장 가까운 것은?

① fulfill   ② encounter
③ gather   ④ undergo

095 Gov24에 관한 다음 글의 내용과 일치하지 않는 것은?

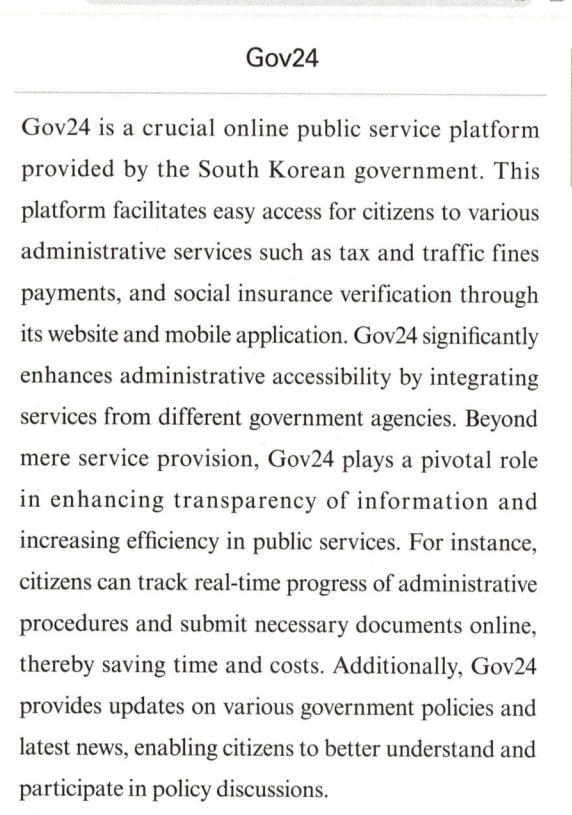

Gov24

Gov24 is a crucial online public service platform provided by the South Korean government. This platform facilitates easy access for citizens to various administrative services such as tax and traffic fines payments, and social insurance verification through its website and mobile application. Gov24 significantly enhances administrative accessibility by integrating services from different government agencies. Beyond mere service provision, Gov24 plays a pivotal role in enhancing transparency of information and increasing efficiency in public services. For instance, citizens can track real-time progress of administrative procedures and submit necessary documents online, thereby saving time and costs. Additionally, Gov24 provides updates on various government policies and latest news, enabling citizens to better understand and participate in policy discussions.

① It offers services through both a website and a mobile app.
② The public can pay traffic fines through the Gov24 website.
③ It promotes accessibility by combining multiple government agencies.
④ Submitting documents online is prohibited due to security reasons.

094

해석

> 수신: Tim Robinson
> 발신: 고객 서비스
> 날짜: 10월 17일
> 제목: 귀하의 방문과 관련하여
>
> 소중한 고객님께,
>
> 지난주에 Galaxy 전자제품 매장을 방문해 주셔서 감사드립니다. 귀하가 저희 매장에서 긍정적인 쇼핑 경험을 누리셨기를 바랍니다.
>
> 탁월한 서비스를 확실히 계속 제공해드리기 위해, 귀하의 피드백을 부디 요청드립니다. 저희는 귀하의 요구를 더욱 충족시키도록 제품과 서비스를 개선하기 위해 노력하고 있기 때문에 귀하의 의견이 대단히 중요합니다. 잠시 시간을 내시어 귀하의 전반적인 만족도, 저희 직원의 유용함, 구매 가능한 제품의 범위, 그리고 귀하의 쇼핑 경험을 향상시키기 위해 하고 싶은 제안과 같은 측면들을 다루는 저희의 짧은 설문 조사를 완료해 주시길 바랍니다.
>
> [설문 조사 링크: www.galaxyelectronics.com/survey]
>
> 귀하의 답변은 저희가 귀하의 기호와 기대를 더 잘 이해하는 데 도움이 되어, 저희가 앞으로 귀하를 더 효율적으로 모실 수 있게 합니다. 귀하의 시간과 조언에 대해 진심으로 감사드립니다.
>
> Galaxy 전자제품 매장을 선택해 주셔서 다시 한번 감사드립니다.
>
> 안부를 빌며,
> 고객 서비스 팀

해설

1 글의 중심 소재는 설문 조사 요청이고, 글의 목적은 두 번째 문단의 처음 두 문장에 잘 드러나 있어서 제품과 서비스 개선을 위해 고객의 의견을 요청한다는 내용이다. 같은 문단의 마지막 문장에도 설문 조사를 완료해달라는 당부가 담겨 있다. 따라서 글의 목적으로 가장 적절한 것은 ③ '쇼핑 만족도를 조사하려고'이다.

어휘

- ensure 확실히 하다
- strive 노력하다
- complete 완료하다
- overall 전반적인
- range 범위
- preference 기호
- appreciate 감사하다
- fulfill 충족시키다
- gather 모으다
- kindly 부디
- meet 충족시키다
- aspect 측면
- helpfulness 유용함
- enhance 향상하다
- effectively 효율적으로
- input 의견
- encounter (우연히) 만나다
- undergo 겪다

정답 1 ③ 2 ①

095

해석

> Gov24
>
> Gov24는 대한민국 정부가 제공하는 중요한 온라인 공공 서비스 플랫폼이다. 이 플랫폼은 시민들이 세금과 교통 범칙금 납부, 사회 보험 확인 등의 다양한 행정 서비스를 웹사이트와 모바일 애플리케이션을 통해 쉽게 접근하도록 해준다. Gov24는 다양한 정부 기관의 서비스를 통합함으로써 행정 접근성을 크게 향상하게 시킨다. 단순한 서비스 제공을 넘어, Gov24는 정보의 투명성을 높이고 공공 서비스의 효율성을 증가시키는 데에 중요한 역할을 한다. 예를 들어, 시민들은 행정 절차의 실시간 진행 상황을 추적하고 필요한 서류를 온라인으로 제출할 수 있어 시간과 비용을 절약할 수 있다. 또한, Gov24는 다양한 정부 정책과 최신 뉴스에 대한 업데이트를 제공하여 시민들이 정책 논의에 더 잘 이해하고 참여할 수 있도록 해준다.

① 웹사이트와 모바일 앱을 통해 서비스를 제공한다.
② 시민은 Gov24 웹사이트를 통해 교통 범칙금을 낼 수 있다.
③ 여러 정부 기관을 통합하여 접근성을 향상하게 시킨다.
④ 보안상의 이유로 문서 온라인 제출이 금지된다.

해설

④ 다섯 번째 문장에서 시민들은 필요한 서류를 온라인으로 제출할 수 있다고 했으므로 글의 내용과 일치하지 않는다.
① 두 번째 문장에서 시민들로 하여금 행정 서비스를 웹사이트와 모바일 애플리케이션을 통해 쉽게 접근하도록 해준다고 했으므로 글의 내용과 일치한다.
② 두 번째 문장에서 시민들로 교통 범칙금을 납부할 수 있게 해준다고 했으므로 글의 내용과 일치한다.
③ 세 번째 문장에서 다양한 정부 기관의 서비스를 통합함으로써 행정 접근성을 크게 향상시킨다고 했으므로 글의 내용과 일치한다.

어휘

- crucial 중요한
- administrative 행정상의
- application 애플리케이션
- accessibility 접근성
- agency 기관
- transparency 투명성
- procedure 절차
- policy 정책
- prohibit 금지하다
- facilitate 촉진하다
- verification 확인
- enhance 강화하다
- integrate 통합하다
- pivotal 중요한
- real-time 실시간의
- latest 최근의
- streamline 간소화하다
- security 보안

정답 ④

096 각 문장을 끊어 읽고 해석한 후 제시된 문제에 답하시오.

01
The majority of spider species are completely solitary creatures.

02
(A) The reason for working together among this unusual social group is that in the rainforest, webs often get destroyed by rain or the movements of large creatures. Through _____, the spiders save energy as they fix damage caused by web-ripping storms and various animals.

04
(B) They eat by themselves, create their own webs, and lay eggs before abandoning their offspring without providing any care.

05
(C) However, in rainforests some spiders reside in colonies of up to 1,500 individuals, where adult spiders take care of young spiders and don't even distinguish between their own offspring and those of others.

1 주어진 문장 이후에 이어질 글의 순서로 올바른 것은?
① (A) – (C) – (B) ② (A) – (B) – (C)
③ (B) – (A) – (C) ④ (B) – (C) – (A)

2 글의 내용과 일치하지 않는 것은?
① Most spider species are typically solitary in nature.
② In rainforests, some spider species reside in colonies of up to 1,500 individuals.
③ Adult spiders in rainforest colonies abandon their offspring without providing any care.
④ Cooperative endeavors among spiders in rainforests help them conserve energy.

3 빈칸에 들어갈 말로 가장 적절한 것은?
① inactive hibernation
② competing against each other
③ engaging in solitary work
④ collaborative efforts

096 구문분석 & 문장분석

01
The majority of spider species /
대다수의 거미 종은 /

are completely solitary creatures.
완벽하게 혼자 지내는 생물들이다.

02
(A) The reason (for working together among this unusual social group) /
(이와 같은 특이한 사회 집단 사이에서 함께 일하는) 이유는, /

is that in the rainforest, /
열대 우림에서는 /

webs often get destroyed /
거미집들이 종종 파괴되기 때문이다 /

by rain or the movements of large creatures.
비나 큰 동물들의 움직임들에 의해.

03
Through collaborative efforts, /
협력하는 노력을 통해 /

the spiders save energy //
거미들은 에너지를 아낀다 //

as they fix damage (caused by web-ripping storms and various animals).
그들이 (거미집을 찢는 폭풍들과 다양한 동물들에 의해 야기된) 피해를 복구할 때.

04
(B) They eat by themselves, // create their own webs, //
그것들은 혼자서 먹는다, // 자신만의 거미집을 만든다, //

and lay eggs / before abandoning their offspring /
그리고 알을 낳는다 / 자신들의 새끼를 유기하기 전에 /

without providing any care.
전혀 보살핌 없이.

05
(C) However, / in rainforests /
하지만, / 열대 우림에서 /

some spiders reside in colonies (of up to 1,500 individuals), /
어떤 거미들은 (개체 수가 1,500마리에 이르는) 군집에서 산다, /

where adult spiders take care of young spiders //
그곳에서 성인 거미들은 어린 거미들을 돌본다 //

and don't even distinguish /
그리고 심지어 구별하지도 않는다 /

between their own offspring and those of others.
자기 새끼와 다른 거미의 새끼를.

해석

2 ① 대부분의 거미 종은 전형적으로 원래 혼자 지낸다.
② 열대 우림에서 몇몇 거미 종들은 개체수가 1,500에 이르는 군집에서 산다.
③ 열대 우림 군집에서 성인 거미들은 어떤 보살핌도 없이 그들의 새끼를 버린다.
④ 열대 우림에 사는 거미들 간의 협조 노력은 그들이 에너지를 보존하도록 돕는다.

3 ① 비활동성의 동면   ② 서로와의 경쟁   ③ 단독으로 하는 작업

해설

1 주어진 문장은 거미가 혼자 지내는 생물이라는 내용이다. 이를 부연 설명하는 (B)가 먼저 와야 한다. (B)의 They는 주어진 문장의 혼자 지내는 거미들을 지칭한다. 이후 군집 생활을 하는 열대 우림의 거미들을 대조적으로 설명하는 (C)가 역접의 연결어인 However를 통해 이어진다. 그런 다음, 그들이 군집 생활을 하는 이유를 설명하는 (A)가 이어지게 된다. 따라서 정답은 ④ (B)-(C)-(A)이다.

2 ③ 두 번째(04번) 문장의 They는 혼자 지내는 대다수의 거미 종을 말하는 것이다. 또한 세 번째(05번) 문장에서 열대 우림의 거미들은 자신의 새끼를 다른 새끼와 구분하지 않고 함께 돌본다고 했으므로 글의 내용과 일치하지 않는다.
① 첫 번째 문장에서 대다수의 거미 종은 완벽하게 혼자 지내는 생물들이라고 했으므로 글의 내용과 일치한다.
② 세 번째(05번) 문장에서 열대 우림에서 어떤 거미들은 개체 수가 1,500마리에 이르는 군집에서 산다고 했으므로 글의 내용과 일치한다.
④ 마지막(03번) 문장에서 열대 우림에 사는 거미들 간의 협조 노력은 그들이 에너지를 아끼도록 해준다고 했으므로 글의 내용과 일치한다.

3 거미 대부분이 단독으로 생활하지만 열대 우림의 거미들은 그렇지 않음을 비교하는 글이다. (A)의 두 문장은 글의 결론 부분에 해당하는데, 열대 우림의 거미들이 왜 함께 일하는지를 설명한 다음, 재진술을 통해 이를 부연 설명하고 있다. 따라서 같은 맥락으로 이어지게 하려면 빈칸에는 ④ '협력하는 노력'이 들어가는 것이 적합하다. (A)의 working together를 근거로 쉽게 정답을 찾을 수 있다.

전문해석

대다수의 거미 종은 완벽하게 혼자 지내는 생물들이다. 그것들은 혼자서 먹고, 자신만의 거미집을 만들며, 전혀 보살핌 없이 새끼를 유기하기 전에 알을 낳는다. 하지만 열대 우림에서 어떤 거미들은 개체 수가 1,500마리에 이르는 군집에서 살며, 이 군집에서 성인 거미들은 어린 거미들을 돌보고 심지어 자기 새끼와 다른 거미의 새끼를 구별하지도 않는다. 이와 같은 특이한 사회 집단 사이에서 함께 일하는 이유는, 열대 우림에서는 거미집들이 비나 큰 동물들의 움직임에 의해 종종 파괴되기 때문이다. 협력하는 노력을 통해 거미들은 거미집을 찢는 폭풍들과 다양한 동물들에 의해 야기된 피해를 복구할 때 에너지를 아낀다.

어휘

☐ web-ripping 그물을 찢는   ☐ reside 거주하다
☐ colony 군집   ☐ cooperative 협력적인
☐ conserve 보존하다   ☐ hibernation 동면
☐ compete 경쟁하다   ☐ collaborative 협력하는

정답 1 ④ 2 ③ 3 ④

097 각 문장을 끊어 읽고 해석한 후 제시된 문제에 답하시오.

01
A study by the USA's Northwestern University provides biological evidence that people who are bilingual have a more powerful brain. 02 Dr. Viorica Marian and Nina Kraus investigated how bilingualism affects the brain. 03 They found that studying another language "fine-tunes" people's attention span and **enhances** their memory. 04 In particular they discovered that when language learners attempt to understand speech in another language, it activates and energizes the brainstem — an ancient part of the brain. 05 Professor Kraus stated: "Bilingualism serves as _____ for the brain and has real consequences when it comes to attention and working memory."

1 글의 제목으로 가장 적절한 것은?
① The Effect of Bilingualism on Brain
② Tips for Learning Foreign Languages
③ The Negative Effect of Bilingualism
④ The Necessity of Learning Foreign Languages

2 빈칸에 들어갈 말로 가장 적절한 것은?
① enrichment   ② filter
③ hindrance   ④ mixture

3 밑줄 친 부분의 의미와 가장 가까운 것은?
① analyzes   ② separates
③ purifies   ④ strengthens

문장 분석 및 해설

097 구문분석 & 문장분석

01
A study (by the USA's Northwestern University) /
(미국 Northwestern 대학교에서 실시한) 한 연구는 /

provides biological evidence (that people (who are bilingual) have a more powerful brain).
((이중 언어를 쓰는) 사람들이 더 강한 두뇌를 가지고 있다는) 생물학적 증거를 내놓았다.

02
Dr. Viorica Marian and Nina Kraus investigated //
Viorica Marian 박사와 Nina Kraus 박사는 조사했다 //

how bilingualism affects the brain.
이중 언어 사용이 두뇌에 어떻게 영향을 미치는지를.

03
They found //
그들은 발견했다 //

that studying another language "fine-tunes" people's attention span //
다른 언어를 배우는 것이 사람들의 주의 지속 시간을 '미세하게 조정하고' //

and enhances their memory.
그들의 기억력을 향상시킨다는 것을.

04
In particular / they discovered //
특히 / 그들은 발견했다 //

that when language learners attempt to understand speech (in another language), //
언어 학습자들이 (다른 언어로 하는) 말을 이해하려고 시도할 때, //

it activates and energizes the brainstem (— an ancient part of the brain).
그것이 (뇌의 오래된 부분인) 뇌간을 작동시키고 활성화시킨다는 사실을.

05
Professor Kraus stated: //
Kraus 교수는 말했다: //

"Bilingualism serves as enrichment (for the brain) //
"이중 언어는 (뇌에 대한) 강화물로의 역할을 하며 //

and has real consequences //
실제적 영향을 미칩니다 //

when it comes to attention and working memory."
주의력과 작동 기억에 관한 한."

해석

1 ① 이중 언어가 두뇌에 미치는 영향
② 외국어 학습에 대한 조언들
③ 이중 언어의 부정적 효과
④ 외국어 학습의 필요성

2 ② 필터 ③ 장애물 ④ 혼합물

해설

1 첫 번째 문장이 주제문이며, 이후부터 이중 언어를 쓰는 사람들이 뇌에 긍정적인 자극을 받아 더 좋은 두뇌를 가지게 된다는 점에 대해 생물학적 근거에 기반을 둔 연구 결과를 통해 부연 설명하고 있다. 따라서 이는 이중 언어가 두뇌에 어떠한 영향을 미치는지에 대한 설명이므로 글의 제목으로는 ① '이중 언어가 두뇌에 미치는 영향'이 가장 적절하다.

2 주제문인 첫 번째 문장에서 이중 언어를 쓰는 사람들의 두뇌가 더 강력하다고 설명한다. 그 이후, 이중 언어가 뇌에 영향을 미쳐 주의 지속 시간과 기억력에 긍정적인 영향을 준다고 설명한다. 또한 이중 언어를 배우는 것이 뇌를 활성화시킨다고 덧붙인다. 이를 통해 이중 언어가 두뇌에 긍정적이고 좋은 영향을 주고 있다는 내용이 빈칸에 와야 함을 유추할 수 있다. 따라서 정답은 ① '강화물'이다.

전문해석

미국 Northwestern 대학교에서 실시한 한 연구는 이중 언어를 쓰는 사람들이 더 강한 두뇌를 가지고 있다는 생물학적 증거를 내놓았다. Viorica Marian 박사와 Nina Kraus 박사는 이중 언어 사용이 두뇌에 어떻게 영향을 미치는지를 조사했다. 그들은 다른 언어를 배우는 것이 사람들의 주의 지속 시간을 '미세하게 조정하고' 그들의 기억력을 향상시킨다는 사실을 발견했다. 특히 그들은 언어 학습자들이 다른 언어로 하는 말을 이해하려고 시도할 때, 그것이 뇌의 오래된 부분인 뇌간을 작동시키고 활성화시킨다는 사실을 발견했다. Kraus 교수는 말했다: "이중 언어는 뇌에 대한 강화물로의 역할을 하며, 주의력과 작동 기억에 관한 한 실제적 영향을 미칩니다."

어휘

- biological 생물학의
- evidence 증거
- bilingual 2개 국어[이중언어]를 쓰는
- bilingualism 이중 언어 사용
- fine-tune 미세 조정하다
- attention span 주의 지속 시간
- enhance 강화하다
- attempt 시도하다
- activate 활성화하다
- brainstem 뇌간(腦幹)
- consequence 결과
- enrichment 강화물
- hindrance 방해
- mixture 혼합물
- analyze 분석하다
- separate 분리하다
- purify 정화하다
- strengthen 강화하다

정답 1 ① 2 ① 3 ④

098 다음 글을 읽고 물음에 답하시오.

To: Ms. Patel
From: Liam Taylor
Date: July 13
Subject: Commendation for Exceptional Service

Dear Ms. Patel,

I hope this finds you well. I'm writing to commend Ava Walker from Green Valley Municipal Services for her <u>outstanding</u> service.

Recently, I worked closely with Ava on a crucial community park renovation. Throughout our collaboration, Ava's professionalism, dedication, and proactive approach were exceptional. Her attention to detail and problem-solving skills ensured the project's success, benefiting our community significantly.

Ava's commitment to excellence reflects positively on Green Valley Municipal Services. Please extend my sincere gratitude to her for her exemplary service and dedication to our community.

Best regards,
Liam Taylor

1 윗글의 목적으로 가장 적절한 것은?
① Green Valley 시립 서비스의 프로젝트 진행 상황을 공유하기 위해
② Ava Walker에게 회사 이벤트 참석을 요청하기 위해
③ Green Valley 시립 서비스의 직원에게 칭찬과 감사를 전달하기 위해
④ Liam Taylor의 연구 보고서를 검토하기 위해

2 밑줄 친 outstanding의 의미와 가장 가까운 것은?
① excellent   ② mediocre
③ moderate   ④ frugal

099 다음 글을 읽고 물음에 답하시오.

(A)

We are pleased to announce our upcoming admissions information session for the upcoming academic year. This special event will provide detailed information about our school's admission procedures, program offerings, scholarships, and financial aid options.

The event includes an introduction to the school and various academic departments. It will cover admission procedures and necessary documents, as well as explanations of scholarships and financial aid options. Participants will also have the opportunity to engage in a Q&A session to address their inquiries.

Date: August 10 Thursday
Time: 2:00 PM - 4:00 PM
Location: Conference Room, Education Center

Registration and Inquiries:
- Please register online in advance if you wish to attend.
- For any inquiries, please contact the admissions office at (Phone: 010-1234-5678 / Email: admissions@infomail.com).

Join us to address all your admissions-related queries and explore the diverse opportunities our school offers. We look forward to your participation.

1 (A)에 들어갈 윗글의 제목으로 가장 적절한 것은?
① Discover Our School's Academic Year Preview
② Unlock Musical Talents Here
③ Enroll Now for Artistic Excellence
④ Explore Language Proficiency with Us

2 글의 내용과 일치하지 않는 것은?
① 장학금 및 재정 지원 옵션에 대한 설명은 제공되지 않는다.
② 입학 절차와 필요한 서류에 대한 안내가 제공된다.
③ 참가자들은 질의응답 시간에 참여할 수 있다.
④ 참석하려면 사전에 온라인으로 등록해야 한다.

098

해석

> 수신: Patel 씨
> 발신: Liam Taylor
> 날짜: 7월 13일
> 제목: 우수 서비스에 대한 칭찬
>
> Patel 씨께,
> 안녕하세요, Green Valley 시립 서비스의 Ava Walker 씨의 뛰어난 서비스에 대해 칭찬하고자 글을 드립니다.
>
> 최근 저는 중요한 커뮤니티 공원 개조 프로젝트에서 Ava와 긴밀히 업무를 수행했습니다. 협력하는 동안, Ava의 전문성, 헌신, 그리고 적극적인 접근 방식은 매우 뛰어났습니다. 그녀의 세심한 주의와 문제 해결 능력 덕분에 프로젝트가 성공적으로 완료되어 우리 커뮤니티에 큰 혜택을 주었습니다.
>
> Ava의 우수함에 대한 헌신은 Green Valley 시립 서비스에 긍정적인 영향을 미쳤습니다. 그녀의 모범적인 서비스와 커뮤니티에 대한 헌신에 대해 진심으로 감사의 말씀을 전해 주시길 바랍니다.
>
> Liam Taylor 드림

해설

1. 이메일의 제목에서 서비스에 대한 칭찬이라는 글의 중심 소재가 언급되어 있다. 또한 이메일의 두 번째 문장에서 Ava Walker 씨의 뛰어난 서비스에 대해 칭찬하고자 이메일을 쓰고 있다고 글의 목적을 명백하게 제시하고 있다. 따라서 정답은 ③ 'Green Valley 시립 서비스의 직원에게 칭찬과 감사를 전달하기 위해'이다.

어휘

- commendation 칭찬
- commend 칭찬하다
- outstanding 뛰어난
- collaboration 협력
- professionalism 전문성
- dedication 헌신
- proactive 적극적인
- exceptional 뛰어난
- ensure 보장하다
- benefit 혜택을 주다
- commitment 헌신
- reflect 반영하다
- positively 긍정적으로
- gratitude 감사
- exemplary 모범적인
- mediocre 평범한
- moderate 온건한
- frugal 검소한

정답 1 ③ 2 ①

099

해석

> (A) 우리 학교의 학년 일정을 사전에 알아보세요
>
> 다가오는 학년도의 입학 예정 정보 수업을 안내하게 되어 기쁩니다. 이번 특별 이벤트에서는 우리 학교의 입학 절차, 프로그램 제공, 장학금 및 재정 지원 옵션에 대해 자세히 안내해 드릴 예정입니다.
>
> 행사 내용에는 학교 및 다양한 학과 소개를 포함합니다. 장학금 및 재정 지원 옵션에 대한 설명과 더불어 입학 절차 및 필요한 서류도 포함합니다. 또한, 참가자들은 질문과 답변 시간을 통해 궁금한 사항을 해결할 수 있는 기회를 얻게 될 것입니다.
>
> 일시: 8월 10일 (목요일)
> 시간: 오후 2:00~4:00
> 장소: 회의실, 교육 센터
>
> 등록 및 문의:
> • 참석을 원하시는 분은 사전에 온라인으로 등록해 주세요.
> • 문의 사항은 입학 사무실(전화: 010-1234-5678 / 이메일: admissions@infomail.com)로 연락해 주세요.
>
> 입학 관련 모든 질문을 해결하고 우리 학교가 제공하는 다양한 기회를 탐색하려면 참여해 보세요. 당신의 참여를 기대하고 있습니다.

1. ② 여기에서 음악적 재능을 발휘하세요
   ③ 예술적 우수성을 위해 지금 등록하세요
   ④ 우리와 함께 언어 실력 향상을 경험하세요

해설

1. 첫 번째 문단에서 학교의 입학 안내회를 홍보하고 있음을 유추할 수 있다. 따라서 정답은 ①이다.

2. ① 두 번째 문단 두 번째 줄에서 장학금 및 재정 지원 옵션에 대한 설명이 포함된다고 했으므로 글의 내용과 일치하지 않는다.
   ② 두 번째 문단 두 번째 줄에서 입학 절차 및 필요한 서류도 행사 내용에 포함된다고 했으므로 글의 내용과 일치한다.
   ③ 두 번째 문단 세 번째 문장에서 참가자들은 질문과 답변 시간을 통해 궁금한 사항을 해결할 수 있다고 했으므로 글의 내용과 일치한다.
   ④ 등록 및 문의 항목에서 참석을 원하시는 분은 사전에 온라인으로 등록해달라고 했으므로 글의 내용과 일치한다.

어휘

- pleased 기쁜
- upcoming 다가오는
- admission 입학
- academic year 학년
- procedure 절차
- scholarship 장학금
- academic department 학과
- aid 지원
- participant 참가자
- engage 참여하다
- address 해결하다
- inquiry 질문
- registration 등록
- query 질문
- diverse 다양한
- unlock 열다
- enroll 등록하다
- proficiency 실력향상

정답 1 ① 2 ①

100 Key Guidelines to Protect Yourself from Norovirus에 관한 다음 글의 내용과 일치하지 않는 것은?

Key Guidelines to Protect Yourself from Norovirus

The Korea Food and Drug Administration is urging the public to follow strict hygiene practices to prevent norovirus, a highly contagious virus causing gastroenteritis. Recent data shows an increase in cases, often linked to contaminated shellfish. To prevent infection, wash hands thoroughly with soap and water, cook shellfish to an internal temperature of at least 74 degrees Celsius (165 degrees Fahrenheit). Then clean surfaces with a bleach solution made of 1 cup of bleach to 5 liters (1.3 gallons) of water. Norovirus is resistant to alcohol-based hand sanitizers, so thorough hand washing is essential. For instance, disinfect kitchen counters and bathroom fixtures after an illness outbreak. Isolate affected individuals and ensure they stay hydrated. These measures can help reduce the risk of norovirus.

* gastroenteritis: 위장염

---

① Cook shellfish to higher than 74°C (165°F) to prevent norovirus.
② Use a bleach solution of 1 cup bleach per 5 liters of water for cleaning.
③ Hand sanitizers based on Alcohol are effective against norovirus.
④ Isolating affected individuals helps reduce the risk of the virus.

DAY 19~20 Exercises

[1~4] 양쪽에 주어진 말의 의미가 일맥상통하도록 선으로 연결하세요.

1. paternity leave ○   ① serving as a desirable model

2. assiduous ○   ② a sudden occurrence of something unwelcome, such as war or disease

3. exemplary ○   ③ a period of absence from work granted to a father after or shortly before the birth of his child

4. outbreak ○   ④ showing great care, attention, and effort

[5~7] 다음 문장의 끊어 읽기를 참고하여, 빈칸에 알맞은 해석을 쓰세요.

5. One group had been blind since birth; / a second group had some years of visual experience / but was now fully blind; / a third group had normal sight.

   한 집단은 출생 시부터 시각 장애가 있었다; / 두 번째 집단은 몇 년간의 시각적 경험을 가지고 있었다 / 그러나 지금은 완전히 시각 장애가 있는 상태였다; / _____.

6. The reason for working together among this unusual social group / is that in the rainforest, / webs often get destroyed / by rain or the movements of large creatures.

   이와 같은 특이한 사회 집단 사이에서 함께 일하는 이유는, / 열대 우림에서는 / _____ / 비나 큰 동물들의 움직임들에 의해.

7. In addition, / all dictionaries give a distorted view of a language / because of their alphabetical organization, / which emphasizes the prefixes coming at the beginning of words / rather than the suffixes coming at the end.

   게다가, / 모든 사전은 언어에 대한 왜곡된 시각을 준다 / 그들의 알파벳순 구성으로 인해, / 이것은 단어의 앞머리에 오는 접두사를 강조한다 / _____.

정답 1 ③ 2 ④ 3 ① 4 ② 5 세 번째 집단은 정상적인 시력을 가지고 있었다. 6 거미집들이 종종 파괴되기 때문이다 7 단어의 끝에 오는 접미사보다.

101 각 문장을 끊어 읽고 해석한 후 제시된 문제에 답하시오.

01
William Shakespeare is rightly regarded as one of the world's great writers; yet it would seem that he couldn't 02 _____! (A) Samples of his signature that have survived show his name spelled in 03 several different ways. (B) Not until the eighteenth century when dictionaries came into use was a single 04 spelling for each word accepted as correct. (C) A few words, however, escaped being standardized in this way; 'instill' (which could also be spelled 'instil') was one of 05 them. (D) When a dictionary gave two different spellings of a word, the one given first was preferred.

1 다음 문장이 들어갈 위치로 가장 적절한 것은?

> Such variation, however, was common then with the spelling of many words, not just names.

① (A) ② (B)
③ (C) ④ (D)

2 글의 내용과 일치하지 않는 것은?

① The samples of Shakespeare's signature demonstrate variations in the spelling of his name.
② Spelling standardization took place in the 18th century with the introduction of dictionaries.
③ The word "instill" could be spelled as both "instill" and "instil."
④ The first spelling listed in a dictionary was always the correct and preferred one.

3 빈칸에 들어갈 말로 가장 적절한 것은?

① spell his own name
② suppress his creativity
③ make mistakes in spellings
④ correct the grammar

문장 분석 및 해설

101 구문분석 & 문장분석

01
William Shakespeare is rightly regarded /
윌리엄 셰익스피어는 당연히 여겨진다 /

as one of the world's great writers; // yet /
세계적 대문호 중 한 사람으로; // 그러나 /

it would seem / that he couldn't spell his own name!
보였다 / 그는 자기 이름의 철자도 맞게 쓰지 못하는 것처럼!

02
Samples (of his signature (that have survived)) show /
((남아 있는) 그의 서명의) 예들은 보여준다 /

his name (spelled in several different ways).
(몇 가지 다른 방식으로 쓴) 그의 이름을.

삽입 문장
Such variation, (however), was common then /
(그러나) 그런 차이는 그 당시에 흔한 일이었다 /

with the spelling of many words, / not just names.
많은 단어의 철자에서 / 이름뿐만 아니라.

03
Not until the eighteenth century (when dictionaries came into use) /
(사전이 사용되기 시작한) 18세기가 되어서야 비로소 /

was a single spelling (for each word) accepted /
(각 단어에) 한 가지 철자만 받아들여졌다 /

as correct.
옳은 것으로.

04
A few words, (however), escaped being standardized /
(그러나) 몇몇 단어들은 표준화되지 않았다 /

in this way; //
이런 방식으로; //

'instill' (which could also be spelled 'instil') was one of them.
('instil'로도 쓰일 수 있는) 'instill'이 그것들 중 하나였다.

05
When a dictionary gave two different spellings (of a word), //
사전이 (한 단어에) 각기 다른 두 가지 철자를 제공했을 때, //

the one (given first) was preferred.
(먼저 제시된) 철자가 선호되었다.

해석

2 ① 셰익스피어 서명의 예들은 그의 이름 철자에 있어서의 차이를 보여 준다.
② 철자의 표준화는 사전의 도입과 함께 18세기에 발생했다.
③ 'instill'이라는 단어는 'instill'과 'instil' 두 가지 철자 모두로 쓸 수 있다.
④ 사전에 있는 첫 번째 철자가 항상 옳고 선호되었다.

3 ② 자신의 창의성을 억누르지
③ 철자를 쓰는 데 있어 실수를 하지
④ 문법을 교정하지

해설

1 주어진 문장의 Such variation(그런 차이)은 지문의 두 번째 문장에 나온 이름 철자법의 몇 가지 다른 방식(several different ways)을 가리킨다. 또한 세 번째 문장에서는 단어가 다르게 쓰인 이유에 대한 부연 설명이 이어진다. 따라서 주어진 문장은 ② (B)에 들어가는 것이 가장 적절하다.

2 ④ 마지막 문장에서 사전이 한 단어에 각기 다른 두 가지 철자를 제공할 때 먼저 주어진 철자가 선호되었다고 말했을 뿐 그것이 항상 옳다고 여겨졌다는 내용은 없으므로 글의 내용과 일치하지 않는다.
① 두 번째 문장에서 남아 있는 그의 서명의 예들은 그가 이름 철자를 몇 가지 다른 방식으로 썼음을 보여 준다고 했으므로 글의 내용과 일치한다.
② 세 번째 문장에서 사전이 쓰이기 시작한 18세기가 되어서야 비로소 각 단어에 한 가지 철자만 옳은 것으로 받아들여졌다고 했으며 네 번째 문장에서 그것을 '표준화'라고 설명했으므로 글의 내용과 일치한다.
③ 네 번째 문장에서 표준화되지 않은 단어의 예시로 instill을 들고 있으며 이는 instil로도 쓸 수 있다고 했으므로 글의 내용과 일치한다.

3 두 번째 문장을 통해 빈칸의 내용을 쉽게 유추할 수 있는 문제이다. 그의 서명을 볼 때, 그가 자신의 이름을 몇 가지 다른 방식으로 썼음을 보여 주었다고 글쓴이는 설명한다. 따라서 그가 자신의 이름 철자를 정확하게 쓰지 못했다는 내용이 오는 것이 자연스럽다. 따라서 정답은 ① '자기 이름의 철자도 맞게 쓰지'이다. ②는 언급되지 않았고 ③은 spellings로, ④는 correct로 혼동을 주고 있다.

전문해석

윌리엄 셰익스피어는 세계적인 대문호 중 한 사람으로 당연히 여겨진다. 그러나 그는 자기 이름의 철자도 맞게 쓰지 못하는 것처럼 보였다! 남아 있는 그의 서명의 예들은 그가 이름 철자를 몇 가지 다른 방식으로 썼음을 보여 준다. 그러나 그런 차이는 그 당시에는 이름뿐만 아니라 많은 단어의 철자에서 흔한 일이었다. 사전이 사용되기 시작한 18세기가 되어서야 비로소 각 단어에 한 가지 철자만 옳은 것으로 받아들여졌다. 그러나 몇몇 단어들은 이런 방식으로 표준화되지 않았는데, (instil로도 쓰일 수 있는) instill이 그것들 중 하나였다. 사전이 한 단어에 각기 다른 두 가지 철자를 제공했을 때 먼저 제시된 철자가 선호되었다.

어휘

☐ rightly 당연히　　☐ spell 철자를 맞게 쓰다
☐ spelling 철자(법)　　☐ correct 정확한; 교정하다
☐ standardize 표준화하다　　☐ variation 차이
☐ suppress 억누르다

정답 1 ② 2 ④ 3 ①

DAY 21　173

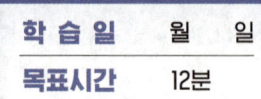

102 각 문장을 끊어 읽고 해석한 후 제시된 문제에 답하시오.

01
Men have always used fashion to attract attention and
02
satisfy a desire for personal display. (A) Women are not the only ones to turn to clothing to enhance, adorn and modify their bodies.
03
(B) Wearing specific types of clothing can have the deliberate purpose to be interpreted in terms of class, income, belief and attitude. (C)
04
Nevertheless, social norms have long required that men's interest in fashion be _____. (D)
05
Too great a concern with fashion and personal appearance may be interpreted as not only vain, but also unmanly, while too little interest is considered equally questionable.

1 빈칸에 들어갈 말로 가장 적절한 것은?

① fairly rewarded ② removed completely
③ carefully balanced ④ initially ignored

2 글의 흐름상 가장 어색한 것은?

① (A) ② (B)
③ (C) ④ (D)

3 글의 제목으로 가장 적절한 것은?

① The Unwritten Rules of Behavior by Society
② Social Norms and Gender Equality
③ Advantages of Gender Role Reversal
④ Strict Social Norms About Male Fashion

문장 분석 및 해설

102 구문분석 & 문장분석

01
Men have always used fashion / to attract attention /
남성들은 항상 패션을 이용해 왔다 / 주의를 끌기 위해 /

and satisfy a desire (for personal display).
그리고 (개인의 과시에 대한) 욕구를 충족하기 위해.

02
Women are not the only ones (to turn to clothing) /
여성들이 (의복에 의지한) 유일한 존재는 아니다 /

to enhance, adorn and modify their bodies.
그들 신체의 가치를 높이고, 꾸미고, 보정하기 위해.

03
Wearing specific types of clothing /
특정한 유형의 옷을 입는 것은 /

can have the deliberate purpose (to be interpreted /
(해석되려는 / 계급, 수입, 믿음, 그리고 태도의 면에서)

in terms of class, income, belief and attitude).
의도적인 목적이 있을 수 있다.

04
Nevertheless, / social norms have long required //
그럼에도 불구하고, / 사회적 규범은 오랫동안 요구해 왔다 //

that men's interest (in fashion) / be carefully balanced.
(패션에 대한) 남성의 관심이 / 신중하게 균형 잡히도록.

05
Too great a concern (with fashion and personal appearance) / may be interpreted /
(패션과 개인의 외모에 대한) 너무 큰 관심은 / 해석될 수 있다 /

as not only vain, but also unmanly, //
허영심이 강할 뿐 아니라 남자답지 못한 것으로, //

while too little interest is considered /
반면 너무 적은 관심은 간주된다 /

equally questionable.
마찬가지로 문젯거리라고.

해석

1 ① 공정하게 보상되도록
② 완전히 제거되도록
④ 처음에 무시되도록

3 ① 행동에 관한 사회적 불문율
② 사회적 규범과 성 평등
③ 성 역할 전환의 이점들
④ 남성 패션에 관한 엄격한 사회 규범

해설

1 글의 서두에서는 남성들도 주의를 끌고 과시하기 위해 패션을 이용한다고 설명했지만, 역접의 연결어로 시작된 빈칸이 포함된 문장 이후로 남성의 패션에 대한 사회적 규범이 언급된다. 그리고 마지막 문장에서 남성은 패션에 대해 지나치게 관심을 보여도 관심을 보이지 않아도 모두 바람직하지 않게 여겨진다고 설명한다. 즉, 양쪽 어디로도 치우치지 않은 '균형 잡히도록' 상태를 남성들에게 요구한다는 것을 짐작할 수 있다. 따라서 빈칸에는 ③ '신중하게 균형 잡히도록'이 들어가야 한다.

2 글은 전체적으로 여성이 아닌 남성들에게 유독 엄격하게 적용되는 사회적 규범에 대해 설명하는 글인 데 비해, 세 번째 문장은 특정한 유형의 옷을 입는 것에 의도적 목적이 있을 수 있다고 주장하므로 글의 흐름과 관련이 없다. 따라서 정답은 ② (B)이다.

3 이 글은 사회적 규범이 남성들에게 신중하게 균형 잡힌 태도로 패션을 대하도록 요구한다는 내용이다. 따라서 글의 제목으로는 ④ '남성 패션에 관한 엄격한 사회 규범'이 적절하다. 나머지 보기는 남성의 패션이라는 핵심어가 언급되지 않았으므로 모두 답이 될 수 없다.

전문해석

남성들은 주의를 끌고 개인의 과시에 대한 욕구를 충족하기 위해 항상 패션을 이용해 왔다. 여성들이 신체의 가치를 높이고 신체를 꾸미고 보정하기 위해 의복에 의지한 유일한 존재는 아니다. 그럼에도 불구하고, 사회적 규범은 패션에 대한 남성의 관심이 <u>신중하게 균형 잡히도록</u> 오랫동안 요구해 왔다. 패션과 개인의 외모에 대한 너무 큰 관심은 허영심이 강할 뿐 아니라 남자답지 못한 것으로 해석될 수 있는 반면, 너무 적은 관심은 마찬가지로 문젯거리라고 간주된다.

어휘

- enhance (가치를) 높이다
- adorn 꾸미다
- modify 보정하다
- specific 특정한
- deliberate 의도적인
- interpret 해석하다
- in terms of ~의 면에서
- norm 규범
- vain 허영심 강한
- unmanly 남자답지 못한
- questionable 문젯거리인
- fairly 공정하게
- remove 제거하다
- initially 처음에
- unwritten rule 불문율
- reversal 전환

정답 1 ③ 2 ② 3 ④

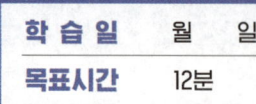

103 각 문장을 끊어 읽고 해석한 후 제시된 문제에 답하시오.

01
The only way for different marine animals to survive in their harsh aquatic environment is to _____
02
each other. This is especially true in the case of the clownfish and the poisonous sea anemone.

03
(A) Other fish, fearing the anemone's poison, won't attack the clownfish there.
04
(B) On the other hand, the anemone benefits by eating leftover food provided by the clownfish.
05
(C) In return for cleaning the anemone, the clownfish, which is not affected by the anemone's poison, lives safely among the animal's tentacles.

1 주어진 문장 다음에 이어질 글의 순서로 올바른 것은?

① (B) – (A) – (C) ② (B) – (C) – (A)
③ (C) – (A) – (B) ④ (C) – (B) – (A)

2 글의 제목으로 가장 적절한 것은?

① How Clownfish Avoid Poisonous Sea Anemone
② Clownfish, The Fearless Warriors of the Sea
③ What Benefits Does the Sea Anemone Gain from Clownfish
④ Mutual Benefits for Survival: Clownfish and Sea Anemone

3 빈칸에 들어갈 말로 가장 적절한 것은?

① fight against   ② take turns with
③ collaborate with   ④ keep a distance from

103 구문분석 & 문장분석

01
The only way (for different marine animals to survive / in their harsh aquatic environment) /
(서로 다른 해양 동물들이 살아남는 / 혹독한 수중 환경에서) 유일한 방법은 /
is to collaborate with each other.
서로 협력하는 것이다.

02
This is especially true /
이것은 특히 적용된다 /
in the case (of the clownfish and the poisonous sea anemone).
(흰동가리와 독을 가진 말미잘의) 경우에.

03
(A) Other fish, / fearing the anemone's poison, /
다른 물고기는, / 말미잘의 독을 무서워하여 /
won't attack the clownfish there.
그곳에 있는 흰동가리를 공격하지 않을 것이다.

04
(B) On the other hand, / the anemone benefits /
이에 반해, / 말미잘은 혜택을 본다 /
by eating leftover food (provided by the clownfish).
(흰동가리에 의해 제공되는) 남은 음식을 먹음으로써.

05
(C) In return (for cleaning the anemone), /
(말미잘을 청결하게 해 주는 것에 대한) 보답으로, /
the clownfish, (which is not affected by the anemone's poison), /
(말미잘의 독에 영향을 받지 않는) 흰동가리는, /
lives safely / among the animal's tentacles.
안전하게 산다 / 그 동물(말미잘)의 촉수들 사이에서.

해석

2 ① 흰동가리가 어떻게 독이 있는 말미잘을 피하는지
   ② 흰동가리, 용감한 바다의 전사들
   ③ 말미잘은 흰동가리로부터 어떤 혜택을 보는가
   ④ 생존을 위한 상호 이익: 흰동가리와 말미잘

3 ① 싸우는   ② 교대하는   ④ 거리를 유지하는

해설

1 주어진 글에서 해양 동물들이 살아남기 위해 서로 협력한다고 했는데, (A)는 흰동가리가 받는 혜택을, (B)는 말미잘이 받는 혜택을, 그리고 (C)는 말미잘과 흰동가리가 서로 도와주는 것을 설명하고 있다. 그러므로 (C)가 주어진 글에 가장 먼저 연결되고 그다음 (A)와 (B)가 오는데, (B)는 역접의 연결어 On the other hand로 시작하고 있으므로 (A) - (B)의 순서가 자연스럽다. 결국 주어진 글 다음에 ③ (C) - (A) - (B)의 순서로 이어지는 것이 가장 자연스럽다.

2 첫 번째 문장이 주제문으로 해양 동물들의 살아남기 위한 협력에 대해 설명하고 있다. 그중에 특히 말미잘과 흰동가리에 대해 이야기하고 있으므로 정답은 ④ '생존을 위한 상호 이익: 흰동가리와 말미잘'이다. ③의 경우 말미잘이 흰동가리에게서 얻는 혜택만을 언급하고 있으므로 답이 될 수 없다.

3 첫 번째 문장이 주제문으로 주제문을 완성하는 문제이다. 뒤에서 이어지는 말미잘과 흰동가리의 예시에서 빈칸을 유추해야 한다. 말미잘과 흰동가리가 서로 도와주고 보호함으로써 생존을 유지하고 있으므로 빈칸에는 '돕는다', '협력한다' 등의 의미가 와야 함을 유추할 수 있다. 따라서 정답은 ③ '협력하는'이다.

전문해석

혹독한 수중 환경에서 서로 다른 해양 동물들이 살아남는 유일한 방법은 서로 협력하는 것이다. 이것은 특히 흰동가리와 독을 가진 말미잘의 경우에 적용된다. 말미잘을 청결하게 해 주는 것에 대한 보답으로 말미잘의 독에 영향을 받지 않는 흰동가리는 그 동물(말미잘)의 촉수들 사이에서 안전하게 산다. 다른 물고기는 말미잘의 독을 무서워하여 그곳에 있는 흰동가리를 공격하지 않을 것이다. 이에 반해 말미잘은 흰동가리에 의해 제공되는 남은 음식을 먹음으로써 혜택을 본다.

어휘

- aquatic 수중의
- clownfish 흰동가리
- poisonous 독이 있는
- sea anemone 말미잘
- leftover 남은 음식
- tentacle 촉수
- take turns 교대하다
- collaborate 협력하다
- keep a distance 거리를 유지하다

정답 1 ③ 2 ④ 3 ③

104 다음 글의 내용과 일치하지 않는 것은?

Be Up for the Bike Tour with Scenic Views!

Join us for an invigorating ride through stunning natural trails and breathtaking scenery! Dust off your bikes and gather your friends for a day of exploration and fitness.

- **Date**: Sunday, August 20th
- **Time**: Starting at 8:00 a.m.
- **Location**: Riverside Park
- **Tickets**: $15 per rider (No group rate)
- **Entry**: Open to all ages and skill levels

Pedal through lush landscapes, cross serene rivers, and enjoy the fresh air!

Complimentary snacks and drinks provided at the rest stops to keep you energized throughout the tour.

Mark your calendars and rally your friends for a day of unforgettable fun at the Bike Tour!

① 모든 연령대가 참가할 수 있다.
② 참가자가 자전거를 가져와야 한다.
③ 무료 간식과 음료가 제공된다.
④ 단체 할인이 제공된다.

105 다음 글의 내용과 일치하지 않는 것은?

Make up Your Own Tour

The following tours have been designed to take in as many of the country's highlights as possible, while keeping long-distance travel manageable. The first tour outlined here is a 2-day tour of Austria's fascinating capital, Vienna, a city packed with monuments, family attractions and cultural diversions. This itinerary can be followed by individual travel or combined with a week-long group tour, with any of the regional itineraries following. Next, there are four two-week tours, covering the forests and vineyards of Eastern Austria, the historic treasures and sub-Alpine hills of Southern Austria, the lakes-and-mountains wonderland of Salzburg and the Salzkammergut, and the stunning highland scenery of the Austrian Alps. Choose and combine tours, and be inspired by our best tours.

* sub-Alpine: 아고산대의

① The first tour's destination is the capital of Austria.
② After the first tour one can take a 7-day tour.
③ The second tour is four fortnight's tours.
④ All the tours are scheduled to visit Austria's cities.

104

해석

아름다운 경관이 있는 자전거 여행에 참여하세요!

아주 멋진 자연의 오솔길과 놀라운 경치를 따라서 기분을 돋우는 주행을 함께 해요! 탐험과 운동의 날을 위해 자전거를 오랜만에 꺼내고 친구들을 모으세요.

- **날짜**: 8월 20일 일요일
- **시간**: 오전 8시에 시작
- **장소**: Riverside 공원
- **입장표**: 주행자 1명당 15달러 (단체 요금 없음)
- **참가**: 모든 나이와 숙련도 참여 가능

푸르게 우거진 풍경을 따라 페달을 밟고 잔잔한 강을 건너며 신선한 공기를 즐기세요!

여정 내내 여러분의 활기를 계속 돋우기 위해 휴게소에서 무료 간식과 음료가 제공됩니다.

자전거 여행에서 잊을 수 없는 즐거운 하루를 보내기 위해 달력에 표시해두고 친구들을 불러 모으세요!

해설

④ <입장표>에 단체 요금이 없다고 했으므로 글의 내용과 일치하지 않는다.
① <참가>에 모든 나이가 참여 가능하다고 했으므로 글의 내용과 일치한다.
② 두 번째 문장에서 방치해둔 자전거를 오랜만에 꺼내라고 했으므로 글의 내용과 일치한다.
③ 마지막에서 두 번째 문장에서 무료 간식과 음료가 제공된다고 했으므로 글의 내용과 일치한다.

어휘

- be up for ~에 참여하다
- ride 주행
- trail 오솔길
- dust off (방치한 물건을) 오랜만에 꺼내다
- group rate 단체 (할인) 요금
- lush 푸르게 우거진
- complimentary 무료
- rally 불러 모으다
- invigorating 기분을 돋우는
- stunning 아주 멋진
- breathtaking 놀라운
- entry 참가
- serene 잔잔한
- rest stop 휴게소

정답 ④

105

해석

당신만의 여행을 만들어보세요

다음 여행은 장거리 여행을 감당하기 쉽게 하는 한편 가능한 한 그 나라의 가장 흥미로운 부분을 많이 방문하도록 고안되었습니다. 여기서 간단히 설명되는 첫 번째 여행은 오스트리아의 매혹적인 수도이자 유적과 가족 관광명소, 문화적 유희로 가득한 도시인 비엔나의 1박 2일 여행입니다. 이 여행 일정은 개인 여행으로 이어지거나 1주일간의 단체 여행과 결합될 수도 있고, 지역별 일정 중 어느 것이든 이어질 수 있습니다. 다음으로, 오스트리아 동부의 숲과 포도밭, 오스트리아 남부의 역사적인 보물과 아고산대 언덕, 잘츠부르크와 잘츠카머구트의 호수와 산으로 덮인 멋진 곳, 그리고 오스트리아 알프스의 멋진 산악지대 풍경을 아우르는, 네 개의 2주 여행이 있습니다. 여행들을 고르고 결합해서, 우리의 최고 여행들에서 영감을 얻으세요.

① 첫 번째 여행의 목적지는 오스트리아의 수도이다.
② 첫 번째 여행 이후에 7일간의 여행을 할 수 있다.
③ 두 번째 여행은 네 개의 2주간의 여행이다.
④ 모든 여행은 오스트리아의 도시를 방문할 예정이다.

해설

④ 네 번째 문장에서 오스트리아 동부의 숲과 포도밭, 오스트리아 남부의 역사적인 보물과 아고산대 언덕, 잘츠부르크와 잘츠카머구트의 호수와 산으로 덮인 멋진 곳, 그리고 오스트리아 알프스의 멋진 산악지대 풍경을 아우르는 여행이 있다고 했으므로 글의 내용과 일치하지 않는다.
① 두 번째 문장에서 첫 번째 여행은 오스트리아의 매혹적인 수도로 간다고 했으므로 글의 내용과 일치한다.
② 세 번째 문장에서 이 여행 일정은 1주일간의 단체 여행과 결합될 수도 있다고 했으므로 글의 내용과 일치한다.
③ 네 번째 문장에서 다음으로 네 개의 2주 여행이 있다고 했으므로 글의 내용과 일치한다.

어휘

- design 고안하다
- manageable 감당하기 쉬운
- fascinating 매혹적인
- be packed with ~으로 가득하다
- attraction 관광명소
- itinerary 여행 일정
- vineyard 포도밭
- treasure 보물
- stunning 멋진
- scenery 풍경
- fortnight 2주
- take in ~을 방문하다
- outline 간단히 설명하다
- capital 수도
- monument 유적
- diversion 유희
- regional 지역적인
- historic 역사적인
- wonderland 멋진 곳
- highland 산악지대의
- destination 목적지

정답 ④

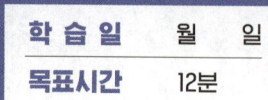

106 각 문장을 끊어 읽고 해석한 후 제시된 문제에 답하시오.

01 Some believe that large markets are **inevitable**; to artificially force limitations will slow progress. (A) 02 Advocates of world economies feel that economic exploitation is the first step a country must take to see its full economic potential. (B) 03 Indeed, corporations tapping into undeveloped or developing markets are making an investment in the country's basic infrastructure. (C) 04 Opponents argue that global markets endorse worker exploitation. 05 (D) Some foreign markets lack labor laws, so it is easy for businesses to move in and take advantage of people.

1 다음 문장이 들어갈 위치로 가장 적절한 것은?

> Further, most countries see at least some degree of progress with foreign businesses moving in.

① (A) ② (B)
③ (C) ④ (D)

2 글의 제목으로 가장 적절한 것은?

① Exploiting Foreign Labor in Global Markets
② The Benefits Foreign Businesses Get from Developing Countries
③ The Inevitability of Limitations on Large Markets
④ The Debate over Large Markets and Economic Exploitation

3 밑줄 친 부분의 의미와 가장 가까운 것은?

① unavoidable ② unquenchable
③ impeccable   ④ invaluable

106 구문분석 & 문장분석

01
Some believe // that large markets are inevitable; //
어떤 사람들은 믿는다 // 거대 시장이란 피할 수 없다고; //

to artificially force limitations / will slow progress.
인위적으로 제한을 강제하는 것은 / 발전을 늦추게 될 것이다.

02
Advocates (of world economies) feel //
(세계 경제의) 옹호자들은 생각한다 //

that economic exploitation is the first step (a country must take /
경제 개발이야말로 첫걸음이라고 (한 나라가 내디뎌야 할 /

to see its full economic potential).
충분한 경제적 잠재력을 경험하기 위해).

03
Indeed, /
실제로, /

corporations (tapping into undeveloped or developing markets) are making an investment /
(저개발국이나 개발도상국 시장의 문을 두드리고 있는) 기업들은 투자하고 있다 /

in the country's basic infrastructure.
그 나라의 기초적인 사회 기반 시설에.

삽입 문장
Further, /
더욱이 /

most countries see at least some degree of progress /
대부분의 나라는 적어도 어느 정도의 발전을 보게 된다 /

with foreign businesses moving in.
외국 기업들이 들어오면서.

04
Opponents argue //
반대론자들은 주장한다 //

that global markets endorse worker exploitation.
세계 시장이란 노동력 착취를 지지해 주는 것이라고.

05
Some foreign markets lack labor laws, // so it is easy /
몇몇 외국 시장들은 노동 법규가 결여되어 있다, // 그래서 쉽다 /

for businesses to move in and take advantage of people.
기업체들이 진입해 사람들을 이용하기가.

해석

2 ① 세계 시장에서 외국 노동력에 대한 착취
② 외국계 기업들이 개발도상국으로부터 얻는 혜택
③ 거대 시장에 대한 제한의 불가피성
④ 거대 시장과 경제 개발에 관한 논란

해설

1 주어진 문장의 Further라는 단어로 보아, 이 앞에 외국 기업들이 끼치는 긍정적 영향이 먼저 설명되어야 한다. 지문을 보면 (C)의 앞까지는 모두 거대 시장을 긍정적으로 보는 주장들이 소개되는데, 거대 시장에 대한 약한 옹호론에서부터 점차 강한 옹호론으로 끌어올려지면서 강조의 효과를 높이는 점층법으로 글이 진행되고 있음을 알 수 있다. 따라서 거대 시장의 긍정적인 효과를 가장 강하고 명료하게 설명한 주어진 문장은 옹호자의 주장 가운데 제일 마지막에 들어가는 것이 적절하다. 따라서 정답은 ③ (C)이다.

2 첫 번째 문장에서 글의 소재인 '거대 시장'이 언급된다. 이러한 거대 시장, 즉 국제 시장에 대한 두 가지 견해가 advocates와 opponents를 통해 제시된다. 처음에는 옹호자들의 의견이 제시되고 네 번째 문장부터는 반대론자들의 의견이 제시된다. 두 의견을 균형 있게 제시하고 있으므로 이 글의 제목으로 가장 적절한 것은 ④ '거대 시장과 경제 개발에 관한 논란'이다. ①은 반대론자들의 의견이며 ②는 언급되지 않았다. ③은 도입부 문장을 정반대로 해석한 것이다.

전문해석

어떤 사람들은 거대 시장이란 피할 수 없다고 믿는다; 인위적으로 제한을 강제하는 것은 발전을 늦추게 될 것이다. 세계 경제의 옹호자들은 경제 개발이야말로 한 나라가 충분한 경제적 잠재력을 경험하기 위해 내디뎌야 할 첫걸음이라고 생각한다. 실제로 저개발국이나 개발도상국 시장의 문을 두드리고 있는 기업들은 그 나라의 기초적인 사회 기반 시설에 투자하고 있다. 더욱이 대부분의 나라는 외국 기업들이 들어오면서 적어도 어느 정도의 발전을 보게 된다. 반대론자들은 세계 시장이란 노동력 착취를 지지해 주는 것이라고 주장한다. 몇몇 외국 시장들은 노동 법규가 결여되어 있어서 기업체들이 진입해 사람들을 이용하기가 쉽다.

어휘

- inevitable 피할 수 없는
- limitation 제한
- advocate 옹호자
- potential 잠재력
- undeveloped 저개발국의
- opponent 반대론자
- take advantage of ~을 이용하다
- debate 논란
- unquenchable 해소할 수 없는
- invaluable 귀중한
- artificially 인위적으로
- progress 발전
- exploitation 개발
- tap (가볍게) 두드리다
- infrastructure 사회 기반 시설
- endorse 지지하다
- benefit 혜택
- unavoidable 피할 수 없는
- impeccable 완벽한

정답 1 ③ 2 ④ 3 ①

107 각 문장을 끊어 읽고 해석한 후 제시된 문제에 답하시오.

01
In Bootle, England, a city of 55,000, people were bombed nightly for a week during World War II with only 10 percent of the houses escaping serious damage. 02 (A) Yet one-fourth of the population remained asleep in their homes during the raids. 03 (B) Only 37 percent of the London mothers and children who were eligible for evacuation left the city during the war crisis. 04 (C) Similar findings are on record for Germany and Japan during World War II. 05 (D) This should not be surprising, for human beings have a very strong tendency to _____.

1 빈칸에 들어갈 말로 가장 적절한 것은?

① continue with their established behavior patterns
② play a definite role within their group
③ run away in a panic during emergency situations
④ initiate new courses of action

2 다음 문장이 들어갈 위치로 가장 적절한 것은?

> Furthermore, even during periods of heavy bombing in London, evacuees drifted back nearly as rapidly as they were being evacuated.

① (A)　　② (B)
③ (C)　　④ (D)

3 글의 내용과 일치하는 것은?

① In Bootle, England, almost 55,000 people were wounded by the bombing raids during World War II.
② Nightly bombings for a week caused significant damage to 10% of the houses in Bootle.
③ A quarter of the total population in Bootle remained asleep in their homes during the raids.
④ Only 37 percent of the London mothers and children eligible for escaping remained in the city during the crisis.

문장 분석 및 해설

107 구문분석 & 문장분석

01
In Bootle, England, (a city of 55,000), /
(55,000명이 거주하는 도시인) 영국의 Bootle에서, /

people were bombed / nightly for a week /
사람들이 폭격을 받았다 / 일주일 동안 밤마다 /

during World War II /
제2차 세계 대전 기간에 /

with only 10 percent of the houses escaping serious damage.
그 지역 주택의 겨우 10퍼센트만이 심각한 피해를 면한 채.

02
Yet / one-fourth (of the population) remained asleep /
하지만 / (인구의) 4분의 1은 계속 잠을 잤다 /

in their homes / during the raids.
자신들의 집안에서 / 습격이 진행되는 동안에도.

03
Only 37 percent (of the London mothers and children (who were eligible for evacuation)) /
((피난할 수 있었던) 런던의 어머니들과 아이들 중) 37퍼센트만이 /

left the city / during the war crisis.
그 도시를 떠났다 / 전쟁의 위기 동안.

삽입 문장
Furthermore, /
더욱이, /

even during periods of heavy bombing in London, /
런던에서의 집중 폭격 기간 동안조차, /

evacuees drifted back nearly as rapidly /
피난민들은 빠르게 되돌아왔다 /

as they were being evacuated.
그들이 거의 피난갔던 것만큼.

04
Similar findings are on record /
비슷한 발견들이 기록에 남아 있다 /

for Germany and Japan / during World War II.
독일과 일본에 대해서도 / 제2차 세계 대전 동안.

05
This should not be surprising, //
이것은 놀랄 일이 아니다, //

for human beings have a very strong tendency (to continue with their established behavior patterns).
왜냐하면 인간은 (확립된 행동 양식을 계속하는) 아주 강한 성향을 가지고 있기 때문이다.

어휘

- □ nightly 밤마다
- □ eligible ~할 수 있는
- □ tendency 경향
- □ evacuee 피난민
- □ wound 상처를 입히다
- □ raid 습격
- □ evacuation 피난
- □ initiate 시작하다
- □ evacuate 피난 가다
- □ bombing raid 폭격

해석

1 ② 단체 안에서 한정된 역할을 하는
③ 위급한 상황 동안에 공포에 질려 도망치는
④ 새로운 행동 방침들을 시작하는

3 ① 영국의 Bootle에서, 제2차 세계 대전 동안 폭격에 의해 거의 55,000명이 부상을 입었다.
② 일주일 동안 매일 밤 폭격으로 인해 Bootle에 있는 10퍼센트의 주택이 상당한 피해를 입었다.
③ Bootle의 전체 인구 중 4분의 1은 습격을 받는 도중에도 집에서 잠들어 있었다.
④ 탈출할 수 있었던 런던의 어머니와 아이들 중 단지 37퍼센트만이 전쟁 위기 동안 도시에 남아 있었다.

해설

1 빈칸이 있는 문장이 글의 주제문인데, 글의 후반부에 있으므로 미괄식 글의 주제문을 완성하는 문제이다. 앞에서 계속되는 예시들의 내용을 파악함으로써 빈칸의 내용을 유추할 수 있다. 예시에 따르면 많은 사람들이 폭격 속에서도 탈출하지 않고, 또는 탈출했더라도 빠르게 되돌아오는 경향이 있음을 파악할 수 있다. 따라서 빈칸에는 ① '확립된 행동 양식을 계속하는'이 적절하다. ④는 글의 내용과 반대이며 ②, ③은 언급되지 않았다.

2 Furthermore를 통해 주어진 문장이 어떤 사건의 부연 설명임을 유추할 수 있다. 또한 evacuees를 통해 대피 이후에 관한 내용임을 알 수 있다. (C) 앞에서 런던의 어머니들과 아이들 중 37퍼센트만이 도시를 떠났다는 내용이 언급된다. 따라서 주어진 문장은 (C)의 자리에 오는 것이 가장 적절하다. (C) 뒤에서는 더 이상 피난에 대한 언급이 없으므로 (D)도 적절하지 않다. 정답은 ③ (C)이다.

3 ③ 두 번째 문장에서 인구의 4분의 1은 습격이 진행되는 동안 집안에서 계속 잤다고 했으므로 글의 내용과 일치한다.
① 첫 번째 문장에서 Bootle에 55,000명이 거주한다고 했을 뿐 거주자 모두 다쳤다는 내용은 없으므로 글의 내용과 일치하지 않는다.
② 첫 번째 문장에서 일주일 동안 매일 밤 폭격으로 주택 10%만이 심각한 피해를 면했다고 했으므로 글의 내용과 일치하지 않는다.
④ 세 번째 문장에서 피난할 수 있었던 런던의 어머니들과 아이들 중 37퍼센트만이 도시를 떠났다고 했으므로 글의 내용과 일치하지 않는다.

전문해석

55,000명이 거주하는 도시인 영국의 Bootle에서, 사람들이 제2차 세계 대전 기간에 그 지역 주택의 겨우 10퍼센트만이 심각한 피해를 면한 채 일주일 동안 밤마다 폭격을 받았다. 하지만 인구의 4분의 1은 습격이 진행되는 동안에도 자신들의 집안에서 계속 잠을 잤다. 피난할 수 있는 런던의 어머니들과 아이들 중 37퍼센트만이 전쟁의 위기 동안 그 도시를 떠났다. 더욱이, 런던에서의 집중 폭격 기간 동안조차, 피난민들은 그들이 거의 피난갔던 것만큼이나 빠르게 되돌아왔다. 제2차 세계 대전 동안 독일과 일본에 대해서도 비슷한 발견들이 기록에 남아 있다. 이것은 놀랄 일이 아닌데, 왜냐하면 인간은 확립된 행동 양식을 계속하는 아주 강한 성향을 가지고 있기 때문이다.

정답 1 ① 2 ③ 3 ③

108 다음 글을 읽고 물음에 답하시오.

To: Alice Buffet
From: John Smith
Date: July 25
Subject: Exciting Opportunity with Smith Foundation

Dear Alice Buffet,

I hope you're well. I'm writing to share a rewarding volunteer opportunity at Smith Foundation. We're dedicated to helping astray animals, and we're looking for passionate individuals to join us.

Currently, we have openings for volunteers to assist with event coordination. This is a great chance for you to make a direct impact while gaining valuable experience.

If you're interested in learning more or applying, please visit Smith Foundation's website at www.smithfoundation.com.

Thank you for considering this opportunity to **contribute** to our cause. We look forward to hearing from you!

Best regards,
John Smith

1 다음 글의 목적으로 알맞은 것은?

① 자원봉사 요원을 모집하려고
② 자원봉사 기금을 모금하려고
③ 자원봉사 기획을 논의하려고
④ 자원봉사 행사를 안내하려고

2 밑줄 친 contribute의 의미로 가장 알맞은 것은?

① donate
② cause
③ serve
④ propose

109 Incheon City's Housing Policies for Newlyweds and Families에 관한 다음 글의 내용과 일치하지 않는 것은?

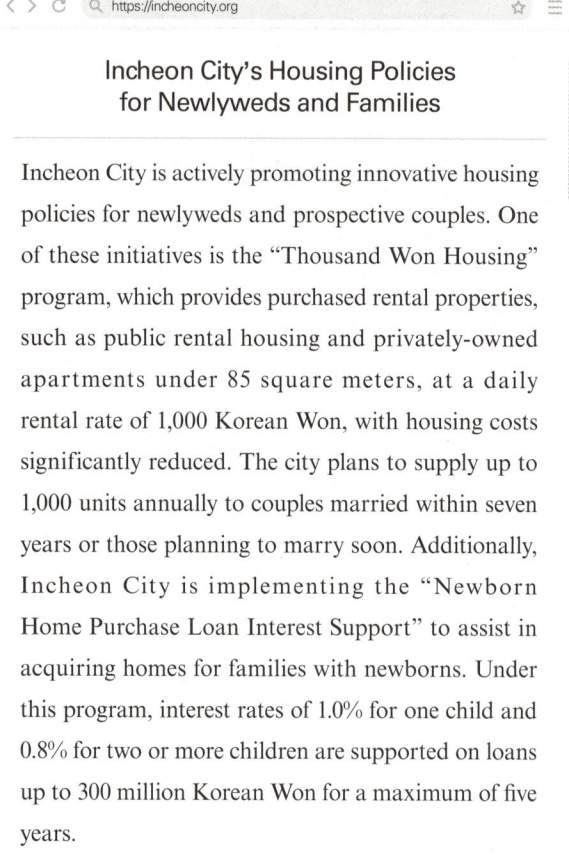

Incheon City's Housing Policies for Newlyweds and Families

Incheon City is actively promoting innovative housing policies for newlyweds and prospective couples. One of these initiatives is the "Thousand Won Housing" program, which provides purchased rental properties, such as public rental housing and privately-owned apartments under 85 square meters, at a daily rental rate of 1,000 Korean Won, with housing costs significantly reduced. The city plans to supply up to 1,000 units annually to couples married within seven years or those planning to marry soon. Additionally, Incheon City is implementing the "Newborn Home Purchase Loan Interest Support" to assist in acquiring homes for families with newborns. Under this program, interest rates of 1.0% for one child and 0.8% for two or more children are supported on loans up to 300 million Korean Won for a maximum of five years.

① "Thousand Won Housing" program offers housing for 1,000 won a day.
② It will supply up to 1,000 houses a year to newlyweds and prospective newlyweds.
③ A 1.0% interest rate is provided for the childbirth of three or more children.
④ The loan applicants can receive loans of up to 300 million won per year for up to five years.

108

해석

수신: Alice Buffet
발신: John Smith
날짜: 7월 25일
제목: Smith 재단과 함께하는 흥미로운 기회

Alice Buffet님께,

잘 지내고 계시길 바랍니다. Smith 재단에서 보람 있는 자원봉사 기회를 공유하고자 글을 씁니다. 저희는 길 잃은 동물들을 돕는 일에 전념하고 있으며, 함께할 열정적인 분들을 찾고 있습니다.

현재 행사 진행을 도와줄 자원봉사자 자리가 마련되어 있습니다. 이 기회는 당신이 귀중한 경험을 쌓는 동시에 직접적인 영향을 미칠 수 있는 좋은 기회입니다.

자세한 내용이나 지원에 관심이 있다면 Smith 재단의 웹사이트 www.smithfoundation.com을 방문해 주시길 바랍니다.

저희 조직에 기여할 기회를 고려해 주셔서 감사합니다. 당신의 연락을 기다리겠습니다!

감사합니다,
John Smith 드림

해설

1 이메일의 두 번째 문장에서 보람 있는 자원봉사의 기회를 나누기 위해 이메일을 쓰고 있다는 목적이 명확하게 드러나고 있다. 따라서 정답은 ① '자원봉사 요원을 모집하려고'이다.

어휘

- rewarding 보람 있는
- assist 돕다
- gain 얻다
- cause 조직; 야기하다
- serve 기여하다
- passionate 열정적인
- coordination 조정
- contribute 기여하다
- donate 기부하다
- propose 제안하다

정답 1 ① 2 ③

109

해석

신혼부부와 가족을 위한 인천시 주택 공급 정책

인천시는 신혼부부와 예비부부를 위한 혁신적인 주택 공급 정책을 적극적으로 홍보하고 있다. 이 새로운 계획 중 하나는 '천원 주택' 프로그램인데, 이것은 85제곱미터 이하의 공공 임대 주택과 개인 소유 아파트 같은 매입 임대 부동산을 하루 천 원의 임대료로 제공해, 주거비가 상당히 줄어들게 된다. 인천시는 결혼한 지 7년 이내의 부부나 곧 결혼할 계획이 있는 커플들에게 해마다 1,000가구까지 공급할 계획이다. 게다가, 인천시는 신생아가 있는 가정의 주택 취득을 돕기 위해 '신생아 특례 디딤돌 대출'을 실행하고 있다. 이 프로그램을 적용하면, 한 자녀 가정의 경우 1.0퍼센트, 두 자녀 이상인 가정의 경우 0.8퍼센트의 금리로 최대 5년 동안 3억 원까지 대출이 지원된다.

① '천원 주택' 제도는 하루에 천 원으로 주택을 임대한다.
② 이것은 신혼부부와 예비 신혼부부에게 1년에 최대 1,000가구의 주택을 제공할 것이다.
③ 1.0퍼센트의 이율이 세 자녀 이상을 출산한 사람들에게 제공된다.
④ 대출 신청자는 최대 5년 동안 3억 원까지의 대출을 받을 수 있다.

해설

③ 다섯 번째 문장에서 두 자녀 이상인 가정에 0.8퍼센트의 대출 금리가 지원된다고 했으므로 글의 내용과 일치하지 않는다.
① 두 번째 문장에서 '천원 주택' 프로그램이 매입 임대 부동산을 하루 천 원의 임대료로 제공한다고 했으므로 글의 내용과 일치한다.
② 세 번째 문장에서 인천시가 신혼부부와 예비 신혼부부에게 해마다 1,000가구까지 공급할 계획이라고 했으므로 글의 내용과 일치한다.
④ 다섯 번째 문장에서 최대 5년 동안 3억 원까지 대출이 지원된다고 했으므로 글의 내용과 일치한다.

어휘

- housing 주택 (공급)
- promote 홍보하다
- prospect 예비의
- purchase 매입하다
- property 부동산
- significantly 크게
- implement 실행하다
- Newborn Home Purchase Loan Interest Support 신생아 특례 디딤돌 대출
- interest rate 금리
- newborn 신생아
- newlyweds 신혼부부
- innovative 혁신적인
- initiative 새로운 계획
- rental 임대의
- square meter 제곱미터
- annually 해마다
- acquire 취득하다
- loan 대출(금)

정답 ③

110 다음 글의 내용과 일치하지 않는 것은?

Thomas Hill Fan Signing Event Announcement

Dear Readers,

We are thrilled to invite you to this exclusive fan signing event with acclaimed author Thomas Hill! Join us for a chance to meet the author, get your books signed, and enjoy his lecture which will be held before the signing event.

The author will be signing copies of his new book, *Genesis*, answering your questions, and having a lecture on his new book. Don't miss this unique opportunity to connect with your favorite author.

Event Details:

Date: July 25

Time: 2:00 p.m. - 5:00 p.m.

Location: Underground Lobby at the Metropolitan Books downtown

How to Participate:

Bring your copy of *Genesis* or buy one at the event.

Arrive early to secure your spot in the lecture (up to 50 persons).

For more information, please contact Ann Monday at 251-264-3742. We look forward to seeing you there!

① The question and answer session will be included.
② The author will lecture on his new book, *Genesis*.
③ The readers can purchase the new book on the spot.
④ The signing event will be followed by the author's lecture.

DAY 21~22 Exercises

[1~4] 양쪽에 주어진 말의 의미가 일맥상통하도록 선으로 연결하세요.

1 standardize   ○   ① done or said in a way that is planned or intended

2 deliberate   ○   ② at the place where something is happening

3 dust off   ○   ③ to change (things) so that they are similar and consistent and agree with rules about what is proper and acceptable

4 on the spot   ○   ④ to use (something) again after not using it for a long time

[5~7] 다음 문장의 끊어 읽기를 참고하여, 빈칸에 알맞은 해석을 쓰세요.

5 The only way for different marine animals to survive / in their harsh aquatic environment / is to collaborate with each other.
서로 다른 해양 동물들이 살아남는 유일한 방법은 / 혹독한 수중 환경에서 / _____.

6 Nevertheless, social norms have long required / that men's interest in fashion / be carefully balanced.
그럼에도 불구하고, / 사회적 규범은 오랫동안 요구해 왔다 / 패션에 대한 남성의 관심이 / _____.

7 Opponents argue / that global markets endorse worker exploitation.
반대론자들은 주장한다 / _____.

정답 1 ③ 2 ① 3 ④ 4 ② 5 서로 협력하는 것이다 6 신중하게 균형 잡히도록 7 세계 시장이란 노동력 착취를 지지해 주는 것이라고

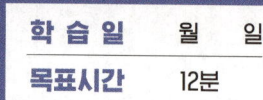

111 각 문장을 끊어 읽고 해석한 후 제시된 문제에 답하시오.

01
When a child is born into society, he is looked after by the parents, and learns to perform a function for society from them. 02 (A) As the child grows up, surrounded by brothers and sisters, parents, and sometimes by a member of the extended family group, he gradually learns things about the society in which he lives. 03 (B) For example, he will learn its language, its idea about right and wrong, its idea about what is funny and what is serious, and so on from his family. 04 (C) Census estimates the number of unmarried heterosexual couples who cohabit has reached a startling 6.4 million couples in 2007. 05 (D) In other words, the child will learn the culture of his society through his contact with, at first, _____.

1 글의 흐름상 가장 어색한 것은?
① (A) ② (B)
③ (C) ④ (D)

2 글의 제목으로 가장 적절한 것은?
① The Importance of Language Learning in a Child's Development
② Family Influence on a Child's Socialization and Cultural Learning
③ The Exclusivity of Siblings in Shaping a Child's Understanding of Society
④ The Absence of Parental Role in Shaping a Child's Cultural Identity

3 빈칸에 들어갈 말로 가장 적절한 것은?
① his mother language
② his peers and neighbors
③ his own generation
④ the members of his family

문장 분석 및 해설

111 구문분석 & 문장분석

01
When a child is born into society, // he is looked after /
아이가 사회에 태어날 때, // 그 아이는 돌봄을 받는다 /

by the parents, //
부모에 의해 //

and learns to perform a function for society /
그리고 (사회를 위한) 기능을 수행하도록 배우게 된다 /

from them.
부모로부터.

02
As the child grows up, //
그 아이가 자라면서, //

surrounded by brothers and sisters, parents, and sometimes by a member of the extended family group, //
형제와 자매들, 부모와 때때로 확대된 가족 구성원들에게 둘러싸인 채, //

he gradually learns things (about the society (in which he lives)).
그는 점차 ((그가 사는) 사회에 관한) 것들을 배운다.

03
For example, / he will learn /
예를 들어, / 그는 배울 것이다 /

its language, its idea (about right and wrong), its idea (about what is funny // and what is serious), and so on /
사회의 언어와, (옳고 그른 것에 관한) 생각, (무엇이 재미있고 // 무엇이 심각한 것인지에 관한) 생각 등을 /

from his family.
그의 가족에게서.

04
Census estimates //
인구 조사는 추정한다 //

the number of unmarried heterosexual couples (who cohabit) /
(동거하는) 미혼 이성 커플의 숫자가 /

has reached a startling 6.4 million couples / in 2007.
놀랄 만한 수치인 640만 쌍에 이른다고 / 2007년에.

05
In other words, /
다시 말해서, /

the child will learn the culture of his society /
그 아이는 그 사회의 문화를 배우게 될 것이다 /

through his contact with, (at first), the members of his family.
(처음에) 그의 가족 구성원과의 접촉을 통해.

해석

2 ① 아동 발달에서 언어 학습의 중요성
② 아동의 사회화와 문화 학습에 대한 가족의 영향력
③ 아동의 사회에 대한 이해력 형성에서 형제자매들의 독보성
④ 아동의 문화적 정체성 형성에서 부모 역할의 부재

3 ① 그의 모국어　　② 그의 친구들과 이웃　　③ 자신의 세대

해설

1 이 글은 한 아이가 태어나서 가족 구성원을 통해 언어나 문화적 사고방식 등을 배우면서 사회화되어 간다는 내용이다. 그러나 (C)는 동거하는 미혼 이성 커플의 수치에 대해 말하고 있으므로 글의 전체적인 흐름과 관계가 없다. 따라서 정답은 ③ (C)이다.

2 아이의 탄생 이후 사회화 과정을 설명한 후, 그 과정에서 가족의 역할의 중요성을 마지막 문장에서 정리하는 미괄식의 글이다. 비록 주제문에 빈칸이 있지만 앞 내용들에 근거해 답을 찾을 수 있다. 태어나서는 부모에게 보살핌을 받고 그 이후에는 확대 가족 구성원에게 사회를 배운다는 내용을 구체적 예시를 들어 설명한다. 이는 사회화에서의 가족들의 역할에 관한 내용이므로 정답은 ② '아동의 사회화와 문화 학습에 대한 가족의 영향력'이다. 언어의 중요성이나 형제자매의 독보성, 혹은 부모 역할의 부재에 관한 내용은 언급되지 않았으므로 ①, ③, ④는 답이 될 수 없다.

3 In other words로 이어지는 마지막 문장은 앞에서 설명되던 내용들을 재진술하는 주제문이므로, 앞에서 설명한 내용을 모두 포함해야 한다. 처음 세 문장 모두 아이가 탄생 이후 부모를 포함한 확대 가족 구성원들에게 여러 가지를 배운다는 내용을 단계적으로 설명한다. 따라서 사회의 문화를 '가족 구성원들'과의 접촉을 통해 배우게 된다는 내용이 적합하다. 따라서 정답은 ④ '그의 가족 구성원'이다.

전문해석

아이가 사회에서 태어날 때, 그 아이는 부모에 의해 돌봄을 받으며 부모로부터 사회를 위한 기능을 수행하도록 배우게 된다. 그 아이가 형제와 자매들, 그의 부모와 때때로 확장된 가족 구성원에게 둘러싸인 채 자라면서, 그는 점차 그가 사는 사회에 관한 것들을 배운다. 예를 들어, 그는 사회의 언어와 옳고 그른 것에 관한 생각, 무엇이 재미있고, 무엇이 심각한 것인지에 관한 생각 등을 가족에게서 배울 것이다. 다시 말해서, 그 아이는 처음에 <u>그의 가족 구성원</u>과의 접촉을 통해 그 사회의 문화를 배우게 될 것이다.

어휘

- perform 수행하다
- function 기능
- extended family 확대가족
- census 인구 조사
- estimate 추정하다
- unmarried 미혼의
- heterosexual 이성의
- cohabit (미혼 남녀가) 동거하다
- startling 깜짝 놀라게 하는
- socialization 사회화
- exclusivity 독보성
- sibling 형제자매
- absence 부재

정답 1 ③　2 ②　3 ④

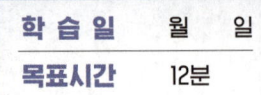

112 각 문장을 끊어 읽고 해석한 후 제시된 문제에 답하시오.

01
President Roosevelt openly blamed the greed of many Americans for the Depression and acted to **rectify** the
02
problem. At that time, people with a lot of currency or gold hoarded them and did not put them into banks because of the fear of losing their money.

03
(A) It also allowed the government to seize the gold of private citizens in exchange for paper money.
04
(B) This made the Depression worse because banks had no money and were forced to close.
05
(C) In response, Roosevelt enacted the "Emergency Banking Act" which worked to shut down insolvent banks so that they could be reconstructed.

1 주어진 글 이후에 이어질 글의 순서로 올바른 것은?

① (B) – (A) – (C) ② (B) – (C) – (A)
③ (C) – (A) – (B) ④ (C) – (B) – (A)

2 글의 내용과 일치하지 않는 것은?

① President Roosevelt publicly criticized the greed of many Americans for the Depression.
② The hoarding of currency and gold contributed to the worsening of the Depression.
③ The Act by Roosevelt failed to make the government seize the gold hoarded by individuals.
④ Roosevelt enacted the "Emergency Banking Act" to facilitate the reconstruction of insolvent banks.

3 밑줄 친 부분의 의미와 가장 가까운 것은?

① improve   ② correct
③ examine   ④ worsen

112 구문분석 & 문장분석

01
President Roosevelt openly blamed /
루스벨트 대통령은 공개적으로 비난했다 /

the greed of many Americans / for the Depression //
많은 미국인들의 탐욕을 / 대공황에 대한 책임으로 //

and acted to rectify the problem.
그리고 그 문제를 바로잡기 위한 행동을 취했다.

02
At that time, / people (with a lot of currency or gold) hoarded them //
그 당시, / (많은 통화나 금을 가진) 사람들은 그것들을 비축했다 //

and did not put them into banks /
그리고 은행에 그것들을 넣지 않았다 /

because of the fear of losing their money.
자신의 돈을 잃어버릴까 두려워서.

03
(A) It also allowed /
그것은 또한 해주었다 /

the government to seize the gold (of private citizens) /
정부가 (개개 시민들의) 금을 획득하도록 /

in exchange for paper money.
지폐와의 교환으로.

04
(B) This made the Depression worse //
이것이 대공황을 더욱 악화시켰다 //

because banks had no money //
왜냐하면 은행들이 돈이 없었다 //

and were forced to close.
그래서 문을 닫아야 했다.

05
(C) In response, /
이에 대응하여, /

Roosevelt enacted the "Emergency Banking Act" (which worked to shut down insolvent banks // so that they could be reconstructed).
루스벨트는 (파산한 은행들이 문을 닫도록 만드는 // 그것들이 재건될 수 있도록 하기 위해) 긴급은행법을 제정했다.

해석

2 ① 루스벨트 대통령은 대공황에 대하여 많은 미국인들의 탐욕을 공공연하게 비난했다.
② 통화와 금을 축적하는 것이 대공황을 악화시키는 데 기여했다.
③ 루스벨트가 제정한 법안은 정부로 하여금 개인이 축적한 금을 획득하도록 하는 데 실패했다.
④ 루스벨트는 파산한 은행의 재건을 촉진하기 위해 '긴급은행법'을 제정했다.

해설

1 주어진 글에서 루스벨트 대통령은 대공황 시대 미국인들의 현금과 금 축적 행태를 비난했다. (B)에서 이것(This)이 대공황을 악화시켰다고 했으므로 주어진 글의 두 번째 문장이 원인에 해당하고, (B)를 그 결과로 볼 수 있어 (B)가 가장 먼저 연결된다. (C)에서 그러한 행태에 대응하여 (In response) 긴급은행법을 제정했다고 하는데, 이는 대공황을 악화시킨 것에 대한 대응이므로 (B)의 다음에 연결되는 것이 자연스럽다. 마지막으로 (A)의 주어 It이 가리키는 것은 (C)에 있는 the Emergency Banking Act이므로 (C)-(A)로 연결될 수 있다. 따라서 정답은 ② (B)-(C)-(A)이다.

2 ③ 마지막(03번) 문장에서 '그것'이 정부가 개개 시민들의 금을 지폐와 교환하여 획득하도록 해주었다고 했는데 '그것'은 네 번째(05번) 문장의 '긴급은행법'을 가리킨다. 따라서 글의 내용과 일치하지 않는다.
① 첫 번째 문장에서 루스벨트 대통령은 대공황에 대한 책임으로 많은 미국인들의 탐욕을 공개적으로 비난했다고 했으므로 글의 내용과 일치한다.
② 두 번째 문장에서 통화나 금을 가진 사람들은 자신의 돈을 잃어버릴까 두려워서 그것들을 비축하고 은행에 넣지 않았고 그래서 은행들은 돈이 없어 문을 닫아야 했다고 설명했으며 네 번째 문장에서 이것이 대공황을 더욱 악화시켰다고 했으므로 글의 내용과 일치한다.
④ 네 번째(05번) 문장에서 루스벨트는 은행들이 재건될 수 있도록 하기 위해 파산한 은행들이 문을 닫도록 만드는 '긴급은행법'을 제정했다고 했으므로 글의 내용과 일치한다.

전문해석

루스벨트 대통령은 대공황에 대한 책임으로 많은 미국인들의 탐욕을 공개적으로 비난했으며, 그 문제를 바로잡기 위한 행동을 취했다. 그 당시 많은 돈이나 금을 가진 사람들은 자신의 돈을 잃어버릴까 두려워서 그것들을 비축하고 은행에 넣지 않았다. 은행들이 돈이 없어 문을 닫아야 했기 때문에 이것이 대공황을 더욱 악화시켰다. 이에 대응하여 루스벨트는 은행들이 재건될 수 있도록 하기 위해 파산한 은행들이 문을 닫도록 만드는 '긴급은행법'을 제정했다. 그것은 또한 정부가 개개 시민들의 금을 지폐와의 교환으로 획득하도록 해주었다.

어휘

- the Depression 대공황
- currency 통화
- seize 획득하다
- enact 제정하다
- reconstruct 재건하다
- rectify 바로잡다
- hoard 비축하다
- in response 이에 대응하여
- insolvent 파산한
- examine 검사하다

정답 1 ② 2 ③ 3 ②

113 각 문장을 끊어 읽고 해석한 후 제시된 문제에 답하시오.

01
Some remain proud of having their original accent and dialect words and attracting attention because of them, while others adapt to a new environment by changing their speech habits, so that they no longer "_____ _____."

02
(A) Our perceptions and production of speech change
03
with time. (B) If we were to leave our native place for an extended period, our perception that the new accents around us were strange would be **temporary** and we would gradually accommodate our speech pattern to the
04
new norm. (C) Not all people do this to the same degree.
05
(D) Whether they do this consciously or not is open to debate, but the change probably happens before we are aware of it.

1 주어진 문장이 들어갈 위치로 가장 적절한 것은?
① (A) ② (B)
③ (C) ④ (D)

2 빈칸에 들어갈 말로 가장 적절한 것은?
① stand out in the crowd
② mingle with the new neighbors
③ concern about their identity
④ assimilate new knowledge

3 밑줄 친 부분의 의미와 가장 가까운 것은?
① infallible   ② adventitious
③ lethal   ④ fleeting

문장 분석 및 해설

113 구문분석 & 문장분석

01
Some remain proud /
일부는 여전히 자랑스러워한다 /

of having their original accent and dialect words /
그들의 원래 억양과 방언을 가지고 있는 것을 /

and attracting attention because of them, //
그리고 그것들 때문에 관심을 끌어들이는 것을 //

while others adapt to a new environment /
반면 다른 이들은 새로운 환경에 적응한다 /

by changing their speech habits, //
그들의 말투 습관을 바꿈으로써, //

so that they no longer "stand out in the crowd."
더 이상 '무리 속에서 두드러지지' 않도록.

02
Our perceptions and production of speech /
말투에 대한 우리의 인식과 생성은 /

change with time.
시간에 따라 변한다.

03
If we were to leave our native place /
만약 우리가 고향을 떠나야 한다면 /

for an extended period, //
장기간, //

our perception (that the new accents around us were strange) /
(우리 주변의 새로운 억양이 이상하다는) 우리의 인식은 /

would be temporary //
일시적일 것이다 //

and we would gradually accommodate our speech pattern /
그리고 우리는 점차 말투를 맞출 것이다 /

to the new norm.
새로운 기준에.

04
Not all people do this / to the same degree.
모든 사람들이 이것을 하지는 않는다 / 같은 정도로.

05
Whether they do this consciously or not /
그들이 이것을 의식적으로 하는지 아닌지는 /

is open to debate, // but the change probably happens //
논쟁의 여지가 있다, // 하지만 그 변화는 아마도 일어날 것이다 //

before we are aware of it.
우리가 그것을 인식하기 전에.

해석

2 ② 새로운 이웃과 어울리지
③ 자신의 정체성을 고민하지
④ 새로운 지식을 흡수하지

해설

1 고향을 떠난 사람의 말투 변화에 대해 설명한 글이다. 주어진 문장에서는 기존의 말투를 고수하는 사람들과 자신의 말투를 바꿔서 새로운 환경에 적응하는 사람들을 대조해서 설명하고 있으므로, 이 앞에는 Some과 others를 포괄하는 내용이 먼저 나와야 한다. ④ (D)의 앞에서 장기간 고향을 떠나는 경우를 가정한 뒤 우리의 말투는 점차 새로운 기준에 적응하게 되는데, 모두가 같은 정도로 변하지는 않는다고 말한다. 따라서 주어진 문장이 들어갈 가장 적절한 위치는 ④ (D)이다.

2 빈칸이 있는 문장은 사람들의 두 가지 반응을 대조해서 설명하고 있다. 대조되는 앞쪽 사람들의 관심을 끌어들이는 것을 자랑스러워한다고 했으므로 뒤쪽의 내용은 그와 반대가 되어야 하는데, 빈칸 앞에 부정어 not이 있으므로 빈칸에는 사람들의 관심을 끌어들이는 것과 비슷한 내용이 들어가야 한다. 따라서 가장 적절한 것은 ① '무리 속에서 두드러지지'이다.

전문해석

말투에 대한 우리의 인식과 생성은 시간에 따라 변한다. 만약 우리가 장기간 고향을 떠나야 한다면 우리 주변의 새로운 억양이 이상하다는 우리의 인식은 일시적일 것이고 우리는 새로운 기준에 점차 말투를 맞출 것이다. 모든 사람들이 이것을 같은 정도로 하지는 않는다. 일부는 그들의 원래 억양과 방언을 가지고 있는 것과 그것들 때문에 관심을 끌어들이는 것을 여전히 자랑스러워하는 반면, 다른 이들은 더 이상 '무리 속에서 두드러지지 않도록' 그들의 말투 습관을 바꿈으로써 새로운 환경에 적응한다. 그들이 이것을 의식적으로 하는지 아닌지는 논쟁의 여지가 있지만 그 변화는 아마도 우리가 그것을 인식하기 전에 일어날 것이다.

어휘

- dialect word 방언
- perception 인식
- temporary 일시적인
- norm 기준
- debate 논쟁
- stand out 두드러지다
- identity 정체성
- infallible 결코 잘못이 없는
- lethal 치명적인
- adapt to ~에 적응하다
- extended 장기간에 걸친
- accommodate 맞추다
- consciously 의식적으로
- be aware of ~을 인식하다
- mingle 어울리다
- assimilate 흡수하다
- adventitious 우연한
- fleeting 잠시 동안의

정답 1 ④ 2 ① 3 ④

114 다음 글의 목적으로 가장 적절한 것은?

Send Preview Save

To: Customer Support Team
From: Director of the Facility
Date: November, 12
Subject: Important Notice

Dear Team,

Following our recent meeting with our community partners, I recommend adding air-conditioning to our facility's waiting area to ensure comfort and safety for all visitors.

To begin, we will assess the waiting area to determine the best placement and capacity for air-conditioning units. Subsequently, we'll install systems that meet safety standards and conduct thorough testing to ensure optimal operation. The project has been allocated a budget of $25,000, covering equipment, installation, and adjustments.

Please review and provide feedback by July 5. Your input is essential as we aim to enhance our facility's amenities.

Thank you for your support in making our waiting area more comfortable and welcoming.

Best regards,
Emma Taylor
Facility Manager

---

① 에어컨 설치를 알리려고
② 대기실 공간의 리모델링을 알리려고
③ 시설물의 설치 검토에 대한 피드백을 요청하려고
④ 대기실 이용의 불편 민원을 공유하려고

115 Enhanced Bus Stop Lighting in Metroville에 관한 다음 글의 내용과 일치하지 않는 것은?

Enhanced Bus Stop Lighting in Metroville

To enhance safety and accessibility for commuters, the city of Metroville has implemented a project to improve lighting at all bus stops across the city. Recognizing the importance of well-lit environments, especially during evening hours, the city has upgraded existing lighting fixtures and installed additional lights where needed. This initiative aims to create a more secure and welcoming atmosphere for passengers waiting for buses, ensuring visibility and reducing concerns about safety after dark. By enhancing lighting infrastructure at bus stops, Metroville has improved the overall public transportation experience and promote community well-being.

① Metroville improved lighting at all bus stops across the city.
② This project enhances safety and accessibility, especially at night.
③ New lights try to create a safer, friendlier environment for bus riders.
④ Metroville has improved lighting infrastructure only with existing fixtures.

114

해석

수신: 고객 지원팀
발신: 시설 담당자
날짜: 11월 12일
제목: 중요 공지

팀에게,

우리 단체의 제휴 기관과 가진 최근 회의에 뒤이어, 저는 모든 방문객의 편안함과 안전을 확보하기 위해 우리 기관의 대기실에 에어컨을 추가하는 것을 권고합니다.

우선, 우리는 에어컨 세트의 가장 좋은 배치와 용량을 결정하기 위해 대기실을 평가할 것입니다. 이후에, 우리는 안전 기준을 충족하는 장치를 설치하고 최적의 가동을 보장하기 위해 철저한 시험을 실시할 것입니다. 이 프로젝트는 장비, 설치, 그리고 조정을 포함해서 25,000달러의 예산이 할당되었습니다.

7월 5일까지 검토하고 피드백을 주십시오. 우리는 기관의 생활 편의 시설을 향상하는 것이 목표이기 때문에 여러분의 의견이 꼭 필요합니다.

우리 대기실을 더 편안하고 안락해 보이게 만들어준 여러분의 지원에 감사드립니다.

안부를 전하며,
Emma Taylor
시설 관리자

해설

글의 중심 소재는 에어컨 설치이고 글의 목적은 마지막에서 두 번째 문단에 잘 드러나 있듯이 검토와 피드백을 요청하는 내용이다. 글의 구조는, 첫 문단에서 에어컨 설치의 필요성을 이야기하고 설치 과정과 관련 예산에 관해 설명한 뒤, 피드백을 요청하는 형식이다. 따라서 정답은 ③ '시설물의 설치 검토에 대한 피드백을 요청하려고'이다.

어휘

- facility 시설
- recommend 권고하다
- comfort 편안함
- placement 배치
- unit 세트
- standard 기준
- optimal 최적의
- allocate 할당하다
- equipment 장비
- input 의견
- welcoming 안락해 보이는
- notice 공지
- ensure 확보하다
- assess 평가하다
- capacity 용량
- subsequently 이후에
- thorough 철저한
- operation 가동
- budget 예산
- adjustment 조정
- amenities (pl.) 생활 편의 시설

정답 ③

115

해석

Metroville의 향상된 버스 정류장 조명

통근자들의 안전과 접근성을 향상하기 위해, Metroville 시는 도시 전역의 모든 버스 정류장의 조명을 개선하는 프로젝트를 실행했다. 특히 저녁 시간 동안 조명이 밝은 환경의 중요성을 인식한, Metroville 시는 기존의 조명 설비를 개선하고 필요한 곳에 추가 조명을 설치했다. 이 방안은 버스를 기다리는 승객들에게 더욱 안전하고 안락해 보이는 분위기를 조성해서, 어두워진 뒤에 시야를 확보하고 걱정을 줄이는 것이 목표이다. 버스 정류장의 조명 기반 시설을 개선함으로써, Metroville 시는 전반적인 대중교통 경험을 개선하고 공동체의 복지를 증진하려고 애써 왔다.

① Metroville은 도시 전역의 모든 버스 정류장의 조명을 개선했다.
② 이 프로젝트는 특히 밤의 안전과 접근성을 향상시킨다.
③ 새 전등은 버스 이용객들을 위해 더욱 안전하고 친근한 환경을 조성하고자 한다.
④ Metroville은 오로지 기존 설비를 가지고 조명 기반 시설을 개선해왔다.

해설

④ 두 번째 문장에서 필요한 곳에 추가 조명을 설치했다고 했으므로 글의 내용과 일치하지 않는다.
① 첫 번째 문장에서 도시 전역의 모든 버스 정류장의 조명을 개선하는 프로젝트를 실행했다고 했으므로 글의 내용과 일치한다.
② 세 번째 문장에서 어두워진 뒤에 시야를 확보하고 걱정을 줄이는 것이 목표라고 했으므로 글의 내용과 일치한다.
③ 세 번째 문장에서 이 방안은 버스를 기다리는 승객들에게 더욱 안전하고 안락해 보이는 분위기를 조성하는 것이 목표라고 했으므로 글의 내용과 일치한다.

어휘

- accessibility 접근성
- implement 실행하다
- well-lit 조명이 밝은
- fixture 시설
- secure 안전한
- atmosphere 분위기
- visibility 시야
- overall 전반적인
- commuter 통근자
- recognize 인식하다
- upgrade 개선하다
- initiative 방안
- welcoming 안락해 보이는
- ensure 확보하다
- infrastructure 기반 시설
- fixture 설비

정답 ④

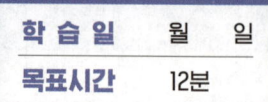

116 각 문장을 끊어 읽고 해석한 후 제시된 문제에 답하시오.

01
For most police officers, acute stress reactions begin at the scene of a traumatic event or within 24 hours after the event. 02 Yet, some officers will have little or no reaction to a traumatic scene. 03 _____(A)_____, their delayed stress reaction tends to show up days, weeks, months, and in some extraordinary cases, years after the event. 04 Post-traumatic stress is confusing to the officer who cannot **pinpoint** the exact incident that caused the reaction. _____(B)_____, the reaction is as real and painful as if it occurred at the time of the crisis event.

1 (A), (B)에 들어갈 말로 가장 적절한 것은?

　　　　(A)　　　　　　(B)
① On the one hand　　On the other hand
② Therefore　　　　　Likewise
③ However　　　　　 Besides
④ Instead　　　　　　Nonetheless

2 글의 내용과 일치하지 않는 것은?

① Most police officers experience acute stress reactions either at the scene or within 24 hours afterward.
② The reaction with delayed stress is as real and painful as if it occurred at the time of the event.
③ It is impossible for delayed stress reactions to appear several years after a traumatic event.
④ Some officers may have little or no immediate reaction to a traumatic scene.

3 밑줄 친 부분의 의미와 가장 가까운 것은?

① experience　　② identify
③ understand　　④ analyze

문장 분석 및 해설

116 구문분석 & 문장분석

01
For most police officers, /
대부분의 경찰관들에게, /

acute stress reactions begin /
급성 스트레스 반응은 시작된다 /

at the scene (of a traumatic event) /
(충격적인 사건의) 현장에서 /

or within 24 hours after the event.
또는 그 사건 후 24시간 이내에.

02
Yet, / some officers will have little or no reaction /
하지만, / 어떤 경찰관들은 반응이 거의 없거나 전혀 없을 것이다 /

to a traumatic scene.
충격적인 현장에 대해.

03
Instead, / their delayed stress reaction /
대신에, / 그들의 지연성 스트레스 반응은 /

tends to show up /
나타나는 경향이 있다 /

days, weeks, months, and (in some extraordinary cases), years after the event.
사건 후 며칠, 몇 주, 몇 달, (일부 드문 경우에는) 몇 년이 지나서.

04
Post-traumatic stress is confusing /
외상 후 스트레스는 혼란스럽다 /

to the officer (who cannot pinpoint the exact incident (that caused the reaction)).
((반응을 일으킨) 정확한 사건을 특정할 수 없는) 경찰관에게.

05
Nonetheless, / the reaction is as real and painful //
그럼에도 불구하고, / 그 반응은 실제적이며 고통스럽다 //

as if it occurred / at the time (of the crisis event).
마치 일어났던 것처럼 / (그 위기 사건의) 시간에.

해석

1
　　(A)　　　　(B)
① 한편으로는　　다른 한편으로는
② 따라서　　　　마찬가지로
③ 그러나　　　　게다가

2 ① 대부분의 경찰관들은 사건 현장에서, 혹은 그 후 24시간 이내에 급성 스트레스 반응을 경험한다.
② 지연성 스트레스 반응은 사건이 발생한 시점과 마찬가지로 실제적이고 고통스럽다.
③ 외상 후 스트레스 반응이 몇 년 후에 나타나는 것은 불가능하다.
④ 일부 경찰관들은 충격적 현장에 대해 즉각적인 반응이 거의 혹은 전혀 없을 수 있다.

해설

1 (A) 앞에는 충격적인 현장에 대한 반응이 없다는 내용이 나오고, 뒤에서는 지연성 스트레스 반응이 나중에 나타난다는 서로 대비되는 내용이 나오므로 Instead가 가능하다. However도 역접의 의미로 앞뒤 내용을 대조할 수 있으므로 또한 가능하다. (B) 앞 문장에서는 정확한 사건을 특정할 수 없다는 내용이 온 후, 뒤에서는 그 반응이 마치 그 위기 사건의 시간에 일어났던 것처럼 실제적이고 고통스럽다는 내용이 온다. 역접의 관계를 이루고 있으므로 역접의 연결어인 Nonetheless가 적합하다. 따라서 정답은 ④이다.

2 ③ 세 번째 문장에서 지연성 스트레스 반응은 사건 후 며칠, 몇 주, 몇 달, 일부 드문 경우에는 몇 년이 지나서 나타나는 경향이 있다고 했으므로 글의 내용과 일치하지 않는다.
① 첫 번째 문장에서 대부분의 경찰관들에게 급성 스트레스 반응은 사건의 현장이나 사건 이후 24시간 이내에 시작된다고 했으므로 글의 내용과 일치한다.
② 마지막 문장에서 지연성 스트레스 반응은 그 위기 사건의 시간에 일어났던 것처럼 실제적이고 고통스럽다고 했으므로 글의 내용과 일치한다.
④ 두 번째 문장에서 어떤 경찰관들은 충격적인 현장에 대한 반응이 거의 없거나 전혀 없다고 했으므로 글의 내용과 일치한다.

전문해석

대부분의 경찰관들에게 급성 스트레스 반응은 충격적인 사건의 현장에서 또는 그 사건 후 24시간 이내에 시작된다. 하지만, 어떤 경찰관들은 충격적인 현장에 대한 반응이 거의 없거나 전혀 없을 것이다. 대신에, 그들의 지연성 스트레스 반응은 사건 후 며칠, 몇 주, 몇 달, 일부 드문 경우에는 몇 년이 지나서 나타나는 경향이 있다. 외상 후 스트레스는 반응을 일으킨 정확한 사건을 특정할 수 없는 경찰관에게 혼란스럽다. 그럼에도 불구하고, 그 반응은 마치 그 위기 사건의 시간에 일어났던 것처럼 실제적이며 고통스럽다.

어휘

□ acute 급성의　　　　　　□ stress reaction 스트레스 반응
□ traumatic 충격적인
□ delayed stress reaction 지연성 스트레스 반응
□ extraordinary 드문
□ post-traumatic stress 외상 후 스트레스
□ pinpoint 특정하다　　　　□ identify 확인하다

정답 1 ④ 2 ③ 3 ②

117 각 문장을 끊어 읽고 해석한 후 제시된 문제에 답하시오.

01
It is hardly a coincidence that coffee and tea caught on in Europe just as the first factories were ushering in the industrial revolution. 02 (A) The widespread use of caffeinated drinks — replacing **ubiquitous** beers — facilitated the great transformation of human economic endeavor from the farm to the factory. 03 (B) Boiling water to make coffee and tea helped decrease the incidence of disease among workers in crowded cities, and the caffeine in their systems kept them from falling asleep over the machinery. 04 (C) Because caffeine has been socially acceptable in most contemporary cultures, and because it has been the most widely consumed drug in the world, it is easy to forget that it is a psychoactive stimulant. 05 (D) In a sense, caffeine was the drug that made the modern world possible.

1 글의 주제로 가장 적절한 것은?
① Pros and cons of caffeinated drinks
② Caffeine and the advent of the modern world
③ Origins and spread of coffee and tea
④ Ubiquitous caffeinated drinks for workers

2 글의 흐름상 가장 어색한 문장은?
① (A)　　② (B)
③ (C)　　④ (D)

3 밑줄 친 부분의 의미와 가장 가까운 것은?
① common　　② unique
③ famous　　④ restful

문장 분석 및 해설

117 구문분석 & 문장분석

01
It is hardly a coincidence /
우연이라고 보기 힘들다 /
that coffee and tea caught on in Europe //
커피와 차가 유럽에서 인기를 끈 것은 //
just as the first factories were ushering in the industrial revolution.
최초의 공장들이 산업 혁명의 도래를 알리던 바로 그때.

02
The widespread use (of caffeinated drinks) /
(카페인 음료의) 확산은 /
— replacing ubiquitous beers — /
— 아주 흔하던 맥주를 대체한 — /
facilitated the great transformation (of human economic endeavor) /
(인류의 경제적 시도의) 커다란 전환을 가능하게 했다 /
from the farm to the factory.
농장에서 공장으로의.

03
Boiling water to make coffee and tea /
커피와 차를 만들기 위해 물을 끓이는 것은 /
helped decrease the incidence of disease /
질병 발생을 줄이는 데 도움이 되었다 /
among workers in crowded cities, //
붐비는 도시에 있는 노동자들 사이에서 //
and the caffeine (in their systems) /
그리고 (그들 몸 안의) 카페인은 /
kept them from falling asleep / over the machinery.
그들이 잠드는 것을 막아 주었다 / 기계 위로 쓰러져.

04
Because caffeine has been socially acceptable /
카페인이 사회적으로 용인 받기 때문에 /
in most contemporary cultures, //
대부분의 현대 문화에서, //
and because it has been the most widely consumed drug in the world, //
그리고 그것이 세계적으로 가장 널리 소비되는 약이기 때문에, //
it is easy to forget //
잊기가 쉽다 //
that it is a psychoactive stimulant.
카페인이 향정신성 자극제라는 사실을.

05
In a sense, /
어떤 점에서, /
caffeine was the drug (that made the modern world possible).
카페인은 (근대 사회를 가능하게 만든) 약이었다.

해석

1 ① 카페인 음료의 장단점
② 카페인과 근대 사회의 출현
③ 커피와 차의 유래와 확산
④ 노동자들을 위한 아주 흔한 카페인 음료

해설

1 커피가 근대 사회에 끼친 영향에 대해 설명하고 있는 글이다. 첫 번째 문장에서 산업 혁명과 더불어 커피와 차가 인기를 끈 것이 우연이 아님을 설명한 후, 그 이유를 뒷받침하는 부연 설명들이 이어진다. 마지막 문장이 주제문으로 카페인은 근대 사회를 가능하게 만든 요인(약)이라고 설명하고 있다. 따라서 이 글의 주제로 가장 적합한 것은 ② '카페인과 근대 사회의 출현'이다.

2 카페인 음료가 근대 사회에 끼친 영향이 병렬되어 있다. 산업 혁명과 더불어 카페인 음료는 노동자들 사이의 질병 발생을 줄였으며, 잠들지 않고 일을 할 수 있도록 해 주었다는 설명이 이어진다. 그러나 (C)의 문장은 카페인이 사회적으로 용인되고 있어 그것이 사실상 향정신성 자극제임이 종종 간과된다는 내용으로 근대 사회의 출현에 관련된 내용이 아니다. 따라서 정답은 ③ (C)이다.

전문해석

최초의 공장들이 산업 혁명의 도래를 알리던 바로 그때 커피와 차가 유럽에서 인기를 끈 것은 우연이라고 보기 힘들다. 아주 흔하던 맥주를 대체한 카페인 음료의 확산은 인류의 경제적 시도의 커다란 전환, 즉 농장에서 공장으로의 전환을 가능하게 했다. 커피와 차를 만들기 위해 물을 끓이는 것은, 붐비는 도시에 있는 노동자들 사이에서 질병 발생을 줄이는 데 도움이 되었고, 그들 몸에 있는 카페인은 노동자들이 기계 위로 쓰러져 잠들지 않게 해 주었다. 어떤 점에서, 카페인은 근대 사회를 가능하게 만든 약이었다.

어휘

- coincidence 우연
- catch on 인기를 끌다
- usher in ~의 도래를 알리다
- revolution 혁명
- ubiquitous 아주 흔한
- facilitate 가능하게[용이하게] 하다
- transformation 전환
- endeavor 시도
- incidence 발생
- contemporary 현대의
- consume 소비하다
- psychoactive 향정신성의
- stimulant 자극제
- in a sense 어떤 점에서
- pros and cons 장단점
- common 흔한
- unique 유일무이한
- restful 휴식을 주는

정답 1 ② 2 ③ 3 ①

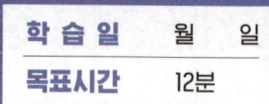

118 다음 글을 읽고 물음에 답하시오.

Send Preview Save

To: Parkview Apartments Management Team
From: Emma Johnson
Date: July 20
Subject: Please Read

Dear Parkview Apartments Management Team,

I hope you are well. Lately, I've experienced **significant** disruptions, especially during late evenings and early mornings. I suspect some children stomping or hopping on the floor, which affects my daily routine and overall well-being in a negative way. I earnestly hope that you address excessive noise issues originating from the apartment above mine.

I'm not sure if you have some policies or regulations on this kind of matter, but I kindly request your prompt attention to this matter. Perhaps reinforcing quiet hours or conducting a soundproofing inspection could help alleviate the situation.

Thank you for your understanding and assistance in resolving this issue. I look forward to your response and a swift resolution.

Best regards,
Emma Johnson
Apartment 302

1 윗글의 목적으로 가장 적절한 것은?

① to inquire about the conditions of the apartment's occupancy
② to apologize to the residents for the noise issue
③ to improve apartment management regulations
④ to request the resolution of noise issues from the upstairs neighbors

2 밑줄 친 significant의 의미와 가장 가까운 것은?

① feasible   ② meaningful
③ considerable   ④ expressive

119 Blue Ridge High School Parent Meeting에 관한 글의 내용과 일치하지 않는 것은?

Blue Ridge High School Parent Meeting

Dear Parents,

We are pleased to inform you about the upcoming parent meeting. This meeting will provide important updates on the school's recent activities and future plans. Your participation and support are highly valued.

Agenda:

- Report on recent school activities and achievements
- Introduction to next semester's plans and programs
- Solicitation of parents' opinions and suggestions

Date: August 5 (Saturday)
Time: 10:00 AM - 12:00 PM
Location: Multipurpose Meeting Room, Blue Ridge High School

Registration and Inquiries:

- Please contact the administration office to confirm your attendance.
- For further inquiries, please email us at blueridge@hmail.com

We look forward to your active participation. Let's work together for the advancement of our students and school.

① 최근 학교 활동 및 성과가 보고될 예정이다.
② 8월 5일 토요일 오전에 시작한다.
③ 학교의 다목적 회의실에서 진행된다.
④ 참석 여부를 담임 교사에게 알려야 한다.

문장 분석 및 해설

118

해석

> **수신:** Parkview 아파트 관리팀
> **발신:** Emma Johnson
> **날짜:** 7월 20일
> **제목:** 읽어주세요
>
> Parkview 아파트 관리팀에게,
>
> 안녕하세요. 최근에, 저는 특히 늦은 저녁과 이른 아침 시간에 상당한 방해를 경험했습니다. 아이들이 바닥에서 쿵쿵거리며 걷거나 깡충거리며 뛰는 것 같은데요, 이것은 제 일상과 전반적인 행복에 부정적으로 영향을 미칩니다. 진심으로 바라건대 제 아파트 윗집에서 발생하는 지나친 소음 문제를 해결해 주세요.
>
> 이런 종류의 문제에 관한 어떤 정책이나 규정이 있는지 확실치 않지만, 이 문제에 관한 신속한 관심을 부디 요청드립니다. 어쩌면 조용히 해야 하는 시간을 늘리거나 방음 점검을 시행하는 것도 상황을 완화하는 데 도움이 될 듯합니다.
>
> 이 문제를 해결하는 것을 이해하고 도와주셔서 감사드립니다. 여러분의 답변과 빠른 해결을 기대합니다.
>
> 안부를 전하며,
> Emma Johnson
> 302호

1 ① 아파트의 입주 조건을 문의하려고
   ② 소음 문제에 대해 주민들에게 사과하려고
   ③ 아파트 관리 규정을 개선하려고
   ④ 윗집의 소음 문제 해결을 요청하려고

해설

1 글의 중심 소재는 층간 소음(윗집의 소음)이고 주제문은 첫 문단의 세 번째 문장으로 윗집에서 발생하는 소음 문제를 해결해달라고 요청하는 내용이다. 이후, 구체적인 방안에 대한 예시를 제시하며 신속한 해결을 촉구하고 있다. 따라서 글의 목적으로 가장 적절한 것은 ④ '윗집의 소음 문제 해결을 요청하려고'이다.

어휘

☐ desperate 간절한   ☐ significant 상당한
☐ disruption 방해   ☐ stomp 쿵쿵거리며 걷다
☐ hop 깡충거리며 뛰다   ☐ routine 일과
☐ well-being 행복   ☐ excessive 지나친
☐ originate from ~에서 발생하다 ☐ regulations (pl.) 규정
☐ kindly 부디   ☐ prompt 신속한
☐ reinforce 늘리다   ☐ soundproofing 방음
☐ inspection 검사   ☐ alleviate 완화하다
☐ swift 빠른   ☐ accupancy 입주
☐ resolution 해결   ☐ feasible 실행 가능한
☐ considerable 상당한   ☐ expressive 표현하는

정답 1 ④ 2 ③

119

해석

> **Blue Ridge 고등학교 학부모 회의**
>
> 학부모 여러분,
>
> 다가오는 학부모 회의에 대해 여러분에게 알려드리게 되어 기쁩니다. 이번 회의는 우리 학교의 최근 활동과 장래 계획에 대한 중요한 최신 정보를 제공할 것입니다. 여러분의 참가와 지지는 대단히 귀중합니다.
>
> **안건:**
> ▪ 최근 학교 활동과 성과에 대한 보고
> ▪ 다음 학기의 계획과 프로그램에 대한 소개
> ▪ 학부모의 의견과 제안 요청
>
> **날짜:** 8월 5일 (토요일)
> **시간:** 오전 10시 – 정오
> **장소:** Blue Ridge 고등학교의 다목적 회의실
>
> **등록 및 문의:**
> ▪ 여러분의 참석을 확인하도록 행정실에 연락해주세요.
> ▪ 추가 문의 사항이 있으시면 blueridge@hmail.com으로 이메일을 보내주세요.
>
> 여러분의 적극적인 참여를 기대합니다. 우리 학생들과 학교의 발전을 위해 함께 노력합시다.

해설

④ <등록 및 문의>에서 참석을 확인하도록 행정실에 연락하라고 했으므로 글의 내용과 일치하지 않는다.
① <안건>에 최근 학교 활동과 성과에 대한 보고가 포함되어 있으므로 글의 내용과 일치한다.
② <날짜>와 <시간>에 8월 5일 토요일 오전 10시에 시작한다고 했으므로 글의 내용과 일치한다.
③ <장소>에 Blue Ridge 고등학교의 다목적 회의실이라고 적혀 있으므로 글의 내용과 일치한다.

어휘

☐ update 최신 정보   ☐ agenda 안건
☐ achievement 성과   ☐ semester 학기
☐ solicitation 요청   ☐ multipurpose 다목적의
☐ registration 등록   ☐ inquiry 문의
☐ administration 행정   ☐ confirm 확인하다
☐ attendance 참석   ☐ advancement 발전

정답 ④

120 S-Manager App에 관한 다음 글의 내용과 일치하지 않는 것은?

Enjoy our S-Manager

S-Manager is the ultimate tool for organizing and optimizing your daily routine. With a user-friendly interface, this app helps you plan and track appointments, meetings, and tasks effortlessly. Key features include customizable calendars, color-coded for easy reference, and comprehensive task lists that prioritize your commitments. Set reminders to ensure you never miss important events and sync your schedule across multiple devices for seamless access anytime, anywhere. Integration with other popular apps consolidates all your important dates and tasks in one place. Advanced options like recurring event scheduling and detailed notifications provide a robust framework to keep you on track. Our S-Manager will enhance productivity and help maintain a balanced, well-structured life. Download today and experience the ease of efficient time management!

① It helps you to plan and track appointment, meetings etc.
② It provides a work list that prioritizes your tasks.
③ It doesn't combine with other apps for more consistent scheduling.
④ It helps you keep on track with tasks by recurring event scheduling.

DAY 23~24 Exercises

[1~4] 양쪽에 주어진 말의 의미가 일맥상통하도록 선으로 연결하세요.

1 facilitate   ① to make (something) easier, to help cause (something)

2 infrastructure   ② the basic equipment and structures (such as roads and bridges) that are needed for a country, region, or organization to function properly

3 pros and cons   ③ to become popular

4 catch on   ④ good points and bad points

[5~7] 다음 문장의 끊어 읽기를 참고하여, 빈칸에 알맞은 해석을 쓰세요.

5 If we were to leave our native place / for an extended period, / our perception that the new accents around us were strange / would be temporary.

   만약 우리가 고향을 떠나야 한다면 / 장기간, / _____ / 일시적일 것이다.

6 Whether they do this consciously or not / is open to debate.

   _____ / 논쟁의 여지가 있다.

7 The caffeine in their body / kept them from falling asleep over the machinery.

   그들 몸 안의 카페인은 / _____.

정답 1 ① 2 ② 3 ④ 4 ③ 5 우리 주변의 새로운 억양이 이상하다는 우리의 인식은 6 그들이 이것을 의식적으로 하는지 아닌지는 7 그들이 기계 위로 쓰러져 잠드는 것을 막아주었다

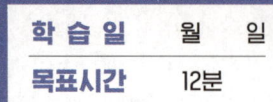

121 각 문장을 끊어 읽고 해석한 후 제시된 문제에 답하시오.

01
There are **subtle** signals you can send to the other person that will bring the conversation to its close without hurting anyone's feelings. 02 (A) Breaking eye contact is a good way of signaling to the other person that you are ready to end the conversation. 03 (B) Another way to signal that a conversation is coming to an end is to use transition words like "Well" or "At any rate," or even statements like "It was really nice talking to you." (C) 04 The ability to converse with those you encounter without effort is a very important element of all your personal and business relationships. 05 (D) When you leave, it's essential to leave a positive final impression as the initial impression you made.

1 글의 흐름상 가장 어색한 문장은?

① (A)　　② (B)
③ (C)　　④ (D)

2 글의 제목으로 가장 적절한 것은?

① Eye Contact: The Subtle Signal to Ending Conversations
② The Key to Personal and Business Success
③ The Essential Step for Leaving a Positive Impression
④ Mastering the Art of Ending Conversations Gracefully

3 밑줄 친 부분의 의미와 가장 가까운 것은?

① exquisite　　② effective
③ emergent　　④ imperative

121 구문분석 & 문장분석

01
There are subtle signals (you can send /
미세한 신호들이 있다 / (당신이 보낼 수 있는 /
to the other person) (that will bring the conversation to its close /
다른 사람에게) (대화를 마무리할 /
without hurting anyone's feelings).
다른 사람의 감정을 상하지 않게 하면서).

02
Breaking eye contact /
시선을 마주치지 않는 것은 /
is a good way (of signaling to the other person //
좋은 방법이다 (다른 사람에게 신호를 보내는 //
that you are ready to end the conversation).
당신이 대화를 끝낼 준비가 되어 있다고).

03
Another way (to signal that a conversation is coming to an end) /
(대화가 끝나가고 있다는 신호를 보낼) 또 다른 방법은 /
is to use transition words (like "Well" or "At any rate,") /
('자' 또는 '아무튼' 같은) 전환어를 사용하는 것이다 /
or even statements (like "It was really nice talking to you.")
또는 ('당신과 얘기 나누어서 정말 좋았습니다.' 같은) 말을.

04
The ability (to converse with those (you encounter) / without effort) /
((당신이 우연히 마주치는) 사람들과 대화하는 / 별다른 노력 없이) 능력은 /
is a very important element (of all your personal and business relationships).
매우 중요한 요소이다 (당신의 모든 개인적 혹은 업무적 관계의).

05
When you leave, // it's essential /
당신이 떠날 때, // 중요하다 /
to leave a positive final impression /
마지막 인상을 긍정적으로 남기는 것이 /
as the initial impression (you made).
(당신이 만든) 첫인상처럼.

해석

2 ① 시선 맞추기: 대화를 끝내기 위한 섬세한 방법
② 개인적이고 사업적인 성공을 위한 열쇠
③ 긍정적인 인상을 남기기 위한 필수적인 단계
④ 우아하게 대화를 끝내는 기술 숙달하기

해설

1 첫 문장이 글 전체의 주제문으로 이 글은 다른 사람의 감정을 상하지 않게 하면서 대화를 끝내는 방법들에 대해 설명한다. (A), (B), (D)는 모두 그에 대한 예시이다. 그러나 (C)는 처음 만나는 사람과 대화를 시작하는 것에 관해 말하고 있으므로 글의 맥락에 적합하지 않다. 따라서 정답은 ③ (C)이다.

2 첫 번째 문장이 주제문으로 상대방의 감정을 상하지 않고 대화를 마치는 방법에 관해 설명하고 있는 글이다. 두 번째 문장은 시선을 돌리는 것을, 세 번째 문장은 간단한 언어적 신호를 보내는 것을 그에 대한 예시로 제시하고 있다. 마지막 문장은 마지막 인상도 나쁘지 않도록 마무리하라는 부가적인 설명으로 글을 끝맺고 있다. 따라서 이에 관한 내용을 포함하는 ④ '우아하게 대화를 끝내는 기술 숙달하기'가 이 글의 제목으로 적절하다. ①은 대화를 끝내려면 시선을 마주치지 말라고 했던 글의 내용과는 반대이므로 답이 될 수 없다.

전문해석

다른 사람의 감정을 상하지 않게 하면서 대화를 마무리하기 위해 당신이 다른 사람에게 보낼 수 있는 미세한 신호들이 있다. 시선을 마주치지 않는 것은 당신이 대화를 끝낼 준비가 되어 있다고 다른 사람에게 신호를 보내는 좋은 방법이다. 대화가 끝나가고 있다는 신호를 보낼 또 다른 방법은 '자' 또는 '아무튼' 같은 전환어나, '당신과 얘기 나누어서 정말 좋았습니다.' 같은 말을 사용하는 것이다. 당신이 떠날 때는 당신이 만들었던 첫인상처럼 마지막 인상을 긍정적으로 남기는 것이 중요하다.

어휘

- subtle 미세한
- transition word 전환어
- converse 대화하다
- element 요인
- initial 초기의
- exquisite 정교한
- emergent 신생의
- bring ~ to a close ~을 끝내다
- statement 문장
- encounter 마주치다
- essential 필수적인
- master 정복하다
- effective 효과적인
- imperative 필수의

정답 1 ③ 2 ④ 3 ①

122 각 문장을 끊어 읽고 해석한 후 제시된 문제에 답하시오.

01
In a new study, it was found that species that live in restrictive environments such as the tropics cannot adapt to a changing climate as well as species in more diverse environments; The reason is _____.
02
A species adapts to its environment and becomes better at surviving by **undergoing** physical and behavioral changes. These usually occur due to a gene mutation. If a species already has a more varied set of genes, it is more likely to undergo the necessary changes. However, species in the tropics have less varied sets of genes.

1 빈칸에 들어갈 말로 가장 적절한 것은?
① destroyed environment
② isolation from their habitat
③ attack from their predators
④ the lack of variation in their genes

2 글의 내용과 일치하지 않는 것은?
① A species enhances its survival abilities through physical and behavioral changes.
② Gene mutations can contribute to the development of adaptations in species.
③ A species with lower genetic diversity is more prone to survival-driven changes.
④ Tropical species often exhibit lower genetic diversity compared to species in more diverse environments.

3 밑줄 친 부분의 의미와 가장 가까운 것은?
① accepting   ② expelling
③ maintaining   ④ experiencing

122 구문분석 & 문장분석

01
In a new study, / it was found /
한 새로운 연구에서, / 발견되었다 /

that species (that live in restrictive environments (such as the tropics)) /
((열대 지방 같은) 제한적 환경에서 사는) 종은 /

cannot adapt to a changing climate as well /
변화하는 기후에 잘 적응할 수 없다는 것이 /

as species (in more diverse environments); //
더 다양한 환경에서 사는 종만큼; //

The reason is / the lack of variation in their genes.
그 이유는 / 유전자에서의 변이의 부족 때문이다.

02
A species adapts to its environment //
어떤 종은 자신의 환경에 적응한다 //

and becomes better at surviving /
그리고 더욱 효과적으로 생존하게 된다 /

by undergoing physical and behavioral changes.
신체적이고 행동적인 변화를 겪음으로써.

03
These usually occur / due to a gene mutation.
이것들은 보통 일어난다 / 유전자 변형 때문에.

04
If a species already has a more varied set of genes, //
만일 어떤 종이 보다 다양한 집합의 유전자들을 이미 가지고 있다면, //

it is more likely to undergo the necessary changes.
그것은 필요한 변화를 견딜 가능성이 더 크다.

05
However, / species (in the tropics) /
하지만, / (열대지방의) 종은 /

have less varied sets of genes.
다양한 집합의 유전자를 덜 가지고 있다.

해석

1
① 파괴된 환경
② 서식지로부터의 고립
③ 자신의 포식자들로부터의 공격

2
① 어떤 종은 신체적이고 행동적인 변화를 통해 그들의 생존 능력을 강화한다.
② 유전자 변형은 종의 적응력 발달에 기여할 수 있다.
③ 더 낮은 유전자 다양성을 가진 종들은 생존과 관련된 변화를 하기 더 쉽다.
④ 열대 종들은 종종 더 다양한 환경에 사는 종들보다 더 낮은 유전자 다양성을 보인다.

해설

1 빈칸 다음의 두 문장에서 근거가 제시된다. 환경에 적응해야 잘 살아남는데, 이는 유전자 변형을 통해 일어난다고 했다. 따라서 제한되고 동일한 환경 안에서만 생존하는 종은 유전자에서의 변이가 적기 때문이라는 내용이 오는 것이 논리적이다. 따라서 정답은 ④ '유전자에서의 변이의 부족'이다. ①, ②, ③의 내용은 모두 언급되지 않았다.

2 ③ 네 번째 문장에서 어떤 종이 더 다양한 집합의 유전자들을 가지고 있다면, 그것은 필요한 변화를 견딜 가능성이 더 크다고 했으므로 글의 내용과 일치하지 않는다.
① 두 번째 문장에서 어떤 종은 신체 및 행동 변화를 겪음에 의해 더욱 효과적으로 생존하게 된다고 했으므로 글의 내용과 일치한다.
② 두 번째 문장에서 어떤 종은 환경에 적응하고 신체적이고 행동적인 변화를 겪음으로써 생존력을 높인다고 한 후, 세 번째 문장에서 이것은 유전자 변형에 의해 일어난다고 했다. 따라서 유전자 변형이 종의 적응력 발전에 기여한다는 것은 글의 내용과 일치한다.
④ 마지막 문장에서 열대지방의 종은 덜 다양한 유전자 집합을 가지고 있다고 했으므로 글의 내용과 일치한다.

전문해석

한 새로운 연구에서, 열대지방 같은 제한적 환경에서 사는 종은 더 다양한 환경에서 사는 종만큼 변화하는 기후에 잘 적응할 수 없다는 사실이 발견되었다; 그 이유는 유전자에서의 변이의 부족 때문이다. 어떤 종은 자신의 환경에 적응하고 신체적이고 행동적인 변화를 겪음으로써 더욱 효과적으로 생존하게 된다. 이것들은 보통 유전자 변형 때문에 일어난다. 만일 어떤 종이 보다 다양한 집합의 유전자들을 이미 가지고 있다면, 그것은 필요한 변화를 견딜 가능성이 더 크다. 하지만 열대지방의 종은 다양한 집합의 유전자를 덜 가지고 있다.

어휘

- species 종
- tropics 열대지방
- diverse 다양한
- behavioral 행동적인
- isolation 고립
- predator 포식자
- enhance 강화하다
- exhibit 보이다
- restrictive 제한적인
- adapt 적응하다
- undergo 견디다
- mutation 변형
- habitat 서식지
- variation 변이
- be prone to ~하기 쉽다
- expel 쫓다

정답 1 ④ 2 ③ 3 ④

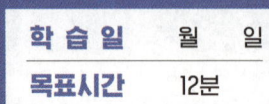

123 각 문장을 끊어 읽고 해석한 후 제시된 문제에 답하시오.

01
Interestingly, in the process of analyzing four key factors in job satisfaction, some researchers have figured out how much each is worth when compared with salary increases.

02
(A) Even this small increase in trust is like getting a thirty six percent pay raise, the researchers calculate.

03
(B) In other words, that will **boost** your level of overall satisfaction in life by about the same amount as a thirty six percent raise would.

04
(C) For example, one of these factors is trust in management — by far the biggest component of job satisfaction — which is worth as much in your overall happiness as a very substantial raise. Say you **05** get a new boss and your trust in your workplace's management goes up a bit.

1 주어진 문장 이후에 이어질 글의 순서로 올바른 것은?
① (A) – (B) – (C)   ② (B) – (A) – (C)
③ (C) – (A) – (B)   ④ (C) – (B) – (A)

2 글의 주제로 가장 적절한 것은?
① trust in management as a substitute for salary increases in job satisfaction
② the battle between trust in management and salary increase for supremacy in job satisfaction
③ understanding the four factors of job satisfaction and unveiling their importance
④ the worth of trust in management when compared to salary increase

3 밑줄 친 부분의 의미와 가장 가까운 것은?
① acknowledge   ② discourage
③ increase   ④ suspend

123 구문분석 & 문장분석

01
Interestingly, /
흥미롭게도, /
in the process (of analyzing four key factors (in job satisfaction)), /
((직무 만족에 있어서의) 네 가지 핵심 요소들을 분석하는) 과정에서, /
some researchers have figured out //
몇몇 학자들은 알아냈다 //
how much each is worth //
각 요소가 어느 정도의 가치를 가지고 있는지 //
when compared with salary increases.
임금 인상과 비교될 때.

02
(A) Even this small increase (in trust) /
(신뢰에 있어서의) 아주 약간의 증가조차도 /
is like getting a thirty six percent pay raise, //
36퍼센트의 임금 인상을 얻는 것과 같다 //
the researchers calculate.
학자들이 계산한 바에 의하면.

03
(B) In other words, / that will boost /
다시 말해, / 그것은 상승시킬 것이다 /
your level of overall satisfaction (in life) /
(삶에 있어서) 당신의 전반적인 만족 수준을 /
by about the same amount (as a thirty six percent raise would).
(36퍼센트의 임금 인상이 상승시키는 것과) 거의 같은 양만큼.

04
(C) For example, /
예를 들어, /
one of these factors is trust in management /
이러한 요소 중 하나는 경영진에 대한 신뢰인데 /
— by far the biggest component (of job satisfaction) — /
— 이는 (직무 만족에 있어) 단연코 가장 큰 요소이다 — /
which is worth as much in your overall happiness /
이것은 당신의 전체 행복에 있어 많은 가치가 있다 /
as a very substantial raise.
아주 상당한 임금 인상만큼의.

05
Say // you get a new boss //
가령 // 새로운 상사가 오고서 //
and your trust (in your workplace's management) goes up a bit.
(직장 경영진에 대한) 당신의 신뢰가 약간 상승했다고 해 보자.

해석

2 ① 업무 만족에서 임금 인상의 대안으로서의 경영진에 대한 신뢰
② 업무 만족에서 우위를 얻기 위한 경영진에 대한 신뢰도와 임금 인상 사이의 전쟁
③ 업무 만족에 있어서의 네 가지 요소를 이해하고 그것들의 중요성을 밝히는 것
④ 임금 인상과 비교했을 때의 경영진에 대한 신뢰의 가치

해설

1 주어진 문장은 직무 만족에서 중요한 네 가지 요소를 분석하는 과정에서 이를 임금 인상과 비교할 때 어느 정도의 가치가 있는지를 알게 되었다고 설명한다. 이후 이 네 가지 요소 중 하나인 '경영진에 대한 신뢰'를 예시로 들어 이를 임금 인상과 비교하는 (C)의 문장이 오는 것이 자연스럽다. (A)의 even this small increase는 (C)의 goes up a bit을 받아 (C)에 대한 부연 설명을 완성한다. (B)는 In other words를 통해 (C)와 (A)의 예시를 재진술하고 있다. 따라서 정답은 ③ (C)-(A)-(B)이다.

2 주어진 문장은 직무 만족에서 중요한 네 가지 요소를 분석하는 과정에서 이를 임금 인상과 비교할 때 어느 정도의 가치가 있는지를 알게 되었다고 설명한 후, 그에 대한 구체적인 예시로 경영진에 대한 신뢰를 들고 있다. 나머지 이어지는 글 전체의 내용이 이러한 경영진에 대한 신뢰를 임금 인상 정도와 비교하여 설명하고 있으므로 이 글의 주제로 가장 적절한 것은 ④ '임금 인상과 비교했을 때의 경영진에 대한 신뢰의 가치'이다. ③의 경우, 네 가지 요소가 무엇인지에 대한 전체적인 언급이 없으므로 주제가 될 수 없다.

전문해석

흥미롭게도 직무 만족에 있어서의 네 가지 핵심 요소들을 분석하는 과정에서, 몇몇 학자들은 각 요소가 임금 인상과 비교될 때 어느 정도의 가치를 가지고 있는지 알아냈다. 예를 들어, 이러한 요소 중 하나는 경영진에 대한 신뢰인데 —이는 직무 만족에 있어 단연코 가장 큰 요소이다— 이것은 당신의 전체 행복에 있어 아주 상당한 임금 인상만큼의 가치가 있다. 가령 새로운 상사가 오고서 직장 경영진에 대한 당신의 신뢰가 약간 상승했다고 해 보자. 학자들이 계산한 바에 의하면, 신뢰가 약간만 증가하더라도 이는 36퍼센트의 임금 인상을 얻는 것과 같다. 다시 말해, 그것은 36퍼센트의 임금 인상이 가져오는 것과 거의 같은 양만큼 삶에서 당신의 전반적인 만족 수준을 상승시킬 것이다.

어휘

- analyze 분석하다
- figure out 알아내다
- by far 단연코
- overall 전체적인
- supremacy 우위
- acknowledge 인정하다
- increase 증가시키다
- satisfaction 만족
- boost 늘리다
- component 요소
- substantial 상당한
- unveil 밝히다
- discourage 낙담시키다
- suspend 중지하다

정답 1 ③ 2 ④ 3 ③

124 Cloud computing에 관한 다음 글의 내용과 일치하지 않는 것은?

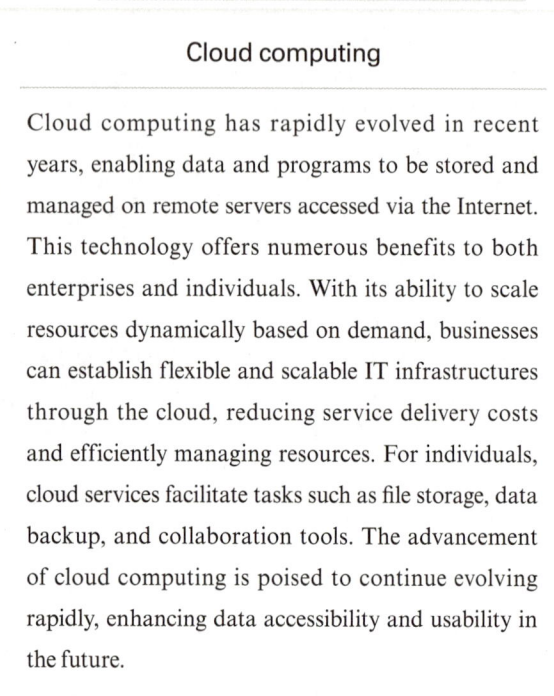

Cloud computing

Cloud computing has rapidly evolved in recent years, enabling data and programs to be stored and managed on remote servers accessed via the Internet. This technology offers numerous benefits to both enterprises and individuals. With its ability to scale resources dynamically based on demand, businesses can establish flexible and scalable IT infrastructures through the cloud, reducing service delivery costs and efficiently managing resources. For individuals, cloud services facilitate tasks such as file storage, data backup, and collaboration tools. The advancement of cloud computing is poised to continue evolving rapidly, enhancing data accessibility and usability in the future.

① Data and programs can be stored on remote servers.
② It can dynamically scale resources based on demand.
③ It enables individual users to build flexible and scalable IT infrastructures.
④ It enables individual users to store files and back up data.

---

125 다음 글을 읽고 물음에 답하시오.

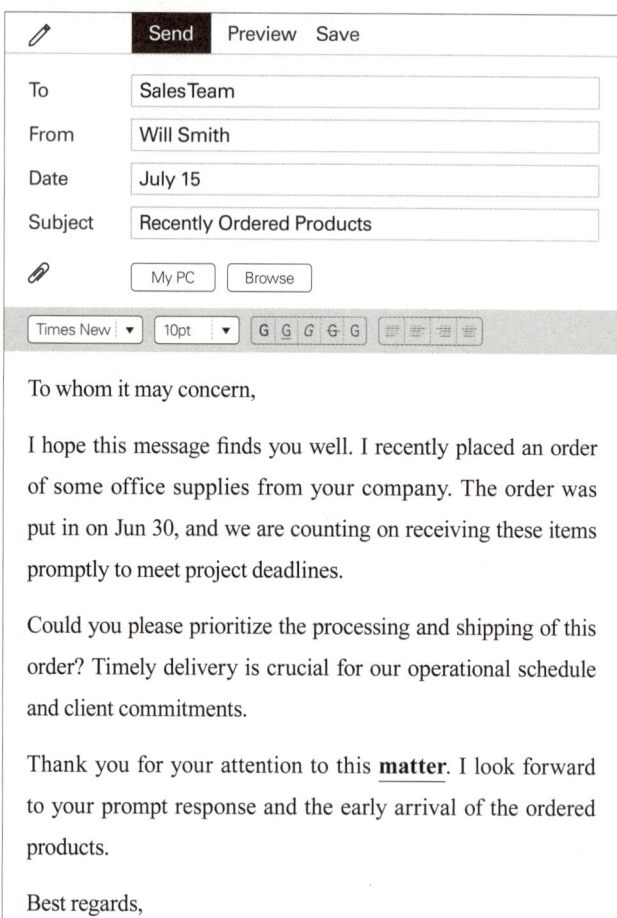

To: SalesTeam
From: Will Smith
Date: July 15
Subject: Recently Ordered Products

To whom it may concern,

I hope this message finds you well. I recently placed an order of some office supplies from your company. The order was put in on Jun 30, and we are counting on receiving these items promptly to meet project deadlines.

Could you please prioritize the processing and shipping of this order? Timely delivery is crucial for our operational schedule and client commitments.

Thank you for your attention to this **matter**. I look forward to your prompt response and the early arrival of the ordered products.

Best regards,
Will Smith

1 윗글의 목적으로 알맞은 것은?

① to request the cancellation of the order
② to request a quick delivery of the order
③ to request a return of the order
④ to request the exchange of the order

2 밑줄 친 matter의 의미로 가장 적절한 것은?

① affair
② harm
③ outcome
④ content

124

해석

> **클라우드 컴퓨팅**
>
> 최근 몇 년 동안 클라우드 컴퓨팅은 급속히 발전해왔고, 인터넷을 통해 접속된 원격 서버에서 데이터와 프로그램이 저장되고 관리될 수 있게 한다. 이 기술은 기업과 개인 모두에게 수많은 이익을 제공한다. 수요를 기반으로 자원을 역동적으로 조정할 수 있는 능력을 갖춘 기업은 클라우드를 통해 유연하고 확장성 있는 IT 기반 시설을 구축할 수 있어, 서비스 배송 비용을 줄이고 자원을 효율적으로 관리할 수 있다. 개인의 경우, 클라우드 서비스는 파일 저장, 데이터 백업, 그리고 협업 도구와 같은 업무를 용이하게 할 수 있다. 클라우드 컴퓨팅의 발전은 계속 급속히 발전해서 장래에 데이터 접근성과 유용성을 높일 준비가 되어 있다.

① 데이터와 프로그램은 원격 서버에 저장될 수 있다.
② 이것은 수요를 기반으로 자원을 동적으로 조정할 수 있다.
③ 이것은 개인 사용자가 유연하고 확장 가능한 IT 인프라를 구축하게 한다.
④ 이것은 개인 사용자가 파일 저장과 데이터 백업을 할 수 있게 한다.

해설

③ 세 번째 문장에서 기업이 클라우드를 통해 유연하고 확장성 있는 IT 기반 시설을 구축할 수 있다고 했으므로 글의 내용과 일치하지 않는다.
① 첫 번째 문장에서 인터넷을 통해 접속된 원격 서버에서 데이터와 프로그램이 저장되고 관리될 수 있다고 했으므로 글의 내용과 일치한다.
② 세 번째 문장에서 수요를 기반으로 자원을 역동적으로 조정할 수 있는 능력을 갖춘다고 했으므로 글의 내용과 일치한다.
④ 네 번째 문장에서 개인이 클라우드 서비스로 파일 저장, 데이터 백업, 그리고 협업 도구와 같은 업무를 본다고 했으므로 글의 내용과 일치한다.

어휘

- cloud computing 클라우드 컴퓨팅: 인터넷을 통해 컴퓨팅 자원 및 서비스를 원격으로 제공하는 기술
- rapidly 급속히
- store 저장하다
- numerous 수많은
- enterprise 기업
- scalable 확장성이 있는
- efficiently 효율적으로
- collaboration 협업
- effectively 효과적으로
- be poised to ~할 준비가 되다
- usability 유용성
- evolve 발전하다
- access ~에 접속하다
- benefit 이익
- scale (크기, 규모 등을) 조정하다
- infrastructure (사회) 기반 시설
- facilitate 용이하게 하다
- tool 도구
- advancement 발전
- accessibility 접근성

정답 ③

125

해석

> **수신:** 영업팀
> **발신:** Will Smith
> **날짜:** 7월 15일
> **주제:** 최근 주문 물품
>
> 관계자에게,
>
> 안녕하세요. 저는 최근에 귀하의 회사에서 몇 가지 사무용품을 주문했습니다. 주문은 6월 30일에 이루어졌고, 저희는 프로젝트 마감일을 맞추기 위해 이 물품들을 신속히 받기를 기대하고 있습니다.
>
> 이 주문의 처리와 배송을 우선시해주실 수 있을까요? 시기적절한 배송은 저희 운영 일정과 고객 약속을 위해 매우 중요합니다.
>
> 이 문제에 관심을 가져주셔서 감사합니다. 귀사의 신속한 답변과 주문한 물품의 이른 도착을 기대하겠습니다.
>
> 안부를 전하며,
> Will Smith

1 ① 주문 상품의 취소를 요청하려고
   ② 주문 상품의 빠른 배송을 요청하려고
   ③ 주문 상품의 반품을 요청하려고
   ④ 주문 상품의 교환을 요청하려고

해설

1 글의 중심 소재는 이메일의 제목인 최근 주문 물품이고, 주제문은 세 번째 문장으로, 최근 주문한 물건을 신속히 받고 싶다는 요청이다. 또한 마지막 문장에도, 주문한 물품의 이른 도착을 기대하겠다는 글의 목적이 잘 드러나 있다. 따라서 정답은 ② '주문 상품의 빠른 배송을 요청하려고' 이다.

어휘

- To whom it may concern 관계자에게
- place an order 주문하다
- put in an order 주문하다
- promptly 신속히
- prioritize 우선하다
- operational 운영의
- matter 문제
- affair 문제
- outcome 결과
- supplies (pl.) 용품
- count on ~을 기대하다
- meet (기한을) 지키다
- timely 시기적절한
- commitment 약속
- prompt 신속한
- harm 손상
- content 내용

정답 1 ② 2 ①

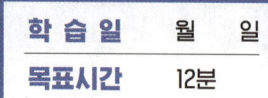

126 각 문장을 끊어 읽고 해석한 후 제시된 문제에 답하시오.

01
The 'ten-thousand-hour rule' states that expertise requires at least ten thousand hours of practice, but time is clearly not the only **prerequisite**. (A) Nevertheless, quantity time is a prerequisite to quality time as we seldom experience meaningful time together unless we first put in the hours. (B) Years of one's life spent practicing the wrong things will not lead to expertise any more than spending the same amount of time watching television. (C) Time is a basic prerequisite, but not _____. (D) Layered upon time are a slew of other ingredients, like life focus, precision, discipline, and desire.

1 빈칸에 들어갈 말로 가장 적절한 것은?
① a sufficient one in itself
② a requisite for time
③ a tolerant one of others
④ a predictor of longevity

2 글의 흐름상 가장 어색한 것은?
① (A)   ② (B)
③ (C)   ④ (D)

3 밑줄 친 부분의 의미와 가장 가까운 것은?
① feature   ② task
③ requirement   ④ supply

126 구문분석 & 문장분석

01
The 'ten-thousand-hour rule' states //
'일만 시간의 법칙'은 말한다 //

that expertise requires /
전문적 기술이 요구한다고 /

at least ten thousand hours of practice, //
적어도 일만 시간의 연습을, //

but time is clearly not the only prerequisite.
그러나 시간이 유일한 필요조건은 분명 아니다.

02
Nevertheless, /
그럼에도 불구하고, /

quantity time is a prerequisite (to quality time) //
양적인 시간은 (질적인 시간의) 필요조건이다 //

as we seldom experience meaningful time together //
우리가 의미 있는 시간을 거의 함께 경험하지 않기 때문에 //

unless we first put in the hours.
우리가 그 시간을 최우선하지 않는 한.

03
Years of one's life (spent practicing the wrong things) /
(잘못된 것을 연습하느라 사용한) 인생의 오랜 기간은 /

will not lead to expertise /
전문적 기술로 이어지지 않을 것이다 /

any more than spending the same amount of time /
똑같은 양의 시간을 소비하는 것과 마찬가지로 /

watching television.
텔레비전을 보면서.

04
Time is a basic prerequisite, /
시간은 기본 전제조건이다, /

but not a sufficient one in itself.
그러나 그 자체로 충분한 것은 아니다.

05
Layered upon time are /
시간 위에 쌓인다 /

a slew of other ingredients, (like life focus, precision, discipline, and desire).
(인생의 목표, 정확함, 훈련과 소망 같은) 많은 다른 구성요소가.

해석

1 ② 시간의 필수품은
③ 다른 사람들에 대해 관대한 것은
④ 장수의 예측 변수는

해설

1 전문 기술을 익히는 데에는 많은 시간이 필요하지만 그것만이 필요조건은 아니라고 말한 뒤, 그에 대한 예시를 제시한다. 따라서 빈칸이 있는 문장에서 시간은 기본 전제조건이 될 수는 있지만 충분하지 못하다고 이어지는 것이 논리적으로 가장 자연스럽다. 따라서 정답은 ① '그 자체로 충분한 것은'이다.

2 이 글은 전문 기술을 익히는 데에는 시간 외에도 인생의 목표나 정확함 등의 여러 가지 구성요소가 필요하다는 내용인데, 두 번째 문장(A)는 양적인 시간이 질적인 시간의 필요조건이라고 설명하므로 주제문과는 정반대의 내용이다. 따라서 정답은 ① (A)이다.

전문해석

'일만 시간의 법칙'은 전문적 기술이 적어도 일만 시간의 연습을 요구한다고 말하지만 시간이 유일한 필요조건은 분명 아니다. 잘못된 것을 연습하느라 사용한 인생의 오랜 기간은 텔레비전을 보면서 똑같은 양의 시간을 소비하는 것과 마찬가지로 전문적 기술로 이어지지 않을 것이다. 시간은 기본 전제조건이지만 그 자체로 충분한 것은 아니다. 인생의 목표, 정확함, 훈련과 소망 같은 많은 구성요소가 시간 위에 쌓인다.

어휘

- state 말하다
- prerequisite 필요조건
- a slew of 많은
- precision 정확함
- sufficient 충분한
- tolerant 관대한
- longevity 장수
- task 임무
- supply 공급
- expertise 전문적 기술
- layer 겹겹이 쌓다
- ingredient 구성요소
- discipline 훈련
- requisite 필수품
- predictor 예측변수
- feature 특징
- requirement 필요조건

정답 1 ① 2 ① 3 ③

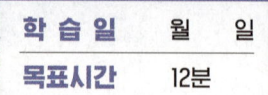

127 각 문장을 끊어 읽고 해석한 후 제시된 문제에 답하시오.

01
How do you describe the times we live in, so connected and yet fractured? Linda Stone, a former Microsoft techie, characterizes ours as an era of continuous _____ attention. Teenagers are instant-messaging while they are talking on the cell phone, downloading music, and doing homework, and adults are also living with all systems go, interrupted and distracted, and multi-technological-tasking everywhere.
04
We suffer from the illusion, Stone says, that we can **expand** our personal work capacity, connecting to more and more. Instead, we end up overstimulated, overwhelmed and, she adds, unfulfilled.

1 글의 요지로 가장 적절한 것은?
① Modern technology helps us to enrich our lives.
② We live in an age characterized by lack of full attention.
③ Family bond starts to weaken as a result of smart phone development.
④ The older generation can be as technologically smart as the younger one.

2 빈칸에 들어갈 말로 가장 적절한 것은?
① partial   ② integrated
③ cooperative   ④ repetitive

3 밑줄 친 부분의 의미와 가장 가까운 것은?
① construct   ② explore
③ dismiss   ④ enlarge

127 구문분석 & 문장분석

01
How do you describe the times (we live in), //
당신은 (우리가 사는) 이 시대를 어떻게 묘사하는가, //
so connected and yet fractured?
매우 연결되어 있지만 분열되어 있다고?

02
Linda Stone, (a former Microsoft techie), characterizes ours /
(전 마이크로소프트 기술전문가인), Linda Stone은 우리 시대를 특징짓는다 /
as an era (of continuous partial attention).
(지속적인 부분적 관심의) 시대라고.

03
Teenagers are instant-messaging //
십 대들은 실시간 채팅을 한다 //
while they are talking on the cell phone, /
그들이 휴대전화로 통화하고, /
downloading music, / and doing homework, //
음악을 다운로드하고, / 숙제를 하는 동안 //
and adults are also living with all systems go, //
그리고 성인들도 모든 시스템이 작동 중인 상태로 살아간다, //
interrupted and distracted, and multi-technological-tasking everywhere.
방해받고 산만해지고 어디서나 기술적으로 여러 가지 일을 해가면서.

04
We suffer from the illusion, (Stone says),
우리가 환상으로 고통받고 있다고, (Stone은 말한다),
(that we can expand our personal work capacity), //
(우리 개인의 작업 능력을 확대할 수 있다는) //
connecting to more and more.
우리가 더욱 더 많은 것들과 연결되면서.

05
Instead, /
오히려, /
we end up overstimulated, overwhelmed and, (she adds), unfulfilled.
(그녀는 덧붙인다) 우리는 지나치게 자극받고, 압도되며, 만족하지 못한 상태에 처하게 된다고.

해석

1 ① 현대 기술은 우리의 삶을 풍부하게 하는 데 도움을 준다.
② 우리는 완전한 집중의 부족에 의해 특징지어진 시대를 살아간다.
③ 스마트폰 개발의 결과로 인해 가족의 유대감은 약해지기 시작한다.
④ 기성세대도 젊은 세대 못지않게 기술적으로 똑똑할 수 있다.

2 ② 통합된   ③ 협력의   ④ 반복적인

해설

1 첫 번째 문장에서 질문을 던지고 이에 대한 대답을 통해 글의 주제를 설명하는 글이다. 이 글에서는 Linda Stone의 대답을 통해 주어진 질문에 대한 대답을 전하며 글의 주제를 전달한다. 따라서 두 번째 문장이 글의 주제문이다. 이어지는 내용은 주제문에 대한 구체적인 예시에 해당하는 부연 설명이다. 부연 설명에서 십 대와 성인을 각각 예로 드는데, 이 둘 모두 다양한 활동들 때문에 산만해지고 방해받으며 순간적인 집중력만을 사용할 뿐이라고 설명한다. 따라서 이 글의 요지는 ② '우리는 완전한 집중의 부족에 의해 특징지어진 시대를 살아간다.'이다.

2 뒤에 이어지는 부연 설명을 통해 주제문의 빈칸을 완성하는 문제이다. 십 대들과 성인들 모두 다양한 일을 동시에 수행하며 산만한 채로, 집중하지 못한 채 생활하고 있다는 내용이 이어진다. 따라서 관심이 지속되지 못하고 방해받는다거나 산만해진다는 의미가 들어가야 문맥에 적합하다. 따라서 정답은 ① '부분적인'이다. 통합된다는 것은 내용과 상반되며, 협력한다거나 반복된다는 내용은 언급되지 않았으므로 ②, ③, ④는 답이 될 수 없다.

전문해석

당신은 우리가 사는 이 시대를 어떻게 묘사하는가, 매우 연결되어 있지만 분열되어 있다고? 전 마이크로소프트 기술전문가인 Linda Stone은 우리 시대를 지속적인 부분적 관심의 시대라고 특징짓는다. 십 대들은 휴대전화로 통화하고, 음악을 다운로드하고 숙제를 하는 동안 실시간 채팅을 하며, 성인들도 방해받고 산만해지고 어디서나 기술적으로 여러 가지 일을 해가면서, 모든 시스템이 작동 중인 상태로 살아간다. Stone은 우리가 더욱 더 많은 것들과 연결되면서 우리 개인의 작업 능력을 확대할 수 있다는 환상으로부터 고통받고 있다고 말한다. 오히려 우리는 지나치게 자극받고, 압도되며, 만족하지 못한 상태에 처하게 된다고 그녀는 덧붙인다.

어휘

- fractured 분열되어
- techie 기술전문가
- characterize 특징짓다
- era 시대
- instant-message 실시간 채팅을 하다
- interrupt 방해하다
- distract 산만하게 하다
- suffer from ~로 고통받다
- illusion 환상
- expand 확대하다
- overwhelm 압도하다
- unfulfilled 만족하지 못하는
- enrich 풍부하게 하다
- partial 부분적인
- integrated 통합적인
- cooperative 협력하는
- repetitive 반복적인
- construct 건설하다
- explore 탐험하다
- dismiss 무시하다
- enlarge 확대하다

정답 1 ② 2 ① 3 ④

128 Horizon Technologies에 관한 다음 글의 내용과 일치하지 않는 것은?

Horizon Technologies: From Startup to Trusted Tech Partner

Established in 1985, Horizon Technologies began as a small startup in the heart of Silicon Valley, founded by visionary engineers with a passion for innovation in telecommunications. Initially focused on developing cutting-edge networking solutions for local businesses, the company quickly gained recognition for its pioneering approach to data transmission and connectivity. Throughout the 1990s, Horizon Technologies expanded its portfolio, diversifying into software development and IT consulting services to meet the evolving needs of its growing client base. Throughout the first decade of the 21st century, the company became a reliable partner in the tech industry, offering custom solutions to help businesses improve efficiency and grow.

① It was established as a small startup by visionary engineers.
② It began with networking solutions and later included software development and IT consulting.
③ It adopted new technologies like cloud computing and cybersecurity to meet the needs of its clients.
④ During the early 2000s, it became a trusted partner in the high tech industry.

129 다음 글의 목적으로 가장 적절한 것은?

To: All employees
From: Emma Taylor
Date: October 15
Subject: Important Notice

Dear Participants,

This is to inform you about an important update on the upcoming Workshop on Digital Marketing Strategies.

Venue:
Due to unforeseen circumstances, we have changed the location of our event to the Executive Conference Room at the Summit Hotel instead of the Seminar Hall as previously planned.

Date: November 15
Time: 9:00 AM to 5:00 PM

We apologize for any inconvenience this change may cause and assure you that the new venue is equally equipped to accommodate the workshop's requirements. Directions to the Executive Conference Room will be provided at the hotel reception upon arrival.

Thank you for your understanding and cooperation. We look forward to a productive and engaging workshop.

Best regards,
Emma Taylor
Event Coordinator

① to invite the employees to the workshop
② to announce the workshop schedule
③ to inform the change of workshop venue
④ to encourage participation in the workshop

128

해석

> **Horizon Technologies: 신생 벤처 기업에서 신뢰받는 기술 동반자로**
>
> 1985년에 설립된 Horizon Technologies는 실리콘밸리의 중심에서 원거리 통신의 혁신에 대한 열정을 품은 선견지명이 있는 엔지니어들에 의해 설립된 작은 신생 벤처 기업으로 시작했다. 처음에는 지역 사업체들을 위한 최첨단 네트워킹 솔루션을 개발하는 데 중점을 둔, 그 회사는 선구적인 데이터 전송과 연결 방법으로 빠르게 인정받았다. 1990년대 내내, Horizon Technologies는 자사의 서비스 목록을 확대했고, 늘어나는 고객층의 서서히 발전하는 요구를 충족하기 위해 소프트웨어 개발과 IT 컨설팅 서비스로 경영을 다각화했다. 21세기의 첫 10년 동안, 이 회사는 기업들이 효율성을 개선하고 성장하도록 돕기 위해 고객 맞춤형 솔루션을 제공하면서, 첨단 기술 산업에서 믿음직한 동반자가 되었다.

① 이 회사는 선견지명이 있는 엔지니어들에 의해 작은 신생 벤처 기업으로 설립되었다.
② 이 회사는 네트워킹 솔루션으로 시작했고 나중에 소프트웨어 개발과 IT 컨설팅을 포함했다.
③ 이 회사는 고객의 요구를 충족하기 위해 클라우드 컴퓨팅과 사이버 보안 같은 새로운 기술을 채택했다.
④ 2000년대 초 동안, 이 회사는 첨단 기술 산업에서 믿음직한 동반자가 되었다.

해설

③ 세 번째 문장에서 고객의 발전하는 요구를 충족하기 위해 소프트웨어 개발과 IT 컨설팅 서비스로 경영을 다각화했다고 했으므로 글의 내용과 일치하지 않는다.
① 첫 번째 문장에서 이 회사가 선견지명이 있는 엔지니어들에 의해 설립된 작은 신생 벤처 기업으로 시작했다고 했으므로 글의 내용과 일치한다.
② 두 번째 문장에서 이 회사가 처음에는 지역 사업체들을 위한 최첨단 네트워킹 솔루션을 개발하는 데 중점을 두었다고 했고 세 번째 문장에서 소프트웨어 개발과 IT 컨설팅 서비스로 경영을 다각화했다고 했으므로 글의 내용과 일치한다.
④ 마지막 문장에서 이 회사가 2,000년대 초에 첨단 기술 산업에서 믿음직한 동반자가 되었다고 했으므로 글의 내용과 일치한다.

어휘

- startup 신생 벤처 기업
- visionary 선견지명이 있는
- passion 열정
- telecommunication 원거리 통신
- initially 처음에
- cutting-edge 최첨단의
- solution 솔루션: 고객의 문제를 해결하기 위해 사용하는 모든 정보 기술
- recognition 인정
- pioneering 선구적인
- transmission 전송
- expand 확대하다
- portfolio 서비스 목록
- diversify 경영을 다각화하다
- evolve 서서히 발전하다
- reliable 믿음직한
- custom 고객 맞춤형의
- efficiency 효율성
- utilize 활용하다
- cybersecurity 사이버 보안

정답 ③

129

해석

> 수신: 전 직원
> 발신: Emma Taylor
> 날짜: 10월 15일
> 제목: 주요 공지
>
> 참석자 여러분께,
>
> 다가오는 디지털 마케팅 전략 워크숍에 관한 중요한 최신 정보를 알려 드리려고 이메일 드립니다.
>
> 장소:
> 뜻하지 않은 상황 때문에, 본래 계획되었던 세미나홀 대신에 Summit 호텔의 간부 회의실로 행사 장소를 변경했습니다.
>
> 날짜: 11월 15일
> 시간: 오전 9시부터 오후 5시까지
>
> 이 변경으로 초래될 수 있는 어떤 불편에 대해서도 사과드리며 새로운 장소가 워크숍의 요건을 수용할 준비가 똑같이 되어 있음을 보장해 드립니다. 간부 회의실로 가는 안내는 도착하시는 즉시 호텔 접수처에서 제공됩니다.
>
> 여러분의 이해와 협조에 감사드립니다. 생산적이고 매력적인 워크숍을 기대하겠습니다.
>
> 안부를 전하며,
> Emma Taylor
> 행사 담당자

① 워크숍에 직원들을 초대하려고
② 워크숍 일정을 공지하려고
③ 워크숍 장소 변경을 알리려고
④ 워크숍 참석을 독려하려고

해설

글의 목적은 첫 번째 문장에서 언급된 워크숍에 관한 최신 정보 공지이다. 이후 <장소>에서 최신 정보가 워크숍의 장소 변경임을 설명하고 있으므로 글의 목적으로 가장 적절한 것은 ③ '워크숍 장소 변경을 알리려고'이다.

어휘

- notice 공지
- venue 장소
- unforeseen 뜻하지 않은
- executive 간부의
- previously 본래
- inconvenience 불편
- assure 보장하다
- be equipped to ~할 준비가 되어 있다
- accommodate 수용하다
- requirement 요건
- direction 안내
- engaging 매력적인
- coordinator (업무, 행사 등의 진행) 담당자

정답 ③

130 Upcycling Festival에 관한 다음 글의 내용과 일치하는 것은?

Join the Family Upcycling Festival!

The Community Art Center is proud to announce this year's Upcycling Festival, a precious opportunity for the whole family to create, see and learn about the art of upcycling. There is no admission fee and booking is not needed.

Date & Time

Saturday, November 23, 2:00 pm-5:00 pm

Location

The Community Art Center

Programs

- **Hands-on activities for children**: making artworks using used or waste materials at the center's hall
- **Exhibition**: famous upcycling artworks displayed in the backyard
- **Movie**: documentaries on environmental topics screened in the meeting room

Parking

- The parking lot is open from 1:00 pm to 6:00 pm.
- The parking fee is $30.

If you need more information, please call 123-456-0987.

① 입장료가 있고 예약이 필요하다.
② 토요일 오전부터 시작된다.
③ 어린이를 위한 체험 활동이 있다.
④ 주차 요금은 무료이다.

DAY 25~26 Exercises

[1~4] 양쪽에 주어진 말의 의미가 일맥상통하도록 선으로 연결하세요.

1. habitat ○   ① to understand or find (something, such as a reason or a solution) by thinking

2. prerequisite ○   ② to show or reveal (something) to others for the first time

3. figure out ○   ③ something that you officially must have or do before you can have or do something else

4. unveil ○   ④ the place or type of place where a plant or animal naturally or normally lives or grows

[5~7] 다음 문장의 끊어 읽기를 참고하여, 빈칸에 알맞은 해석을 쓰세요.

5. When you leave, / it's essential / to leave a positive final impression / as the initial impression you made.
   당신이 떠날 때, / 중요하다 / _____ / 당신이 만든 첫인상처럼.

6. If a species already has a more varied set of genes, / it is more likely to undergo the necessary changes.
   만일 어떤 종이 보다 다양한 집합의 유전자들을 이미 가지고 있다면, / _____.

7. Instead, / she adds / we end up overstimulated, overwhelmed and, unfulfilled.
   오히려, / 그녀는 덧붙인다 / _____.

정답 1 ④   2 ③   3 ①   4 ②   5 마지막 인상을 긍정적으로 남기는 것이   6 그것은 필요한 변화를 견딜 가능성이 더 크다   7 우리는 지나치게 자극받고, 압도되며, 만족하지 못한 상태에 처하게 된다고

131 각 문장을 끊어 읽고 해석한 후 제시된 문제에 답하시오.

01 The Harry Potter series have been the subject of a 02 number of legal proceedings. (A) Various religious groups in America said that Harry Potter, who promotes witchcraft, was the wrong kind of hero and poses a danger to children around the world. 03 (B) They have claimed that the books are therefore unsuitable for children, while a number of critics have criticized the books for promoting various political agendas. 04 (C) As of February 2023, the books have sold more than 600 million copies worldwide, making them the best-selling book series in history. 05 (D) Rowling's revelation that the character Dumbledore was a homosexual has increased the political controversies surrounding the series.

1 글의 제목으로 가장 적절한 것은?

① Controversies over the Harry Potter Series
② Various Themes of the Harry Potter Series
③ The Cultural Impact of the Harry Potter Series
④ The Effects of the Harry Potter Series on Magic

2 글의 흐름상 가장 어색한 문장은?

① (A)   ② (B)
③ (C)   ④ (D)

3 글의 내용과 일치하지 않는 것은?

① The Harry Potter series has won many legal battles.
② American religious groups have accused the Harry Potter series of promoting witchcraft.
③ The Harry Potter books have been blamed for promoting different political issues.
④ The gender identity of Dumbledore increased political controversies surrounding the series.

131 구문분석 & 문장분석

01
The Harry Potter series /
해리 포터 시리즈는 /

have been the subject (of a number of legal proceedings).
(많은 법적 소송의) 대상이 되어 왔다.

02
Various religious groups in America said //
미국의 다양한 종교 단체는 말했다 //

that Harry Potter, (who promotes witchcraft), was the wrong kind of hero //
(마법을 조장하는) 해리 포터는 잘못된 종류의 영웅이라고 //

and poses a danger to children (around the world).
그리고 (전 세계의) 어린이들에게 위험을 야기한다고.

03
They have claimed //
그들은 주장하고 있다 //

that the books are (therefore) unsuitable for children, //
(그러므로) 그 책들이 아이들에게 부적절하다고 //

while a number of critics have criticized the books /
한편 많은 비평가들은 그 책들을 비판해 왔다 /

for promoting various political agendas.
다양한 정치 쟁점을 조장한 점에 대해.

04
As of February 2023, /
2023년 2월자로, /

the books have sold more than 600 million copies worldwide, //
이 책은 6억 부 이상이 전 세계적으로 판매되었으며 //

making them the best-selling book series in history.
역사상 가장 많이 팔린 도서 시리즈가 되었다.

05
Rowling's revelation (that the character Dumbledore was a homosexual) /
롤링의 (덤블도어라는 등장인물이 동성애자였다는) 폭로는 /

has increased the political controversies (surrounding the series).
(그 시리즈를 둘러싼) 정치적 논란들을 증가시켰다.

해석

1 ① 해리 포터 시리즈에 관한 논란들
   ② 해리 포터 시리즈의 다양한 주제
   ③ 해리 포터 시리즈의 문화적 영향[충격]
   ④ 해리 포터 시리즈가 마법에 미치는 영향

3 ① 해리 포터 시리즈는 많은 법적 싸움에서 이겼다.
   ② 미국의 종교 단체는 해리 포터 시리즈가 마법을 조장한다고 비난했다.
   ③ 해리 포터 책은 다양한 정치 쟁점들을 조장한다고 비난받아 왔다.
   ④ 덤블도어의 성 정체성은 그 시리즈를 둘러싼 정치적 논란을 증가시켰다.

해설

1 첫 문장이 주제문으로, 해리 포터 시리즈가 많은 소송의 대상, 즉 많은 논란을 불러일으키고 있다는 내용의 글이다. 이후 그에 대한 부연 설명으로서 해리 포터 시리즈와 관련된 논란에 어떤 것들이 있는지 나열하고 있다. 따라서 이 글의 제목으로는 ① '해리 포터 시리즈에 관한 논란들'이 가장 적절하다.

2 해리 포터가 불러일으키는 다양한 논란들에 관한 글이다. 법적 소송의 대상이기도 했으며 종교 단체들로부터는 마법을 조장한다는 비난을 받았고, 많은 비평가들이 정치 쟁점을 불러일으켰다고 비판했으며, 덤블도어의 성 정체성의 문제도 많은 쟁점을 불러일으켰다고 설명되고 있다. 그러나 (C)의 문장은 해리 포터가 전 세계적으로 6억 부 이상 팔렸다는 판매 부수에 대하여 설명하고 있어 글의 흐름에 적합하지 않다. 정답은 ③ (C)이다.

3 ① 첫 번째 문장에서 해리 포터 시리즈가 많은 법적 소송의 대상이 되었다고 했지 법적 싸움에서 이겼다는 말은 없으므로 글의 내용과 일치하지 않는다.
   ② 두 번째 문장에서 미국의 종교 단체는 해리 포터가 마법을 조장한다고 주장했다고 했으므로 글의 내용과 일치한다.
   ③ 세 번째 문장에서 비평가들은 해리 포터 책이 다양한 정치 쟁점을 조장한다고 비판했다고 설명했으므로 글의 내용과 일치한다.
   ④ 마지막 문장에서 덤블도어라는 등장인물이 동성애자였다는 롤링의 폭로는 그 시리즈를 둘러싼 정치적 논란들을 증가시켰다고 했으므로 글의 내용과 일치한다.

전문해석

해리 포터 시리즈는 많은 소송 절차의 대상이 되어 왔다. 미국의 다양한 종교 단체는 마법을 조장하는 해리 포터는 잘못된 종류의 영웅이고 전 세계의 어린이들에게 위험을 야기한다고 말했다. 그들은 그 책들이 그러므로 아이들에게 부적절하다고 주장해온 한편, 많은 비평가들은 그 책들이 다양한 정치 쟁점을 조장한 점에 대해 비판해 왔다. 덤블도어라는 등장인물이 동성애자였다는 롤링의 폭로는 그 시리즈를 둘러싼 정치적 논란들을 증가시켰다.

어휘

- subject 대상
- proceeding 소송
- witchcraft 마법
- claim 주장하다
- critic 비평가
- political agenda 정치 쟁점
- revelation 폭로
- legal 법적인
- promote 조장하다
- pose 야기하다
- unsuitable 부적절한
- criticize 비난하다
- as of ~일자로
- homosexual 동성애자인

정답 1 ① 2 ③ 3 ①

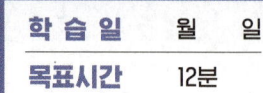

132 각 문장을 끊어 읽고 해석한 후 제시된 문제에 답하시오.

01
The motivating concepts that guide disaster management — the reduction of harm to life, property, and the environment — are largely the same throughout the world. 02 ____(A)____, the capacity to carry out this mission is by no means **uniform**. 03 Whether due to political, cultural, economic, or other reasons, the unfortunate reality is that some countries and some regions are more capable than others at addressing the problem. 04 But no nation, regardless of its wealth or influence, is advanced enough to be fully immune from disasters' negative effects. 05 ____(B)____, the emergence of a global economy makes it more and more difficult to contain the consequences of any disaster within one country's borders.

1 (A), (B)에 들어갈 말로 가장 적절한 것은?

	(A)	(B)
①	However	Furthermore
②	Otherwise	Furthermore
③	However	In contrast
④	Otherwise	In contrast

2 글의 내용과 일치하지 않는 것은?

① The capacity to carry out disaster management varies across countries and regions.
② The motivating concepts guiding disaster management differ significantly across the world.
③ Every nation, irrespective of its wealth or influence, is vulnerable to the negative effects of disasters.
④ The global economy complicates containing disaster consequences within borders.

3 밑줄 친 부분의 의미와 가장 가까운 것은?

① abstract   ② varied
③ adverse   ④ identical

132 구문분석 & 문장분석

01
The motivating concepts (that guide disaster management (— the reduction (of harm to life, property, and the environment) —)) /
((— (생명, 재산, 그리고 환경에 미치는 피해의) 축소라는 —)) 재난 관리를 하도록) 동기 부여하는 개념은 /
are largely the same / throughout the world.
대체로 동일하다 / 전 세계적으로.

02
However, / the capacity (to carry out this mission) /
그러나, / (이 임무를 수행하는) 역량은 /
is by no means uniform.
결코 동일하지 않다.

03
Whether due to political, cultural, economic, or other reasons, //
정치적, 문화적, 경제적 이유 때문이든, 아니면 다른 이유 때문이든, //
the unfortunate reality is //
불행한 현실은 ~이다 //
that some countries and some regions are more capable /
일부 국가와 일부 지역이 더 역량이 있다는 것 /
than others / at addressing the problem. /
다른 곳들보다 / 그 문제를 다루는 데 있어서. /

04
But / no nation, (regardless of its wealth or influence), /
그러나 / 그 어떤 국가도 (그것의 부유함이나 영향력과 상관없이), /
is advanced enough / to be fully immune /
충분히 진보하지 않았다 / 완전히 영향을 받지 않을 정도로 /
from disasters' negative effects.
재난의 부정적인 결과에.

05
Furthermore, / the emergence (of a global economy) /
게다가, / (세계 경제의) 출현은 /
makes it more and more difficult /
더욱더 어렵게 만든다 /
to contain the consequences (of any disaster) /
(어떤 재난의) 결과를 억제하는 것을 /
within one country's borders.
한 국가의 국경선 안으로만.

어휘
- property 재산
- uniform 동일한
- immune from ~에 영향을 받지 않는
- border 국경선
- abstract 추상적인
- adverse 불리한
- by no means 결코 ~이 아닌
- regardless of ~와 상관없이
- complicate 어렵게 만들다
- varied 다양한
- identical 동일한

해석
1
　　(A)　　　(B)
② 그렇지 않으면　더욱이
③ 그러나　　　그에 반해서
④ 그렇지 않으면　그에 반해서

2 ① 재난 관리를 수행하는 역량은 나라와 지역에 따라 다양하다.
② 재난 관리를 하도록 동기 부여하는 개념은 전 세계적으로 상당히 다르다.
③ 부나 영향력과는 상관없이 모든 나라는 재난의 부정적 영향에 취약하다.
④ 세계 경제는 재난 결과를 국경선 안에 담고 있는 것을 어렵게 만든다.

해설
1 (A) 앞에서는 재난 관리를 하도록 동기 부여하는 개념이 전 세계적으로 동일하다고 했지만, 빈칸 뒤에서는 이 임무를 수행하는 역량은 절대 똑같지 않다고 했다. 즉 상반되는 내용이므로 However가 오는 것이 적절하다. Otherwise는 앞글을 전제로 '그렇지 않으면' 어떠한 결과가 올 수 있다는 의미를 담는 내용이 뒤따라야 하므로 적절하지 않다. (B) 앞 문장에서는 재난의 부정적인 결과에 영향을 받지 않을 정도로 진보한 국가는 없다고 했고, 빈칸 뒤에서는 재난의 결과를 한 국가 안으로 담고 있기 어렵다고 했다. 즉 어떤 국가도 재난을 완전히 피할 수 없음을 추가로 덧붙인 내용이므로 Furthermore가 빈칸에 적합하다. 따라서 정답은 ①이다.

2 ② 첫 번째 문장에서 재난 관리를 하도록 동기 부여하는 개념은 전 세계적으로 동일하다고 했으므로 글의 내용과 일치하지 않는다.
① 두 번째 문장에서 재난 관리를 수행하는 역량은 동일하지 않다고 했고 세 번째 문장에서 현실은 일부 국가나 지역이 더 역량이 있다고 했으므로 글의 내용과 일치한다.
③ 네 번째 문장에서 국가의 부유함이나 영향력과 상관없이, 재난의 부정적인 결과에 영향을 받지 않을 정도로 충분히 진보하지 않았다고 했으므로 글의 내용과 일치한다.
④ 마지막 문장에서 세계 경제의 출현은 어떤 재난의 결과를 한 국가의 국경선 안으로 담고 있는 것을 더 어렵게 만든다고 했으므로 글의 내용과 일치한다.

전문해석
생명, 재산, 그리고 환경에 미치는 피해의 축소라는 재난 관리를 하도록 동기 부여하는 개념은 대체로 전 세계적으로 동일하다. 그러나 이 임무를 수행하는 역량은 결코 동일하지 않다. 정치적, 문화적, 경제적 이유 때문이든 아니면 다른 이유 때문이든, 불행한 현실은 일부 국가와 일부 지역이 다른 곳들보다 그 문제를 다루는 데 있어서 더 역량이 있다는 것이다. 그러나 그 어떤 국가도, 그 국가의 부유함이나 영향력과 상관없이, 재난의 부정적인 결과에 완전히 영향을 받지 않을 정도로 충분히 진보하지 않았다. 게다가 세계 경제의 출현은 어떤 재난의 결과를 한 국가의 국경선 안으로만 담고 있는 것을 더욱더 어렵게 만든다.

정답 1 ① 2 ② 3 ④

133 각 문장을 끊어 읽고 해석한 후 제시된 문제에 답하시오.

01
Many people are so focused on sharing their thoughts, opinions, and ideas that they forget to think about how their message will be received, or whether it's a good idea to speak at all. (A) Learning when you should not say anything is as important as learning how to say something. (B) Ask yourself, "What do I want to say?" and "Why do I want to say it?" (C) If the purpose of the communication is to make you feel better about something, and the information is not particularly helpful for the listener, perhaps _____.
05
(D) **Determining** how much to talk is an important first step when planning your communication.

1 빈칸에 들어갈 말로 가장 적절한 것은?

① you shouldn't hide your intention
② you had better say your personal interests
③ you should think learning is important
④ you shouldn't say anything

2 다음 문장이 들어갈 위치로 가장 적절한 것은?

> On the other hand, you shouldn't refrain from communicating feelings, thoughts, or reactions that influence your working relationships.

① (A)   ② (B)
③ (C)   ④ (D)

3 밑줄 친 부분의 의미와 가장 가까운 것은?

① Deciding   ② Expecting
③ Compelling ④ Objecting

133 구문분석 & 문장분석

01
Many people are so focused /
많은 사람들은 너무 집중한다 /

on sharing their thoughts, opinions, and ideas //
자신의 생각, 의견, 아이디어를 공유하는 데 //

that they forget to think about //
그래서 ~에 관해 생각하는 것을 잊는다 //

how their message will be received, //
그들의 메시지가 어떻게 받아들여질지, //

or whether it's a good idea / to speak at all.
또는 좋은 생각인지 / 말하는 것 자체가.

02
Learning when you should not say anything /
아무것도 말하지 말아야 하는 때를 배우는 것은 /

is as important / as learning how to say something.
중요하다 / 무언가를 어떻게 말해야 하는지를 배우는 것만큼.

03
Ask yourself, // "What do I want to say?" //
스스로에게 자문해 보라 // "내가 무엇을 말하기를 원하는가?" //

and "Why do I want to say it?"
그리고 "왜 나는 그것을 말하기를 원하는가?"라고.

04
If the purpose (of the communication) is /
만일 (의사소통의 목적이) /

to make you feel better / about something, //
당신을 기분 좋게 하는 것이라면 / 어떤 것에 대해 //

and the information is not particularly helpful /
그리고 그 정보가 특별히 도움이 되는 것이 아니라면 /

for the listener, // perhaps you shouldn't say anything.
듣는 사람에게, // 아마도 당신은 아무 말도 하지 말아야 한다.

삽입 문장
On the other hand, /
반면에, /

you shouldn't refrain from communicating feelings, thoughts, or reactions (that influence your working relationships.)
당신은 (당신의 업무상 관계에 영향을 주는) 감정, 생각, 또는 반응을 전하는 것을 삼가서는 안 된다.

05
Determining how much to talk /
얼마나 많이 이야기를 할 것인가를 결정하는 것은 /

is an important first step //
중요한 첫 번째 단계이다 //

when planning your communication.
당신의 의사소통을 계획할 때.

해석

1
① 당신은 당신의 의도를 숨겨서는 안 된다
② 당신은 당신의 개인적 흥미를 말하는 것이 낫다
③ 당신은 배우는 것이 중요하다고 생각해야 한다

해설

1 이 글의 주제문은 두 번째 문장이다. 아무것도 말하지 말아야 할 때를 배우는 것이 중요하다고 주장한 뒤, 주제문의 타당성을 뒷받침해 나가는 구조이다. 빈칸의 앞에서 자신이 어떤 말을 왜 하려고 하는지 생각해 보고 의사소통의 목적을 고려해 보라고 했으므로, 듣는 사람에게 도움이 되지 않는 말은 안 하는 편이 낫다는 내용으로 이어지는 것이 자연스럽다. 따라서 빈칸에 들어갈 말로 적절한 것은 ④ '당신은 아무 말도 하지 말아야 한다'이다.

2 주어진 문장은 역접의 연결어로 시작해서 일과 관련된 것에 영향을 주는 내용이라면 전달하라고 말한다. 따라서 이 앞에는 전달하지 말라는 내용이 나와야 하고 이 뒤에는 삼가하지 않아야 하는 부연 설명이 이어질 것으로 유추할 수 있다. ④의 앞에서는 아무 말도 하지 말라고 했고 뒤에서도 얼마나 많은 말을 해야 할지 계획해야 한다고 했으므로 주어진 문장은 ④ (D)에 들어가는 것이 적절하다.

전문해석

많은 사람들은 자신의 생각, 의견, 아이디어를 공유하는 데 너무 집중해서 그들의 메시지가 어떻게 받아들여질지 또는 말하는 것 자체가 좋은 생각인지에 관하여 생각해 보는 것을 잊는다. 아무것도 말하지 말아야 하는 때를 배우는 것은 무언가를 어떻게 말해야 하는지를 배우는 것만큼 중요하다. 스스로에게 "내가 무엇을 말하기를 원하는가?" 그리고 "왜 나는 그것을 말하기를 원하는가?"라고 자문해 보라. 만일 의사소통의 목적이 어떤 것에 대해 당신을 기분 좋게 하는 것이라면, 그리고 그 정보가 듣는 사람에게 특별히 도움이 되는 것이 아니라면, 아마도 당신은 아무 말도 하지 말아야 한다. 반면에, 당신은 당신의 업무상 관계에 영향을 주는 감정, 생각, 또는 반응을 전하는 것을 삼가서는 안 된다. 당신의 의사소통을 계획할 때, 얼마나 많이 이야기를 할 것인가를 결정하는 것은 중요한 첫 번째 단계이다.

어휘

- focus 집중시키다
- purpose 목적
- particularly 특히
- intention 의도
- decide 결정하다
- compel 강요하다
- share 공유하다
- communication 의사소통
- determine 결정하다
- refrain from ~을 삼가다
- expect 예상하다
- object 반대하다

정답 1 ④ 2 ④ 3 ①

134 다음 글을 읽고 물음에 답하시오.

To: City Hall Administrations
From: Nova Frost
Date: July 30
Subject: The Outdoor Library Project

Dear City Hall Administrations,

I hope this message finds you well. Since it opening last summer, the outdoor library has become a cherished community space, providing all residents a peaceful spot for books and nature. This **initiative** also has boosted literacy, fostered community bonds, and enriched our cultural life.

For those reasons I want to express my sincere appreciation for the outdoor library project. I highly commend the city's vision for implementing such a valuable project. The diverse book collection and welcoming atmosphere have made it a treasured asset.

Thank you for enhancing our city with this wonderful addition. I look forward to more initiatives benefiting our residents.

Best regards,
Nova Frost

1 윗글의 목적으로 가장 적절한 것은?

① 시청 행정 직원들의 근무 태도를 칭찬하려고
② 야외 도서관 건립에 대해 감사 인사를 전하려고
③ 야외 도서관의 혜택과 장점을 설명하기 위해서
④ 야외 도서관의 개선 사항을 건의하려고

2 밑줄 친 initiative의 의미와 가장 가까운 것은?

① leadership
② eagerness
③ determination
④ scheme

135 Ann Arbor Bus Tour에 관한 다음 안내문의 내용과 일치하는 것은?

Ann Arbor Bus Tour

Ann Arbor Bus Tour is the easiest way to enjoy Ann Arbor's most popular areas! You can get on and off at any of the 20 stops to explore tourist attractions in Ann Arbor.

Operating Hours
- 9 a.m. - 6 p.m.
- Mon. through Sun.

Prices
- $30 Adult
- $15 Child (under 14)

Notice
- Admission fee to tourist attractions is not included.
- Ticket is valid for 24 hours from the first time of use.
- Advance booking is required.

① 일요일을 제외하고 운영된다.
② 요금에 관광 명소 입장료가 포함되어 있다.
③ 승차권은 첫 사용 후 24시간 동안 유효하다.
④ 사전에 예약할 필요는 없다.

134

해석

수신: 시청 행정 직원들
발신: Nova Frost
날짜: 7월 30일
제목: 야외 도서관 프로젝트

시청 행정 직원분들에게,

안녕하세요. 지난여름에 개관한 이래로, 야외 도서관은 소중한 지역 사회 공간이 되었고, 모든 주민에게 책과 자연을 즐길 평화로운 장소를 제공해왔습니다. 이 계획은 또한 읽고 쓰는 능력을 신장시켰고 공동체의 결속을 길러주었으며 우리의 문화생활을 풍부하게 했습니다.

그런 이유로 저는 야외 도서관 프로젝트에 대해 진심 어린 감사를 표하고 싶습니다. 저는 그처럼 유용한 프로젝트를 실시한 시(당국)의 선견을 대단히 높이 평가합니다. 다양한 장서들과 환영하는 분위기는 그곳을 귀한 자산으로 만들었습니다.

이 놀라운 곳을 새로 더해서 우리 도시를 발전시켜주셔서 감사합니다. 우리 주민들에게 도움이 되는 더 많은 계획을 기대하겠습니다.

안부를 전하며,
Nova Frost

해설

1 글의 중심 소재는 이메일의 제목인 야외 도서관 프로젝트이고 주제문은 두 번째 단락의 첫 문장으로, 야외 도서관 프로젝트에 대해 감사 인사를 전하고 싶다는 내용이다. 주제문의 앞뒤에는 야외 도서관 프로젝트가 공동체에 어떤 도움이 되었는지가 자세히 설명되어 있다. 따라서 글의 목적으로 가장 적절한 것은 ② '야외 도서관 건립에 대해 감사 인사를 전하려고'이다.

어휘

- administration 행정 직원
- resident 주민
- initiative 계획
- literacy 읽고 쓰는 능력
- bond 결속
- sincere 진심 어린
- highly commend 높이 평가하다
- implement 시행하다
- asset 자산
- benefit ~에게 도움이 되다
- eagerness 열망
- scheme 계획
- cherish 소중히 하다
- spot 장소
- boost 신장시키다
- foster 기르다
- enrich 풍부하게 하다
- appreciation 감사
- vision 선견
- treasure 귀하게 여기다
- addition 새로 더한 것
- leadership 주도권
- determination 결단력

정답 1 ② 2 ④

135

해석

앤아버 버스 투어

앤아버 버스 투어는 앤아버의 가장 인기 있는 장소들을 즐길 수 있는 가장 쉬운 방법입니다! 앤아버의 관광 명소를 탐험하기 위해 20개의 정류장 중 어디에서나 승하차가 가능합니다.

운영 시간
- 오전 9시 – 오후 6시
- 월요일부터 일요일까지

가격
- 성인 30달러
- (14세 미만의) 어린이 15달러

공지 사항
- 관광 명소의 입장료는 포함되지 않았습니다.
- 승차권은 최초 사용 시간부터 24시간 동안 유효합니다.
- 사전 예약은 필수입니다.

해설

③ <공지 사항>에서 승차권은 최초 사용 시간부터 24시간 동안 유효하다고 했으므로 글의 내용과 일치한다.
① <운영 시간>에서 월요일부터 일요일이라고 했으므로 글의 내용과 일치하지 않는다.
② <공지 사항>에서 명소의 입장료가 포함되지 않는다고 했으므로 글의 내용과 일치하지 않는다.
④ <공지 사항>에서 사전 예약이 필수라고 했으므로 글의 내용과 일치하지 않는다.

어휘

- explore 탐험하다
- notice 공지 사항
- valid 유효한
- attraction 명소
- admission fee 입장료
- advance booking 사전 예약

정답 ③

136 각 문장을 끊어 읽고 해석한 후 제시된 문제에 답하시오.

01
Instead, these employees spoke first of the sincerity of the relationships at work, that their work culture felt like an extension of home, and that their colleagues were supportive.

02
(A) Job satisfaction and productivity are **inextricably**
03
bound together. However, job satisfaction also depends
04
on the service culture of an organization. (B) This culture comprises the things that make a business distinctive and make the people who work there proud to
05
do so. (C) When employees of the "Top 10 Best Companies to Work For" were asked by Fortune magazine why they loved working for these companies, it was notable that they didn't mention pay, reward schemes, or advancing to a more senior position. (D)

1 주어진 문장이 들어갈 위치로 가장 적절한 곳은?
① (A)   ② (B)
③ (C)   ④ (D)

2 글의 제목으로 가장 적절한 것은?
① Impact of Organization Culture on Work Satisfaction
② The Effect of Pay on the Contentment of Employees
③ How Can We Improve the Office Environment?
④ What Do We Do to Increase the Productivity at Work?

3 밑줄 친 부분의 의미와 가장 가까운 것은?
① unwittingly   ② virtually
③ extremely   ④ inseparably

136 구문분석 & 문장분석

01
Instead, /
대신에, /

these employees spoke first of the sincerity (of the relationships at work), /
이들 근로자들은 (직장에서의 관계의) 신뢰성을 첫 번째로 이야기했다 /

that their work culture felt like an extension of home, /
그들의 직장 문화가 가정의 연장처럼 느껴졌다는 것을 /

and that their colleagues were supportive.
그리고 그들의 동료들이 지지적이었다는 것을.

02
Job satisfaction and productivity /
직업 만족도와 생산성은 /

are inextricably bound together.
서로 뗄 수 없이 연관되어 있다.

03
However, / job satisfaction also depends /
그러나, / 직업 만족도는 또한 달려 있다 /

on the service culture (of an organization).
(조직의) 서비스 문화에.

04
This culture comprises the things (that make a business distinctive / and make the people (who work there) proud to do so).
이 문화는 (기업을 독특하게 만들고 / 그곳에서 일하는) 사람들이 그렇게 하는 것을 자랑스러워하게 만드는) 것들로 구성된다.

05
When employees (of the "Top 10 Best Companies to Work For") were asked /
('일하고 싶은 상위 10대 기업'의) 근로자들이 질문받았을 때 /

by Fortune magazine //
<포춘>지로부터 //

why they loved working for these companies, //
왜 그들이 그 기업에서 일하는 것을 좋아하는지, //

it was notable / that they didn't mention /
주목할 만했다 / 그들이 언급하지 않았던 것은 /

pay, reward schemes, or advancing to a more senior position.
급여, 보상제도 혹은 상급직으로의 승진에 대해.

해석

2 ① 조직 문화가 직업 만족도에 미치는 영향
② 임금이 직장인의 만족도에 미치는 영향
③ 우리는 사무 환경을 어떻게 개선할 수 있을까?
④ 우리는 직장에서 생산성을 올리기 위해 무엇을 하는가?

해설

1 기업의 가족 같은 환경과 문화가 직업 만족도를 높일 수 있다는 내용의 글이다. 주어진 문장이 Instead로 시작되어 직장인들이 무엇을 이야기 했는지 설명했으므로, 주어진 문장 앞에는 그들이 무엇을 이야기하지 않았는가를 언급하는 것이 자연스럽다. (D) 앞에서 직장인들이 급여, 보상, 승진에 대해서는 언급하지 않았다고 했으므로 뒤에 '그 대신, 직장 문화를 언급했다'는 주어진 문장으로 이어지는 것이 가장 적절하다. 따라서 정답은 ④ (D)이다.

2 이 글은 직업 만족도와 깊은 연관성을 가지는 요소 중 하나가 기업의 서비스 문화 혹은 직장 내의 진실한 관계를 맺는 문화라고 설명한다. 따라서 글의 제목으로 가장 적절한 것은 ① '조직 문화가 직업 만족도에 미치는 영향'이다. ②의 임금은 마지막 문장에서 직장인들이 기업에서 일하고 싶은 요인으로 뽑지 않았다고 했고 ④의 생산성은 도입부에 잠시 언급되었을 뿐 글의 핵심과 관련이 없으므로 모두 답이 될 수 없다.

전문해석

직업 만족도와 생산성은 서로 뗄 수 없이 연관되어 있다. 그러나 직업 만족도는 또한 그 기업의 서비스 문화에도 달려 있다. 이 문화는 기업을 독특하게 만들고 그곳에서 일하는 사람들이 그렇게 하는 것을 자랑스러워하게 만드는 것들로 구성된다. '일하고 싶은 10대 기업'의 근로자들이 <포춘>지로부터 왜 그들이 그 기업에서 일하는 것을 좋아하는지 질문받았을 때 그들이 급여, 보상제도 혹은 상급직으로의 승진에 대해 언급하지 않았던 것은 주목할 만했다. 대신에, 이들 근로자들은 직장에서의 관계의 진실성, 그들의 직장 문화가 가정의 연장처럼 느껴졌다는 점, 그리고 그들의 동료들이 지지적이었다는 점에 대해 첫 번째로 이야기했다.

어휘

- sincerity 진실성
- colleague 동료
- satisfaction 만족
- inextricably 뗄 수 없이
- comprise ~으로 구성되다
- notable 주목할 만한
- impact 영향
- unwittingly 뜻하지 않게
- extremely 극도로
- extension 연장
- supportive 지지적인
- productivity 생산성
- organization 조직
- distinctive 독특한
- advance 승진시키다
- contentment 만족
- virtually 사실상
- inseparably 뗄 수 없이

정답 1 ④ 2 ① 3 ④

137 각 문장을 끊어 읽고 해석한 후 제시된 문제에 답하시오.

01 Biologists have identified a gene that will allow rice plants to survive being submerged in water for up to two weeks — until now, plants under water for longer than a week have been thought to wither and **perish**. 02 (A) The scientists expect their discovery will prolong the harvests of crops in regions that are susceptible to flooding. (B) 03 Rice growers in these flood-prone areas of Asia lose an estimated one billion dollars annually to excessively 04 waterlogged rice paddies. (C) They hope the new gene will lead to a hardier rice strain that will reduce the financial damage incurred in typhoon seasons and lead 05 to good harvests. (D) This is dreadful news for people in these vulnerable regions, who are victims of urbanization and have a shortage of crops.

1 글의 흐름상 가장 어색한 것은?

① (A)   ② (B)
③ (C)   ④ (D)

2 글의 요지로 가장 적절한 것은?

① The newly developed rice varieties exhibit a less tolerance to submergence.
② Scientists had been trying to develop a water-resistant breed of rice in vain.
③ Traditional rice varieties ensure a dependable source of income for farmers.
④ The gene to water-resistant rice is expected to help the areas prone to floods.

3 밑줄 친 부분의 의미와 가장 가까운 것은?

① die   ② survive
③ leak   ④ flow

137 구문분석 & 문장분석

01
Biologists have identified /
생물학자들은 찾았다 /

a gene (that will allow rice plants to survive /
유전자를 (벼가 생존할 수 있게 해 줄 /

being submerged in water / for up to two weeks) //
물속에 잠긴 채로 / 2주까지) //

— until now, / plants (under water / for longer than a week) /
— 지금까지, / (물속에 있는 / 1주일보다 길게) / 식물들은 /

have been thought to wither and perish.
시들어 죽는다고 생각되어 왔다.

02
The scientists expect //
과학자들은 예상한다 //

their discovery will prolong the harvests (of crops) /
그들의 발견이 (작물의) 수확기를 연장시킬 것으로 /

in regions (that are susceptible to flooding).
(홍수에 취약한) 지역에서.

03
Rice growers (in these flood-prone areas (of Asia)) /
((아시아의) 이런 홍수가 잘 나는 지역의) 쌀 재배자들은 /

lose an estimated one billion dollars annually /
해마다 10억 달러 정도로 추산되는 돈을 잃는다 /

to excessively waterlogged rice paddies.
심하게 물에 잠긴 논 때문에.

04
They hope // the new gene will lead /
그들은 바란다 // 새로운 유전자가 이어지기를 /

to a hardier rice strain (that will reduce the financial damage (incurred in typhoon seasons)) //
((태풍철에 발생하는) 금전적 손실을 줄일) 더 튼튼한 벼 품종으로 //

and lead to good harvests.
그리고 풍작으로 이어지기를.

05
This is dreadful news /
이것은 끔찍한 소식이다 /

for people (in these vulnerable regions),
(이 취약한 지역의) 사람들에게, /

who are victims (of urbanization) //
그들은 (도시화의) 희생자이다 //

and have a shortage (of crops).
그리고 (작물의) 부족을 겪는다.

해석

2 ① 새로 개발된 쌀 품종은 침수에 더 약한 내성을 보여준다.
② 과학자들은 내수성이 있는 쌀 품종을 개발하려고 헛되이 노력해왔다.
③ 전통적인 쌀 품종은 농부들에게 의존할 만한 수입원을 보장해준다.
④ 내수성이 있는 쌀 유전자는 홍수가 나기 쉬운 지역에 도움이 될 것으로 예상된다.

해설

1 내수성이 강한 벼 유전자 발견에 대한 글이다. 이러한 유전자의 개발로 홍수에 취약한 지역의 작물 수확기가 연장될 것으로 예상되고, 농부들은 금전적 손실이 줄고 풍작을 기대하고 있다고 설명한다. 하지만 마지막 문장은 이것이 끔찍한 소식이라고 말하고 있으므로 글의 내용과는 전혀 상관이 없다. 따라서 정답은 ④ (D)이다.

2 내수성이 강한 쌀 유전자의 발견으로 홍수 취약 지역에 여러 도움이 될 것을 예상하고 바란다는 내용의 글이다. 따라서 글의 요지로 가장 적절한 것은 ④ '내수성이 있는 쌀 유전자는 홍수가 나기 쉬운 지역에 도움이 될 것으로 예상된다.'이다. 나머지 보기는 글의 내용과 모두 반대되는 것이므로 답이 될 수 없다.

전문해석

생물학자들은 벼가 물속에 잠긴 채로 2주까지 생존할 수 있게 해 줄 유전자를 찾았다 — 지금까지, 1주일보다 길게 물속에 있는 식물들은 시들어 죽는다고 생각되어 왔다. 과학자들은 그들의 발견이 홍수에 취약한 지역에서의 작물의 수확기를 연장시킬 것으로 예상한다. 이런 홍수가 잘 나는 아시아 지역의 쌀 재배자들은 심하게 물에 잠긴 논 때문에 해마다 10억 달러 정도로 추산되는 돈을 잃는다. 그들은 새로운 유전자가 태풍 철에 발생하는 금전적 손실을 줄일 더 튼튼한 벼 품종으로 이어지기를, 그리고 풍작으로 이어지기를 바란다.

어휘

- biologist 생물학자
- wither 시들다
- prolong 연장시키다
- prone ~하기 쉬운
- rice paddy 논
- incur 발생시키다
- vulnerable 취약한
- shortage 부족
- submergence 침수
- breed 품종
- dependable 의존할 만한
- flow 흐르다
- submerge 물속에 잠그다
- perish 죽다
- susceptible 취약한
- waterlogged 물에 잠긴
- strain 품종
- dreadful 끔찍한
- urbanization 도시화
- tolerance 내성
- water-resistant 내수성이 있는
- in vain 헛되이
- leak 새다

정답 1 ④ 2 ④ 3 ①

138 Damon Sims에 관한 다음 글의 내용과 일치하지 않는 것은?

Damon Sims

The singer Damon Sims has just released an exciting new single titled *Beautiful My Life*! This latest track beautifully showcases Damon Sims' unique charm and talent, featuring famous woman singer Diamond to create an unforgettable listening experience. The song is now available on all major music streaming platforms, ensuring you can enjoy it wherever you are. Additionally, the official music video, which perfectly complement the music, is now available on YouTube. We encourage all fans and music lovers to check out this latest release, share it with friends, and show your support for Damon Sims. Your enthusiasm and support mean the world to us, and we hope you enjoy this new single as much as we enjoyed making it.

① 신곡을 발표했으며 곡명은 *Beautiful My Life*이다.
② 여성 가수인 Diamond와 협업했다.
③ 주요 음악 스트리밍 사이트에서 청취할 수 있다.
④ 뮤직비디오를 발표했지만 아직 YouTube에서는 볼 수 없다.

139 Pink Pearl Hotel's 5th Anniversary Discount Event에 관한 글의 내용과 일치하지 않는 것은?

Pink Pearl Hotel's 5th Anniversary Discount Event

Dear Valued Guests,

We are thrilled to announce a special event at Pink Pearl Hotel in celebration of our 5th anniversary. During this period, we invite you to commemorate a historic moment with us and enjoy exclusive discounts paired with exceptional service.

Duration: July 15 to August 15

Discounts:

- **Deluxe Room**: 30% off
- **Executive Room**: 25% off
- **Suite**: 20% off

(Please note, charges for pool and breakfast are separate.)

Additional Benefits:

- As a token of appreciation, every guest who reserves during this period will receive a special commemorative gift.
- Indulge in our special anniversary buffet prepared by our talented chefs.

Booking is available now via our hotel application. We promise to make every moment special with excellent service and warm hospitality.

Thank you.

① 한 달 동안 진행되는 행사이다.
② 스위트룸은 20퍼센트 할인되고, 조식 요금이 포함된다.
③ 행사 기간 동안 호텔에서 기념일 특별 뷔페를 즐길 수 있다.
④ 호텔 앱을 통해 예약할 수 있다.

138

해석

Damon Sims

가수 Damon Sims는 <Beautiful My Life>라는 제목의 흥미로운 새 싱글을 막 발표했다! 이 최신곡은 Damon Sims의 독특한 매력과 재능을 아름답게 보여주며, 잊을 수 없는 청취 경험을 만들어주기 위해 유명한 여성 가수인 Diamond를 객원 가수로 삼아 작업했다. 이 노래는 이제 모든 주요 음악 스트리밍 플랫폼에서 접할 수 있으며, 당신이 어디에서든 그것을 즐길 수 있도록 보장한다. 게다가, 그 음악을 완벽하게 보완하는 공식 뮤직비디오가 이제 유튜브에서 접할 수 있다. 우리는 모든 팬과 음악 애호가에게 이 최신 발매 음반을 살펴보고 친구들과 그것을 공유하며 Damon Sims에 대한 당신의 지지를 보여줄 것을 권한다. 당신의 열정과 지지는 우리에게 대단히 중요하며, 우리는 우리가 이 신곡을 즐겁게 만들었던 것만큼이나 당신이 이 신곡을 즐겁게 들어주기를 바란다.

해설

④ 네 번째 문장에서 공식 뮤직비디오를 이제 유튜브에서 접할 수 있다고 했으므로 글의 내용과 일치하지 않는다.
① 첫 번째 문장에서 그가 <Beautiful My Life>라는 제목의 신곡을 발표했다고 했으므로 글의 내용과 일치한다.
② 두 번째 문장에서 여성 가수인 Diamond를 객원 가수로 삼아 작업했다고 했으므로 글의 내용과 일치한다.
③ 세 번째 문장에서 이 노래를 모든 주요 음악 스트리밍 플랫폼에서 접할 수 있다고 했으므로 글의 내용과 일치한다.

어휘

- release 발표하다; 발매 음반
- track 곡
- showcase 보여주다
- unique 독특한
- charm 매력
- feature 객원 가수로 삼아 작업하다
- available 접할 수 있는
- ensure 보장하다
- complement 보완하다
- encourage 권하다
- check out ~을 살펴보다
- enthusiasm 열정
- mean the world to ~에게 대단히 중요하다

정답 ④

139

해석

Pink Pearl 호텔 5주년 할인 행사

소중한 고객 여러분,

Pink Pearl 호텔에서 5주년을 축하하여 열리는 특별 행사에 대해 알려드리게 되어 무척 기쁩니다. 이 기간 동안, 우리와 함께 역사적인 순간을 기념하고 특별한 서비스와 함께 제공되는 독점 할인을 누리시도록 여러분을 초대합니다.

기간: 7월 15일부터 8월 15일까지

할인:
- 디럭스룸: 30퍼센트 할인
- 이그제큐티브 룸: 25퍼센트 할인
- 스위트 룸: 20퍼센트 할인
 (수영장과 아침 식사 요금은 별도임을 주의해 주세요.)

추가 혜택:
- 감사의 표시로, 이 기간 동안 예약하는 모든 고객은 특별 기념품을 받게 됩니다.
- 우리의 재능 있는 요리사가 준비하는 기념일 특별 뷔페를 실컷 즐겨주세요.

예약은 우리 호텔 앱을 통해 지금 가능합니다. 탁월한 서비스와 따뜻한 환대로 모든 순간을 특별하게 만들어드리겠다고 약속드립니다.

감사합니다.

해설

② <할인>에서 스위트룸이 20퍼센트 할인된다고 했지만 아침 식사 요금은 별도라고 적혀 있으므로 글의 내용과 일치하지 않는다.
① <기간>이 7월 15일부터 8월 15일까지라고 적혀 있으므로 글의 내용과 일치한다.
③ <추가 혜택>에서 요리사가 준비하는 기념일 특별 뷔페를 실컷 즐기라고 했으므로 글의 내용과 일치한다.
④ 마지막 문단의 첫 번째 문장에서 예약이 호텔 앱을 통해 가능하다고 했으므로 글의 내용과 일치한다.

어휘

- anniversary ~주년, 기념일
- valued 소중한
- thrilled 매우 기쁜
- commemorate 기념하다
- exclusive 독점의
- paired with ~와 함께인
- exceptional 특별한
- duration 기간
- charge 요금
- separate 별도의
- token 표시
- appreciation 감사
- reserve 예약하다
- commemorative 기념의
- indulge in ~을 실컷 즐기다
- hospitality 환대

정답 ②

140 다음 글을 읽고 물음에 답하시오.

To: City Department
From: Emily Parkins
Date: Aug. 10
Subject: Regarding the Construction at the Orange Park

To whom it may concern,

I hope this message finds you well. Since the construction at the Orange Park, the noise levels have been consistently high. It has caused significant disturbance to the residents in the area, especially during early mornings and late evenings, which has led me to write to express my **concern** about it.

While we understand the necessity of construction work, the current noise levels are affecting our daily lives and well-being. We kindly request that you take immediate action to mitigate the noise, possibly by limiting construction hours to more reasonable times and using noise-reducing equipment.

We appreciate your attention to this matter and hope for a prompt resolution. Your cooperation in ensuring a quieter environment for the community would be greatly appreciated.

Thank you for your understanding and assistance.

Best regards,
Emily Parkins

1 이 글의 목적으로 알맞은 것은?
① 공원의 보수 공사를 요청하려고
② 공사 시간에 대해 알아보려고
③ 공사장 소음에 대해 항의하려고
④ 공사장의 안전에 대해 조언하려고

2 밑줄 친 concern의 의미로 알맞은 것은?
① worry ② regard
③ agony ④ firm

DAY 27~28 Exercises

[1~4] 양쪽에 주어진 말의 의미가 일맥상통하도록 선으로 연결하세요.

1 complement ○   ① not shared, available to only one person or group

2 exclusive ○   ② to complete something else or make it better

3 regardless of ○   ③ without success, without producing a good or desired result

4 in vain ○   ④ without being stopped or affected by (something)

[5~7] 다음 문장의 끊어 읽기를 참고하여, 빈칸에 알맞은 해석을 쓰세요.

5 The Harry Potter series / have been the subject of a number of legal proceedings.
해리 포터 시리즈는 / _____.

6 Learning when you should not say anything / is as important / as learning how to say something.
_____ / 중요하다 / 무언가를 어떻게 말해야 하는지를 배우는 것만큼.

7 Biologists have identified / a gene that will allow rice plants to survive / being submerged in water / for up to two weeks.
생물학자들은 찾았다 / _____ / 물속에 잠긴 채로 / 2주까지

정답 1 ② 2 ① 3 ④ 4 ③ 5 많은 법적 소송의 대상이 되어 왔다 6 아무것도 말하지 말아야 하는 때를 배우는 것은 7 벼가 생존할 수 있게 해 줄 유전자를

141 각 문장을 끊어 읽고 해석한 후 제시된 문제에 답하시오.

01 William Shakespeare lived more than 400 years ago and many records from that time are lost or never existed in the first place. (A) 02 We know that he was baptized in Stratford-upon-Avon, 100 miles northwest of London, on April 26, 1564, but we don't know his exact birthdate. (B) 03 He grew up, had a family, and bought property in Stratford, but he worked in London, the center of English theater. (C) 04 As an actor, a playwright, and a partner in a leading acting company, he became both **prosperous** and well-known. (D) 05 _____, fans of Shakespeare have imagined him according to their own tastes, just as we see with the 19th-century portrait of Shakespeare wooing his wife at the top of this page.

1 빈칸에 들어갈 말로 가장 적절한 것은?

① Even without knowing everything about his life
② Because we know everything about him
③ Because it is impossible to understand him
④ Even though he was not popular as much as he is now

2 다음 문장이 들어갈 위치로 가장 적절한 것은?

> However, we do know that Shakespeare's life revolved around two locations; Stratford and London.

① (A) ② (B)
③ (C) ④ (D)

3 밑줄 친 부분의 의미와 가장 가까운 것은?

① miserable ② diligent
③ humble   ④ successful

141 구문분석 & 문장분석

01
William Shakespeare lived / more than 400 years ago //
윌리엄 셰익스피어는 살았다 / 400년보다 더 오래전에 //

and many records (from that time) are lost //
그리고 (그 시절의) 많은 기록들이 유실되었다 //

or never existed / in the first place.
혹은 존재하지 않는다 / 애초에.

02
We know // that he was baptized /
우리는 알고 있다 // 그가 세례를 받았다는 것을 /

in Stratford-upon-Avon, (100 miles northwest of London), /
(런던에서 북서쪽으로 100마일 떨어진) 스트래퍼드 어폰 에이번에서 /

on April 26, 1564, //
1564년 4월 26일에, //

but we don't know his exact birthdate.
하지만 우리는 정확한 그의 출생일을 알 수 없다.

삽입 문장
However, / we do know //
하지만 / 우리는 잘 알고 있다 //

that Shakespeare's life revolved around two locations; /
셰익스피어의 삶이 두 지역을 중심으로 전개되었다는 것을; /

Stratford and London.
스트래퍼드와 런던이다.

03
He grew up, // had a family, // and bought property / in Stratford, //
그는 성장했다 // 가정을 이루었다, // 그리고 소유지를 마련했다 / 스트래퍼드에서, //

but he worked in London, (the center of English theater).
그러나 그는 (영국 연극의 중심인) 런던에서 일했다.

04
As an actor, a playwright, and a partner (in a leading acting company), /
(선도적인 극단의) 배우, 극작가, 그리고 파트너로서, /

he became both prosperous and well-known.
그는 성공한 동시에 유명해졌다.

05
Even without knowing everything (about his life), /
(그의 생에 대한) 모든 것을 알지 못하더라도, /

fans (of Shakespeare) have imagined him /
(셰익스피어의) 팬들은 그를 상상해 왔다 /

according to their own tastes, // just as we see /
그들 자신의 취향에 따라, // 꼭 우리가 보는 것처럼 /

with the 19th-century portrait (of Shakespeare (wooing his wife)) (at the top of this page).
(이 페이지 상단에 있는) ((아내에게 구애하는) 셰익스피어의) 19세기 초상화를.

해석

1 ② 우리는 그에 대한 모든 것을 알기 때문에
③ 그를 이해하는 것은 불가능하기 때문에
④ 비록 그가 현재만큼 유명하지 않았지만

해설

1 빈칸 앞에서는 우리가 셰익스피어의 정보를 일부만 알고 일부는 모른다는 내용이 언급되었고 빈칸 뒤에서는 팬들이 그들의 취향에 따라 상상해 왔다고 했으므로 빈칸에는 '그의 생에 대한 모든 것을 알지는 못하더라도'라는 내용이 적절하다. 따라서 정답은 ①이다. 그에 대한 정보가 부족했던 것이지 그를 이해하는 것이 불가능하다는 말이 아니므로 ③은 적절하지 않다.

2 주어진 문장은 역접의 연결어로 시작되고, 셰익스피어의 삶이 두 장소에서 전개된 것을 안다는 것을 강조하고 있다. 따라서 이 앞에는 우리가 알지 못한다는 내용이 나와야 하고, 이 뒤에는 각각의 두 개의 장소에서 셰익스피어가 무엇을 하며 살았는지에 대한 설명이 나와야 한다. 그러므로 정답은 ② (B)이다.

전문해석

윌리엄 셰익스피어는 400년보다 더 오래전에 살았고 그 시절의 많은 기록들은 유실되거나 애초에 존재하지 않는다. 우리는 그가 런던에서 북서쪽으로 100마일 떨어진 스트래퍼드 어폰 에이번에서 1564년 4월 26일에 세례를 받았다는 것을 알고 있지만, 정확한 그의 출생일은 알 수 없다. 하지만 우리는 셰익스피어의 삶이 두 지역을 중심으로 전개되었다는 것은 알고 있다; 스트래퍼드와 런던이다. 그는 스트래퍼드에서 성장했고, 가정을 이루었고, 소유지를 마련했으나 영국 연극의 중심인 런던에서 일했다. 선도적인 극단의 배우, 극작가, 그리고 파트너로서 그는 성공한 동시에 유명해졌다. 그의 생에 대한 모든 것을 알지 못하더라도 셰익스피어의 팬들은 꼭 우리가 이 페이지 상단에 있는 아내에게 구애하는 셰익스피어의 19세기 초상화를 보는 것처럼 그들 자신의 취향에 따라 그를 상상해 왔다.

어휘

- baptize 세례를 주다
- birthdate 출생일
- proporty 소유지
- playwright 극작가
- prosperous 성공한
- portrait 초상화
- woo 구애하다
- revolve around ~를 중심으로 전개되다
- miserable 비참한
- diligent 성실한
- humble 겸손한
- successful 성공한

정답 1 ① 2 ② 3 ④

142 각 문장을 끊어 읽고 해석한 후 제시된 문제에 답하시오.

01 When they sailed across the Atlantic in the early 1600s, the Europeans saw the new world through their own cultural lens: a wilderness rife with seemingly infinite abundance but untamed. **02** (A) The Native Americans they met were considered to be savage peoples who had none of the characteristics of European civilization, and didn't possess true religion according to this **view**. **03** (B) Lacking civilization, _____ⓐ_____, they lived closer to the natural world, and some Europeans believed this gave them a simple nobility that Europeans themselves lacked. **04** (C) Native Americans understood through long experience that outsiders could bring war, death, and destruction. **05** (D) _____ⓑ_____, they coined the term "noble savage" to describe Native Americans.

1 글의 흐름상 가장 어색한 것은?
① (A)　② (B)
③ (C)　④ (D)

2 빈칸 ⓐ, ⓑ에 들어갈 말로 적절한 것은?

	ⓐ	ⓑ
①	therefore	Yet
②	but	Moreover
③	likewise	Indeed
④	however	Thus

3 밑줄 친 부분의 의미와 가장 가까운 것은?
① perspective　② premise
③ scenery　④ faith

142 구문분석 & 문장분석

01
When they sailed / across the Atlantic /
그들이 항해를 할 때 / 대서양을 가로질러 /

in the early 1600s, //
1600년대 초에, //

the Europeans saw the new world /
유럽인들은 신세계를 보았다 /

through their own cultural lens: /
자신들의 문화적 렌즈를 통해: /

a wilderness (rife with seemingly infinite abundance / but untamed).
(겉으로 보기에는 한계가 없는 풍부함으로 가득 / 그러나 길들여지지 않은) 황야를.

02
The Native Americans (they met) were considered /
(그들이 만난) 아메리카 원주민들은 여겨졌다 /

to be savage peoples (who had none of the characteristics (of European civilization), // and didn't possess true religion / according to this view).
((유럽 문명의) 특징이 전혀 없는, // 그리고 진정한 종교도 가지지 않은 / 이런 관점에 따르면) 야만스러운 민족으로.

03
Lacking civilization, (however), //
(그러나), 문명의 부족에도 불구하고, //

they lived closer to the natural world, //
그들은 자연과 더 가까이 살았다, //

and some Europeans believed //
그리고 일부 유럽인들은 믿었다 //

this gave them a simple nobility (that Europeans themselves lacked).
그것이 (유럽인들 자신에게 부족한) 단순한 고결함을 준다고.

04
Native Americans understood /
아메리카 원주민들은 이해했다 /

through long experience //
오랜 경험을 통해 //

that outsiders could bring war, death, and destruction.
외부인들이 전쟁, 죽음, 그리고 파괴를 가져올 수 있다는 것을.

05
Thus, / they coined the term "noble savage" /
그래서, / 그들은 '고결한 야만인'이라는 단어를 만들어냈다 /

to describe Native Americans.
아메리카 원주민을 설명하기 위해.

해석

2
	ⓐ	ⓑ
①	그래서	그러나
②	그러나	게다가
③	비슷하게	사실

해설

1 첫 문장을 통해 알 수 있듯, 이 글은 유럽인들이 자신들의 관점으로 신세계 또는 아메리카 원주민을 바라보고 이해하고 있다는 내용이다. 그러나 네 번째 문장은 아메리카 원주민들의 사고방식에 대한 설명이므로 글의 흐름과 어울리지 않는다. 따라서 정답은 ③ (C)이다.

2 ⓐ 앞에서는 유럽인들이 아메리카 원주민을 야만스럽다고 부정적으로 평가하는 내용이 나오고 ⓐ 뒤에서는 일부 유럽인들이 아메리카 원주민에게 고결함이 있다고 생각했다는 긍정적인 내용이 나오므로 ⓐ에는 역접의 연결어가 들어가는 것이 적절하다. ⓑ 앞에는 유럽인들이 아메리카 원주민에게 가지는 두 가지 상반된 태도가 설명되었고 ⓑ 뒤에서는 두 가지를 합친 용어를 소개했으므로 ⓑ에는 결론을 나타내는 연결어가 들어가는 것이 알맞다. 따라서 정답은 ④ '그러나, 그래서'이다

전문해석

1600년대 초에 대서양을 가로질러 항해를 할 때, 유럽인들은 자신들의 문화적 렌즈를 통해 신세계를 보았다: 겉으로 보기에는 한계가 없는 풍부함으로 가득하지만 길들여지지 않은 황야를. 그들이 만난 아메리카 원주민들은 유럽 문명의 특징이 전혀 없고 이런 관점에 따르면 진정한 종교도 가지지 않은 야만스러운 민족으로 여겨졌다. 그러나 문명의 부족에도 불구하고, 그들은 자연과 더 가까이 살았고, 일부 유럽인들은 그것이 유럽인들 자신에게 부족한 단순한 고결함을 준다고 믿었다. 그래서 그들은 아메리카 원주민을 설명하기 위해 '고결한 야만인'이라는 단어를 만들어냈다.

어휘

- wilderness 황야
- seemingly 겉으로 보기에는
- untamed 길들여지지 않은
- characteristic (pl.) 특징
- view 관점, 경치
- nobility 고결함
- describe 설명하다
- premise 전제
- faith 신뢰
- rife 가득한
- abundance 풍부
- savage 야만적인; 야만인
- possess 소유하다
- lack 부족하다
- coin 만들다
- perspective 관점
- scenery 경치

정답 1 ③ 2 ④ 3 ①

143 각 문장을 끊어 읽고 해석한 후 제시된 문제에 답하시오.

01
_____ can consist of being part of the same group, even if the party in **distress** is a stranger. 02 In one study, students thought about their favorite soccer team, thereby activating their identity as its fan. 03 Each participant was then made to encounter an injured student either wearing a shirt of the participant's favorite team or a shirt with no team name. 04 The injured received more help when wearing a shirt of the participant's favorite team than when wearing the other kind of shirt. 05 Fans of the same soccer team form an ingroup, whose members we are more likely to help rather than outgroup ones.

1 글의 요지로 가장 적절한 것은?
① Social identity is strongly related to people's hobbies.
② Outgroup members regard favors as a key to friendship.
③ People are likely to mimic one another to get help.
④ Commonality increases the odds of being helped.

2 빈칸에 들어갈 말로 가장 적절한 것은?
① Generality   ② Mimicry
③ Similarity   ④ Altruism

3 밑줄 친 부분의 의미와 가장 가까운 것은?
① distance   ② suffering
③ patience   ④ hostility

문장 분석 및 해설

143 구문분석 & 문장분석

01
Similarity can consist of being part (of the same group), //
유사성이란 (같은 집단의) 일부가 되는 것으로 이루어질 수 있다 //

even if the party (in distress) is a stranger.
비록 (곤경에 처한) 당사자가 낯선 사람이라 할지라도.

02
In one study, /
한 연구에서, /

students thought about their favorite soccer team, /
학생들은 자신들이 가장 좋아하는 축구팀에 대해 생각했다, /

thereby activating their identity /
그렇게 함으로써 그들의 정체성을 활성화시켰다 /

as its fan.
그것의 팬으로서.

03
Each participant was (then) made to encounter /
(그런 다음) 각 참가자는 마주치게 되었다 /

an injured student (either wearing a shirt (of the participant's favorite team) / or a shirt (with no team name)).
((참가자가 좋아하는 팀의) 셔츠 / 또는 (아무 팀 이름도 없는) 셔츠를 입은) 다친 학생을.

04
The injured received more help /
부상당한 사람들은 더 많은 도움을 받았다 /

when wearing a shirt (of the participant's favorite team) //
(그 참가자가 좋아하는 팀의) 셔츠를 입고 있을 때 //

than when wearing the other kind of shirt.
다른 종류의 셔츠를 입고 있을 때보다.

05
Fans (of the same soccer team) form an ingroup, /
(같은 축구팀의) 팬들은 내집단을 형성한다, /

whose members we are more likely to help /
우리는 그것의 구성원들을 도울 가능성이 크다 /

rather than outgroup ones.
외집단의 구성원들보다.

해석

1 ① 사회적 정체성은 사람들의 취미와 강력하게 연관되어 있다.
② 외집단의 구성원들은 호의를 우정의 핵심으로 여긴다.
③ 사람들은 도움을 얻기 위해 서로를 모방할 가능성이 크다.
④ 공통점은 도움받을 확률을 증가시킨다.

2 ① 일반성　② 흉내　④ 이타성

해설

1 첫 번째 문장에서 주제문을 제시하고 이를 뒷받침하기 위한 실험과 그 결과를 보여 주는 글이다. 주제문에서는 아무리 낯선 사람이라 할지라도 그 사람과의 유사성이 소속감을 만든다고 설명하고 있다. 그리고 도움이 필요한 낯선 사람을 만났을 때 그 사람이 자신과 공통점이 있을 경우, 없는 경우보다 도움을 줄 확률이 더 높아졌다는 실험 결과를 제시한다. 따라서 ④ '공통점은 도움받을 확률을 증가시킨다.'이다. ① 정체성과 취미의 연관성은 글의 논지와 관련이 없으므로 답이 될 수 없다.

2 이 글은 자신과 같은 축구팀을 좋아하는 낯선 사람에게 도움을 줄 가능성이 크다는 실험 결과를 보여 주고 있다. 그 실험의 주제를 요약해서 제시하므로 빈칸에는 공통점, 유사성, 공유성 등의 내용이 들어가는 것이 적절하다. 따라서 정답은 ③ '유사성'이다.

전문해석

비록 곤경에 처한 당사자가 낯선 사람이라 할지라도 유사성이란 같은 집단의 일부가 되는 것으로 이루어질 수 있다. 한 연구에서, 학생들은 자신들이 가장 좋아하는 축구팀에 대해 생각했고, 그렇게 함으로써 팬으로서의 그들의 정체성을 활성화시켰다. 그런 다음 각 참가자는 참가자가 좋아하는 팀의 셔츠 또는 아무 팀 이름도 없는 셔츠를 입은 다친 학생을 마주치게 되었다. 부상당한 사람들은 다른 종류의 셔츠를 입고 있을 때보다 그 참가자가 좋아하는 팀의 셔츠를 입고 있을 때, 더 많은 도움을 받았다. 같은 축구팀의 팬들은 내집단을 형성하고, 우리는 외집단의 구성원들보다 내집단의 구성원들을 도울 가능성이 크다.

어휘

- consist of ~로 이루어지다
- distress 곤경
- activate 활성화시키다
- participant 참가자
- outgroup 외집단
- mimic 흉내 내다
- odds 확률
- mimicry 흉내
- altruism 이타성
- suffering 고통
- hostility 적의
- party 당사자
- thereby 그렇게 함으로써
- identity 정체성
- ingroup 내집단
- favor 호의
- commonality 공통점
- generality 일반성
- similarity 유사성
- distance 거리
- patience 인내

정답 1 ④　2 ③　3 ②

144 다음 글의 내용과 일치하지 않는 것은?

Have a Picnic Under the Stars

Prepare for an enchanting evening full of stars!

- **Date**: Friday, October 13th
- **Time**: Starting at 7:00 p.m.
- **Location**: Meadowview Park
- **Tickets**: $10 per person (Children under 12 enter free)

Join us for a magical night under the stars, perfect for families and stargazing enthusiasts! You need to bring your picnic blankets to enjoy celestial wonder, relaxing lying on it.

Enjoy guided star tours, learn about constellations, and witness the beauty of the night sky with telescopes provided by local astronomers.

Hot cocoa and snacks available free of charge to keep you warm and cozy as you gaze at the stars.

Don't miss out on this stellar event! Mark your calendars and gather your loved ones for an unforgettable night!

See you there!

① 성인 참가자는 입장료를 내야 한다.
② 편안한 관측을 위해 돗자리를 챙겨와야 한다.
③ 참가자 각자가 망원경을 지참해야 한다.
④ 참가자에게 따뜻한 코코아와 간식이 제공된다.

145 Sweden's Progressive Parental Leave Policy에 관한 다음 글의 내용과 일치하지 않는 것은?

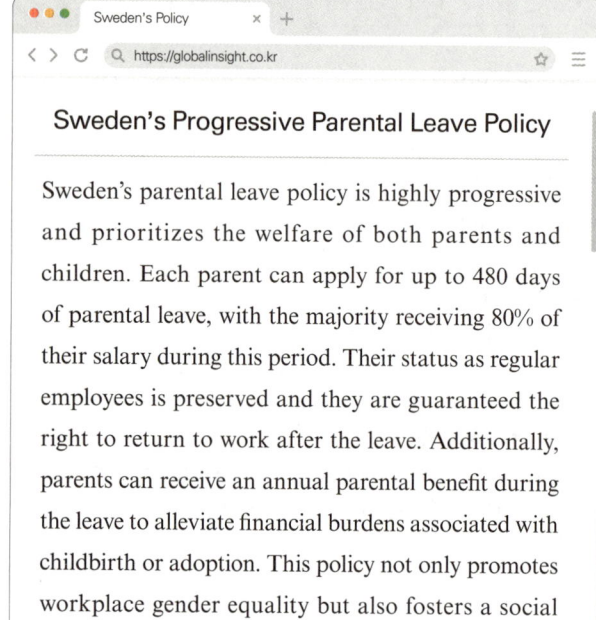

Sweden's Progressive Parental Leave Policy

Sweden's parental leave policy is highly progressive and prioritizes the welfare of both parents and children. Each parent can apply for up to 480 days of parental leave, with the majority receiving 80% of their salary during this period. Their status as regular employees is preserved and they are guaranteed the right to return to work after the leave. Additionally, parents can receive an annual parental benefit during the leave to alleviate financial burdens associated with childbirth or adoption. This policy not only promotes workplace gender equality but also fosters a social environment where caregiving responsibilities are shared fairly within households.

① Parents can each apply for up to 480 days of parental leave.
② Leave workers cannot be guaranteed a salary during parental leave.
③ The right to return to work after parental leave is guaranteed.
④ Leave workers can receive a parental benefit during parental leave.

144

해석

별빛 아래로 소풍을 가세요

별이 가득한 매혹적인 저녁을 준비하세요!

- **날짜**: 10월 13일 금요일
- **시간**: 오후 7시부터
- **장소**: Meadowview 공원
- **입장권**: 1인당 10달러 (12세 미만 어린이는 입장 무료)

가족들과 별 관측 애호가들에게 꼭 맞는, 별빛 아래에서 마법 같은 밤을 함께하세요! 소풍 깔기 위에 누워서 편안하게 하늘의 경이를 즐기려면 돗자리를 챙겨와야 합니다.

가이드가 안내하는 별 관광을 즐기고 별자리에 대해 배우며 지역 천문학자들이 제공한 망원경으로 밤하늘의 아름다움을 관찰하세요.

여러분이 별을 바라볼 때 몸을 따뜻하고 편안하게 유지할 수 있도록 따뜻한 코코아와 간식이 무료로 제공됩니다.

이 별 (관측) 행사를 놓치지 마세요! 달력에 표시해두고 잊을 수 없는 밤을 만들기 위해 사랑하는 사람들을 모으세요!

그곳에서 만나요!

해설

③ <입장권> 이후의 세 번째 문장에서 지역 천문학자들이 망원경을 제공한다고 했으므로 글의 내용과 일치하지 않는다.
① <입장권>에 1인당 10달러이고 12세 미만 어린이는 무료라고 했으므로 글의 내용과 일치한다.
② <입장권> 이후의 두 번째 문장에서 편안하게 하늘의 경이를 즐기려면 돗자리를 챙겨와야 한다고 했으므로 글의 내용과 일치한다.
④ <입장권> 이후의 네 번째 문장에서 따뜻한 코코아와 간식이 무료로 제공된다고 했으므로 글의 내용과 일치한다.

어휘

- ☐ enchanting 매혹적인
- ☐ location 장소
- ☐ picnic blanket 돗자리
- ☐ wonder 경이
- ☐ witness 관찰하다
- ☐ astronomer 천문학자
- ☐ gaze 바라보다
- ☐ gather 모으다
- ☐ stargazing 별 관측하기
- ☐ enthusiast 애호가
- ☐ celestial 하늘의
- ☐ constellation 별자리
- ☐ telescope 망원경
- ☐ cozy 편안한
- ☐ stellar 별의
- ☐ unforgettable 잊을 수 없는

정답 ③

145

해석

스웨덴의 진보적인 육아 휴직 정책

스웨덴의 육아 휴직 정책은 대단히 진보적이고 부모와 아이 모두의 행복을 우선시한다. 각각의 부모는 최대 480일의 육아 휴직을 신청할 수 있고, 대다수는 이 기간 동안 자기 임금의 80퍼센트를 받는다. 정규 직원으로서의 그들의 지위는 유지되며, 그들은 휴직이 끝난 뒤에 복직할 권리를 보장받는다. 게다가, 부모들은 출산이나 입양에 관련된 재정적인 부담을 경감시키기 위해 휴직 기간 동안 연간 부모 수당을 받을 수 있다. 이 정책은 직장 성평등을 촉진할 뿐 아니라 부양책임이 가정 내에 공평하게 나눠질 수 있는 사회적 환경을 조성한다.

---

① 부모는 각각 최대 480일의 육아 휴직을 신청할 수 있다.
② 육아 휴직자는 육아 휴직 동안 월급을 보장받을 수 없다.
③ 육아 휴직 이후 직장으로의 복직 권리가 보장된다.
④ 육아 휴직자는 휴직 기간 동안 육아 수당을 받을 수 있다.

해설

② 두 번째 문장에서 대부분이 육아 휴직 기간 동안 자기 임금의 80퍼센트를 받는다고 했으므로 글의 내용과 일치하지 않는다.
① 두 번째 문장에서 각각의 부모는 최대 480일의 육아 휴직을 신청할 수 있다고 했으므로 글의 내용과 일치한다.
③ 세 번째 문장에서 그들은 휴직이 끝난 뒤에 일터로 되돌아갈 권리를 보장받는다고 했으므로 글의 내용과 일치한다.
④ 네 번째 문장에서 부모들이 연간 부모 수당을 받을 수 있다고 했으므로 글의 내용과 일치한다.

어휘

- ☐ progressive 진보적인
- ☐ policy 정책
- ☐ welfare 행복
- ☐ salary 임금
- ☐ preserve 유지하다
- ☐ annual 연간의
- ☐ alleviate 경감시키다
- ☐ burden 부담
- ☐ childbirth 출산
- ☐ gender 성별
- ☐ foster 조성하다
- ☐ fairly 공평하게
- ☐ parental leave 육아 휴직
- ☐ prioritize 우선시하다
- ☐ majority 대다수
- ☐ status 지위
- ☐ guarantee 보장하다
- ☐ benefit 수당
- ☐ financial 재정적인
- ☐ associate 관련시키다
- ☐ adoption 입양
- ☐ equality 평등
- ☐ caregiving 부양
- ☐ household 가정

정답 ②

146 각 문장을 끊어 읽고 해석한 후 제시된 문제에 답하시오.

> 01　　　　　02
> Culture travels, like people. (A) A cultural trip is defined as traveling or visiting a destination while emphasizing the immersion of a foreign culture. (B) There are 03
> Chinese and Zen gardens in cities from Sydney to Edinburgh to San Francisco, and dance troupes from Africa and South America routinely perform overseas.
> 04
> (C) It would be impossible to disentangle strands of influence in the spaghetti western, samurai film, Hollywood action flick, Indian adventure story, and 05
> Hong Kong cinema. (D) In the modern world, no culture, however 'primitive' and remote, remains _____.

1 빈칸에 들어갈 말로 가장 적절한 것은?

① isolated　　② interconnected
③ multicultural　④ complex

2 글의 주제로 가장 적절한 것은?

① Culture develops through social interaction.
② Culture is shared experiences of people in the same nation.
③ The term 'culture' is differ from the term 'civilization'.
④ Culture transcends geographical boundaries.

3 글의 흐름상 가장 어색한 것은?

① (A)　　② (B)
③ (C)　　④ (D)

문장 분석 및 해설

146 구문분석 & 문장분석

01
Culture travels, / like people.
문화도 여행을 한다 / 사람들처럼.

02
A cultural trip is defined /
문화적 여행은 정의된다 /

as traveling or visiting a destination //
목적지를 여행하거나 방문하는 것으로 //

while emphasizing the immersion (of a foreign culture).
(외국 문화에 대한) 몰입을 강조하면서.

03
There are Chinese and Zen gardens /
중국식 및 젠 양식의 정원이 존재한다 /

in cities (from Sydney to Edinburgh to San Francisco), //
(시드니부터 에든버러에서 샌프란시스코에 이르는) 도시들에, //

and dance troupes (from Africa and South America) /
그리고 (아프리카와 남아메리카의) 댄스 극단이 /

routinely perform overseas.
정기적으로 해외에서 공연을 한다.

04
It would be impossible /
불가능할 것이다 /

to disentangle strands of influence /
영향의 실마리를 푸는 것은 /

in the spaghetti western, samurai film, Hollywood action flick, Indian adventure story, and Hong Kong cinema.
스파게티 웨스턴, 사무라이 영화, 할리우드 액션 영화, 인도의 모험 이야기, 그리고 홍콩 영화에서.

05
In the modern world, /
현대 세계에서, /

no culture, (however 'primitive' and remote), remains isolated.
어떤 문화도 (아무리 '원시적이고' 동떨어져 있다 해도) 고립된 채로 유지되지는 않는다.

해석

1 ② 상호 연결된   ③ 다문화적인   ④ 복잡한
2 ① 문화는 사회적 상호작용을 통해서 발전한다.
   ② 문화는 같은 국가 사람들이 공유한 경험이다.
   ③ '문화'라는 용어는 '문명'이라는 용어와 다르다.
   ④ 문화는 지리적 경계를 초월한다.

해설

1 문화는 지리적 경계를 초월해서 이동하고 서로 섞인다는 것이 이 글의 요지이므로 빈칸이 있는 문장은 어떤 문화가 아무리 동떨어져 있다고 해도 다른 문화의 영향 없이 단독으로 존재할 수는 없다는 내용이 되어야 한다. 따라서 빈칸에는 ① '고립된'이 들어가는 것이 가장 적절하다.

2 문화는 단독으로 존재할 수 없고 지리적 경계를 넘어서 서로 영향을 주고받는다는 것이 글의 주제이다. 따라서 글의 주제로 가장 적절한 것은 ④ '문화는 지리적 경계를 초월한다.'이다. 사회적 상호 작용이나 문화의 발전에 대해 언급되지 않았으므로 ①은 답이 될 수 없다.

3 글 전반에서 특정 문화가 타 문화와의 교류 없이 독립적으로 존재할 수 없다는 내용을 다루는 데 비해 (A)는 문화적 여행의 목적이 무엇인지를 설명하고 있으므로 글의 흐름상 어색하다. 따라서 정답은 ① (A)이다.

전문해석

문화도 사람들처럼 여행을 한다. 시드니부터 에든버러에서 샌프란시스코에 이르는 도시들에 중국식 및 젠 양식의 정원이 존재하고, 아프리카와 남아메리카의 댄스 극단이 정기적으로 해외에서 공연을 한다. 스파게티 웨스턴, 사무라이 영화, 할리우드 액션 영화, 인도의 모험 이야기, 그리고 홍콩 영화에서 영향의 실마리를 푸는 것은 불가능할 것이다. 현대 세계에서, 어떤 문화도 아무리 '원시적이고' 동떨어져 있다 해도 고립된 채로 유지되지는 않는다.

어휘

- destination 목적지
- emphasize 강조하다
- immersion 몰입
- troupe 극단
- disentangle 풀다
- strand 실마리
- spaghetti western 마카로니 웨스턴(이탈리아 영화사들이 만든 서부영화)
- primitive 원시적인
- isolated 고립된
- interconnected 상호 연결된
- multicultural 다문화적인
- complex 복잡한
- interaction 상호작용
- term 용어
- civilization 문명
- transcend 초월하다
- geographical 지리적

정답 1 ① 2 ④ 3 ①

147 각 문장을 끊어 읽고 해석한 후 제시된 문제에 답하시오.

01
(A) Most of you often believe that if you simply meet more important people, you will engage with them and
02
your work will improve. (B) In fact, how hard they help you out depends on whether you have put something
03
valuable out into the world. Building a powerful network requires you to be an expert at something — but not at
04
networking. If you make great connections, they might
05
enhance your career. (C) However, _____ _____, those connections will be much easier to make. (D)

1 글의 요지로 가장 적절한 것은?

① Sponsorship is necessary for a successful career.
② Building a good network starts from your accomplishments.
③ A powerful network is a prerequisite for your achievement.
④ Your insights grow as you become an expert at networking.

2 빈칸에 들어갈 말로 가장 적절한 것은?

① when you make an effort to cultivate relationships
② if they are generous enough to give you a hand
③ as long as you step off on the right foot
④ if you have done or do great work

3 다음 문장이 들어갈 위치로 가장 적절한 것은?

> Let your insights and your outputs — not your business cards — do the talking.

① (A) ② (B)
③ (C) ④ (D)

문장 분석 및 해설

147 구문분석 & 문장분석

01
Most of you often believe //
여러분 대부분은 종종 믿는다 //
that if you simply meet more important people, //
만약 당신이 더 중요한 인물들을 단지 만나기만 한다면, //
you will engage with them //
당신은 그들과 관계를 맺을 것이고 //
and your work will improve.
당신의 일이 나아질 것이라고.

02
In fact / how hard they help you out / depends on //
사실 / 그들이 당신을 얼마나 열심히 도와줄지는 / 달려 있다 //
whether you have put something (valuable) out / into the world.
당신이 (유익한) 무언가를 내놓았는지에 / 세상에.

03
Building a powerful network requires you /
영향력 있는 인맥을 구축하는 것은 당신에게 요구한다 /
to be an expert at something — but not at networking.
무언가에 전문가가 되라고 — 인맥 쌓기가 아니라.

04
If you make great connections, //
만약 당신이 훌륭한 관계들을 만든다면 //
they might enhance your career.
그것들이 당신의 경력을 향상시켜 줄지도 모른다.

05
However, / if you have done // or do great work, //
하지만, / 만약 당신이 훌륭한 성과를 냈다면 // 또는 낸다면, //
those connections will be much easier (to make).
그러한 관계들은 (맺기에) 훨씬 더 쉬워질 것이다.

삽입 문장
Let your insights and your outputs /
당신의 통찰력과 결과물들이 /
— not your business cards — / do the talking.
— 당신의 명함이 아니라 / 대변하게 하라.

해석

1
① 후원은 성공적인 경력을 위해 필요하다.
② 좋은 인맥을 쌓는 것은 당신의 업적에서 시작된다.
③ 강력한 인맥은 당신의 성취 전제조건이다.
④ 당신이 인맥 쌓기의 전문가가 되면서 당신의 통찰력은 성장한다.

2
① 당신이 관계를 발전시키려고 노력할 때
② 그들이 당신을 도울 만큼 충분히 관대하다면
③ 당신의 출발이 순조롭기만 하다면

해설

1 첫 문장에서 일반적인 통념을 제시하고 두 번째 문장에서 주제를 제시하는 구조의 글이다. 대다수 사람들의 생각과 달리, 좋은 인맥이 있다고 훌륭한 성취를 이루는 것이 아니라, 오히려 훌륭한 성취를 이룬 사람이라면 좋은 인맥의 도움을 얻을 수 있다는 것이다. 세 번째 문장에서 주제문을 부연하고, 네 번째 문장에서 일반 통념의 실현 가능성에 대해 언급하고, 역접의 연결어 However로 시작하는 마지막 문장에서 다시 주제를 재진술하고 있다. 따라서 정답은 ② '좋은 인맥을 쌓는 것은 당신의 업적에서 시작된다.'이다.

2 마지막 문장이 역접의 연결어로 시작되었고, 바로 앞 문장에서 인맥을 쌓는 것이 성공에 도움이 될 수도 있다고 말했으므로 마지막 문장에서는 그 반대의 주장이 제시되어야 되어야 한다. 즉, 인맥을 쌓기 쉬워지려면 성공이 먼저라는 내용이 되어야 하므로 정답은 ④ '만약 당신이 훌륭한 성과를 냈거나 낸다면'이다.

3 주어진 문장은 윗글의 주제와 일맥상통한다. 따라서 통념의 앞인 (A), 통념과 주제문의 사이인 (B), 주제문이 재진술되기 전인 (C)는 모두 주어진 문장이 들어갈 수 없는 위치이다. 따라서 역접의 연결어로 통념을 다시 반박하는 마지막 문장의 뒤인 ④ (D)가 정답이다.

전문해석

당신들 중 대부분은 만약 당신이 더 중요한 인물들을 단지 만나기만 한다면 그들과 관계를 맺고 당신의 일이 나아질 것이라고 종종 믿는다. 사실, 그들이 당신을 얼마나 열심히 도와줄지는 당신이 유익한 무언가를 세상에 내놓았는지에 달려 있다. 영향력 있는 인맥을 구축하는 것은 당신에게 인맥 쌓기가 아니라 무언가에 전문가가 되라고 요구한다. 만약 당신이 훌륭한 관계들을 만든다면 그것들이 당신의 경력을 향상시켜 줄지도 모른다. 하지만, 만약 당신이 훌륭한 성과를 냈거나 낸다면 그러한 관계들을 맺기에 훨씬 더 쉬워질 것이다. 당신의 통찰력과 결과물들이 — 당신의 명함이 아니라 — 대변하게 하라.

어휘

- engage 관계를 맺다
- depend on ~에 달려 있다
- expert 전문가
- sponsorship 후원
- prerequisite 전제조건
- insight 통찰력
- give ~ a hand ~을 돕다
- step off on the right foot 출발이 순조롭다
- output 결과물
- help ~ out ~을 도와주다
- valuable 유익한
- enhance 향상시키다
- accomplishment 업적
- achievement 성취
- generous 관대한
- do the talking 대변하다

정답 1 ② 2 ④ 3 ④

148 다음 글의 목적으로 가장 적절한 것은?

Dear Mr. Smith,

I am sorry to report that due to unforeseen logistical challenges, there has been a delay in shipping your recent order of office supplies. The delay is primarily due to a temporary disruption in our supplier's distribution network.

We have been in direct communication with our supplier to expedite the shipment process. Based on the latest updates, we expect your order to be dispatched by September 10. Rest assured, we are doing everything possible to ensure your items arrive promptly.

Thank you once again for your patience and understanding. We value your business and can't wait to continue to serve you.

With best wishes,
Amy Davis
Customer Service Manager
ABC Mall

① 주문 사항을 확인하려고
② 배송 지연을 알리려고
③ 상품 주문에 감사를 표하려고
④ 쇼핑 만족도를 조사하려고

149 Our City's Tourist Information Center에 관한 다음 글의 내용과 일치하지 않는 것은?

Travel with Our City's Tourist Information Center

For tourists checking out our city, our tourist info center is a must-visit spot. Right in downtown, we're here to make your trip awesome. Our super-friendly staff knows all about local attractions, historical sites, cultural events, dining spots, and transportation. Want to see the famous sights or find hidden gems? We've got you covered. We offer maps, brochures, and guides to make getting around easy. Ask us about guided tours, excursions, and cool events happening while you're here. Whether you're traveling solo, with family, or in a group, we aim to give you the best, most up-to-date info to ensure your visit is memorable and hassle-free.

① It is key resources for city visitors.
② It is more helpful to solo travelers than to those on guided tours.
③ It provides maps, brochures, and guides to help you navigate easily.
④ The staff offers details on attractions, dining, and a means of transport.

148

해석

수신: Anna Smith
발신: Amy Davis
날짜: 9월 5일
제목: 귀하의 최근 주문에 관해

Smith 씨께,

예기치 않은 업무 진행상의 문제로 귀하의 최근 사무용 물품 주문의 배송이 지연되었음을 알리게 되어 유감입니다. 이 지연은 저희 공급업체의 유통망에 생긴 일시적인 지장이 주된 원인입니다.

저희는 운송 과정을 신속하게 처리하기 위해 공급업체와 직접 의사소통을 해왔습니다. 최신 정보에 근거하면, 저희는 9월 10일까지 귀하의 주문이 배송될 것으로 예상합니다. 안심하세요, 귀하의 물품이 신속히 도착하도록 보장하기 위해 저희는 할 수 있는 모든 일을 하고 있습니다.

귀하의 인내와 이해에 다시 한번 감사드립니다. 저희는 귀하의 사업을 소중히 여기며 귀하를 계속 모실 수 있기를 기대합니다.

행복을 빌며,
Amy Davis
고객 서비스 관리자
ABC Mall

해설

글의 중심 소재는 주문의 배송이며 주제문은 첫 번째 문장으로 주문 물품의 배송이 지연되었음을 알리는 것이 목적이다. 이후, 배송 지연의 원인과 대처 상황을 상세히 설명하고, 문제를 신속히 해결하겠다는 약속과 고객의 이해를 구하는 내용을 담고 있다. 따라서 정답은 ② '배송 지연을 알리려고'이다.

어휘

- regarding ~에 관해
- logistical 업무 진행상의
- delay 지연
- primarily 주로
- disruption 지장
- distribution network 유통망
- shipment 운송
- Rest assured. 안심하세요.
- unforeseen 예기치 않은
- challenge 문제
- supplies (pl.) 물품
- temporary 일시적인
- supplier 공급업체
- expedite 신속히 처리하다
- dispatch 배송하다

정답 ②

149

해석

우리 도시의 관광안내소와 함께하는 여행

우리 도시를 살펴보는 여행객들에게, 우리의 관광안내소는 반드시 방문할 장소입니다. 도심에서, 우리는 여러분의 여행을 근사하게 만들어주기 위해 이 자리에 있습니다. 우리의 대단히 친절한 직원들은 지역 관광명소, 사적지, 문화 행사, 식사 장소, 그리고 교통에 관한 모든 것을 알고 있습니다. 유명한 관광지를 보고 싶은가요, 아니면 숨겨진 보석을 찾고 싶은가요? 우리는 여러분에게 필요한 모든 것을 해결합니다. 우리는 (여러분이) 돌아다니기 쉽도록 지도, 소책자, 그리고 가이드를 제공합니다. 우리에게 가이드가 안내하는 관광, 단체 여행, 그리고 여러분이 이곳에 머무는 동안 일어나는 멋진 행사에 대해 물어보세요. 여러분이 혼자든 가족과 함께든 혹은 단체로 여행을 하든, 우리는 여러분의 방문이 확실히 기억에 남고 번거롭지 않도록 가장 좋은 최신 정보를 제공하고자 합니다.

① 이곳은 도시 관광객들을 위한 중요한 자원이다.
② 이곳은 가이드가 안내하는 관광을 하는 사람들보다 개인 여행자들에게 더 유용하다.
③ 이곳은 여러분이 쉽게 길을 찾도록 돕기 위해 지도, 소책자, 그리고 가이드를 제공한다.
④ 직원들은 관광명소, 식사, 행사, 그리고 교통수단에 대한 세부 사항을 제공한다.

해설

② 여덟 번째 문장에서 혼자든 가족과 함께든 혹은 단체로 여행을 하든 관계없이 가장 좋은 최신 정보를 제공한다고 했으므로 글의 내용과 일치하지 않는다.
① 첫 번째 문장에서 이곳이 도시를 살펴보는 여행객들이 반드시 방문할 장소라고 했으므로 글의 내용과 일치한다.
③ 여섯 번째 문장에서 돌아다니기 쉽도록 지도, 소책자, 그리고 가이드를 제공한다고 했으므로 글의 내용과 일치한다.
④ 세 번째 문장에서 직원들은 지역 관광명소, 사적지, 문화 행사, 식사 장소, 그리고 교통에 관해 모든 것을 알고 있다고 했으므로 글의 내용과 일치한다.

어휘

- Tourist Information Center 관광안내소
- check out ~을 살펴보다
- spot 장소
- awesome 근사한
- attraction 관광명소
- historical site 사적지
- sights 관광지
- gem 보석
- get ~ covered 필요한 모든 것을 해결하다
- brochure 소책자
- get around 돌아다니다
- excursion 단체 여행
- up-to-date 최신의
- hassle-free 번거롭지 않은
- resources 자원
- navigate 길을 찾다
- means of transport 교통수단

정답 ②

150 Art Exhibition에 관한 다음 글의 내용과 일치하지 않는 것은?

Explore the world of art through our upcoming exhibition!

Exhibition Details

Theme: Contemporary Expressions
Dates: September 1-30
Eligibility: Open to artists of all ages and backgrounds.
Opening Reception: Join us for a special opening night event with live music and refreshments.

How to Participate

Submit your artwork for consideration by August 15. Email submissions to artexhibit@gallery.org with your name and artwork details.

Selected artists will be notified by August 25. Showcase your creativity and connect with fellow art enthusiasts in our vibrant community!

① 9월 한 달 동안 열린다.
② 주제가 제한되어 있지 않다.
③ 참가 자격에 대한 제한이 없다.
④ 8월 15일까지 작품을 제출해야 한다.

DAY 29~30 Exercises

[1~4] 양쪽에 주어진 말의 의미가 일맥상통하도록 선으로 연결하세요.

1. contemporary ○ 　　　　　① to be formed or made up of (specified things or people)

2. transcend ○　　　　　② based on or using the newest information, methods, etc.

3. consist of ○　　　　　③ to rise above or go beyond the normal limits of (something)

4. up-to-date ○　　　　　④ existing or happening now or recent times

[5~7] 다음 문장의 끊어 읽기를 참고하여, 빈칸에 알맞은 해석을 쓰세요.

5. In one study, / students thought about their favorite soccer team, / thereby activating their identity / as its fan.
한 연구에서, 학생들은 자신들이 가장 좋아하는 축구 팀에 대해 생각했다 / _____ / 그것의 팬으로서의.

6. In the modern world, / no culture, however 'primitive' and remote, remains isolated.
현대 세계에서, / _____.

7. In fact / how hard they help you out / depend on / if you put something valuable out / into the world.
사실 / _____ / 달려 있다 / 당신이 유익한 무언가를 내놓았는지에 / 세상에.

정답 1 ④ 2 ③ 3 ① 4 ② 5 그렇게 함으로써 그들의 정체성을 활성화시켰다 6 어떤 문화도 아무리 '원시적이고' 동떨어져 있다 해도 고립된 채로 유지되지는 않는다 7 그들이 당신을 얼마나 열심히 도와줄지는

151 각 문장을 끊어 읽고 해석한 후 제시된 문제에 답하시오.

Supporters of positive computing make the case that technology should contribute to well-being. (A) The **latent** ability for positive computing to make a difference in our lives is in wearable computing devices, such as current fitness trackers and health devices. (B) Wearable medical devices have witnessed booming demand and the smart wearable health devices market is valued at $13.8 billion as of today. (C) Designed to measure physical factors including heart rate and the amount of sleep, they could become positive feedback devices for regulating moods. (D) These devices would not just be ergonomically well-designed, but they would also lead to experiences that remove barriers to well-being.

* ergonomically: 인체공학적으로

1 글의 요지로 가장 적절한 것은?
① Wearable computing devices can contribute to well-being.
② Positive computing can contribute to national power.
③ Wearable computing devices increase living costs.
④ Positive computing develops science.

2 글의 흐름상 가장 어색한 문장은?
① (A) ② (B)
③ (C) ④ (D)

3 밑줄 친 부분의 의미와 가장 가까운 것은?
① potent ② maladroit
③ ostensible ④ potential

151 구문분석 & 문장분석

01
Supporters (of positive computing) / make the case //
(적극적 컴퓨터 활용의) 지지자들은 / 입장을 밝힌다 //

that technology should contribute to well-being.
과학기술이 행복에 기여해야 한다고.

02
The latent ability (for positive computing / to make a difference in our lives) /
(적극적 컴퓨터 활용이 / 우리의 삶에 변화를 가져오는) 잠재적인 능력은 /

is in wearable computing devices, (such as current fitness trackers and health devices).
(현재의 건강 추적기와 건강 기기 같은) 웨어러블 컴퓨터 활용 기기에 있다.

03
Wearable medical devices /
웨어러블 의료 기기는 /

have witnessed booming demand //
폭증하는 수요를 목격해 왔다 //

and the smart wearable health devices market /
그리고 스마트 웨어러블 건강 기기 시장은 /

is valued / at $13.8 billion / as of today.
가치가 있다 / 138억 달러의 / 오늘 현재로.

04
Designed to measure physical factors (including heart rate and the amount of sleep), //
(심박수와 수면량을 포함한) 신체적 요소들을 측정하도록 만들어져서, //

they could become positive feedback devices (for regulating moods).
그것들은 (기분 조절을 위한) 적극적인 피드백 기기가 될 수 있다.

05
These devices would not just be ergonomically well-designed, //
이런 기구들은 인체공학적으로 잘 만들어졌을 뿐만 아니라, //

but they would also lead to experiences (that remove barriers (to well-being)).
또한 ((행복에 있어) 방해 요소들을 제거해주는) 경험으로 이끌어 줄 것이다.

해석

1 ① 웨어러블 컴퓨터 활용 기기는 행복에 기여할 수 있다.
② 적극적인 컴퓨터 활용은 국력에 기여할 수 있다.
③ 웨어러블 컴퓨터 활용 기기는 생계 비용을 증가시킨다.
④ 적극적인 컴퓨터 활용이 과학을 발전시킨다.

해설

1 첫 문장에서 과학기술이 인간의 행복에 기여해야 한다고 주장했다. 그 뒤로 과학기술이 행복에 기여할 수 있는 방법으로서 웨어러블 건강 기기를 예로 들어 설명한 다음, 마지막 문장에서 이런 기구들이 행복의 방해 요소를 제거해준다고 했으므로 글의 요지로 가장 적절한 것은 ① '웨어러블 컴퓨터 활용 기기는 행복에 기여할 수 있다.'이다. 국력, 생계 비용, 과학의 발전에 관해서는 글에서 언급되지 않았으므로 ②, ③, ④는 답이 될 수 없다.

2 글 전반에서 과학기술, 그중에서도 웨어러블 컴퓨터 기술을 활용한 건강 기기가 인간의 행복에 기여할 수 있다고 설명하고 있다. 이에 비해 (B)의 문장은 웨어러블 의료 기기의 수요 증가와 시장의 가치에 대해 이야기하고 있으므로 글의 흐름과 관련이 없다. 따라서 정답은 ② (B)이다.

전문해석

적극적 컴퓨터 활용의 지지자들은 과학기술이 행복에 기여해야 한다고 입장을 밝힌다. 적극적 컴퓨터 활용이 우리의 삶에 변화를 가져오는 잠재적인 능력은 현재의 건강 측정기와 건강 기기 같은 웨어러블 컴퓨터 활용 기기에 있다. 심박수와 수면량을 포함한 신체적 요소들을 측정하도록 만들어진 웨어러블 기기들은 기분 조절을 위한 적극적인 피드백 기기가 될 수 있다. 이런 기구들은 인체공학적으로 잘 만들어졌을 뿐만 아니라, 또한 행복에 있어 방해 요소들을 제거해주는 경험으로 이끌어 줄 것이다.

어휘

- positive 적극적인
- contribute 기여하다
- wearable 웨어러블, 착용식의
- tracker 추적기
- witness 목격하다
- as of today ~ 오늘 현재로
- factor 요소
- barrier 장애물
- maladroit 형편없는
- potential 잠재적인
- make the case 입장을 밝히다
- latent 잠재적인
- current 현재의
- device 기기
- booming 폭증하는
- measure 측정하다
- regulate 조절하다
- potent 강력한
- ostensible 표면적인

정답 1 ① 2 ② 3 ④

152 각 문장을 끊어 읽고 해석한 후 제시된 문제에 답하시오.

01
A biology teacher cannot teach proteins, carbohydrates, fats, and vitamins, without having understood the **rudiments** of organic chemistry. (A) The teacher helps students learn about the origin, distribution, structure, and function of all living organisms. (B) If the teacher says that the body temperature of a healthy person is 37℃ and a student wants to know the temperature in Kelvin or Fahrenheit, then the teacher should know the process of converting one scale of temperature to another. (C) In the same way, when teaching proteins, enzymes, and fats, etc., a chemistry teacher should have some understanding of the human digestive system to be able to explain these concepts effectively by relating the topic to the life experiences of the learners. (D) Thus, all branches of science _____.

1 빈칸에 들어갈 말로 가장 적절한 것은?
① cannot be taught and learned in isolation
② converge on knowledge of organic chemistry
③ are interrelated with each learner's experiences
④ should be acquired with the basics of chemistry

2 글의 흐름상 가장 어색한 것은?
① (A)　　② (B)
③ (C)　　④ (D)

3 밑줄 친 부분의 의미와 가장 가까운 것은?
① procedures　② origins
③ basics　　　④ statutes

152 구문분석 & 문장분석

01
A biology teacher cannot teach /
생물 교사는 가르칠 수 없다 /

proteins, carbohydrates, fats, and vitamins, /
단백질, 탄수화물, 지방 그리고 비타민을 /

without having understood the rudiments (of organic chemistry).
(유기 화학의) 기초를 이해하지 못한 채.

02
The teacher helps students learn /
그 교사는 학생들이 배우도록 돕는다 /

about the origin, distribution, structure, and function (of all living organisms).
(모든 생물의) 기원, 분포, 구조, 그리고 기능에 대해.

03
If the teacher says //
만약 그 교사가 말한다면 //

that the body temperature (of a healthy person) is 37℃ //
(건강한 사람의) 체온이 37℃라고 //

and a student wants to know the temperature /
그리고 학생이 그 온도를 알고 싶어 하면 /

in Kelvin or Fahrenheit, //
켈빈 온도 또는 화씨 온도로 //

then the teacher should know /
그러면 그 교사는 알아야 한다 /

the process (of converting one scale (of temperature) to another).
((온도의) 한 가지 기준을 변환하는 / 다른 기준으로) 과정을.

04
In the same way, /
같은 방식으로, /

when teaching proteins, enzymes, and fats, etc., //
단백질, 효소, 지방 등을 가르칠 때 //

a chemistry teacher should have some understanding (of the human digestive system) /
화학 교사는 (인간의 소화기 계통에 대한) 약간의 지식을 갖고 있어야 한다 /

to be able to explain these concepts effectively /
이들 개념을 효과적으로 설명할 수 있도록 /

by relating the topic to the life experiences (of the learners).
(학습자의) 삶의 경험에 주제를 연관시킴으로써.

05
Thus, /
그러므로, /

all branches (of science) cannot be taught and learned / in isolation.
(과학의) 모든 분야는 가르치거나 학습될 수 없다 / 개별적으로.

해석

1　② 유기 화학의 지식으로 모여든다
　　③ 각 학습자의 경험들과 상호 관련이 있다
　　④ 화학적 기초와 함께 습득되어야 한다

해설

1　이 글은 교사가 과학 과목을 가르치는 데 있어 자기 자신의 분야뿐 아니라 다른 분야에 대한 기초적인 지식도 있어야 한다고 말하고 있다. 예시에 따르면 생물 교사는 화학에 대한 기초 지식이 있어야 하고, 화학 교사는 생물에 대한 어느 정도의 지식이 있어야 한다고 말하고 있다. 즉, 과학 교사는 과학이라는 분야를 가르칠 때, 통합적으로 연관 지어 가르쳐야 한다는 의미이다. 따라서 빈칸에는 ① '개별적으로 가르치거나 학습될 수 없다'가 들어가는 것이 적절하다.

2　이 글은 과학 과목을 제대로 가르치기 위해서는 한 과목만을 알아서는 안 되고 다른 과학 분야에 대한 기초적인 이해가 있어야 한다는 내용이다. 이에 비해 두 번째 문장은 학생이 모든 생물의 기원과 분포 등에 대해 공부하도록 돕는다는 내용으로 글 전체의 흐름과는 아무 관련이 없다. 따라서 정답은 ① (A)이다.

전문해석

생물 교사는 유기 화학의 기초를 이해하지 못한 채 단백질, 탄수화물, 지방 그리고 비타민을 가르칠 수 없다. 만약 그 교사가 건강한 사람의 체온이 37°C라고 말하고, 학생이 켈빈 온도 또는 화씨 온도로 그 온도를 알고 싶어 하면, 그 교사는 온도의 한 가지 기준을 다른 기준으로 변환하는 과정을 알아야만 한다. 같은 방식으로, 화학 교사가 단백질, 효소, 지방 등을 가르칠 때 학습자의 삶의 경험에 주제를 연관시킴으로써 이러한 개념을 효과적으로 설명할 수 있도록 인간의 소화기 계통에 대한 약간의 지식을 갖고 있어야 한다. 그러므로 과학의 모든 분야는 <u>개별적으로 가르치거나 학습될 수 없다</u>.

어휘

- protein 단백질
- rudiment 기본
- Kelvin 켈빈 온도
- convert 변환하다
- digestive system 소화기 계통
- procedure 절차
- statute 법령
- carbohydrate 탄수화물
- distribution 분포
- Fahrenheit 화씨 온도
- enzyme 효소
- converge on ~에 모여들다
- origin 기원

정답　1 ①　2 ①　3 ③

153 각 문장을 끊어 읽고 해석한 후 제시된 문제에 답하시오.

The price of art attracts more public attention than any other commodity — except perhaps oil. (A) An exceptionally high price attracts wide media coverage together with a public response that ranges from outrage and ridicule to admiration. (B) The orthodox view is that this situation is not only new but bad and that art **is not subject to** financial speculators. (C) Holland, a rich and powerful imperial nation in the seventeenth century, traded and speculated in art. (D) A historian records that it was quite usual to find Dutch farmers paying the equivalent of up to £3,000 for painting and then reselling them _____.

1 다음 문장이 들어갈 위치로 가장 적절한 것은?

> Yet even the most superficial look into history shakes such an opinion.

① (A) ② (B)
③ (C) ④ (D)

2 빈칸에 들어갈 말로 가장 적절한 것은?

① at very great gains
② on behalf of artists
③ in order to raise funds
④ with an authenticity certificate

3 밑줄 친 부분의 의미와 가장 가까운 것은?

① is not compatible with
② doesn't make up for
③ doesn't hinge on
④ is in contrast to

153 구문분석 & 문장분석

01
The price (of art) attracts more public attention /
(예술품의) 가격은 더 대중의 관심을 끈다 /

than any other commodity / — except perhaps oil.
어떤 다른 상품보다도 / — 아마도 석유를 제외하고.

02
An exceptionally high price attracts wide media coverage /
엄청나게 높은 가격은 광범위한 매스컴 보도를 이끌어낸다 /

together with a public response (that ranges from outrage and ridicule to admiration).
(격분과 조롱에서부터 탄복에 이르기까지) 대중의 반응과 함께.

03
The orthodox view is //
정통 관점은 ~이다 //

that this situation is not only new but bad //
이러한 상황이 새로울 뿐만 아니라 나쁜 것이기도 하다는 것 //

and that art is not subject to financial speculators.
그리고 예술이 금전적 투기꾼에게 달려 있지 않다는 것.

삽입 문장
Yet / even the most superficial look into history /
그러나 / 아무리 가장 피상적으로 역사를 들여다보더라도 /

shakes such an opinion.
그런 견해는 흔들린다.

04
Holland, (a rich and powerful imperial nation /
(부유하고도 강력한 제국이었던 /

in the seventeenth century), / traded and speculated /
17세기에) 네덜란드는, / 상거래를 하고 투기를 했었다 /

in art.
예술품으로.

05
A historian records // that it was quite usual /
한 역사가는 기록하고 있다 // 매우 일반적이었다고 /

to find Dutch farmers /
네덜란드 농부들을 발견하는 것이 /

paying the equivalent (of up to £3,000) for painting /
그림을 사고자 (3,000파운드에) 상당하는 돈을 지불하는 /

and then reselling them / at very great gains.
그리고 후에 그것들을 되파는 / 아주 높은 수익으로.

해석

2 ② 예술가들을 대신하여
③ 기금 모금을 위해
④ 진품 감정서와 함께

해설

1 주어진 문장에서 '그러나' 역사를 아무리 피상적으로 들여다보더라도 그러한 의견(such an opinion)을 반박할 수 있다고 설명한다. 따라서 주어진 문장의 앞에서는 '그러한 의견'이 제시되고 뒤에는 이러한 의견을 반박할 수 있는 역사적 사건에 대한 설명이 등장해야 함을 알 수 있다. (C) 앞에는 '예술이 금전적인 투기의 대상이 아니다'라고 했는데, 다음 문장에서는 '네덜란드에서 농부들이 예술품으로 상거래를 했었다'라는 내용이 나오므로 역접을 나타내는 Yet이 들어가는 게 자연스럽다. 따라서 주어진 문장은 ③ (C)에 오는 것이 가장 적절하다.

2 네 번째 문장은 예술에 높은 가격이 매겨지는 현상은 새로운 것이며 동시에 옳지 않고, '예술은 금전적 투기의 대상이 아니어야 한다'라는 이전 의견을 반박하며 17세기 네덜란드를 예시로 든다. 빈칸이 있는 마지막 문장은 이에 대한 부연 설명이므로 앞의 문장과 같은 맥락이어야 한다. 따라서 예술품으로 투기를 했다는 내용이 이어지는 것이 자연스러우므로 빈칸에는 ① '아주 높은 수익으로'가 들어가는 것이 적절하다. 나머지는 모두 언급되지 않은 내용이다.

전문해석

아마도 석유를 제외하고 예술품의 가격은 다른 어떤 상품보다도 더 대중의 관심을 끈다. 엄청나게 높은 가격은 격분과 조롱에서부터 탄복에 이르기까지 대중의 반응과 함께 광범위한 매스컴 보도를 이끌어낸다. 정통 관점은 이러한 상황이 새로울 뿐만 아니라 나쁜 것이기도 하다는 점과 예술이 금전적 투기꾼에게 달려 있지 않다는 것이다. 그러나 아무리 가장 피상적으로 역사를 들여다보더라도 그런 견해는 흔들린다. 17세기에 네덜란드는 부유하고도 강력한 제국이었는데 예술품으로 상거래를 하고 투기를 했었다. 네덜란드 농부들이 그림을 사고자 3,000파운드에 상당하는 돈을 지불하고 후에 이를 아주 높은 수익으로 되파는 일이 매우 일반적이었다고 한 역사가는 기록하고 있다.

어휘

- attract 끌다
- exceptionally 특히
- outrage 격분
- admiration 탄복
- be subject to ~에 달려 있다
- imperial 제국의
- equivalent 상당하는 것
- gain 수익
- on behalf of ~을 대신하여
- make up for ~을 보상하다
- be in contrast to ~에 대조되다
- commodity 상품
- coverage 보도
- ridicule 조롱
- orthodox 정통의
- speculator 투기자
- speculate 투기하다
- superficial 깊지 않은
- authenticity certificate 진품 증명서
- be compatible with ~와 양립하다
- hinge on ~에 달려 있다

정답 1 ③ 2 ① 3 ③

154 The United Nations Refugee Agency에 관한 다음 글의 내용과 일치하지 않는 것은?

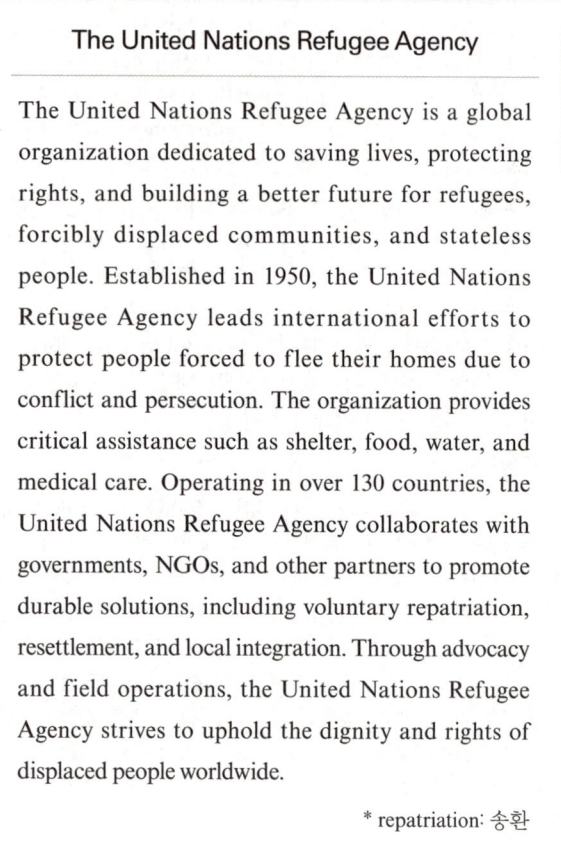

The United Nations Refugee Agency

The United Nations Refugee Agency is a global organization dedicated to saving lives, protecting rights, and building a better future for refugees, forcibly displaced communities, and stateless people. Established in 1950, the United Nations Refugee Agency leads international efforts to protect people forced to flee their homes due to conflict and persecution. The organization provides critical assistance such as shelter, food, water, and medical care. Operating in over 130 countries, the United Nations Refugee Agency collaborates with governments, NGOs, and other partners to promote durable solutions, including voluntary repatriation, resettlement, and local integration. Through advocacy and field operations, the United Nations Refugee Agency strives to uphold the dignity and rights of displaced people worldwide.

* repatriation: 송환

① It is devoted to rescuing exiles and creating a better tomorrow for them.
② It seeks to lodge, feed, and medicate or treat displaced people.
③ It has headed global activities to help refugees since mid-twentieth century.
④ It works only with more than 130 governments in the pursuit of efficiency.

155 다음 글을 읽고 물음에 답하시오.

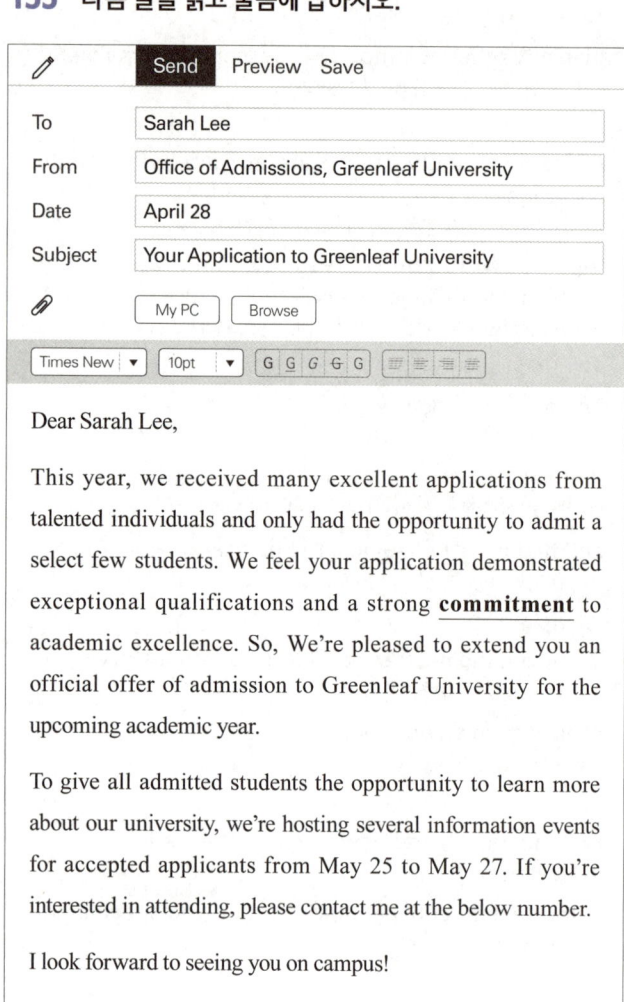

Dear Sarah Lee,

This year, we received many excellent applications from talented individuals and only had the opportunity to admit a select few students. We feel your application demonstrated exceptional qualifications and a strong **commitment** to academic excellence. So, We're pleased to extend you an official offer of admission to Greenleaf University for the upcoming academic year.

To give all admitted students the opportunity to learn more about our university, we're hosting several information events for accepted applicants from May 25 to May 27. If you're interested in attending, please contact me at the below number.

I look forward to seeing you on campus!

Best regards,
Office of Admissions
Greenleaf University
(056) 518-3429

1 윗글의 목적으로 가장 적절한 것은?
① 대학의 시험 과목과 합격 기준을 설명하려고
② 대학 합격자 발표일이 지연된다고 알리려고
③ 합격을 통보하고 예비 입학생 행사를 안내하려고
④ 대학에서 제공하는 장학금에 대해 안내하기 위해

2 밑줄 친 commitment의 의미와 가장 가까운 것은?
① duty   ② contract
③ promise ④ involvement

154

해석

유엔 난민 기구

유엔 난민 기구는 난민, 강제로 나라를 떠난 공동체, 그리고 국적이 없는 사람들을 위해 목숨을 구해주고 권리를 보호해주며 더 나은 미래를 건설하는 데 헌신하는 국제 조직이다. 1950년에 설립된 유엔 난민 기구는 갈등과 박해로 인해 어쩔 수 없이 조국에서 도망친 사람들을 보호하기 위한 국제 활동을 주도한다. 이 조직은 주거지, 음식, 물, 그리고 의료 같은 중요한 도움을 제공한다. 130개 이상의 국가에서 활동하는 유엔 난민 기구는 자발적 송환, 재정착, 그리고 현지 통합을 포함하는 항구적인 해결책을 도모하기 위해 정부, 비정부 조직, 그리고 다른 협력 단체들과 공동으로 일한다. 공개적 지지와 현장 작전을 통해, 유엔 난민 기구는 전 세계 난민의 존엄과 권리를 옹호하기 위해 노력한다.

① 이 기구는 난민들을 구조하고 그들에게 더 나은 미래를 만들어주는 데 헌신한다.
② 이 기구는 난민에게 주거지를 제공하고 식량을 주며 약을 투여하거나 치료한다.
③ 이 기구는 20세기 중반 이후로 난민을 돕는 국제 활동을 이끌어왔다.
④ 이 기구는 효율성을 위해 오직 130개 이상의 정부와 일한다.

해설

④ 네 번째 문장에서 이 기구가 130개 이상의 국가에서 정부, 비정부 조직 등과 공동으로 일한다고 했으므로 글의 내용과 일치하지 않는다.
① 첫 번째 문장에서 이 기구가 난민의 목숨을 구해주고 더 나은 미래를 건설하는 데 헌신한다고 했으므로 글의 내용과 일치한다.
② 세 번째 문장에서 이 기구가 난민에게 주거지, 음식, 물, 그리고 의료 같은 중요한 도움을 제공한다고 했으므로 글의 내용과 일치한다.
③ 두 번째 문장에서 이 기구가 1950년에 설립되었다고 했고 난민을 위한 국제 활동을 주도한다고 했으므로 글의 내용과 일치한다.

어휘

- refugee 난민
- organization 조직
- forcibly 강제로
- stateless 국적 없는
- persecution 박해
- durable 항구적인
- integration 통합
- strive 노력하다
- dignity 존엄
- rescue 구하다
- lodge ~에게 주거지를 제공하다
- head ~을 이끌다
- agency 기구
- dedicate 헌신하다
- displaced 나라를 떠난, 난민의
- flee ~에서 도망치다
- NGO 비정부 조직
- resettlement 재정착
- advocacy 공개적 지지
- uphold 옹호하다
- devote 헌신하다
- exile 망명자
- medicate 약을 투여하다
- in the pursuit of ~을 위해

정답 ④

155

해석

수신: Sarah Lee
발신: Greenleaf 대학교 입학처
날짜: 4월 28일
제목: 귀하의 Greenleaf 대학교 지원

Sarah Lee 귀하,

올해, 우리는 재능 있는 사람들로부터 많은 탁월한 지원서를 받았고 엄선된 소수의 학생들만 입학을 허가할 기회가 있었습니다. 우리는 귀하의 지원서가 탁월한 자격과 학업 우수성에 대한 강력한 약속을 입증했다고 생각합니다. 따라서, 우리는 다가오는 학년의 Greenleaf 대학 공식 입학 허가서를 귀하에게 기쁜 마음으로 제공합니다.

입학이 허가된 모든 학생들에게 우리 대학에 대해 더 많이 배울 기회를 제공하기 위해, 우리는 입학이 허가된 지원자들을 대상으로 5월 25일부터 5월 27일까지 몇 가지 정보 행사를 개최할 것입니다. 참가하는 데 관심이 있다면, 아래 번호로 제게 연락해 주십시오.

귀하를 캠퍼스에서 만나게 되기를 기대합니다!

안부를 전하며,
Greenleaf 대학교
입학처
(056) 518-3429

해설

1 글의 중심 소재는 대학 입학 지원의 결과이고 이 글은 두 가지 목적으로 쓰여 있다. 첫 문단의 마지막 문장에서는 대학 합격을 통보하고 있으며 두 번째 문단에서는 합격자를 대상으로 하는 행사 일정을 안내하고 있다. 따라서 글의 목적으로 가장 적절한 것은 ③ '합격을 통보하고 예비 입학생 행사를 안내하려고'이다.

어휘

- Office of Admissions 입학처
- opportunity 기회
- select 엄선된
- exceptional 탁월한
- commitment 약속, 책임, 전념
- official 공식적인
- applicant 지원자
- best regards 안부
- application 지원(서)
- admit (입학을) 허가하다
- demonstrate 입증하다
- qualification 자격
- extend 제공하다
- host 개최하다
- look forward to ~을 기대하다

정답 1 ③ 2 ③

156 각 문장을 끊어 읽고 해석한 후 제시된 문제에 답하시오.

01
Some writers define an argument as an attempt to persuade somebody of something, but this is not correct.
02
(A) An argument attempts to prove or support a
03
conclusion. (B) When you attempt to persuade someone, you attempt to win him or her to your point of view; trying to persuade and trying to argue are logically
04
distinct projects. (C) True, when you want to persuade somebody of something, you might use an argument. (D)
05
In fact, giving an argument is often one of the least effective methods of persuading people — which, of course, is why so few advertisers _____.

1 다음 문장이 들어갈 위치로 가장 적절한 것은?

> But not all arguments attempt to persuade, and many attempts to persuade do not involve arguments.

① (A)   ② (B)
③ (C)   ④ (D)

2 빈칸에 들어갈 말로 가장 적절한 것은?
① attempt to sell
② bother with arguments
③ persuade without arguments
④ try to provide advertisement

3 밑줄 친 부분의 의미와 가장 가까운 것은?
① separate   ② identical
③ related   ④ difficult

156 구문분석 & 문장분석

01
Some writers define an argument /
일부 작가들은 논쟁을 정의한다 /

as an attempt (to persuade somebody of something), //
(어떤 것에 대해 어떤 이를 설득하려는) 시도라고, //

but this is not correct.
그러나 이것은 맞지 않다.

02
An argument attempts /
논쟁은 시도한다 /

to prove or support a conclusion.
어떤 결론을 입증하거나 지지하려는 것을.

03
When you attempt to persuade someone, //
당신이 어떤 사람을 설득하려고 시도할 때, //

you attempt to win him or her / to your point of view; //
당신은 그 혹은 그녀를 이기려고 시도한다 / 당신의 관점으로; //

trying to persuade and trying to argue /
설득하려고 노력하는 것과 논쟁하려고 노력하는 것은 /

are logically distinct projects.
논리적으로 별개의 활동이다.

04
True, /
사실은, /

when you want to persuade somebody of something, //
당신이 어떤 것에 대해 어떤 사람을 설득하기를 원할 때, //

you might use an argument.
당신은 논쟁을 사용할 것이다.

삽입 문장
But / not all arguments attempt to persuade, //
그러나 / 모든 논쟁이 설득하려고 시도하지는 않고, //

and many attempts (to persuade) do not involve arguments.
(설득하려는) 많은 시도들이 논쟁을 포함하지는 않는다.

05
In fact, / giving an argument /
사실, / 논쟁을 펼치는 것은 /

is often one of the least effective methods (of persuading people) /
종종 (사람들을 설득하는) 가장 효과가 작은 방법 중의 하나이다 /

— which, (of course), is why so few advertisers bother with arguments.
— 이것이 (물론) 논쟁을 신경 쓰는 광고주들이 거의 없는 이유이다.

해석

2 ① 팔려고 시도하는
③ 논쟁 없이 설득하려 하는
④ 광고를 제공하려고 노력하는

해설

1 역접의 연결어 But으로 시작하는 주어진 문장에서 모든 논쟁이 설득을 시도하지는 않는다고 했으므로, 이 앞에는 그것과 반대되는 내용이, 이 뒤에는 부연이나 예시가 이어질 수 있다. (D)의 앞에서 당신이 누군가를 설득하려고 할 때 논쟁을 사용할 수 있다고 설명한다. 그리고 (D)의 뒤에서는 사실상 논쟁은 설득할 때 사용될 수 있는 가장 효과가 작은 방법 중 하나라고 설명한다. (D)의 위치에 오게 될 경우 앞에는 주어진 문장과는 반대되는 내용이, 뒤에는 주어진 문장에 대한 부연 설명으로 이어지게 된다. 따라서 정답은 ④ (D)이다.

2 which is why ~(이것이 ~한 이유이다)로 보아, 앞에서 온 내용이 이유, 뒤의 빈칸의 내용이 결과가 되어야 함을 유추할 수 있다. 앞에서 논쟁이 설득하는 데 가장 비효율적 방법이라고 설명했으므로 광고주들은 논쟁을 사용하지 않을 것이라는 결과로 이어지는 것이 문맥상 바르다. 그런데 빈칸 앞에 부정어인 few가 있으므로 빈칸에는 '논쟁을 사용하다, 논쟁을 중요시 여기다' 등의 내용이 들어가야 한다. 따라서 정답은 ② '논쟁에 신경 쓰다'이다. ③은 반대의 의미이므로 정답이 될 수 없다. ①, ④는 언급되지 않은 내용이다.

전문해석

일부 작가들은 논쟁을 어떤 것에 대해 어떤 이를 설득하려는 시도라고 정의하지만 이것은 틀리다. 논쟁은 어떤 결론을 입증하거나 지지하려는 것을 시도한다. 당신이 어떤 사람을 설득하려고 시도할 때 당신은 당신의 관점으로 그 혹은 그녀를 이기려고 시도한다; 설득하려고 노력하는 것과 논쟁하려고 노력하는 것은 논리적으로 별개의 활동이다. 사실은 당신이 어떤 것에 대해 어떤 사람을 설득하기를 원할 때, 당신은 논쟁을 사용할 것이다. 그러나 <u>모든 논쟁이 설득하려고 시도하지는 않고 설득하려는 많은 시도들이 논쟁을 포함하지는 않는다</u>. 사실, 논쟁을 펼치는 것은 종종 사람들을 설득하는 가장 효과가 작은 방법 중의 하나이다 — 물론 이것이 <u>논쟁에 신경을 쓰는</u> 광고주가 거의 없는 이유일 것이다.

어휘

- argument 논쟁
- attempt 시도; 시도하다
- persuade 설득하다
- conclusion 결론
- logically 논리적으로
- distinct 별개의
- advertiser 광고주
- bother ~에 신경 쓰다
- separate 별개의
- identical 동일한
- related 관련된

정답 1 ④ 2 ② 3 ①

157 각 문장을 끊어 읽고 해석한 후 제시된 문제에 답하시오.

01 First, in the colonial era, the main goal of education was to train people for religious and moral purposes, and to 02 **foster** good behavior. As opposed to educators of the colonial period, later educators wanted this public 03 education to be free from religion. Later in the 19th century, John Dewey began teaching the theory of 04 'learning by doing.' Even more importantly, he stressed that school was not just a period preparing for life, but 05 was a period of life itself. Lastly, in the 20th century, the shift in population from the countryside to the cities made schools more concerned with social problems.

1 글의 주제로 가장 적절한 것은?
① Schools in the Colonial Era
② The Contributions of Reformists
③ Changes in Educational Philosophy
④ The Most Effective Strategy of Education

2 글의 내용과 일치하는 것은?
① Educators of the colonial period favored public education free from religion.
② Educators after the colonial period aimed to teach people religious and moral values.
③ John Dewey believed that school was only a preparation for life, not a period of life itself.
④ The urban migration in the 20th century increased schools' concerns about social problems.

3 밑줄 친 부분의 의미와 가장 가까운 것은?
① encourage ② worship
③ focus ④ prevent

157 구문분석 & 문장분석

01
First, / in the colonial era, /
처음에, / 식민지 시대에, /

the main goal (of education) was to train people /
(교육의) 주요 목표는 사람들을 교육시키는 것이었다 /

for religious and moral purposes, /
종교적, 도덕적 목적을 위해, /

and to foster good behavior.
그리고 선행을 촉진시키는 것이었다.

02
As opposed to educators (of the colonial period), /
(식민지 시대의) 교육자들과는 대조적으로, /

later educators wanted this public education to be free from religion.
후기 교육자들은 이러한 공교육이 종교에서 벗어나기를 원했다.

03
Later in the 19th century, /
19세기 후반, /

John Dewey began teaching the theory (of 'learning by doing.')
John Dewey는 ('실천에 의한 학습'의) 이론을 가르치기 시작했다.

04
Even more importantly, / he stressed //
더 중요한 것은, / 그는 강조했다 //

that school was not just a period preparing for life, //
학교가 단지 삶을 준비하는 기간이 아니라, //

but was a period of life itself.
삶 그 자체의 기간이라고.

05
Lastly, / in the 20th century, /
마지막으로, / 20세기에, /

the shift (in population from the countryside to the cities) /
(시골에서 도시로의 인구) 이동은 /

made schools more concerned with social problems.
학교들이 사회 문제에 보다 많은 관심을 두도록 했다.

해석

1 ① 식민 시대의 학교들
② 개혁가들의 기여
③ 교육 철학의 변화
④ 가장 효과적인 교육 전략

2 ① 식민 시대의 교육가들은 공교육이 종교에서 벗어나기를 원했다.
② 식민 시대 이후의 교육가들은 사람들에게 종교적이고 도덕적 가치를 가르치기를 원했다.
③ 존 듀이는 학교란 인생을 준비하는 것이며 그 자체가 인생의 한 기간은 아니라고 믿었다.
④ 20세기 도시로의 이주는 사회적 문제에 대한 학교의 관심을 증대시켰다.

해설

1 First, Later on, Later in the 19th century, Lastly, in the 20th century라는 시간의 부사(구)를 통해 시간 순서로 구성된 글임을 파악할 수 있다. 역사적 흐름에 따라 변화했던 교육 철학을 설명하고 있으므로 ③ '교육 철학의 변화'라는 제목이 가장 적합하다.

2 ④ 마지막 문장에서 시골에서 도시로의 인구 이동은 학교들이 사회적 문제에 더 많은 관심을 두도록 했다고 했으므로 글의 내용과 일치한다.
① 두 번째 문장에서 식민지 시대의 교육자들과는 대조적으로 후기 교육가들은 이러한 공교육이 종교에서 벗어나기를 원했다고 했으므로 글의 내용과 일치하지 않는다.
② 첫 번째 문장에서 사람들에게 종교적이고 도덕적 가치를 가르치기를 원했던 것은 식민 시대의 교육자들이라고 설명했으므로 글의 내용과 일치하지 않는다.
③ 네 번째 문장에서 존 듀이는 학교가 단지 삶을 준비하는 기간이 아니라 삶 그 자체의 기간이라고 강조했다고 했으므로 글의 내용과 일치하지 않는다.

전문해석

처음에, 식민지 시대에 교육의 주요 목표는 종교적, 도덕적 목적을 위해 사람들을 교육시키고 선행을 촉진시키는 것이었다. 식민지 시대의 교육자들과는 대조적으로 후기 교육자들은 이러한 공교육이 종교에서 벗어나기를 원했다. 19세기 후반, 존 듀이는 '실천에 의한 학습'의 이론을 가르치기 시작했다. 더 중요한 것은, 그는 학교가 단지 삶을 준비하는 기간이 아니라 삶 그 자체의 기간이라고 강조했다. 마지막으로 20세기에, 시골에서 도시로의 인구 이동은 학교들이 사회 문제에 보다 많은 관심을 두도록 했다.

어휘

- colonial 식민지의
- moral 도덕적인
- as opposed to ~와는 대조적으로
- concerned 관심을 두는
- worship 숭배하다
- era 시대
- foster 촉진하다
- shift 변화
- encourage 장려하다
- prevent 방해하다

정답 1 ③ 2 ④ 3 ①

158 WaveRider Surf School Surfing Lessons에 관한 다음 글의 내용과 일치하지 않는 것은?

WaveRider Surf School Surfing Lessons

The sound of waves and the warmth of summer beckon you to join us for an exciting surfing lesson on the beautiful beaches of Jeju Island this year.

Lesson Details:
- Introduction to basic surfing techniques and safety rules
- Practice sessions on riding waves and skill development
- Personalized coaching with real-time feedback

Instructors:
Our lessons are conducted by experienced and professional surfing instructors who are dedicated to imparting the best surfing skills.

Date and Time: July 15 (Saturday), 10:00 AM - 1:00 PM
Location: Surfing spot on the beaches of Jeju Island (Specific locations will be notified via text message to participants.)

Registration and Inquiries:
- Please register online as soon as possible, as space is limited!
- For further questions, please contact us via email at surflessons@smail.com.

Come experience the thrill and joy of surfing with us, and make unforgettable memories riding the waves of Jeju Island!

① 파도타기와 기술 개발의 실습 시간이 주어진다.
② 숙련되고 전문적인 서핑 강사가 진행한다.
③ 구체적인 장소는 참가자에게 이메일로 안내될 예정이다.
④ 공간이 제한되어 있으므로 가능한 한 빨리 온라인으로 등록해야 한다.

---

159 다음 글의 목적으로 알맞은 것은?

To: Parents
From: Jim Morris
Date: Aug. 15
Subject: On the Upcoming FieldTrip

Dear Parents,

As we announced before, your children are scheduled to visit the National Contemporary Art Museum in two weeks. This visit is designed to enrich their understanding of Contemporary Arts and offer them an interactive learning experience outside the classroom.

While the date, time, and location remain the same, there are some changes in supplies for students to bring with them. Lunch and beverages were to be provided at the venue, but the cafeteria is temporarily closed over internal issues. Therefore, students will need to bring a packed lunch and drinking water.

We kindly request that you ensure your children prepare and bring their own luncheon. If you have any questions or need further information, please feel free to contact me at 010-2821-5678.

We are looking forward to a fun and educational day at the museum. Your cooperation and support in making this field trip a success are greatly appreciated.

Sincerely,
Jim Morris, the Principal

① to request the field trip reservation form
② to encourage parent's involvement in the field trip
③ to request that students bring their own lunch
④ to exhibit the works of students in the museum

158

해석

> ### WaveRider 서핑 학교의 서핑 수업
>
> 파도 소리와 여름의 열기가 올해 아름다운 제주 해변에서 우리와 함께 신나는 서핑 수업을 들으라고 여러분에게 손짓합니다.
>
> **수업 세부 사항:**
> - 서핑 기본 기술과 안전 규칙 입문
> - 파도타기와 기술 개발에 대한 실습 수업
> - 실시간 피드백을 곁들인 개인 맞춤형 코칭
>
> **강사:**
> 우리 수업은 최고의 서핑 기술을 전수하는 데 전념하는 노련하고 전문적인 서핑 강사들이 실시합니다.
>
> **날짜 및 시간:** 7월 15일 (토요일), 오전 10시 – 오후 1시
>
> **장소:** 제주 해변의 서핑 지정 장소 (구체적인 장소는 문자를 통해 참가자에게 공지됩니다.)
>
> **등록 및 문의:**
> - 자리가 한정되어 있으므로 가능한 한 빨리 온라인으로 등록하세요!
> - 추가 질문이 있으시면, surflessons@smail.com으로 이메일을 보내주세요.
>
> 우리와 함께 서핑의 흥분과 즐거움을 경험하고 제주도의 파도를 타면서 잊지 못할 추억을 만드세요!

해설

③ <장소>에서 구체적인 장소가 문자를 통해 참가자에게 공지된다고 했으므로 글의 내용과 일치하지 않는다.
① <수업 세부 사항>에 파도타기와 기술 개발 실습 수업이 이루어진다고 했으므로 글의 내용과 일치한다.
② <강사>에서 노련하고 전문적인 서핑 강사들이 수업을 실시한다고 했으므로 글의 내용과 일치한다.
④ <등록 및 문의>에서 자리가 한정되어 있으므로 가능한 한 빨리 온라인으로 등록하라고 했으므로 글의 내용과 일치한다.

어휘

- warmth 열기
- detail 세부 사항
- session 수업
- real-time 실시간의
- conduct 실시하다
- impart 전수하다
- specific 구체적인
- participant 참가자
- inquiry 문의
- unforgettable 잊을 수 없는
- beckon ~에게 손짓하다
- practice 실습
- personalized 개인 맞춤의
- instructor 강사
- be dedicate to ~에 전념하다
- location 장소
- notify 공지하다
- registration 등록
- thrill 흥분

정답 ③

159

해석

> 수신: 학부모님
> 발신: Jim Morris
> 날짜: 8월 15일
> 제목: 다가오는 야외 학습에 관하여
>
> 학부모님께,
>
> 전에 알려드린 것처럼, 귀 자녀는 2주 뒤에 국립 현대 미술관을 방문할 예정입니다. 이번 방문은 아이들의 현대 미술에 대한 이해를 보강하고 아이들에게 교실을 벗어난 쌍방향 학습 기회를 제공하기 위해 고안되었습니다.
>
> 날짜와 시간, 장소는 변함없이 그대로이지만, 학생들이 챙겨올 물품에 변화가 있습니다. 점심과 음료가 현장에서 제공될 예정이었으나, 구내식당이 내부 문제로 일시적으로 문을 닫은 상태입니다. 따라서 학생들은 도시락과 마실 물을 가져와야 합니다.
>
> 귀하의 자녀가 각자의 점심을 준비하고 챙겨갈 수 있도록 확실히 해주시기를 부디 부탁드립니다. 어떤 질문이 있으시거나 추가 정보가 필요하시면, 010-2821-5678로 자유롭게 연락해 주십시오.
>
> 미술관에서 즐겁고 교육적인 하루를 보내기를 기대하고 있습니다. 이 야외 학습이 성공하도록 만들어 주시는 귀하의 협조와 지지에 대단히 감사드립니다.
>
> 진심을 담아,
> 교장, Jim Morris

① 학생들의 야외 학습 예약 양식을 요청하려고
② 야외 학습에 학부모 참여를 독려하려고
③ 학생들에게 점심을 가져오라고 요청하려고
④ 미술관에 학생들의 작품을 전시하려고

해설

글의 중심 소재는 이메일의 제목인 다가오는 야외 학습이고 주제문은 두 번째 문단의 세 번째 문장으로 야외 학습에 도시락을 챙겨오라고 당부하는 내용이다. 첫 문단에서 야외 학습의 취지를 설명하고 두 번째 문단에서 도시락을 지참하라는 지시 사항을 전달하며 이후 두 문단에서 야외 학습에 협조할 것을 요청하고 있다. 따라서 글의 목적으로 가장 적절한 것은 ③ '학생들에게 각자의 점심을 가져오라고 요청하려고'이다.

어휘

- contemporary 현대의
- enrich 보강하다
- location 장소
- provide 제공하다
- temporarily 일시적으로
- ensure 확실하게 하다
- design 고안하다
- interactive 쌍방향의
- supplies 물품
- venue 현장
- internal 내부의

정답 ③

160 Singapore's Certificate of Entitlement (COE)에 관한 다음 글의 내용과 일치하지 않는 것은?

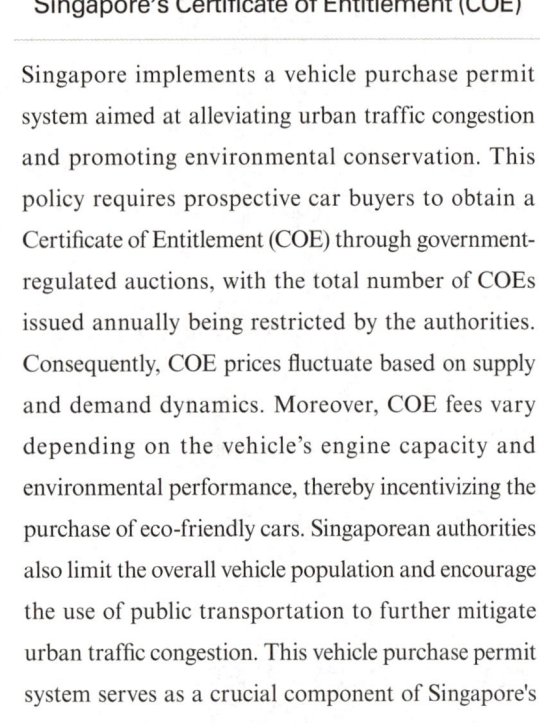

Singapore's Certificate of Entitlement (COE)

Singapore implements a vehicle purchase permit system aimed at alleviating urban traffic congestion and promoting environmental conservation. This policy requires prospective car buyers to obtain a Certificate of Entitlement (COE) through government-regulated auctions, with the total number of COEs issued annually being restricted by the authorities. Consequently, COE prices fluctuate based on supply and demand dynamics. Moreover, COE fees vary depending on the vehicle's engine capacity and environmental performance, thereby incentivizing the purchase of eco-friendly cars. Singaporean authorities also limit the overall vehicle population and encourage the use of public transportation to further mitigate urban traffic congestion. This vehicle purchase permit system serves as a crucial component of Singapore's urban planning and traffic management strategies.

① A COE is a license to purchase a car.
② The number of COEs issued is limited by the government every year.
③ The price of a COE remains unchanged.
④ The price of a COE depends on the vehicle's engine capacity and environmental performance.

DAY 31~32 Exercises

[1~4] 양쪽에 주어진 말의 의미가 일맥상통하도록 선으로 연결하세요.

1 ostensible   ① relating to beliefs about what is right or wrong

2 moral   ② creating a better tomorrow for exiles

3 building a better future for refugees   ③ the urban migration from rural areas

4 the shift in population from the countryside to the cities   ④ seeming to be true but raising doubts

[5~7] 다음 문장의 끊어 읽기를 참고하여, 빈칸에 알맞은 해석을 쓰세요.

5 A biology teacher cannot teach / proteins, carbohydrates, fats, and vitamins, / without having understanding the rudiments of organic chemistry.

   생물 교사는 가르칠 수 없다 / 단백질, 탄수화물, 지방, 그리고 비타민을 / _____.

6 The orthodox view is / that this situation is not only new but bad / and that art is not subject to financial speculators.

   정통 관점은 ~이다 / _____ / 그리고 예술이 금전적 투기꾼에게 달려 있지 않다는 것.

7 As apposed to educators of the colonial period, / later educators wanted / this public education to be free from religion.

   _____, / 후기 교육자들은 원했다 / 이러한 공교육이 종교에서 벗어나기를.

정답 1 ④ 2 ① 3 ② 4 ③ 5 유기 화학의 기초를 이해하지 못한 채 6 이러한 상황이 새로울 뿐만 아니라 나쁜 것이기도 하다는 것 7 식민지 시대의 교육자들과는 대조적으로

161 각 문장을 끊어 읽고 해석한 후 제시된 문제에 답하시오.

01
Thin, lanky hair can be upsetting at any age, but for women, their self-esteem may take a battering during the teenage years or the mid-life menopause.

02
(A) With the right diet, hair can regain its previous thickness and lustre and most females can probably help their hair improve in body and gloss by tweaking what they eat.

03
(B) There is no cure for male pattern baldness closely related to male sex hormones, but for women, the main cause of hair loss is nutrient-related rather than hormonal.

04
(C) Both are times when hormones **fluctuate** more than
05
ever, which can affect how hair behaves. By comparison, men significantly more likely to go bald are more sensitive about hair loss, which often happens long before middle age.

1 주어진 문장 다음에 이어질 글의 순서로 가장 적절한 것은?
① (B) – (A) – (C)　　② (B) – (C) – (A)
③ (C) – (A) – (B)　　④ (C) – (B) – (A)

2 글의 내용과 일치하는 것은?
① The hormone changes of middle-aged women and teenage girls can affect their hair condition.
② Both men and women hardly experience hair loss at anytime during puberty.
③ Most men tend to be more indifferent to hair issues than women of their own age.
④ Nutrient deficiency can be largely responsible for hair fall in middle aged men.

3 밑줄 친 부분의 의미와 가장 가까운 것은?
① loaf　　　　② foster
③ swoop　　　④ change

161 구문분석 & 문장분석

01
Thin, lanky hair can be upsetting / at any age, //
가늘고 힘없는 머리카락은 속상할 수 있다 / 어떤 연령대에도, //

but for women, /
하지만 여성들의 경우, /

their self-esteem may take a battering /
그들의 자존감은 타격을 받을 수 있다 /

during the teenage years or the mid-life menopause.
10대 시절이나 중년의 갱년기 동안.

02
(A) With the right diet, /
올바른 식단을 하면, /

hair can regain its previous thickness and lustre //
머리카락은 예전의 두꺼움과 윤기를 되찾을 수 있다 //

and most females can probably help /
그리고 대부분의 여성들은 아마도 도울 수 있다 /

their hair improve in body and gloss /
머리카락의 풍성함과 윤기가 개선되도록 /

by tweaking what they eat.
그들이 먹는 것을 변경함으로써.

03
(B) There is no cure /
치료법이 없다 /

for male pattern baldness (closely related to male sex hormones), //
(남성 호르몬과 밀접하게 관련된) 남성형 탈모에는, //

but for women, / the main cause of hair loss /
하지만 여성의 경우, / 탈모의 주된 원인이 /

is nutrient-related / rather than hormonal.
영양분과 관련되어 있다 / 호르몬에 의한 것이기보다는.

04
(C) Both are times (when hormones fluctuate / more than ever), /
두 경우 모두 (호르몬이 변동하는 / 어느 때보다 많이) 시기이다, /

which can affect how hair behaves.
이는 머리카락이 어떻게 반응하는지에 영향을 미칠 수 있다.

05
By comparison, /
그에 비해, /

men (significantly more likely to go bald) /
(대머리가 될 가능성이 현격히 높은) 남자들은 /

are more sensitive about hair loss, /
탈모에 대해 더 민감하다, /

which often happens / long before middle age.
이는 종종 일어난다 / 중년이 되기 훨씬 전에.

해석

2 ① 중년 여성과 10대 소녀의 호르몬 변화는 머리카락 상태에 영향을 줄 수 있다.
② 남녀 모두 사춘기에 언제든 탈모를 거의 경험하지 않는다.
③ 대부분의 남성은 동년배 여성보다 탈모에 더 무관심한 경향이 있다.
④ 영양 부족은 중년 남성의 탈모에 대체로 책임이 있다.

해설

1 주어진 문장은 탈모 증상이 10대와 갱년기의 여성들에게 특히 타격을 줄 수 있다는 내용이다. (C)의 Both는 주어진 문장의 두 시기를 가리키며, 두 시기에는 호르몬 변화가 탈모에 영향을 미칠 수 있다고 말한다. 그런 다음 탈모 가능성이 훨씬 높은 남성을 대조해서 설명한다. (B)에서 이를 이어받아 남성형 탈모는 호르몬과 관련이 있어 치료법이 없지만 여성 탈모는 호르몬이 아닌 영양분과 관련되어 있다고 말한다. 뒤이어 (A)에서 여성들은 영양분을 채워주면 탈모를 개선할 수 있다고 설명한다.

2 ① 04번 문장에서 그 두 시기(10대 시절과 중년 시절) 모두 호르몬 변화가 심한 때이고, 머리카락이 어떻게 반응하는지에 영향을 줄 수 있다고 했으므로 글의 내용과 일치한다.
② 주어진 문장에서 여성이 10대 시절에 탈모가 일어날 수 있다고 했고 05번 문장에서 남성도 중년 훨씬 전에 탈모를 종종 경험한다고 했으므로 글의 내용과 일치하지 않는다.
③ 05번 문장에서 남성들이 탈모에 대해 더 민감하다고 했으므로 글의 내용과 일치하지 않는다.
④ 03번 문장에서 남성형 탈모는 남성 호르몬과 밀접한 관련이 있다고 했으므로 글의 내용과 일치하지 않는다.

전문해석

가늘고 힘없는 머리카락은 어떤 연령대에도 속상할 수 있지만, 여성들의 경우 10대 시절이나 중년의 갱년기 동안 그들의 자존감이 타격을 받을 수 있다. 두 경우 모두 호르몬이 어느 때보다 많이 변동하는 시기이며, 이는 머리카락이 어떻게 반응하는지에 영향을 미칠 수 있다. 그에 비해, 대머리가 될 가능성이 현격히 높은 남자들은 탈모에 대해 더 민감한데, 탈모는 종종 중년이 되기 훨씬 전에 일어난다. 남성 호르몬과 밀접하게 관련된 남성형 탈모는 치료법이 없지만, 여성의 경우, 탈모의 주된 원인이 호르몬에 의한 것이기보다는 영양분과 관련되어 있다. 올바른 식단을 하면, 머리카락은 예전의 두꺼움과 윤기를 되찾을 수 있고 대부분의 여성들은 먹는 것을 변경함으로써 아마도 머리카락의 풍성함과 윤기가 개선되도록 도울 수 있다.

어휘

- lanky 마른
- take a battering 타격을 받다
- regain 되찾다
- thickness 두꺼움
- body (머리카락의) 풍성함
- tweak 변경하다
- nutrient 영양분
- puberty 사춘기
- indifferent 무관심한
- foster 기르다
- self-esteem 자존감
- menopause 갱년기
- previous 이전의
- lustre 윤기
- gloss 윤기
- baldness 탈모
- fluctuate 변동하다
- deficiency 부족
- loaf 빈둥거리다
- swoop 급강하하다

정답 1 ④ 2 ① 3 ④

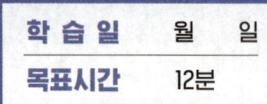

162 각 문장을 끊어 읽고 해석한 후 제시된 문제에 답하시오.

01
With the help of the scientist, the commercial fishing industry has found out that its fishing must be done scientifically if it is to be continued. (A) With no fishing pressure on a fish population, the number of fish will reach a predictable level of abundance and stay there. (B)
03
If we increase the fishery and take more fish each year, we must be careful not to reduce the population below the ideal point where it can replace all of the fish we take
04
out each year. (C) If we overfish, the number of fish will decrease each year until we fish ourselves out of a job.
05
(D) So, fishing just the correct amount to maintain a maximum annual yield without **depleting** the population is both a science and an art.

1 글의 제목으로 가장 적절한 것은?

① Say No to Commercial Fishing
② Sea Farming Seen As a Fishy Business
③ Why Does the Fishing Industry Need Science?
④ Overfished Animals: Cases of Illegal Fishing

2 다음 문장이 들어갈 위치로 가장 적절한 곳은?

> If we fish at this level, we can maintain the maximum sustainable yield, year after year.

① (A) ② (B)
③ (C) ④ (D)

3 밑줄 친 부분의 의미와 가장 가까운 것은?

① draining   ② augmenting
③ replenishing ④ isolating

162 구문분석 & 문장분석

01
With the help of the scientist, /
과학자들의 도움으로, /

the commercial fishing industry has found out //
상업적 어업계는 알아냈다 //

that its fishing must be done scientifically //
그것의 어업이 과학적으로 이루어져야 한다는 것을 //

if it is to be continued.
그것이 계속되려면.

02
With no fishing pressure (on a fish population), /
(물고기 개체군에 대한) 어업의 압박이 없다면, /

the number of fish will reach /
물고기의 수는 도달할 것이다 /

a predictable level (of abundance) // and stay there.
예측할 수 있는 (풍부한) 수준에 // 그리고 그곳에 머무를 것이다.

03
If we increase the fishery //
만약 우리가 어장을 늘려서 //

and take more fish each year, // we must be careful /
매년 더 많은 물고기를 잡는다면 // 우리는 주의해야 한다 /

not to reduce the population /
개체군을 줄이지 않도록 /

below the ideal point (where it can replace all of the fish (we take out each year)).
((우리가 매년 잡아들이는) 모든 물고기를 그것이 대체할 수 있는) 이상적인 지점 아래로.

삽입 문장
If we fish at this level, /
만약 우리가 이 수준으로 물고기를 잡는다면, /

we can maintain the maximum sustainable yield, /
우리는 가능한 최대 어획량을 유지할 수 있다 /

year after year.
해마다.

04
If we overfish, // the number (of fish) will decrease /
만약 우리가 물고기를 남획한다면 // (물고기의) 수는 줄어들 것이다 /

each year // until we fish ourselves out of a job.
매년 // 우리가 어업을 할 수 없을 때까지.

05
So, / fishing just the correct amount /
그러므로, / 꼭 정확한 양의 물고기를 잡는 것은 /

to maintain a maximum annual yield /
연 최대 어획량을 유지하기 위해 /

without depleting the population /
개체군을 고갈시키지 않고 /

is both a science and an art.
과학인 동시에 기술이다.

해석

1 ① 상업적 어업을 거부하라
② 수산업으로 간주되는 양식 어업
③ 왜 어업에 과학이 필요한가?
④ 남획된 물고기들: 불법 어업의 사례들

해설

1 과학의 도움으로 물고기 개체군의 감소에 대한 우려 없이 어업을 지속할 수 있다는 내용의 글이다. 첫 번째 문장이 주제문이고, 이후로 어업과 개체군의 상관관계를 설명한 뒤, 마지막 문장에서 개체군 감소 없이 최대 어획량을 유지하는 데 과학이 필요하다는 글의 주제를 재진술하고 있다. 따라서 이 글의 제목으로는 ③ '왜 어업에 과학이 필요한가?'가 가장 적절하다.

2 주어진 문장에서 'at this level'이 언급되었으므로 이 문장 앞에서 this level, 즉 해마다 최대 어획량을 유지할 수 있는 구체적인 수준이 무엇인지 설명되어야 한다. (B)의 앞에서는 과도한 어업을 하지 않을 때의 예측 가능한 물고기 개체 수준을 말했으므로 답이 될 수 없다. (C)의 앞에서는 우리가 매년 잡아들이는 물고기를 대체할 수 있는 이상적인 지점을 이야기했으므로 이 뒤에 주어진 문장이 들어가는 것이 적절하다. 따라서 정답은 ③ (C)이다.

전문해석

과학자들의 도움으로 상업적 어업계는 그것이 계속되려면 어업이 과학적으로 이루어져야 한다는 것을 알아냈다. 물고기 개체군에 대한 어업의 압박이 없다면 물고기의 수는 예측할 수 있는 풍부한 수준에 도달하여 그 수준을 유지할 것이다. 만약 우리가 어장을 늘려서 매년 더 많은 물고기를 잡는다면, 우리는 우리가 매년 잡아들이는 모든 물고기를 그것이 대체할 수 있는 이상적인 지점 아래로 개체군을 줄이지 않도록 주의해야 한다. <u>만약 우리가 이 수준으로 물고기를 잡는다면, 우리는 해마다 가능한 최대 어획량을 유지할 수 있다.</u> 만약 우리가 물고기를 남획한다면 우리가 어업을 할 수 없을 때까지 물고기의 수는 매년 줄어들 것이다. 그러므로 개체군을 고갈시키지 않고 연 최대 어획량을 유지하기 위해 꼭 정확한 양의 물고기를 잡는 것은 과학인 동시에 기술이다.

어휘

- commercial 상업적인
- population 개체군
- abundance 풍부
- fishery 어업, 어장
- replace 대체하다
- decrease 줄어들다
- annual 매년의
- deplete 대폭 감소시키다
- illegal 불법의
- augment 늘리다
- isolate 고립시키다
- pressure 압력
- predictable 예측할 수 있는
- increase 늘리다
- reduce 줄어들게 하다
- overfish 물고기를 남획하다
- maintain 유지하다
- yield 어획량
- sea farming 양식 어업
- drain 고갈시키다
- replenish 다시 채우다

정답 1 ③ 2 ③ 3 ①

163 각 문장을 끊어 읽고 해석한 후 제시된 문제에 답하시오.

01
If we think that people and relationships are like complex machines, we may see their problems as malfunctions in the machinery and the solution would be to repair them.

02
(A) An illustration of this would be thinking that a child's bad behavior in school is a symptom of the **strife** his parents are having in their marriage. **03** A practitioner guided by this would work with the parents' marital issues and may not do much to change things in the classroom.

04
(B) An example of this is when we say that anger has been building up inside someone like steam in a pressure cooker and that we should encourage the person to "vent" the steam not to explode.

05
(C) On the other hand, if we choose an analogy from medicine, we may understand an issue as a symptom and would have a diagnosis and try to cure the underlying cause.

1 주어진 문장 다음에 이어질 글의 순서로 가장 적절한 것은?
① (B) – (A) – (C) ② (B) – (C) – (A)
③ (C) – (A) – (B) ④ (C) – (B) – (A)

2 윗글을 한 문장으로 요약할 때 빈칸 ⓐ와 ⓑ에 들어갈 가장 적절한 것은?

> The ___ⓐ___ that we chose to think about ourselves can have different effects on our ___ⓑ___ and actions.

	ⓐ	ⓑ
①	illustrations	dreams
②	methods	morals
③	references	symptoms
④	metaphors	understanding

3 밑줄 친 부분의 의미와 가장 비슷한 것은?
① conflict   ② permission
③ intention ④ resource

163 구문분석 & 문장분석

01
If we think // that people and relationships are like
만약 우리가 생각한다면 // 사람들과 인간관계가

complex machines, // we may see their problems /
복잡한 기계와 같다고, // 우리는 사람들의 문제를 볼 수 있다 /

as malfunctions (in the machinery) //
(기계의) 고장으로 //

and the solution would be to repair them.
그리고 해결책은 그것들을 고치는 것일 것이다.

02
(A) An illustration of this / would be thinking //
이것의 예시는 / 생각하는 것일 것이다 //

that a child's bad behavior in school /
학교에서 아이의 나쁜 행동이 /

is a symptom of the strife (his parents are having in their marriage).
(부모가 결혼생활에서 겪는) 갈등의 증상이라고.

03
A practitioner (guided by this) /
(이것에 이끌린) 의사는 /

would work with the parents' marital issues //
그 부모의 결혼 문제를 다룰 것이다 //

and may not do much /
그리고 많은 것을 하지 않을 것이다 /

to change things in the classroom.
교실에서의 상황을 바꾸기 위해.

04
(B) An example of this is // when we say //
이것의 예시는 ~이다 // 우리가 말할 때 //

that anger has been building up / inside someone /
분노가 쌓여 왔다고 / 누군가의 내면에서 /

like steam (in a pressure cooker) //
(압력솥의) 증기처럼 //

and that we should encourage the person /
그리고 우리가 그 사람에게 격려해야 한다고 /

to "vent" the steam not to explode.
폭발하지 않도록 증기를 분출하라고.

05
(C) On the other hand, /
반면에, /

if we choose an analogy from medicine, //
만약 우리가 의학에서 비유를 선택한다면, //

we may understand an issue / as a symptom //
우리는 문제를 이해할 수 있다 / 증상으로 //

and would have a diagnosis //
그리고 진단을 내릴 것이다 //

and try to cure the underlying cause.
그리고 근본적인 원인을 치료하려고 노력할 것이다.

해석

2 우리가 우리 자신에 대해 생각하기 위해 선택한 은유는 우리의 이해와 행동에 다른 영향을 미칠 수 있다.

해설

1 주어진 문장에서 우리가 사람과 인간관계를 기계처럼 생각하면 고장을 수리하는 것을 해결책으로 여긴다고 설명했으므로 그에 대한 예시인 (B)가 이어지는 것이 자연스럽다. 그다음에는 의학의 비유에 대한 설명이 시작되는 (C)가 이어지고 그에 대한 예시인 (A)가 이어지는 것이 적절하다. 따라서 정답은 ② (B) - (C) - (A)이다.

2 이 글은 우리가 사람과 인간관계를 기계와 의학에 각각 비유할 때를 비교해서 설명하고 있고 그 비유에 따라 생각과 행동 역시 달라진다고 이야기한다. 따라서 정답은 ④ '은유, 이해'이다.

전문해석

만약 우리가 사람들과 인간관계가 복잡한 기계와 같다고 생각한다면, 우리는 사람들의 문제를 기계의 고장으로 볼 수 있고 해결책은 그것들을 고치는 것일 것이다. 이것의 예시는 우리가 누군가의 내면에서 분노가 압력솥의 증기처럼 쌓여왔으며 우리가 그 사람에게 폭발하지 않도록 증기를 분출하라고 격려해야 한다고 말할 때이다. 반면에, 만약 우리가 의학에서 비유를 선택한다면, 우리는 문제를 증상으로 이해할 수 있고 진단을 내리고 근본적인 원인을 치료하려고 노력할 것이다. 이것의 예시는 학교에서 아이의 나쁜 행동이 부모가 결혼생활에서 겪는 갈등의 증상이라고 생각하는 것일 것이다. 이것에 이끌린 의사는 그 부모의 결혼 문제를 다룰 것이고 교실에서의 상황을 바꾸기 위해 많은 것을 하지 않을 것이다.

어휘

- complex 복잡한
- machinery 기계
- symptom 증상
- practitioner 의사
- pressure cooker 압력솥
- explode 폭발하다
- diagnosis 진단
- underlying 근원적인
- moral 도덕관
- metaphor 은유
- permission 허가
- malfunction 고장
- illustration 예시
- strife 다툼
- marital 결혼의
- vent 분출하다
- analogy 비유
- cure 치유하다
- effect 영향
- reference 참고문헌
- conflict 다툼

정답 1 ② 2 ④ 3 ①

164 다음 글의 목적으로 가장 적절한 것은?

Dear Guests,

I regret to inform you that the water heater at our hotel kitchen has malfunctioned. As a result, we are currently unable to serve meals due to the lack of hot water.

Our maintenance team is actively working to resolve this issue as quickly as possible. We understand the inconvenience this may cause and sincerely appreciate your patience and understanding during this time.

As a gesture of apology for this disruption, we are offering vouchers to all guests for complimentary breakfast or lunch at our on-site cafe during your stay. These vouchers can be obtained at the front desk.

We apologize for any inconvenience caused and if you have any questions or require further assistance, please do not hesitate to contact the front desk.

We look forward to resolving this matter swiftly and will ensure the remainder of your stay is comfortable and enjoyable.

Sincerely,
Emma Thompson
Guest Relations Manager

① 온수 설비 고장을 알리려고
② 객실 이용 불편을 사과하려고
③ 식사 제공이 불가능함을 알리려고
④ 호텔 내의 카페를 홍보하려고

165 다음 글의 요지로 가장 적절한 것은?

Join us in fighting hunger with our annual food drive!

Drive Details

Goal: Collecting non-perishable food items for local food banks

Duration: July 1–31

Eligibility: Open to individuals and organizations wanting to make a difference

Drop-off Locations: Various community centers and grocery stores

How to Participate

Donate food items such as canned goods, pasta, and rice. Visit fooddrive.org for a list of drop-off locations and most-needed items.

Help provide nutritious meals for families in need and support our community.

Your generosity can make a significant impact on those facing food insecurity.

① The food drive focuses on training farmers to improve harvests.
② The food drive's main goal is to decrease the wasted food.
③ The food drive actively promotes communal cooking in the community.
④ The food drive aims to encourage people to donate food items.

164

해석

수신: 모든 투숙객
발신: Emma Thompson, 경영팀
날짜: 11월 13일
제목: 식사 제공

투숙객 여러분,

저희 호텔 주방의 온수기가 제대로 작동하지 않는다는 것을 알리게 되어 유감입니다. 결과적으로, 뜨거운 물의 부족으로 현재 식사를 준비해 드릴 수 없습니다.

저희 관리팀은 이 문제를 가능한 한 빨리 해결하려고 노력하고 있습니다. 저희는 이 문제가 유발할 수 있는 불편을 이해하고 있으며 이 기간에 귀하의 인내와 이해에 진심으로 감사드립니다.

이 지장에 대한 사과의 표시로, 투숙 기간에 호텔 내의 카페에서 무료 아침 혹은 점심 식사를 드실 수 있는 상품권을 모든 투숙객에게 드립니다. 이 상품권은 프런트에서 받으실 수 있습니다.

유발된 어떤 불편에 대해서도 사과드리며 어떤 질문이 있으시거나 추가적인 지원이 필요하시면 주저하지 마시고 프런트로 연락하시기를 바랍니다.

이 문제를 빨리 해결하기를 기대하며 여러분의 남은 투숙 기간이 편안하고 즐겁도록 확실히 하겠습니다.

진심을 담아,
Emma Thompson
고객 관리 매니저

해설

글의 중심 소재는 이메일의 제목인 식사 제공이고 주제문은 처음 두 문장으로 호텔 주방의 온수기 고장으로 식사 준비가 불가능하다는 사실을 알리는 내용이다. 이후 문제 해결을 위해 노력하고 있다는 사실과 사과의 의미로 상품권을 준다는 소식을 전달한다. 따라서 글의 목적으로 가장 적절한 것은 ③ '식사 제공이 불가능함을 알리려고'이다.

어휘

□ malfunction 제대로 작동하지 않다
□ maintenance 관리   □ resolve 해결하다
□ inconvenience 불편   □ patience 인내
□ apology 사과   □ disruption 지장
□ voucher 상품권   □ complimentary 무료의
□ on-site 건물 내의   □ stay 숙박; 숙박하다
□ obtain 받다   □ hesitate 주저하다
□ swiftly 빨리   □ remainder 나머지
□ comfortable 편안한   □ guest relation 고객 관리

정답 ③

165

해석

연례 푸드 드라이브로 기아와 싸우는 데 동참하세요!

운동 세부 사항
목표: 지역 푸드 뱅크를 위해 잘 부패하지 않는 식품을 모으기
기간: 7월 1일 – 31일
자격: 변화를 가져오고 싶어 하는 개인과 단체 가능
전달 장소: 여러 곳의 주민 센터와 식료품점

참가 방법
통조림 식품, 파스타, 쌀 같은 식품을 기부하세요.
(음식) 전달 장소와 가장 필요한 물품 목록을 확인하시려면 fooddrive.org에 접속하세요.

어려움에 처한 가족들에게 영양가 높은 식사를 제공하고 우리 지역을 지원하도록 도와주세요.
여러분의 관대함이 식량 불안정을 직면하는 사람들에게 중대한 영향을 미칠 수 있습니다.

① 이 푸드 드라이브는 수확을 개선하기 위해 농부들 교육에 중점을 둔다.
② 이 푸드 드라이브의 주요 목표는 음식 낭비를 줄이는 것이다.
③ 이 푸드 드라이브는 지역 내에서 공동으로 요리하는 것을 적극적으로 장려한다.
④ 이 푸드 드라이브는 사람들이 식품을 기부하도록 독려하는 것을 목표로 한다.

해설

<목표>에서 지역 푸드 뱅크를 위해 잘 부패하지 않는 식품을 모으는 것이라고 했으므로 이 글의 요지로 적당한 것은 ④ '이 푸드 드라이브는 사람들이 식품을 기부하도록 독려하는 것을 목표로 한다'이다.

어휘

□ food drive 푸드 드라이브: 음식 기부 운동
□ annual 연례의   □ detail 세부 사항
□ non-perishable 잘 부패하지 않는 □ food bank 푸드 뱅크: 식량 배급소
□ duration 기간   □ eligibility 자격
□ organization 단체
□ drop-off (물건 등을 정해진 장소에) 전달
□ location 장소   □ community 주민, 지역
□ grocery 식료품   □ participate 참가하다
□ donate 기부하다   □ canned 통조림한
□ goods 제품   □ nutritious 영양가 높은
□ meal 식사   □ generosity 너그러움
□ significant 중대한   □ impact 영향
□ insecurity 불안정   □ communal 공동의

정답 ④

166 각 문장을 끊어 읽고 해석한 후 제시된 문제에 답하시오.

01
We tend to feel that the way we do things, say things, and think about things is only logical. (A) The level of aggression that seems **appropriate**, and ways of expressing agreement or disagreement, come to seem natural. (B) Observing how people in other cultures deal with conflict, disagreement, and aggression can give new perspectives. (C) It can make us attempt to manage conflict and use opposition in positive rather than negative ways. (D) Such a newly-acquired view suggests possibilities — for example, of how similar ends can be achieved with _____.

1 다음 문장이 들어갈 위치로 가장 적절한 것은?

> However, people growing up in different cultures have very different ideas about what is natural and very different assumptions about human nature.

① (A) ② (B)
③ (C) ④ (D)

2 빈칸에 들어갈 말로 가장 적절한 것은?
① identical gestures ② the native tongue
③ different means ④ an individual's feeling

3 밑줄 친 부분의 의미와 가장 가까운 것은?
① unsuitable ② violent
③ compromising ④ acceptable

166 구문분석 & 문장분석

01
We tend to feel //
우리는 생각하는 경향이 있다 //

that the way (we do things, say things, and think about things) is only logical.
(우리가 어떤 일을 하고, 어떤 것을 말하고, 그리고 어떤 것에 관해서 생각하는) 방식이 논리적이기만 하다고.

02
The level of aggression (that seems appropriate), /
(적절해 보이는) 공격의 수위, /

and ways (of expressing agreement or disagreement), /
그리고 (동의와 이의를 표현하는) 방식이, /

come to seem natural.
자연스러운 것처럼 보이게 된다.

삽입 문장
However, / people (growing up in different cultures) /
그러나, / (서로 다른 문화권에서 성장한) 사람들은 /

have very different ideas / about what is natural /
굉장히 다른 생각을 한다 / 무엇이 자연스러운 것인가에 관해 /

and very different assumptions about human nature.
그리고 매우 다른 가정을 하고 있다 / 인간의 본성에 관해.

03
Observing // how people (in other cultures) deal with conflict, disagreement, and aggression /
관찰하는 것은 // (다른 문화권의) 사람들이 갈등, 의견의 불일치, 그리고 공격성을 어떻게 다루는지를 /

can give new perspectives.
새로운 관점을 줄 수 있다.

04
It can make us attempt / to manage conflict /
그것은 우리가 노력하게 만든다 / 갈등을 관리하고, /

and use opposition /
반대 의견을 활용해 보도록 /

in positive rather than negative ways.
부정적인 방식보다는 긍정적인 방식으로.

05
Such a newly-acquired view suggests possibilities /
그런 식으로 새로 얻게 된 관점은 가능성을 제시해 준다 /

— for example, / of how similar ends can be achieved /
— 예를 들어, / 어떻게 하여 비슷한 결과가 달성될 수 있는가에 대한 /

with different means.
서로 다른 방법들에 의해.

해석
2 ① 동일한 표시 ② 모국어 ④ 개인의 감정

해설
1 However라는 역접의 연결어를 통해 주어진 문장 앞에는 반대의 내용이, 즉 동일한 문화권의 사람들에 대한 설명이 제시되어야 함을 알 수 있다. 또한 뒤에는 다른 문화권의 사람들에 대한 부연 설명이 와야 함을 파악할 수 있다. (B)의 앞에서는 비슷한 방식의 감정 표현양식에 대해 언급하고, 뒤에서는 다른 문화권의 다양한 상황을 보는 것에 대해 언급하고 있다. 따라서 정답은 ② (B)이다.

2 문화의 상대성에 관해 설명하는 글이다. 동일한 문화권에서 우리는 일반적으로 우리가 생각하고 행동하는 것들의 수위가 적절하고 논리적이라고 생각한다는 일반적 진술이 However로 반박되며, 문화적 맥락이 서로 다른 문화권에서는 전혀 다르게 표현될 수 있음을 제시한다. 마지막 문장은 결론으로서 주제문을 재진술하고 있다. 즉 유사한 감정이라 해도 그것이 전혀 다른 방식, 즉 전혀 다른 수단에 의해 달성될 수도 있다는 내용이 오는 것이 자연스럽다. 따라서 정답은 ③ '다른 방법들'이다.

전문해석
우리는 우리가 어떤 일을 하는 방식, 우리가 어떤 것을 말하는 방식, 그리고 어떤 것에 관해서 생각하는 방식이 논리적이기만 하다고 생각하는 경향이 있다. 적절해 보이는 공격의 수위, 그리고 동의와 이의를 표현하는 방식이 자연스럽게 보이게 된다. 그러나 서로 다른 문화권에서 성장한 사람들은 무엇이 자연스러운 것인가에 관해 굉장히 다른 생각을 하고 있고, 인간의 본성에 관해서도 매우 다른 가정을 하고 있다. 다른 문화권의 사람들이 갈등, 의견의 불일치, 그리고 공격성을 어떻게 다루는지를 관찰하는 것은 새로운 관점을 줄 수 있다. 그것은 우리가 부정적인 방식보다는 긍정적인 방식으로 갈등을 관리하고, 반대 의견을 활용해 보도록 노력하게 만든다. 그런 식으로 새로 얻게 된 관점은, 예를 들어서 어떻게 하여 비슷한 결과가 <u>서로 다른 방법들</u>에 의해 달성될 수 있는가에 대한 가능성을 제시해 준다.

어휘
- tend to ~하는 경향이 있다
- appropriate 적절한
- observe 관찰하다
- perspective 관점
- opposition 반대
- achieve 달성하다
- identical 동일한
- violent 격렬한
- acceptable 적절한
- aggression 공격
- disagreement 의견의 불일치
- conflict 갈등
- attempt 시도
- end 결과
- assumption 가정
- unsuitable 적합하지 않은
- compromising 더럽히는

정답 1 ② 2 ③ 3 ④

167 각 문장을 끊어 읽고 해석한 후 제시된 문제에 답하시오.

01
The dweller in northern countries becomes **enraptured**
02
over the fresh green leaves of the trees in spring. (A) The desert dweller, on the other hand, composes poems about green trees and grass and running water whatever the
03
season. (B) Yet the dweller in the tropics, who is constantly surrounded by luxuriant vegetation, sees nothing remarkable or interesting about green trees, and
04
still less about running water. (C) Some travelers adapt themselves so successfully to foreign customs and habits
05
that they feel no barriers to cultural differences. (D) It seems to be a fact that familiarity breeds contempt, and that those who seek excitement and romance cannot see it at home, under their noses, but only in _____ _____.

1 글의 흐름상 가장 어색한 문장은?
① (A) ② (B)
③ (C) ④ (D)

2 빈칸에 들어갈 말로 가장 적절한 것은?
① warm climate ② green forest
③ their neighborhood ④ distant lands

3 밑줄 친 부분의 의미와 가장 가까운 것은?
① surprised ② fascinated
③ terrified ④ relieved

167 구문분석 & 문장분석

01
The dweller (in northern countries) /
(북쪽 나라들의) 주민은 /
becomes enraptured /
매혹된다 /
over the fresh green leaves (of the trees in spring).
(봄에 나무에 돋는) 신선한 초록 잎들을 보면.

02
The desert dweller, (on the other hand), /
(반면) 사막의 주민은, /
composes poems (about green trees and grass and running water // whatever the season).
(초록 나무와 풀 그리고 흐르는 물에 대한 // 무슨 계절이든 간에) 시를 쓴다.

03
Yet / the dweller (in the tropics), (who is constantly surrounded / by luxuriant vegetation), /
그러나 / (열대지방에서) 계속적으로 둘러싸여 있는 / 울창한 식물에 의해) 거주자는, /
sees nothing remarkable or interesting (about green trees), /
(초록 나무들에 대해) 주목할 만하거나 흥미로운 어떤 것도 보지 못한다, /
and still less about running water.
그리고 더군다나 흐르는 물에 관해서는 관심도 없다.

04
(C) Some travelers adapt themselves so successfully /
몇몇 여행객들은 매우 성공적으로 적응해서 /
to foreign customs and habits /
외국의 관습과 습관에 /
that they feel no barriers (to cultural differences).
그들은 (문화적 차이에 대해) 장벽을 느끼지 않는다.

05
It seems to be a fact /
사실인 것 같다 /
that familiarity breeds contempt, /
익숙함이 무시를 유발하는 것은, /
and that those (who seek excitement and romance) /
그리고 (흥분과 낭만을 찾는) 사람들이 /
cannot see it / at home, / under their noses, /
그것을 찾을 수 없다는 것은 / 집에서, / 코앞에서, /
but only in distant lands.
하지만 단지 멀리 떨어진 장소에서만.

해석

2 ① 온화한 기후   ② 초록색 숲   ③ 그들의 이웃

해설

1 (A), (B)는 모두 익숙한 것에 대해서는 소중함을 느끼지 못하는 사람들의 경향을 북쪽 나라, 사막, 열대지방 거주자의 예를 들어 설명하고 있으며 이러한 내용이 (D)에서 주제문으로 요약된다. 그러나 (C)는 외국의 관습에 잘 적응하는 여행객에 관한 내용이라서 문맥상 어색하므로 정답은 ③ (C)이다.

2 여러 예시들을 제시한 후 마지막 문장에서 이를 통합한 주제문을 제시하는 미괄식의 글이다. 북쪽의 사람들은 봄의 초록 잎에 매혹되며 사막의 거주민들은 숲의 나무와 물을 보면 시를 창작할 것이지만 열대림에 사는 사람들은 이러한 숲과 나무, 물에서는 아무런 감흥을 느끼지 못한다는 내용이다. 이러한 예시들이 마지막 문장에서 친숙함은 무시를 낳으며 흥분과 낭만을 추구하는 사람들은 이를 집에서는 보지 못하며 빈칸에서만 볼 수 있다고 결론으로 제시된다. 따라서 빈칸에는 낯선 풍경, 익숙하지 않은 장소 등과 비슷한 맥락이 와야 한다. 정답은 ④ '멀리 떨어진 장소'이다.

전문해석

북쪽 나라들의 주민은 봄에 나무에 돋는 신선한 초록 잎들에 매혹된다. 반면, 사막의 주민은 무슨 계절이든 간에 초록 나무와 풀 그리고 흐르는 물에 대한 시를 쓴다. 그러나 계속 울창한 식물에 의해 둘러싸여 있는 열대지방의 주민은 초록 나무들에 대해 주목할 만하거나 흥미로운 것을 보지 못하며 더군다나 흐르는 물에 관해서는 관심도 없다. 익숙함은 무시를 유발하고, 흥분과 낭만을 찾는 사람들은 그것을 자신의 집에서, 코앞에서는 찾을 수 없고 단지 멀리 떨어진 장소에서만 찾는 것은 사실인 것 같다.

어휘

- dweller 주민
- tropic 열대지방
- vegetation 식물
- still less 더구나 ~은 아니다
- barrier 장벽
- breed 낳다
- fascinated 매혹된
- relieved 안심한
- enraptured 매혹된
- luxuriant 울창한
- remarkable 놀라운
- adapt 적응시키다
- familiarity 익숙함
- contempt 무시
- terrified 겁먹은

정답 1 ③ 2 ④ 3 ②

168 다음 글을 읽고 물음에 답하시오.

To: Environmental Protection Department
From: Amy Rodriguez
Date: August 24
Subject: Regarding the Problem in the Alley

To whom it may concern,

I hope this message finds you well. I am writing to address a growing concern in our neighborhood alley.

Recently, there has been an increase in rat sightings, particularly around Brookside Avenue. This issue is causing significant health and safety worries among residents due to rats scavenging food waste and contributing to sanitation problems in public areas.

We urgently request a **deliberate** investigation and prompt action to resolve the rat issue in the alley. Residents are eager for effective measures to ensure alley hygiene and community well-being.

Please contact me for any further details or updates on this matter. Thank you for your attention to this urgent issue.

Best regards,
Amy Rodriguez

1 윗글의 목적으로 가장 적절한 것은?

① 골목의 쥐 문제를 신속히 해결해달라고 요청하려고
② 골목에서 발생한 교통 문제의 해결 방안을 제안하려고
③ 골목의 위생과 환경을 개선하기 위한 방법을 제안하려고
④ 골목에서 위험에 처한 동물의 구조를 요청하려고

2 밑줄 친 deliberate의 의미와 가장 가까운 것은?

① partial   ② intentional
③ superficial ④ careful

169 Handling Identity Theft and Fraud Abroad에 관한 다음 글의 내용과 일치하는 것은?

Handling Identity Theft and Fraud Abroad

When traveling abroad, foreign tourists may encounter the unfortunate situation of identity theft or credit card fraud. This can happen through various means such as card skimming or unauthorized transactions. In such cases, it's crucial to act swiftly. Firstly, contact your credit card issuer immediately to report any suspicious activities and request a block on your card to prevent further misuse. Secondly, file a police report at the local station to document the incident, which may be required for insurance claims or further investigations. Keep a close eye on your bank statements and consider notifying your embassy or consulate for additional guidance and support. By taking these proactive steps, tourists can minimize the impact and swiftly resolve issues of identity theft or credit card fraud while abroad.

① If fraud occurs, most of all, you should reach your credit card issuer.
② All identity theft or credit card frauds occur due to card skimming.
③ The first thing you must do in cases of identity theft is to file a police report.
④ Tourists should notify your embassy or consulate regarding any minor incidents.

168

해석

수신: 환경보호과
발신: Amy Rodriguez
날짜: 8월 24일
제목: 골목의 문제에 관해

관계자에게,

안녕하세요. 저는 우리 동네 골목의 점점 커가는 우려에 관해 다루려고 글을 씁니다.

최근에, 특히 브룩사이드 근처에서 쥐를 목격하는 일이 증가해왔습니다. 이 문제는 음식물 쓰레기를 뒤지고 공공 지역의 위생 문제의 원인이 되는 쥐 때문에 주민들 사이에서 상당한 건강 및 안전에 대한 우려를 낳고 있습니다.

우리는 골목의 쥐 문제를 해결하기 위한 신중한 조사와 신속한 조치를 시급히 요청합니다. 주민들은 골목의 위생과 지역사회의 안녕을 확보하기 위한 효과적인 조치를 간절히 원하고 있습니다.

이 문제에 관한 어떤 추가 세부 사항이나 최신 정보를 원하시면 저에게 연락해 주세요. 이 긴급한 문제에 보인 귀하의 관심에 감사드립니다.

안부를 전하며,
Amy Rodriguez

해설

1 글의 중심 소재는 이메일의 제목인 골목의 문제이고 주제문은 세 번째 단락의 첫 문장으로, 골목의 쥐 문제 해결을 위한 조치를 취해달라고 요청하는 내용이다. 따라서 글의 목적으로 가장 적절한 것은 ① '골목의 쥐 문제를 신속히 해결해달라고 요청하려고'이다.

어휘

☐ environmental 환경의   ☐ alley 골목
☐ concern 우려   ☐ increase 증가
☐ sighting 목격   ☐ particularly 특히
☐ significant 상당한   ☐ resident 주민
☐ scavenge 뒤지다   ☐ contribute to ~의 원인이다
☐ sanitation 위생   ☐ urgently 긴급히
☐ deliberate 신중한, 고의의 ☐ investigation 조사
☐ prompt 신속한   ☐ be eager for ~을 간절히 원하다
☐ measure 조치   ☐ hygiene 위생
☐ partial 부분적인   ☐ intentional 의도적인
☐ superficial 피상적인   ☐ careful 신중한

정답 1 ① 2 ④

169

해석

해외에서 신원 도용과 사기에 대처하기

해외에서 여행할 때, 외국 여행자들은 신원 도용이나 신용카드 사기라는 운이 나쁜 상황을 마주칠 수도 있다. 이것은 카드 스키밍이나 승인되지 않은 거래 같은 다양한 방법을 통해 발생할 수 있다. 이런 경우, 신속하게 행동하는 것이 매우 중요하다. 우선, 어떤 수상한 활동이든 즉시 보고하기 위해 당신의 신용카드 발행사에 즉시 연락하고 추가 남용을 막기 위해 신용카드 차단을 신청하라. 둘째, 사건을 서류로 기록하기 위해 지역 경찰서에 신고하라, 이는 보험금 청구나 추가 조사를 위해 필요할 수도 있다. 당신의 입출금 내역서를 면밀히 지켜보고 추가 지침과 지원을 받기 위해 대사관이나 영사관에 신고할 것을 고려하라. 이처럼 적극적인 조치를 취함으로써, 여행자들은 영향을 최소화하고 외국에 있는 동안 신원 도용 혹은 신용카드 사기 문제를 재빨리 해결할 수 있다.

① 사기가 발생하면, 무엇보다, 신용카드 발행사와 연락해야 한다.
② 모든 신원 도용이나 신용카드 사기는 카드 스키밍 때문에 일어난다.
③ 신원 도용이 발생한 경우 당신이 가장 먼저 해야 할 일은 경찰에 신고하는 것이다.
④ 여행자들은 어떤 사소한 사고와 관련해서도 대사관이나 영사관에 통지해야 한다.

해설

① 첫 번째 문장에서 신용카드 사기라는 상황이 제시되고 네 번째 문장에서 우선 신용카드 발행사에 연락해야 한다고 했으므로 글의 내용과 일치한다.
② 두 번째 문장에서 이것(신원 도용이나 신용카드 사기)이 카드 스키밍이나 승인되지 않은 거래 같은 다양한 방법으로 발생할 수 있다고 했으므로 글의 내용과 일치하지 않는다.
③ 네 번째 문장에서 가장 먼저 신용카드 발행사에 연락하라고 했고 다섯 번째 문장에서 둘째로 경찰서에 신고하라고 했으므로 글의 내용과 일치하지 않는다.
④ 여섯 번째 문장에서 추가 지침과 지원을 받기 위해 대사관이나 영사관에 신고하라고 했으므로 글의 내용과 일치하지 않는다.

어휘

☐ identity theft 신원 도용   ☐ fraud 사기
☐ encounter 마주치다   ☐ card skimming 카드 스키밍
☐ unauthorized 승인되지 않은   ☐ transaction 거래
☐ issuer 발행사   ☐ immediately 즉시
☐ suspicious 의심스러운   ☐ block 차단
☐ misuse 남용
☐ file a police report 경찰에 신고하다
☐ insurance claim 보험금 청구   ☐ investigation 조사
☐ bank statement 입출금 내역서   ☐ embassy 대사관
☐ consulate 영사관   ☐ proactive 적극적인

정답 ①

170 다음 글의 내용과 일치하지 않는 것은?

Join Our Annual Flower Arranging Contest!

When: August 7 at 4:00 p.m.

Where: Grandville High School Auditorium

Entry
- Group Ⅰ: Students who want to take part in
- Group Ⅱ: Enrolled students' family members (not open to professionals)

Rules
- Each contestant must bring their own flowers.
- 30 minutes will be given for finishing flower arrangements.
- Entries will be judged and put to a vote by florists.

Prizes
- Group I 1st Place: $50.00
  2nd Place: $40.00
  3rd Place: $30.00
- Group II 1st Place: $80.00
  2nd Place: $70.00
  3rd Place: $60.00

* Arrangements will be on display until September 9.

① 학부모 중에서 전문가는 참여할 수 없다.
② 참가자에게 재료가 제공된다.
③ 꽃꽂이를 끝내는 데 30분이 주어진다.
④ 부문별 1등, 2등, 3등에게 상금을 준다.

DAY 33~34 Exercises

[1~4] 양쪽에 주어진 말의 의미가 일맥상통하도록 선으로 연결하세요.

1　deplete　　　　　　　　　　　　　　　① people from arid regions creating poems about green plants

2　breed　　　　　　　　　　　　　　　② to consume to a very low amount or use up

3　the main cause of hair loss　　　　　　③ to produce or give birth to or hatch

4　desert dwellers composing poems on green trees　　　　　　　　　　　④ the primary reason for hair loss

[5~7] 다음 문장의 끊어 읽기를 참고하여, 빈칸에 알맞은 해석을 쓰세요.

5　We understand / the inconvenience this may cause / and sincerely appreciate your patience and understanding / during this time.

　　우리는 이해하고 있습니다 / _____ / 그리고 귀하의 인내와 이해에 진심으로 감사드립니다 / 이 기간에.

6　Recently, / there has been an increase in rat sightings, / particularly around Bookside Avenue.

　　최근에, / _____ / 특히 브룩사이드 가(街) 근처에서.

7　File a police report at the local station / to document to incident, / which may be required for insurance claims / or further investigations.

　　지역 경찰서에 신고하라 / _____, / 이는 보험금 청구를 위해 필요할 수 있다 / 혹은 추가 조사를 위해.

정답　1 ②　2 ③　3 ④　4 ①　5 이 문제가 유발할 수 있는 불편을　6 쥐를 목격하는 일이 증가해왔다　7 사건을 서류로 기록하기 위해

171 각 문장을 끊어 읽고 해석한 후 제시된 문제에 답하시오.

01
There is nothing new about people cutting down trees; in ancient times, Greece, Italy, and Great Britain were covered with forests, and over the centuries those forests were constantly cut down.

02
(A) There is not enough wood to satisfy the demand in these countries. Wood companies, _____ⓐ_____, have begun taking wood from the forests of Asia, Africa, South America, and even Siberia.

03
(B) A major cause of this present **devastation** is the worldwide demand for wood; in industrialized countries, people are using more and more wood for paper.

05
(C) Today, _____ⓑ_____, trees are being cut down far more rapidly and each year, about 2 million acres of forests are cut down, which is more than equal to the area of the whole of Great Britain.

1 주어진 문장 다음에 이어질 글의 순서로 가장 적절한 것은?
① (A) – (B) – (C)   ② (A) – (C) – (B)
③ (C) – (A) – (B)   ④ (C) – (B) – (A)

2 ⓐ, ⓑ에 들어갈 말로 바르게 짝지어진 것은?

	ⓐ	ⓑ
①	yet	in fact
②	therefore	however
③	similarly	nevertheless
④	for instance	furthermore

3 밑줄 친 부분의 의미와 가장 가까운 것은?
① jeopardy   ② counterpart
③ courier   ④ destruction

171 구문분석 & 문장분석

01
There is nothing new /
새로울 것이 전혀 없다 /

about people cutting down trees; // in ancient times, /
사람들이 나무를 베는 것에는; // 고대에는, /

Greece, Italy, and Great Britain were covered with forests, //
그리스, 이탈리아, 영국이 숲으로 덮였다 //

and over the centuries /
그리고 수 세기에 걸쳐 /

those forests were constantly cut down.
그 숲들이 꾸준히 베어졌다.

02
(A) There is not enough wood (to satisfy the demand) /
(수요를 충족하기에) 충분한 나무가 없다 /

in these countries. /
이 국가들에는. /

03
Wood companies, (therefore), have begun taking wood /
(그래서), 목재 회사는 나무를 가져오기 시작했다 /

from the forests (of Asia, Africa, South America, and even Siberia).
(아시아, 아프리카, 남아메리카, 그리고 심지어 시베리아의) 숲에서.

04
(B) A major cause of this present devastation /
이 현재의 파괴의 주요 원인은 /

is the worldwide demand for wood; //
나무에 대한 세계적인 수요이다; //

in industrialized countries, /
산업화된 국가들에서, /

people are using more and more wood / for paper.
사람들은 점점 더 많은 나무를 사용하고 있다 / 종이를 위해.

05
(C) Today, (however), / trees are being cut down /
(하지만), 오늘날, / 나무는 베어지고 있다 /

far more rapidly // and each year, /
훨씬 더 빠르게 // 그리고 해마다, /

about 2 million acres of forests are cut down, /
약 2백만 에이커의 나무가 쓰러진다, /

which is more than equal /
이것은 맞먹는 것 이상이다 /

to the area of the whole of Great Britain.
영국 전체의 면적과.

해설

1 주어진 문장에서는 유럽 몇 개 국가의 과거 벌목에 대해 언급한다. (A)는 이 국가들이 현재 나무를 수입한다는 결과를, (B)는 숲이 파괴된 현재(this present) 상태의 원인을 각각 설명한다. (C)는 나무 베는 속도가 "더" 빨라졌다고 했으므로 비교 대상이 과거임을 짐작할 수 있다. 따라서 (C)가 가장 먼저 오고, 숲이 파괴되는 현재의 상태를 (B)에서 this present devastation으로 받은 뒤, (A)에서 결과적으로 나무 수입이 시작되었다고 설명되는 것이 가장 자연스럽다. 정답은 ④ (C) - (B) - (A)이다.

2 (A)는 이 국가의 나무가 수요를 충족하기에 부족하다는 문장과 다른 국가에서 나무를 들여온다는 내용을 연결해야 하므로 인과 관계를 나타내는 연결어 therefore가 적절하다. (B)는 과거의 나무 베기 현상이 훨씬 가속화되었다는 현재의 모습을 대조해서 보여 주므로 however가 들어가는 것이 적절하다. 따라서 정답은 ②이다.

전문해석

사람들이 나무를 베는 것에는 새로울 것이 전혀 없다; 고대에는, 그리스, 이탈리아, 영국이 숲으로 덮였고 수 세기에 걸쳐 그 숲들이 꾸준히 베어졌다. 하지만, 오늘날 나무는 훨씬 더 빠르게 베어지고 있으며 해마다 약 2백만 에이커의 나무가 쓰러지는데, 이것은 영국 전체의 면적과 맞먹는 것 이상이다. 이 현재의 파괴의 주요 원인은 나무에 대한 세계적인 수요이다; 산업화된 국가들에서, 사람들은 종이를 위해 점점 더 많은 나무를 사용하고 있다. 이 국가들에는 수요를 충족하기에 충분한 나무가 없다. 그래서 목재 회사는 아시아, 아프리카, 남아메리카, 그리고 심지어 시베리아의 숲에서 나무를 가져오기 시작했다.

어휘

- ancient 고대의
- demand 수요
- industrialize 산업화하다
- jeopardy 위험
- courier 배달원
- constantly 꾸준히
- devastation 파괴
- rapidly 빠르게
- counterpart 상대물
- destruction 파괴

정답 1 ④ 2 ② 3 ④

172 각 문장을 끊어 읽고 해석한 후 제시된 문제에 답하시오.

Few words are **tainted** by so much subtle nonsense and confusion as profit. (A) To my liberal friends the word connotes the earnings of fundamentally unrespectable and unworthy behaviors: minimally, greed and selfishness; maximally, the harsh betrayal of millions of helpless victims. (B) To my conservative friends, it is a term of highest endearment, connoting efficiency and good sense, and the ultimate incentive for worthy performance. (C) Both connotations have some small merit, of course, because profit may result from both greedy, selfish activities and from sensible, efficient ones. (D) But overgeneralizations from either bias do not help us in the least in understanding the relationship between profit and human competence.

1 글의 제목으로 가장 적절한 것은?
① Relationship Between Profit and Political Parties
② Who Benefits from Profit
③ Why Making Profit Is Undesirable
④ Polarized Perceptions of Profit

2 다음 문장이 들어갈 위치로 가장 적절한 것은?

> Profit is the incentive for the most unworthy performance.

① (A)   ② (B)
③ (C)   ④ (D)

3 밑줄 친 부분의 의미와 가장 가까운 것은?
① damaged   ② consumed
③ aspired   ④ forged

172 구문분석 & 문장분석

01
Few words are tainted /
더럽혀진 단어는 거의 없다 /

by so much subtle nonsense and confusion / as profit.
그렇게 미묘한 허튼소리와 논란에 의해 / profit(이윤)처럼.

02
To my liberal friends /
나의 진보주의자 친구들에게 /

the word connotes the earnings (of fundamentally unrespectable and unworthy behaviors): /
그 단어는 (근본적으로 존경할 가치가 없고 적절치 않은 행동에서 나온) 수익임을 암시한다; /

minimally, / greed and selfishness; / maximally, /
좁게는 / 욕심과 이기주의이고; / 넓게는 /

the harsh betrayal (of millions of helpless victims).
(수백만의 무기력한 희생자들에 대한) 가혹한 배신이다.

삽입 문장
Profit is the incentive /
이윤이란 보상이다 /

for the most unworthy performance.
가장 적절치 않은 행동에 대한.

03
my conservative friends, /
내 보수주의자 친구들에게, /

it is a term (of highest endearment), //
이 단어는 (가장 애정 어린) 용어로, //

connoting efficiency and good sense, /
효율성과 뛰어난 분별력을 암시한다, /

and the ultimate incentive (for worthy performance).
그리고 (가치 있는 행동에 대한) 궁극적인 보상이다.

04
Both connotations have some small merit, (of course), //
(물론) 이 두 의미는 약간의 작은 장점이 있다 //

because profit may result /
왜냐하면 이익은 나올 수 있기 때문이다 /

from both greedy, selfish activities and from sensible, efficient ones.
탐욕스럽고, 이기적인 활동과 이성적이고 효율적인 행동 모두로부터.

05
But overgeneralizations (from either bias) /
그러나 (양쪽 편견으로부터) 지나치게 일반화하는 것은 /

do not help us in the least /
우리에게 조금도 도움을 주지 않는다 /

in understanding the relationship (between profit and human competence).
(이익과 인간의 능력 사이의) 관계를 이해하는 데 있어.

해석

1 ① 이익과 정치 정당 간의 관계
② 누가 이익으로부터 혜택을 받는가
③ 왜 이익을 내는 것이 바람직하지 않은가
④ 이익에 대한 양극화된 인식들

해설

1 첫 번째 문장에서 이윤이라는 단어를 이해하는 기존의 방식에 문제가 있다는 글의 소재를 제시한다. 이후, 이윤에 대한 두 가지 극단적인 이해 방식을 가진 두 그룹의 친구들을 예로 들어 그 문제점을 설명한다. 그리고 마지막 문장에서 이와 같은 극단인 이해 방식이 사실상 이윤이라는 단어를 이해하는 데 도움이 되지 않는다는 결론을 내린다. 따라서 제목으로는 ④가 가장 알맞다. 이익과 정당과의 관계에 대해 언급하지 않았으므로 ①은 정답이 아니고, ③은 진보적인 친구의 견해와 일치할 뿐 보수적인 친구의 견해는 포괄하지 못하므로 제목이 되기에 적합하지 않다.

2 주어진 문장은 이윤이 행동을 보상하는 적절하지 않은 방식이라고 부정적으로 설명한다. 이 글은 이윤이라는 단어에 대한 긍정적 견해와 부정적 견해를 비교하고 있는데, (C)와 (D)는 긍정적인 견해가 제시된 부분이므로 주어진 문장이 들어가기에 적절하지 않다. 또한 (A)는 이윤에 대한 부정적인 방식을 설명하기 직전이므로 주어진 문장이 들어가기에 적절하지 않다. 따라서 정답은 ② (B)이다.

전문해석

이윤처럼 그렇게 미묘한 허튼소리와 논란에 의해 더럽혀진 단어는 거의 없다. 나의 진보주의자 친구들에게 그 단어는 근본적으로 존경할 가치가 없고 적절치 않은 행동에서 나온 수익임을 암시한다; 좁게는 욕심과 이기주의이고; 넓게는 수백만의 무기력한 희생자들에 대한 가혹한 배신이다. <u>이윤이란 가장 적절치 않은 행동에 대한 보상이다.</u> 내 보수주의자 친구들에게 이 단어는 가장 애정 어린 용어로 효율성과 뛰어난 분별력을 암시하며 가치 있는 행동에 대한 궁극적인 보상이다. 물론 이 두 의미는 약간의 작은 장점이 있는데, 왜냐하면 이익은 탐욕스럽고, 이기적인 활동과 이성적이고 효율적인 행동 모두로부터 나올 수 있기 때문이다. 그러나 양쪽 편견으로부터 지나치게 일반화하는 것은 이익과 인간의 능력 사이의 관계를 이해하는 데 있어 우리에게 조금도 도움을 주지 않는다.

어휘

- taint 더럽히다
- nonsense 터무니없는 소리
- liberal 진보주의자의
- unrespectable 존경할 가치가 없는
- harsh 가혹한
- helpless 무기력한
- endearment 애정
- overgeneralization 과잉 일반화
- perception 인식
- consume 소비하다
- forge 위조하다
- subtle 미묘한
- confusion 논란
- connote 내포하다
- unworthy 적절치 않은
- betrayal 배신
- conservative 보수주의자의
- connotation 의미
- polarized 양극화된
- damage 손상하다
- aspire 열망하다

정답 1 ④ 2 ② 3 ①

173 각 문장을 끊어 읽고 해석한 후 제시된 문제에 답하시오.

01 Primates, believed to have **emerged** on Earth approximately 80 million years ago, unlike reptiles, were very sociable animals, creating a large community. (A) 02 One of the many ways in which the primates built a network of social support was grooming. (B) 03 In most cases, primates have visible folds that they would not have if they had, even lightly, groomed the area. (C) 04 For instance, apes spent a large amount of time grooming each other. (D) 05 Interestingly, in the case of Barbary macaques, the giving of grooming resulted in more stress relief than the receiving of grooming.

1 글의 흐름상 가장 어색한 문장은?

① (A) ② (B)
③ (C) ④ (D)

2 글의 요지로 가장 적절한 것은?

① Grooming in primates is utilized to exchange resources and to keep hygiene.
② Most primates spend their lives in large social groups or communities.
③ In primates social grooming functions as a means to build social relationships.
④ The giving rather than the receiving of grooming is related to lower stress levels.

3 밑줄 친 부분의 의미와 가장 가까운 것은?

① adapted ② appeared
③ affected ④ altered

173 구문분석 & 문장분석

01
Primates, (believed to have emerged on Earth /
(지구에 등장했다고 믿어지는 /
approximately 80 million years ago), /
약 8,000만 년 전에) 영장류는, /
(unlike reptiles), were very sociable animals, //
(파충류와 달리), 매우 사회적인 동물이었다, //
creating a large community.
큰 공동체를 형성했다.

02
One of the many ways (in which the primates built a network (of social support)) /
(영장류가 (사회적 지원의) 네트워크를 세운) 많은 방법들 중 하나는 /
was grooming.
털 손질이었다.

03
In most cases, /
대부분의 경우, /
primates have visible folds (that they would not have //
영장류들은 (그들이 갖지 않았을 //
if they had, (even lightly), groomed the area).
만약 그들이 (아주 가볍게라도) 그 부분을 손질했더라면) 뚜렷한 주름을 가지고 있다.

04
For instance, / apes spent a large amount of time /
예를 들어, / 원숭이들은 매우 많은 시간을 보냈다 /
grooming each other.
서로를 손질해주면서.

05
Interestingly, / in the case of Barbary macaques, /
흥미롭게도, / 바바리마카크의 경우, /
the giving of grooming resulted in more stress relief /
털 손질을 해주는 것이 더 많은 스트레스 경감이라는 결과를 낳았다 /
than the receiving of grooming.
털 손질을 받는 것보다.

해석

2 ① 영장류의 털 손질은 자원을 교환하고 위생을 유지하기 위해 활용된다.
② 대부분의 영장류는 커다란 사회적 집단이나 공동체에서 일생을 보낸다.
③ 영장류에게 사회적 털 손질은 사회적 관계를 형성하는 방법으로 기능한다.
④ 털 손질을 받기보다 주는 것이 더 낮은 스트레스 수준과 관련이 있다.

해설

1 이 글은 영장류의 사회성에 대한 내용이다. 두 번째, 네 번째, 마지막 문장은 영장류가 사회적 관계를 형성한 방법 중 하나가 털 손질이었다고 설명한 뒤, 그에 관한 예시를 드는 내용인 데 반해 세 번째 문장은 영장류가 털 손질을 했다면 특정 부위에 주름이 생기지 않았을 것이라는 내용이므로 글의 흐름과 관련이 없다. 따라서 정답은 ② (B)이다. (D)의 경우, 털 손질을 받는 것보다 털 손질을 해주면서 스트레스가 줄어들었다는, 바바리마카크의 뛰어난 사회성에 대해 부연 설명하고 있으므로 답이 될 수 없다.

2 두 번째 문장이 주제문으로 영장류의 털 손질이 사회적 지원의 네트워크를 세운 방식이었다고 말한다. 따라서 ③ '영장류에게 사회적 털 손질은 사회적 관계를 형성하는 방법으로 기능한다.'가 글의 요지로 가장 적절하다. ①의 자원 교환이나 위생은 글에 언급되지 않았고 ②는 핵심어인 털 손질이 언급되지 않았으므로 답이 될 수 없다. 또한 ④는 언급되기는 했으나 부연 설명이므로 글의 요지로 적절하지 않다.

전문해석

약 8,000만 년 전에 지구에 등장했다고 믿어지는 영장류는 파충류와는 달리 매우 사회적인 동물이었고 큰 공동체를 형성했다. 영장류가 사회적 지원의 네트워크를 세운 많은 방식들 중 하나는 털 손질이었다. 예를 들어, 원숭이들은 서로의 털을 손질해주면서 매우 많은 시간을 보냈다. 흥미롭게도, 바바리마카크의 경우, 털 손질을 해주는 것이 털 손질을 받는 것보다 더 많은 스트레스 경감이라는 결과를 낳았다.

어휘

- primate 영장류
- emerge 나타나다
- reptile 파충류
- grooming 털 손질
- fold 주름
- ape 원숭이
- Barbary macaques 바바리마카크: 긴꼬리원숭이과의 포유류
- relief 경감
- utilize 활용하다
- exchange 교환하다
- resource 자원
- hygiene 위생
- function 기능하다
- adapt 적응시키다
- affect 영향을 미치다
- alter 변경하다

정답 1 ② 2 ③ 3 ②

174 다음 글을 읽고 물음에 답하시오.

Send Preview Save

To: Henry Rogers
From: Ian Sinclair
Date: Aug. 23
Subject: Your Noble Assistance

Dear Henry Rogers,

I hope this message finds you well. Recently, I have read some newspaper articles about a righteous man who anonymously helped people in need, which reminded me of you. You provided me with a lot of support and assistance during a difficult time.

Knowing that I could count on you gave me the strength and **assurance** to move forward. It is rare to find someone who genuinely cares and goes out of their way to support others, and I feel incredibly fortunate to have you in my life.

I am deeply appreciative of everything you have done. If there is ever anything I can do to reciprocate, please do not hesitate to let me know.

Thank you once again for being there for me.

Best regards,
Ian Sinclair

---

1 이 글의 목적으로 알맞은 것은?

① 친한 친구를 도와주라고 조언하기 위해
② 모르는 사람들을 도와준 것을 칭찬하려고
③ 어려운 때 자신을 도와준 것에 감사하려고
④ 상대의 선행을 다른 사람들에게 알리려고

2 밑줄 친 assurance의 의미로 가장 알맞은 것은?

① confidence ② trust
③ guarantee   ④ secret

---

175 다음 글을 읽고 물음에 답하시오.

(A)

We are thrilled to announce a conference on Artificial Intelligence (AI) and the Internet of Things(IoT). This event will provide a platform to discuss the latest technological trends and future directions.

Special Guest Speakers:
- A list of guest speakers and topics will be announced soon.

Date & Time: September 15 (Sunday) at 9:00 AM – 5:00 PM
Location: Future Convention Center

Registration and Inquiries:
- Please register online in advance if you wish to attend. Early registration will provide a discount on the registration fee.

Participant Benefits:
- All participants will receive a conference booklet and a commemorative gift.
- Light refreshments will be served during the break.

Don't miss the opportunity to explore the current achievement and the innovative potential of AI and IoT.

1 (A)에 들어갈 윗글의 제목으로 가장 적절한 것은?

① How to Spread AI Application Areas in Industry
② Innovate on AI and IoT for Enhanced Efficiency
③ AI and IoT : The Good, The Bad, and The Ugly
④ Explore the Present and the Future of AI and IoT

2 윗글의 내용과 일치하지 않는 것은?

① 초청 연사 명단과 주제는 홈페이지에 안내되어 있다.
② 사전 등록 시 등록비 할인 혜택이 있다.
③ 참석자 전원에게 학회 책자와 기념 선물을 증정한다.
④ 휴식 시간에 간단한 다과가 제공된다.

174

해석

수신: Henry Rogers
발신: Ian Sinclair
날짜: 8월 23일
제목: 당신의 고귀한 도움

Henry Rogers에게,

잘 지내고 계시는지요. 최근에, 저는 어려움에 처한 사람들을 익명으로 도운 한 의로운 사람에 관한 신문 기사를 읽었고, 이것은 제게 당신을 떠오르게 했습니다. 당신은 어려운 시기의 제게 많은 지원과 도움을 제공했습니다.

저는 당신에게 의지할 수 있다는 것을 알게 되어 앞으로 나아갈 힘과 확신이 생겼습니다. 다른 사람을 진심으로 걱정하고 그들을 돕기 위해 비상한 노력을 하는 사람을 찾는 것은 보기 드문 일이며, 저는 당신이 제 인생에 있어서 무척이나 행운이라고 생각합니다.

저는 당신이 해주신 모든 일에 깊이 감사하고 있습니다. 제가 보답하기 위해 할 수 있는 것이 무엇이라도 있다면 부디 주저하지 말고 제게 알려주십시오.

제 곁에 있어 주셔서 다시 한번 감사합니다.

안부를 전하며,
Ian Sinclair

해설

1 글의 중심 소재는 상대방의 고귀한 도움이고 주제문은 마지막 문단의 두 번째 문장으로, 상대방이 베푼 도움에 대해 감사를 전하는 내용이다. 첫 문단에서 상대를 떠올리게 된 계기를 설명하고 두 번째 문장에서 상대가 자신을 어떻게 도왔는지 말한 다음 마지막 문장에서 감사한 마음과 보답하고 싶은 바람을 전달한다. 따라서 글의 목적으로 가장 적절한 것은 ③ '어려운 때 자신을 도와준 것에 감사하려고'이다.

어휘

☐ **righteous** 의로운
☐ **anonymously** 익명으로
☐ **count on** ~에게 의지하다
☐ **assurance** 확신, 보증
☐ **genuinely** 진심으로
☐ **go out of one's way** 비상한 노력을 하다
☐ **incredibly** 엄청나게
☐ **appreciative** 감사하고 있는
☐ **reciprocate** 보답하다

정답 1 ③ 2 ①

175

해석

(A) 인공지능과 사물 인터넷의 현재와 미래를 탐구하세요

인공지능과 사물 인터넷에 관한 학회를 알리게 되어 기쁩니다. 이 행사는 최신 기술 동향과 미래의 방향을 논의할 기회를 제공할 것입니다.

특별 초청 강연자:
• 초청 강연자 목록과 주제는 곧 고지될 것입니다.

날짜와 시간: 9월 15일 (일요일) 오전 9시 – 오후 5시
장소: 미래 컨벤션 센터

등록 및 문의:
• 참가를 원하시면 온라인으로 미리 등록하세요. 조기 등록 시 등록비를 할인해 드립니다.

참가 혜택:
• 모든 참가자는 학회 소책자와 기념품을 받게 됩니다.
• 휴식 시간에 가벼운 다과가 제공됩니다.

인공지능과 사물 인터넷의 현재의 성취와 혁신적인 잠재력을 탐구할 기회를 놓치지 마세요.

1 ① 산업에서 인공지능 적용 영역을 확대하는 방법
② 향상된 효율성을 위해 인공지능과 사물 인터넷을 혁신하세요
③ 인공지능과 사물 인터넷: 좋은 점, 나쁜 점, 그리고 추악한 점

해설

1 글의 중심 소재는 인공지능과 사물 인터넷 학회이다. 두 번째 문장에서 이 학회의 목적을 밝히고 자세한 정보를 제공한 뒤, 주제문인 마지막 문장에서 인공지능과 사물 인터넷의 현재와 미래를 탐구할 기회를 잡으라고 말한다. 따라서 제목으로 가장 적절한 것은 ④ '인공지능과 사물 인터넷의 현재와 미래를 탐구하세요'이다.

2 ① <특별 초청 강연자>에서 초청 강연자 목록과 주제는 곧 고지된다고 했으므로 글의 내용과 일치하지 않는다.
② <등록 및 문의>에서 사전 등록 시 등록비를 할인해준다고 했으므로 글의 내용과 일치한다.
③ <참가 혜택>에서 모든 참가자가 학회 소책자와 기념품을 받는다고 했으므로 글의 내용과 일치한다.
④ <참가 혜택>에서 휴식 시간에 가벼운 다과가 제공된다고 했으므로 글의 내용과 일치한다.

어휘

☐ **Internet of Things (IoT)** 사물 인터넷
☐ **platform** (토론, 발표의) 기회
☐ **inquiry** 문의
☐ **participant** 참가자
☐ **booklet** 소책자
☐ **commemorative** 기념의
☐ **refreshments** (pl.) 다과
☐ **innovative** 혁신적인
☐ **application** 적용
☐ **enhance** 향상하다

정답 1 ④ 2 ①

176 각 문장을 끊어 읽고 해석한 후 제시된 문제에 답하시오.

01
Centuries ago, the philosopher Jeremy Bentham wrote, "Pain and pleasure **dominate** us in all we do, in all we say, in all we think." (A) He was the father of utilitarianism that argues that actions should be judged right or wrong to the extent they increase or decrease 'utility'. (B) What he overlooked was that humans are wired with another set of interests that are just as basic as physical pain and pleasure: In a word, we are wired to be _____. (C) We are driven by deep motivations to stay connected with friends and family, and we are naturally curious about what is going on in the minds of other people. (D) These connections lead to behaviors that make sense only if our gregarious nature is taken as a starting point for who we are.

1 빈칸에 들어갈 말로 가장 적절한 것은?
① social   ② creative
③ intuitive   ④ egocentric

2 글의 흐름상 가장 어색한 것은?
① (A)   ② (B)
③ (C)   ④ (D)

3 밑줄 친 부분의 의미와 가장 가까운 것은?
① own   ② control
③ ignore   ④ avoid

176 구문분석 & 문장분석

01
Centuries ago, /
수 세기 전에, /

the philosopher Jeremy Bentham wrote, //
철학자 제러미 벤담은 썼다 //

"Pain and pleasure dominate us /
"고통과 즐거움이 우리를 지배한다 /

in all we do, / in all we say, / in all we think."
우리가 하는 모든 것에서 / 우리가 말하는 모든 것에서 / 우리가 생각하는 모든 것에서"라고.

02
He was the father of utilitarianism (that argues // that actions should be judged right or wrong /
그는 (주장하는 // 행동이란 옳거나 그르게 판단되어야 한다고 /

to the extent (they increase or decrease 'utility')).
(그것들이 '공리'를 증가시키거나 감소시키는) 정도에 따라) 공리주의의 창시자였다.

03
What he overlook was //
그가 간과한 것은 ~이었다 //

that humans are wired with another set of interests (that are just as basic as physical pain and pleasure): In a word, /
인간이 (육체적 고통과 즐거움만큼이나 기본적인) 일련의 다른 흥미들과 연결되어 있다는 점: 한 마디로 말해, /

we are wired to be social.
우리는 사회적이 되도록 만들어졌다.

04
We are driven /
우리는 이끌린다 /

by deep motivations (to stay connected with friends and family), //
(친구 및 가족과 연결을 유지하고자 하는) 깊은 동기에, //

and we are naturally curious about //
그리고 우리는 ~에 대해 선천적으로 호기심을 느낀다 //

what is going on / in the minds of other people.
무엇이 진행되고 있는지 / 다른 사람들의 마음속에서.

05
These connections lead to behaviors (that make sense //
이런 연결은 (이해가 가는 //

only if our gregarious nature is taken /
우리의 남과 어울리기 좋아하는 본성이 고려될 때만 /

as a starting point for who we are).
우리가 누구인지에 대한 시작점으로) 행동으로 이어진다.

해석

1 ② 창의적   ③ 직관적   ④ 이기적

해설

1 인간의 중요한 동기부여물이 무엇인지에 대해 설명하는 글로, 인간은 사교적인 특성을 가지고 있어서 다른 사람들과 관계를 맺기 좋아하고 그들에게 호기심을 가진다는 내용이다. 따라서 빈칸에는 인간이 타인과 관계를 맺기 좋아한다는 뜻인 ① '사회적'이 들어가는 것이 가장 적절하다.

2 첫 문장에서 철학자 벤담의 말을 인용해서 인간의 동기가 고통과 즐거움이라고 말한 뒤, 세 번째 문장에서 이를 반박하며 인간은 사회적이기 때문에 다른 흥미들과도 연결되어 있다고 주장한다. 그리고 이어지는 두 개의 문장에서 인간의 사회적 본성에 대해 부연 설명한다. 이에 비해 두 번째 문장은 벤담이 공리주의의 창시자라고 이야기하므로 글 전체의 내용과 전혀 관련이 없다. 따라서 정답은 ① (A)이다.

전문해석

수 세기 전에 철학자 제러미 벤담은 "고통과 즐거움이 우리가 하는 모든 것, 우리가 말하는 모든 것, 우리가 생각하는 모든 것에서 우리를 지배한다."라고 썼다. 그가 간과한 것은 인간이 육체적 고통과 즐거움만큼이나 기본적인 일련의 다른 흥미들과 연결되어 있다는 점이었다: 한 마디로 말해, 우리는 사회적이 되도록 만들어졌다. 우리는 친구 및 가족과 연결을 유지하고자 하는 깊은 동기에 의해 이끌리고, 다른 사람들의 마음속에서 무엇이 진행되고 있는지에 선천적으로 호기심을 가지고 있다. 이런 연결은 우리의 남과 어울리기 좋아하는 본성을 우리가 누구인지에 대한 시작점으로 고려할 때에만 이해가 가는 행동으로 이어진다.

어휘

- dominate 지배하다
- utility 공리
- gregarious 사교적인
- egocentric 이기적인
- utilitarianism 공리주의
- be wired to be ~하도록 만들어지다
- intuitive 직관적인

정답 1 ① 2 ① 3 ②

177 각 문장을 끊어 읽고 해석한 후 제시된 문제에 답하시오.

01
In 2013, a state of emergency in Beijing resulting from the dangerously high levels of pollution led to chaos in the transportation system, forcing airlines to cancel flights due to low visibility.

02
(A) Any of them served little purpose and millions of people suffered from watery and stinging eyes, pounding headaches, sinus issues, and itchy throats.

03
They sought refuge from the <u>enervating</u> air by scouring stores for air filters and face masks.

04
(B) As the conditions deteriorated, the outrage among Chinese residents and the global media scrutiny finally impelled the government to address the country's air pollution problem.

05
(C) Schools and businesses were closed, and the Beijing city government warned people to stay inside their homes, keep their air purifiers running, reduce indoor activities, and remain as inactive as possible.

* sinus: 부비강(코 안쪽으로 이어지는 구멍)

1 주어진 문장 다음에 이어질 글의 순서로 가장 적절한 것은?
① (B) – (A) – (C) ② (B) – (C) – (A)
③ (C) – (A) – (B) ④ (C) – (B) – (A)

2 글의 제목으로 가장 적절한 것은?
① Atmospheric Contamination and Health Issues in Beijing
② Beijing's Air Pollution and Its Impact on the Society at Large
③ Criticisms About the Government's Lax Attitude in China
④ China at All-out War Against the Environmental Catastrophe

3 밑줄 친 부분의 의미와 가장 가까운 것은?
① demolishing   ② demeaning
③ debilitating   ④ determining

문장 분석 및 해설

177 구문분석 & 문장분석

01
In 2013, / a state of emergency in Beijing (resulting
2013년에, / (위험하게 높은 수준의 오염 때문에 발생한)

from the dangerously high levels of pollution) /
베이징의 비상사태는 /

led to chaos in the transportation system, //
교통 체계에 혼란을 야기했다, //

forcing airlines to cancel flights / due to low visibility.
항공사들이 비행을 취소하게 했다 / 낮은 가시도로 인해.

02
(A) Any of them served little purpose //
그것들 중 어느 것도 거의 도움이 되지 않았다 //

and millions of people suffered /
그리고 수백만 명의 사람들이 고통받았다 /

from watery and stinging eyes, pounding headaches,
눈물이 나고 따끔거리는 눈, 지끈거리는 두통,

sinus issues, and itchy throats.
부비강 문제, 그리고 가려운 목으로.

03
They sought refuge / from the enervating air /
그들은 피난처를 찾았다 / 쇠약하게 만드는 대기로부터 /

by scouring stores / for air filters and face masks.
상점을 샅샅이 뒤짐으로써 / 공기청정기와 마스크를 찾아서.

04
(B) As the conditions deteriorated, //
상황이 악화되면서, //

the outrage (among Chinese residents) and the
global media scrutiny /
(중국 거주자들 사이의) 분노와 세계적 미디어의 정밀 조사는 /

finally impelled the government /
마침내 정부를 강요했다 /

to address the country's air pollution problem.
국가의 대기 오염 문제를 다루라고.

05
(C) Schools and businesses were closed, //
학교와 기업이 폐쇄되었다, //

and the Beijing city government warned people /
그리고 베이징 시 정부는 사람들에게 경고했다 /

to stay inside their homes, /
집 안에 머물라고, /

keep their air purifiers running, /
공기청정기를 계속 가동시키라고, /

reduce indoor activities, /
실내 활동을 줄이라고, /

and remain as inactive as possible.
그리고 가능한 한 활동하지 않은 채 있으라고.

해석

2 ① 베이징의 대기 오염과 건강 문제
② 베이징의 대기 오염과 그것이 사회 전반에 미친 영향
③ 중국 정부의 느슨한 태도에 대한 비판
④ 환경 재앙을 상대로 전면전 중인 중국

해설

1 중국 베이징의 대기 오염과 그것이 국가 전반에 미친 부정적인 영향에 관한 글이다. 주어진 문장의 뒷부분에서 대기 오염으로 인한 혼란을 언급했으므로 관련 내용이 나오는 (C)로 이어지는 것이 적절하다. 정부의 권고사항들을 (A)에서 받아서 그것들 중 어느 것도 도움이 되지 않았다는 내용이 나오고 마침내(finally) 중국 정부가 대기 오염 문제를 다루게 되었다는 (B)가 마지막으로 오는 것이 자연스럽다. 따라서 정답은 ③ (C) – (A) – (B)이다.

2 베이징의 대기 오염이 사회 전반에 어떤 영향을 미치는가에 대한 글이므로 정답은 ② '베이징의 대기 오염과 그것이 사회 전반에 미친 영향'이다. ①은 지엽적인 내용이고 ③은 대기 오염이라는 글의 Topic이 들어 있지 않으므로 모두 답이 될 수 없다.

전문해석

2013년에, 위험하게 높은 수준의 오염 때문에 발생한 베이징의 비상사태는 낮은 가시도로 인해 교통 체계에 혼란을 야기했고, 항공사들이 비행을 취소하게 했다. 학교와 기업은 폐쇄되었고, 베이징시 정부는 사람들에게 집 안에 머물고, 공기청정기를 계속 가동시키고, 실내 활동을 줄이며, 가능한 한 활동하지 않은 채 있으라고 경고했다. 그것들 중 어느 것도 거의 도움이 되지 않았고 수백만 명의 사람들이 눈물이 나고 따끔거리는 눈, 지끈거리는 두통, 부비강 문제, 그리고 가려운 목으로 고통받았다. 그들은 공기청정기와 마스크를 찾아 상점을 샅샅이 뒤짐으로써 (심신을) 쇠약하게 만드는 대기로부터 피난처를 찾았다. 상황이 악화되면서, 중국 거주자들 사이의 분노와 세계적 미디어의 정밀 조사는 마침내 정부가 국가의 대기 오염 문제를 다루게 강요했다.

어휘

- visibility 가시성
- pounding 지끈거리는
- enervate 쇠약하게 만들다
- deteriorate 악화되다
- scrutiny 정밀 조사
- air purifier 공기청정기
- contamination 오염
- catastrophe 재앙
- demean 품위를 손상시키다
- stinging 따끔거리는
- refuge 피난처
- scour 샅샅이 뒤지다
- outrage 분노
- impel 강요하다
- atmospheric 대기의
- lax 느슨한
- demolish 파괴하다
- debilitate 쇠약하게 만들다

정답 1 ③ 2 ② 3 ③

178 African Development Bank Group에 관한 다음 글의 내용과 일치하지 않는 것은?

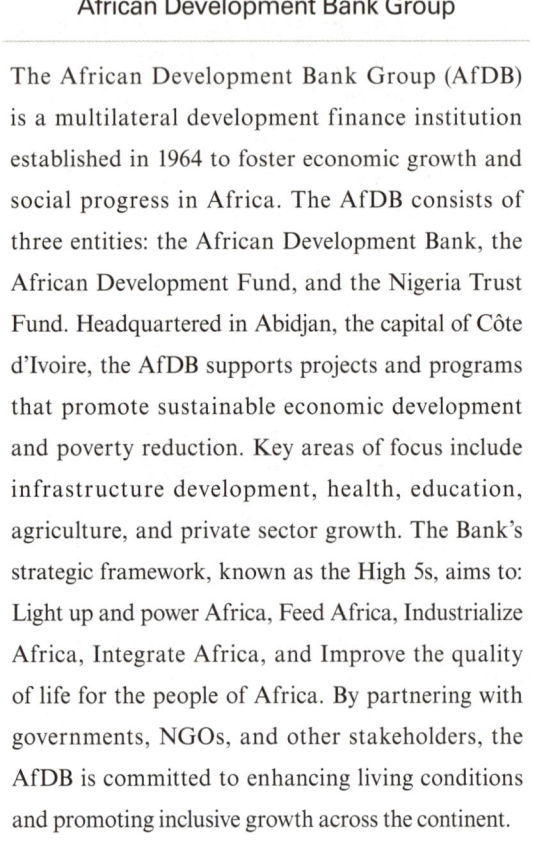

African Development Bank Group

The African Development Bank Group (AfDB) is a multilateral development finance institution established in 1964 to foster economic growth and social progress in Africa. The AfDB consists of three entities: the African Development Bank, the African Development Fund, and the Nigeria Trust Fund. Headquartered in Abidjan, the capital of Côte d'Ivoire, the AfDB supports projects and programs that promote sustainable economic development and poverty reduction. Key areas of focus include infrastructure development, health, education, agriculture, and private sector growth. The Bank's strategic framework, known as the High 5s, aims to: Light up and power Africa, Feed Africa, Industrialize Africa, Integrate Africa, and Improve the quality of life for the people of Africa. By partnering with governments, NGOs, and other stakeholders, the AfDB is committed to enhancing living conditions and promoting inclusive growth across the continent.

① It was founded to develop Africa socially and economically in 1964.
② Its head office is situated in the capital city of Côte d'Ivoire.
③ It is known to be comprised of the five essential organizations of Africa.
④ Among its major aims is to develop industry and agriculture of Africa.

179 다음 글의 목적으로 가장 적절한 것은?

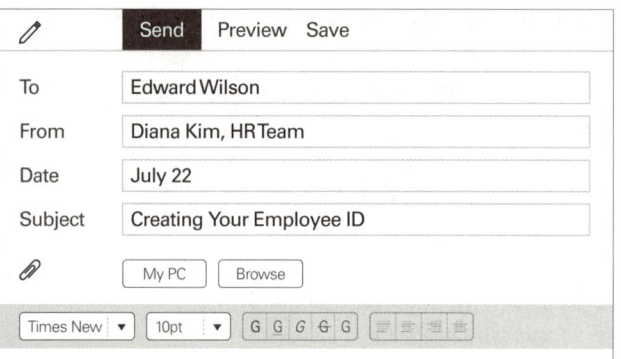

To: Edward Wilson
From: Diana Kim, HR Team
Date: July 22
Subject: Creating Your Employee ID

Dear Edward,

We hope this email finds you well. We would like to inform you that it is now possible for you to manage your finances with greater transparency and convenience.

Recently, we've introduced the new system through which you can create your employee ID and access your paycheck statements at any time, from anywhere, with ease online. Also, you can review your earnings and deductions efficiently.

To create your employee ID, please follow the instructions:
Visit the employee portal at www.bbtech.com.
Click on the "Create ID" or "Register" option.
Follow the on-screen prompts to set up your employee ID and password.
Once your ID is created, you will have immediate access to your paycheck statements and other relevant information.

If you encounter any difficulties or have questions during the ID creation process, please don't hesitate to reach out to our personnel staff at hrteam@bbtech.com or at 456-7890.

Thank you for your cooperation in setting up your employee ID.

Best regards,
Diana Kim,

① 새로운 자금 관리 프로그램을 소개하려고
② 급여 명세서 확인용 직원 ID 생성을 안내하려고
③ 직원 교육용 사이트의 ID 생성을 권장하려고
④ 소득 신고용 ID 생성 방법을 설명하려고

178

[해석]

아프리카 개발 은행 그룹

아프리카 개발 은행 그룹(AfDB)은 아프리카의 경제 성장과 사회 발전을 촉진하기 위해 1964년에 설립된 다자간 개발 금융 기관이다. 아프리카 개발 은행 그룹은 세 개의 기관으로 구성된다: 아프리카 개발 은행, 아프리카 개발 기금, 그리고 나이지리아 신탁 기금. 코트디부아르의 수도인 아비장에 본부를 두고 있는 아프리카 개발 은행 그룹은 지속 가능한 경제 개발과 빈곤 감소를 도모하는 프로젝트와 프로그램을 지원한다. 핵심적인 중점 분야에는 기반 시설 개발, 보건, 교육, 농업, 그리고 민감 부문 발전이 포함된다. 5대 중점 분야로 알려진 이 은행의 전략적 구조는 다음을 목표로 한다: 아프리카에 불을 밝히고 전력을 공급하라, 아프리카에 식량을 공급하라, 아프리카를 산업화시켜라, 아프리카를 통합하라, 그리고 아프리카 사람들을 위한 삶의 질을 개선하라. 정부, 비정부 조직, 그리고 다른 이해 당사자들과 협력함으로써, 아프리카 개발 은행 그룹은 아프리카 대륙 전역에서 생활 환경을 개선하고 폭넓은 성장을 도모하는 데 헌신한다.

① 이것은 아프리카를 사회적으로 및 경제적으로 발전시키기 위해 1964년에 설립되었다.
② 이것의 본부는 코트디부아르의 수도에 자리하고 있다.
③ 이것은 아프리카의 주요 5개 기관으로 구성되었다고 알려져 있다.
④ 아프리카의 산업과 농업을 발전시키는 것이 이것의 주요 목표에 속한다.

[해설]

③ 두 번째 문장에서 AfDB가 세 개의 기관으로 구성되었다고 했으므로 글의 내용과 일치하지 않는다.
① 첫 번째 문장에서 AfDB가 아프리카의 경제 성장과 사회 발전을 촉진하기 위해 1964년에 설립되었다고 했으므로 글의 내용과 일치한다.
② 세 번째 문장에서 AfDB가 코트디부아르의 수도인 아비장에 본부를 두고 있다고 했으므로 글의 내용과 일치한다.
④ 네 번째 문장에서 핵심적인 중점 분야에 농업이 포함된다고 했고 다섯 번째 문장에서 아프리카에 식량을 공급하고 아프리카를 산업화시키는 것이 목표라고 했으므로 글의 내용과 일치한다.

[어휘]

☐ multilateral 다자간의
☐ entity 기관
☐ sustainable 지속 가능한
☐ reduction 감소
☐ industrialize 산업화하다
☐ NGO 비정부 조직
☐ be committed to ~에 헌신하다
☐ inclusive 폭넓은
☐ foster 촉진하다
☐ headquarter 본부를 두다
☐ poverty 빈곤
☐ infrastructure 기반 시설
☐ integrate 통합하다
☐ stakeholder 이해 당사자
☐ enhance 개선하다
☐ continent 대륙

정답 ③

179

[해석]

수신: Edward Wilson
발신: Diana Kim, 인사팀
날짜: 7월 22
제목: 직원 ID 생성

Edward 씨,

잘 지내시는지요. 우리는 당신이 재정을 더 투명하고 편리하게 관리하는 것이 이제 가능하다고 알려드리고 싶습니다.

최근에, 우리는 당신이 직원 ID를 생성하고 당신의 급여 명세서에 언제 어디서나 손쉽게 온라인으로 접속할 수 있는 새로운 시스템을 도입했습니다. 또한, 당신은 소득과 공제액을 효율적으로 검토할 수 있습니다.

당신의 직원 ID를 생성하시려면, 다음 지시를 따라주세요:
www.bbtech.com의 직원 포털에 접속하세요.
'ID 생성'이나 '등록' 옵션을 클릭하세요.
직원 ID와 비밀번호를 설정하기 위해 화면상의 프롬프트를 따라가세요. ID가 생성되면, 당신의 급여 명세서와 다른 관련 정보에 즉각 접속할 수 있습니다.

ID 생성 과정에서 어떤 어려움에 부닥치거나 질문이 생기면, 주저하지 말고 hrteam@bbtech.com이나 456-7890번으로 우리 인사부 직원에게 연락하세요.

당신의 직원 ID 설정에 협조해 주셔서 감사드립니다.

안부를 전하며,
Diana Kim,

[해설]

글의 중심 소재는 이메일의 제목인 직원 ID 생성이고, 주제문은 두 번째 문단의 첫 번째 문장으로 직원 ID를 만들어서 급여 명세서에 손쉽게 접속할 수 있다는 것이다. 그러고 나서, 다음 문단에서 ID 생성 방법을 자세히 설명하고 있다. 따라서 글의 목적으로 적절한 것은 ② '급여 명세서 확인용 직원 ID 생성을 안내하려고'이다.

[어휘]

☐ HR 인사부
☐ convenience 편리함
☐ deduction 공제액
☐ relevant 관련된
☐ hesitate 주저하다
☐ transparency 투명성
☐ earnings (pl.) 소득
☐ immediate 즉각적인
☐ encounter 부닥치다
☐ personnel 인사부

정답 ②

180 다음 글을 읽고 물음에 답하시오.

(A)

As always, this year's festival will load you with seasonal joy and community spirit! Embrace the autumn spirit, celebrate the harvest and support local farmers and artisans.

- **Date**: Saturday, October 21st
- **Time**: 9:00 a.m. to 4:00 p.m.
- **Location**: Greenfield Community Center
- **Features**: Family-friendly activities and live music

Browse through and purchase fresh local fruits and vegetables, homemade jams, and unique crafts at affordable prices. Enjoy pumpkin carving, hayrides, and face painting for kids.

Delicious complimentary food and beverages available to savor the flavors of fall.

Don't miss out on this joyful celebration! Bring your family and neighbors to experience harvest happiness at this event!

1 (A)에 들어갈 윗글의 제목으로 가장 적절한 것은?

① Autumn Treasures: Make Your Own Handicrafts
② Free Food Festival with an Autumn Flavor
③ Let's Consume Local Agricultural Products
④ Annual Community Harvest Celebration

2 윗글의 내용과 일치하지 않는 것은?

① 축제는 토요일 오전에 시작된다.
② 지역 농부를 위해 물건이 비싼 가격에 판매된다.
③ 무료 음식과 음료를 맛볼 수 있다.
④ 아이들을 위한 놀거리가 마련되어 있다.

DAY 35~36 Exercises

[1~4] 양쪽에 주어진 말의 의미가 일맥상통하도록 선으로 연결하세요.

1 devastation   ① a reward for the least performance

2 transparency   ② severe and widespread destruction or damage

3 the incentive for the most unworthy   ③ driven by motivations to stay connected with
   performance   people

4 wired to be social   ④ openness and clarity in actions and decisions

[5~7] 다음 문장의 끊어 읽기를 참고하여, 빈칸에 알맞은 해석을 쓰세요.

5 Primates, / believed to have emerged on Earth / approximately 80 million years ago, / were very sociable animals.

   영장류는 / _____ / 약 8천만 년 전에, / 매우 사회적인 동물이었다.

6 I have read some newspaper articles / about a righteous man / who anonymously helped people in need, / which reminded of you.

   저는 신문 기사를 읽었습니다 / 한 의로운 사람에 관한 / _____, / 이것은 제게 당신을 떠오르게 했습니다.

7 A state of emergency in Beijing / resulting from the dangerously high levels of pollution / led to chaos in the transportation system.

   베이징의 비상사태는 / _____ / 교통 체계에 혼란을 야기했다.

정답 1 ② 2 ④ 3 ① 4 ③ 5 지구에 등장했다고 믿어지는 6 어려움에 처한 사람들을 익명으로 도운 7 위험하게 높은 수준의 오염 때문에 발생한

181 각 문장을 끊어 읽고 해석한 후 제시된 문제에 답하시오.

01 Thunderstorms are extremely common in many parts of the world, for example, throughout most of North America, which are set off by updrafts of warm air.

02 (A) This more buoyant air then rises and carries water vapor to higher altitudes. 03 The air cools as it rises, and the water vapor condenses and starts to drop as rain.

04 (B) An updraft starts over ground more intensely heated by the sun than the **surrounding** area and the air in contact with the ground heats up and becomes lighter, more buoyant, than the surrounding air.

05 (C) As the rain falls, it pulls air along with it and turns part of the draft downward, after which the draft may turn upward again and send the rain churning around in the cloud.

1 주어진 문장 다음에 이어질 글의 순서로 가장 적절한 것은?

① (A) – (C) – (B) ② (B) – (A) – (C)
③ (B) – (C) – (A) ④ (C) – (A) – (B)

2 글의 제목으로 가장 적절한 것은?

① The Process of Forming a Thunderstorm
② Ingredients for Severe Thunderstorms
③ Where Do Thunderstorms Occur?
④ Vapor Condensation with Turbulent Flow

3 밑줄 친 부분의 의미와 가장 가까운 것은?

① compulsive ② meticulous
③ tenacious   ④ ambient

181 구문분석 & 문장분석

01
Thunderstorms are extremely common /
폭풍우는 매우 흔한 것이다 /
in many parts of the world, / for example, /
전 세계 많은 지역에서 / 예를 들면, /
throughout most of North America, /
북미 대부분의 지역에서, /
which are set off / by updrafts (of warm air).
이것은 시작된다 / (따뜻한 공기의) 상승기류에 의해.

02
(A) This more buoyant air (then) rises //
(그다음에) 이 더 부력을 가진 공기가 상승한다 //
and carries water vapor / to higher altitudes.
그리고 수증기를 가지고 간다 / 더 높은 고도까지.

03
The air cools / as it rises, /
공기는 차가워진다 // 그것이 상승하면서, //
and the water vapor condenses /
그리고 수증기가 응축된다 //
and starts to drop as rain.
그리고 비로 떨어지기 시작한다.

04
(B) An updraft starts /
상승기류는 시작한다 /
over ground (more intensely heated by the sun /
(태양에 의해 더 집중적으로 데워진 /
than the surrounding area) //
그 주변 지역보다) 땅 위에서 //
and the air (in contact with the ground) heats up //
그리고 (지면과 접한) 공기는 데워진다 //
and becomes lighter, more buoyant, /
그리고 더 가벼워지고, 더 부력을 갖게 된다 /
than the surrounding air.
그 주변 공기보다.

05
(C) As the rain falls, // it pulls air along with it //
비가 내리면서 // 그것은 그것과 함께 공기를 끌어당긴다 //
and turns part of the draft downward, /
그리고 아래로 향하는 기류의 일부를 휘젓는다 /
after which the draft may turn upward again /
그런 다음 이 기류는 다시 상승할 수 있다 //
and send the rain (churning around in the cloud).
그리고 (구름 속에서 휘몰아치는) 비를 보낸다.

해석

2 ① 폭풍우를 형성하는 과정
② 극심한 폭풍우의 구성 요소들
③ 폭풍우는 어디에서 발생하는가?
④ 난류와 함께하는 수증기 응축

해설

1 주어진 문장에서 상승기류가 시작한다는 말이 있으므로 상승기류에 대한 내용이 나오는 (B)가 바로 이어지는 것이 알맞다. 다음으로 (B)의 뒷부분에 부력이 언급되므로 부력에 대한 내용으로 시작하는 (A)가 다음으로 이어지는 것이 자연스럽다. (A)의 마지막에 수증기가 응축되어 비로 떨어진다고 했으므로 비가 내릴 때의 대기 변화를 설명하는 (C)가 마지막으로 나오는 것이 적절하다. 따라서 정답은 ② (B) - (A) - (C)이다.

2 이 글은 전반적으로 폭풍우가 어떻게 형성되는지 설명하고 있으므로 제목으로 적절한 것은 ① '폭풍우를 형성하는 과정'이다.

전문해석

폭풍우는 전 세계 많은 지역에서, 예를 들면, 북미 대부분의 지역에서 매우 흔한데, 이것은 따뜻한 공기의 상승기류에 의해 시작된다. 상승기류는 태양에 의해 그 주변 지역보다 더 집중적으로 데워진 땅 위에서 시작하고 지면과 접한 공기는 데워지고 그 주변 공기보다 더 가벼워지고, 더 부력을 갖게 된다. 그다음에 이 더 부력을 가진 공기가 상승하며 더 높은 고도까지 수증기를 가지고 간다. 공기는 상승하면서 차가워지고, 수증기가 응축되어 비로 떨어지기 시작한다. 비가 내리면서 비는 그것과 함께 공기를 끌어당기며 아래로 향하는 기류의 일부를 휘젓고, 그런 다음 이 기류는 다시 상승할 수 있고 구름 속에서 휘몰아치는 비를 보낸다.

어휘

- thunderstorm 폭풍우
- common 흔한
- buoyant 부력이 있는
- altitude 고도
- intensely 몹시
- downward 아래쪽으로
- ingredient 구성 요소
- condensation 응축
- compulsive 강박적인
- tenacious 고집이 센
- extremely 매우
- updraft 상승기류
- water vapor 수증기
- condense 응결되다
- draft 기류
- churn 휘젓다
- severe 극심한
- turbulent flow 난류
- meticulous 세심한
- ambient 주위의

정답 1 ② 2 ① 3 ④

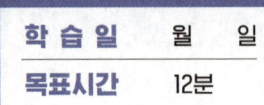

182 각 문장을 끊어 읽고 해석한 후 제시된 문제에 답하시오.

01 Some students make the mistake of thinking that mathematics consists solely of solving problems by means of formulas and rules, but, in fact, to become successful problem solvers, they have to recognize the logical structure and reasoning behind the mathematical methods. 02 (A) To do so requires a precision of understanding the exact meaning of a mathematical statement. 03 (B) _____ⓐ_____, this precision cannot be achieved without real appreciation of the subtleties of language. 04 (C) In fact, anyone can advance much beyond mere problem solving tasks without manipulating mathematical formulas and rules. 05 (D) _____ⓑ_____, superior ability in the use of language is a prerequisite to become successful problem solvers.

1 글의 흐름상 가장 어색한 문장은?
① (A) ② (B)
③ (C) ④ (D)

2 ⓐ, ⓑ에 들어갈 말로 가장 적절한 것은?

	ⓐ	ⓑ
①	Moreover	Likewise
②	However	That is
③	For example	Therefore
④	Nevertheless	Yet

3 글의 요지로 가장 적절한 것은?
① Language abilities play a vital role in mathematical proficiency.
② Mathematics is only about using formulas and rules to solve problems.
③ The precision in language is necessary for effective communication.
④ Language abilities have no relevance in becoming a successful problem solver in math.

문장 분석 및 해설

182 구문분석 & 문장분석

01
Some students make the mistake /
몇몇 학생들은 오류를 범하고 있다 /
of thinking //
생각하는 //
that mathematics consists solely of solving problems /
수학이 단순히 문제를 푸는 것으로 이루어진다고 /
by means of formulas and rules, //
공식과 규칙에 따라, //
but, (in fact), to become successful problem solvers, /
그러나, (사실상), 성공적인 문제 해결자가 되기 위해서, /
they have to recognize /
그들은 인식해야 한다 /
the logical structure and reasoning (behind the mathematical methods.)
(수학적 방식들의 이면에 숨은) 논리적 구조와 추론을.

02
To do so /
그렇게 하는 것은 /
requires a precision (of understanding the exact meaning (of a mathematical statement)).
((수학적 진술의) 정확한 의미를 이해하는) 정밀성을 요구한다.

03
However, / this precision cannot be achieved /
하지만, / 이런 정밀성은 얻어질 수 없다 /
without real appreciation (of the subtleties of language).
(언어의 미묘함을) 진정으로 이해하지 못하면.

04
In fact, / anyone can advance /
실제로, / 누구든지 발전할 수 있다 /
much beyond mere problem solving tasks /
단순한 문제 해결의 과제를 훨씬 뛰어넘어서까지 /
without manipulating mathematical formulas and rules.
수학 공식과 규칙을 다루지 못해도.

05
That is, / superior ability (in the use of language) /
즉, / (언어 사용에서의) 탁월한 능력은 /
is a prerequisite (to become successful problem solvers).
(성공적으로 문제를 풀 수 있는 사람이 되기 위한) 필요조건이다.

해석

3 ① 언어적 능력은 수학의 실력 향상에 있어 중요한 역할을 한다.
② 수학은 문제를 풀기 위한 공식과 규칙을 사용하는 것에만 관련된 것이다.
③ 언어의 정밀성은 효율적인 의사소통에 있어 필요하다.
④ 언어적 기술은 수학에서 성공적인 문제 해결자가 되는 것과는 상관이 없다.

해설

1 수학이 공식과 규칙을 이해하는 문제라고 여기는 일반적인 진술이 먼저 제시된 후, but~ 이후에 글이 전환되며 수학 문제를 풀려면 언어 능력이 있어야 한다고 주장한다. 그러나 (C)는 수학 공식과 규칙을 다루지 못해도 누구든지 문제 해결을 할 수 있다는 내용으로 글의 내용과 관련이 없다. 따라서 정답은 ③ (C)이다.

2 ⓐ 앞에서는 수학 진술의 의미를 이해하는 정밀성이 필요하다고 했고 ⓐ 뒤에서는 정밀성을 얻기 위해 언어를 제대로 이해해야 한다고 했다. 즉, 부연이나 예시, 반박이 아닌 글의 전환이 이루어지고 있으므로 However만이 답이 될 수 있다. ⓑ 바로 앞 문장은 글 전체 흐름과 관련이 없으므로 세 번째 문장의 내용과 비교해야 한다. 세 번째 문장과 마지막 문장이 모두 수학에 언어적 능력이 필요하다는 내용이므로 재진술을 의미하는 That is와 앞 내용을 결론적으로 정리하는 Therefore가 모두 가능하다. 따라서 정답은 이 둘을 모두 충족하는 2이다.

3 수학 문제 해결 능력에 대한 통념을 제시하고 이를 반박하는 구조의 글이다. 수학 문제를 잘 풀기 위해서는 논리적 구조와 추론을 인식해야 하는데, 이 부분에서 언어 능력이 반드시 필요하다는 내용이다. 따라서 이 글의 주제로 가장 적합한 것은 ① '언어적 능력은 수학의 실력 향상에 있어 중요한 역할을 한다.'이다. ②, ④는 글의 내용과 반대되며 ③의 의사소통에 관한 내용은 글에서 언급되지 않았다.

전문해석

몇몇 학생들은 수학이 공식과 규칙에 따라 단순히 문제를 푸는 것으로 이루어진다고 생각하는 오류를 범하고 있는데, 사실상 성공적인 문제 해결자가 되기 위해서, 그들은 수학적 방식들의 이면에 숨은 논리적 구조와 추론을 인식해야 한다. 그렇게 하는 것은 수학적 진술의 정확한 의미를 이해하는 정밀성을 요구한다. 하지만 이런 정밀성은 언어의 미묘함을 진정으로 이해하지 못하면 얻어질 수 없다. 즉, 언어 사용에서의 탁월한 능력은 성공적으로 문제를 풀 수 있는 사람이 되기 위한 필요조건이다.

어휘

- consist of ~으로 구성되다
- solely 단지
- by means of ~로써(수단·방법)
- formula 공식
- reasoning 추론
- mathematical 수학(상)의
- precision 정밀성
- statement 진술
- appreciation 이해
- subtlety 미묘함
- manipulate 조작하다
- superior 우월한
- prerequisite 필요조건
- vital 중요한
- proficiency 실력향상
- effective 효과적인
- relevance 관련

정답 1 ③ 2 ② 3 ①

183 각 문장을 끊어 읽고 해석한 후 제시된 문제에 답하시오.

01 Unfortunately, our brain is more affected by negative 02 than positive information. (A) If you've won a $500 gift certificate you would feel pretty good about that, but if you lose your wallet containing $500, you would feel 03 unhappy about that. (B) According to research, the intensities of your responses to these two experiences 04 differ markedly. (C) People have a tendency to look for evidence that supports what they already believe, while ignoring information that contradicts their beliefs. (D) 05 As the result of what scientists refer to as the brain's negativity bias, the distress you're likely to experience as a result of the loss of $500 will _____ the pleasure you feel at winning that gift certificate.

1 글의 요지로 가장 적절한 것은?

① People more readily experience pleasure than negative emotions.
② The negativity bias of the human brain is reinforced by positive experiences.
③ Balancing positive and negative emotions is the source of happiness.
④ People are more influenced by negative experiences than positive ones.

2 글의 흐름상 가장 어색한 문장은?

① (A)　　② (B)
③ (C)　　④ (D)

3 빈칸에 들어갈 말로 가장 적절한 것은?

① greatly exceed
② be exactly similar to
③ strategically maximize
④ significantly increase

183 구문분석 & 문장분석

01
Unfortunately, / our brain is more affected /
불행히도, / 우리의 뇌는 더 많이 영향을 받는다 /
by negative / than positive information.
부정적인 정보에 / 긍정적인 정보보다.

02
If you've won a $500 gift certificate //
당신이 500달러의 상품권에 당첨되었다면, //
you would feel pretty good about that, /
당신은 기분이 상당히 좋을 것이지만 //
but if you lose your wallet containing $500, //
만약 당신이 500달러가 든 지갑을 잃어버리게 되면, //
you would feel unhappy about that.
당신은 그것에 관해 불행을 느낄 수 있다.

03
According to research, /
연구에 따르면, /
the intensities of your responses /
당신의 반응 강도는 /
to these experiences / differ markedly.
이 경험들에 대한 / 현저하게 다르다.

04
People have a tendency to look for evidence (that supports what they already believe), //
사람들은 (그들이 이미 믿고 있는 것을 뒷받침하는) 증거를 찾는 경향이 있다 //
while ignoring information (that contradicts their beliefs).
(그들의 믿음과 상반되는) 정보는 무시하는 반면에.

05
As the result (of what scientists refer to /
(과학자들이 일컫는 것의 /
as the brain's negativity bias), /
뇌의 부정 편향이라고) 결과에 따르면 /
the distress (you're likely to experience /
(당신이 경험할 법한 /
as a result of the loss of $500) /
500달러 손실의 결과로) 고통은 /
will greatly exceed the pleasure (you feel / at winning that gift certificate).
(당신이 느끼는 / 상품권에 당첨되는 것에서) 기쁨을 크게 넘어설 것이다.

해석

1 ① 사람들은 부정적인 감정보다 기쁨을 더 쉽게 경험한다.
② 인간 뇌의 부정 편향은 긍정적인 경험에 의해 강화된다.
③ 긍정적 감정과 부정적 감정의 균형을 맞추는 것이 행복의 근원이다.
④ 사람들은 긍정적인 경험보다 부정적인 경험의 더 영향을 받는다.

3 ② 정확하게 동일할 ③ 전략적으로 극대화할 ④ 상당히 증가시킬

해설

1 첫 번째 문장에서 주제문을 제시하고 이를 뒷받침하는 예시 및 이것을 분석하는 연구 내용이 이어짐으로써 주제문을 뒷받침하는 형태의 글로, 첫 번째 문장의 주제문만 잘 파악하면 문제는 쉽게 풀 수 있다. 주제문에서 우리의 두뇌가 긍정적 정보보다는 부정적 정보에 더 영향을 받는다고 하였으므로 이와 동일한 내용을 언급하는 ④가 이 글의 요지로 가장 적합하다. ①은 본문의 내용과 반대되며 ②, ③은 언급되지 않았다.

2 주제문에서 우리의 두뇌는 긍정적 정보보다 부정적 정보에 의해 더 큰 영향을 받는다고 설명하고 있다. 이후 (A)부터 이에 대한 구체적 예시가 등장한다. (A)에서는 두 가지 상황을 가정해 보라고 설명한다. (B)에서는 이를 분석하는 연구를 언급한 후, (D)에서는 그 연구의 분석 결과를 자세히 설명하고 있다. 그러나 (C)의 경우, 부정적 정보나 긍정적 정보에 대한 내용이 아니라 인간이 자신이 믿는 것을 뒷받침하는 정보에 집중하며 그렇지 않은 정보는 무시하는 경향이 있다는 전혀 다른 내용을 언급하고 있다. 따라서 글의 문맥에 적합하지 않은 것은 ③ (C)이다.

3 첫 번째 문장이 주제문으로 우리의 두뇌는 긍정적 정보보다 부정적 정보에 의해 더 큰 영향을 받는다는 내용을 전달하고 있다. 주제문에서 인간은 부정적인 정보에 의해 영향을 더 많이 받는다고 했으므로 빈칸에는 500달러를 잃어버림으로써 느끼는 고통이 상품권에 당첨되어 느끼게 되는 기쁨보다 더 클 것이라는 의미가 와야 자연스럽다. 따라서 빈칸에는 '~을 넘어선다'에 해당하는 ① greatly exceed가 오는 것이 가장 적합하다.

전문해석

불행히도, 우리의 뇌는 긍정적인 정보보다 부정적인 정보에 더 많이 영향을 받는다. 당신이 500달러의 상품권에 당첨되었다면 당신은 기분이 상당히 좋을 것이지만 만약 당신이 500달러가 든 지갑을 잃어버리게 되면 당신은 그것에 관해 불행을 느낄 수 있다. 연구에 따르면 이 경험들에 대한 당신의 반응 강도는 현저하게 다르다. 과학자들이 뇌의 부정 편향이라고 일컫는 것의 결과에 따르면, 500달러 손실의 결과로 당신이 경험할 법한 고통은 당신이 상품권에 당첨되는 것에서 느끼는 기쁨을 <u>크게 넘어설</u> 것이다.

어휘

- affect 영향을 끼치다
- gift certificate 상품권
- intensity 강도
- response 반응
- have a tendency to ~하는 경향이 있다
- ignore 무시하다
- contradict 모순되다
- bias 편견
- distress 고통
- be likely to ~할 것 같다
- reinforce 강화하다
- exceed 초과하다
- strategically 전략적으로
- maximize 극대화하다

정답 1 ④ 2 ③ 3 ①

184. Initiative for Free Bus Rides에 관한 다음 글의 내용과 일치하지 않는 것은?

Initiative for Free Bus Rides

To help reduce traffic congestion and make parking easier, the city government of Greenview will provide free bus rides to and from the downtown area. This initiative aims to encourage residents and visitors to utilize public transportation, thereby reducing the number of private vehicles on the road and alleviating parking pressures in the city center. By offering free bus rides, the city hopes to promote sustainable mobility options and enhance the overall efficiency of urban transportation. This initiative is part of ongoing efforts to create a more livable and environmentally friendly city for all residents.

① It will alleviate traffic congestion and simplify parking.
② It will encourage the use of public transportation among residents and visitors.
③ It will reduce the number of both private and public vehicles on the road.
④ It aims to relieve parking challenges in the downtown area.

185. Jeju Photo Contest에 관한 다음 안내문의 내용과 일치하지 않는 것은?

Jeju Photo Contest

Show off your pictures taken in this beautiful Jeju island. All the winning entries will be included in the official Jeju tour guide book!

Prizes
- 1st Place: ₩500,000
- 2nd Place: ₩250,000
- 3rd Place: ₩150,000

Contest Rules
- Limit of 5 photos per entrant.
- Photos must be taken only in Jeju Island.
- Photos must be submitted digitally as JPEG files.
- Photos should be in color (black-and-white photos are not accepted).

The photos must be uploaded on our website (www.visitjejuisland.org) by December 27.

If you need further information, email us at info@visitjejuisland.org.

① 모든 수상작은 공식 여행 안내 책자에 수록될 것이다.
② 2등 상금은 1등 상금의 절반이다.
③ 제주도에서 촬영한 사진만 참가할 수 있다.
④ 컬러 사진과 흑백 사진 모두 출품할 수 있다.

184

해석

> **무료 버스 탑승 방안**
>
> 교통 정체를 줄이고 주차를 더 쉽게 하는 데 도움이 되기 위해, Greenview 시 정부는 시내행 및 시내발 버스의 무료 탑승을 제공할 것이다. 이 방안은 주민과 방문객이 대중교통을 활용하도록 권장하고, 그에 따라 주행하는 개인 차량의 수를 줄이고 도심의 주차 부담을 경감하는 것이 목표이다. 무료 버스 탑승을 제공함으로써, 시는 지속 가능한 이동 선택권을 조성하여 도시 교통의 전반적인 효율성을 높이기를 희망한다. 이 방안은 모든 주민을 위해 더 살기 좋고 친환경적인 도시를 만들기 위한 진행 중인 노력의 일환이다.

① 이것은 교통 정체를 완화하고 주차를 간소화할 것이다.
② 이것은 주민과 방문객의 대중교통 사용을 장려할 것이다.
③ 이것은 주행하는 개인 및 공공 차량의 수를 감소시킬 것이다.
④ 이것은 시내 지역의 주차 어려움을 덜어주는 것이 목표이다.

해설

③ 두 번째 문장에서 이 방안의 목표가 주행하는 개인 차량의 수를 줄이는 것이라고 했을 뿐, 공공 차량의 수를 감소시킨다는 언급은 없으므로 글의 내용과 일치하지 않는다.
① 첫 번째 문장에서 교통 정체를 줄이고 주차를 더 쉽게 하려 한다고 했으므로 글의 내용과 일치한다.
② 두 번째 문장에서 이 방안이 주민과 방문객이 대중교통을 활용하도록 권장한다고 했으므로 글의 내용과 일치한다.
④ 마지막 문장에서 이 방안이 더 살기 좋고 친환경적인 도시를 만들기 위한 노력의 일환이라고 했으므로 글의 내용과 일치한다.

어휘

- initiative 방안
- reduce 감소시키다
- encourage 권장하다
- utilize 활용하다
- vehicle 차량
- pressure 부담
- enhance 높이다
- efficiency 효율성
- livable 살기 좋은
- relieve 덜어주다
- ride 탑승
- congestion 정체
- resident 주민
- thereby 그에 따라
- alleviate 경감하다
- sustainable 지속 가능한
- overall 전반적인
- ongoing 진행 중인
- simplify 간소화하다

정답 ③

185

해석

> **제주 사진 공모전**
>
> 이처럼 아름다운 제주도에서 찍은 여러분의 사진을 자랑하세요. 모든 수상작은 공식 제주도 여행 안내 책자에 포함될 것입니다!
>
> **상금**
> - 1등: 50만 원
> - 2등: 25만 원
> - 3등: 15만 원
>
> **공모전 규칙**
> - 참가자당 사진은 5장으로 제한함.
> - 사진은 오직 제주도에서만 촬영되어야 함.
> - 사진은 JPEG 파일 형식의 디지털 방식으로 제출되어야 함.
> - 사진은 컬러 사진이어야 함 (흑백 사진은 수용 불가).
>
> 사진은 12월 27일까지 우리 웹사이트(www.visitjejuisland.org)에 업로드해야 합니다.
> 추가 정보가 필요할 경우, info@visitjejuisland.org로 이메일 주시길 바랍니다.

해설

④ <공모전 규칙>의 마지막 항목에서 흑백 사진은 수용 불가라고 했으므로 글의 내용과 일치하지 않는다.
① 두 번째 문장에서 모든 수상작은 공식 제주도 여행 안내 책자에 포함될 것이라고 했으므로 글의 내용과 일치한다.
② <상금>에서 1등은 50만 원, 2등은 25만 원이라고 했으므로 글의 내용과 일치한다.
③ <공모전 규칙>에서 사진은 오직 제주도에서만 촬영되어야 한다고 했으므로 글의 내용과 일치한다.

어휘

- show off ~을 자랑하다
- entrant 참가자
- black-and white 흑백의
- winning entry 수상작
- submit 제출하다
- accept 수용하다

정답 ④

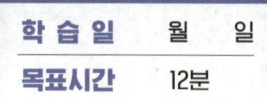

186 각 문장을 끊어 읽고 해석한 후 제시된 문제에 답하시오.

01
On a bright spring morning 50 years ago, two young astronomers at Bell Laboratories were tuning a 20-foot, horn-shaped antenna pointed toward the sky over New Jersey. (A) Their goal was to measure the Milky Way galaxy, home to planet Earth. (B) To their puzzlement, Robert W. Wilson and Arno A. Penzias heard the **incessant** hiss of radio signals, which came from every direction — and from beyond the Milky Way. (C) After those years of research, it turned out to be cosmic microwave background radiation, a residue of the primordial explosion of energy and matter that suddenly gave rise to the universe some 13.8 billion years ago. (D)
05
The scientists had found evidence that would confirm the Big Bang Theory, first proposed by Georges Lemaître in 1931.

1 글의 요지로 가장 적절한 것은?

① The light helps rule the Big Bang Theory out.
② The mysterious signal means a steady state of the universe.
③ The universe was in a steady state without a singular beginning.
④ The radiation is a residual effect of the Big Bang.

2 다음 문장이 들어갈 위치로 가장 적절한 곳은?

> It took 10 years of testing, experimenting and calculating for them and other researchers at Princeton to explain the phenomenon.

① (A)　　② (B)
③ (C)　　④ (D)

3 밑줄 친 부분의 의미와 가장 가까운 것은?

① continuous　　② immaculate
③ discreet　　④ arduous

186 구문분석 & 문장분석

01
On a bright spring morning / 50 years ago, /
어느 날씨 좋은 봄날 아침 / 50년 전, /

two young astronomers (at Bell Laboratories) /
(Bell 연구소의) 두 젊은 천문학자들이 /

were tuning a 20-foot, horn-shaped antenna (pointed toward the sky over New Jersey).
(뉴저지 하늘을 향해 있는) 뿔 모양의 20피트짜리 안테나를 조정하고 있었다.

02
Their goal was to measure the Milky Way galaxy, /
그들의 목표는 은하계를 측정하는 것이었다 /

home to planet Earth.
지구의 고향인.

03
To their puzzlement, /
당황스럽게도, /

Robert W. Wilson and Arno A. Penzias heard /
Robert W. Wilson과 Arno A. Penzias는 들었다 /

the incessant hiss of radio signals, which came from every direction — /
무선 신호의 지속적인 '쉿' 소리를 온 사방으로부터 왔다 — /

and from beyond the Milky Way.
그리고 은하계 너머로부터.

삽입 문장
It took 10 years of testing, experimenting and calculating /
10년의 시험과 실험, 계산이 소요되었다 /

for them and other researchers at Princeton /
그들과 프린스턴 대학의 다른 연구원들이 /

to explain the phenomenon.
그 현상을 설명하는 데에는.

04
After those years of research, / it turned out /
그런 긴 시간의 연구 후, / 그것은 밝혀졌다 /

to be cosmic microwave background radiation, /
우주 배경 복사로, /

a residue of the primordial explosion
초기 폭발의 잔여물인

(of energy and matter
(에너지와 물질의

(that suddenly gave rise to the universe)) /
(갑자기 우주를 만들어 낸)) /

some 13.8 billion years ago.
약 138억 년 전.

05
The scientists had found evidence (that would confirm the Big Bang Theory, (first proposed by Georges Lemaitre / in 1931)).
그 과학자들은 ((Georges Lemaître에 의해 처음 제안된 / 1931년) 빅뱅이론을 확실시하는) 증거를 발견한 것이다.

해석

1
① 그 빛은 빅뱅 이론을 제외시키는 데 도움을 준다.
② 의문스러운 신호는 우주의 정지 상태를 의미한다.
③ 우주는 특별한 시작도 없이 정지한 상태였다.
④ 그 복사는 빅뱅의 잔여 효과이다.

해설

1 두 명의 천문학자들의 발견에 대한 현상을 설명하는 글로, 마지막 두 개의 문장에서 결과를 요약 정리하고 있다. 즉, 두 사람이 들은 무선 신호의 지속적인 소리는 초기 폭발의 잔여물인 우주 배경 복사라고 했고, 그 초기 폭발을 처음 밝혀낸 것이 Lemaître라고 했으므로 글의 요지로는 ④ '그 복사는 빅뱅의 잔여 효과이다.'가 가장 적절하다.

2 주어진 문장에서 '그 현상'을 설명하는 데 10년이 걸렸다고 했으므로 이 문장의 앞에서 그 현상이 무엇인지 구체적으로 언급되어야 한다. 세 번째 문장에서 무선 신호의 쉿 소리가 들려온다는 내용이 나왔고 네 번째 문장에서 10년을 those years로 받았으며 마지막 문장에서 그 현상에 대한 부연이 이어지고 있으므로 주어진 문장이 들어갈 가장 적절한 위치는 ③ (C)이다.

전문해석

50년 전 어느 날씨 좋은 봄날 아침, Bell 연구소의 두 젊은 천문학자들이 뉴저지 하늘을 향해 있는 뿔 모양의 20피트짜리 안테나를 조정하고 있었다. 그들의 목표는 지구의 고향인 은하계를 측정하는 것이었다. 당황스럽게도, Robert W. Wilson과 Arno A. Penzias는 온 사방, 그리고 은하계 너머로부터 오는 무선 신호의 지속적인 '쉿' 소리를 들었다. 그들과 프린스턴 대학의 다른 연구원들이 그 현상을 설명하는 데에는 10년의 시험과 실험, 계산이 소요되었다. 그런 긴 시간의 연구 후, 그것은 약 138억 년 전 갑자기 우주를 만들어 낸 에너지와 물질의 초기 폭발로 인한 잔여물인 우주 배경 복사로 밝혀졌다. 그 과학자들은 1931년 Georges Lemaître에 의해 처음 제안된 빅뱅 이론을 확실시하는 증거를 발견한 것이다.

어휘

- astronomer 천문학자
- tune 조정하다
- horn-shaped 뿔 모양의
- Milky Way galaxy 은하계
- puzzlement 당황
- incessant 끊임없는
- hiss '쉿' 소리
- radio signal 무선 신호
- cosmic microwave background radiation 우주 배경 복사
- residue 잔여물
- primordial 원초적
- give rise to ~이 생기게 하다
- rule out ~을 배제하다
- residual 잔여의
- phenomenon 현상
- continuous 끊임없는
- immaculate 오점 없는
- discreet 분별 있는
- arduous 끈질긴

정답 1 ④ 2 ③ 3 ①

187 각 문장을 끊어 읽고 해석한 후 제시된 문제에 답하시오.

01
We can benefit from learning how to use context clues
02
and **speculating** the meaning from the context. (A) This is
a strategy that we can use when we encounter unfamiliar
03
words. (B) _____ⓐ_____, some researchers point out
that in addition to teaching how to use context clues, we
also need to be taught that context clues do not always
help readers to understand the meanings of unfamiliar
04
words. (C) An example would be having us choose
between the words *enormous* and *giant* in a sentence
05
about sandwiches. (D) _____ⓑ_____, children need
to be taught that there are times when they will read books
and not be able to figure out the meaning from context
clues.

1 글의 흐름상 가장 어색한 것은?

① (A) ② (B)
③ (C) ④ (D)

2 ⓐ, ⓑ에 들어갈 말로 적절한 것은?

	ⓐ	ⓑ
①	Conversely	Especially
②	In addition	Therefore
③	Furthermore	Nevertheless
④	Similarly	However

3 밑줄 친 부분의 의미와 가장 가까운 것은?

① proving ② forcing
③ arguing ④ guessing

187 구문분석 & 문장분석

01
We can benefit /
우리는 이익을 얻을 수 있다 /

from learning how to use context clues /
문맥의 실마리를 사용하는 방법을 배우는 것에서 /

and speculating the meaning / from the context.
그리고 의미를 추측하는 것에서 / 문맥으로부터.

02
This is a strategy (that we can use //
이것은 (우리가 사용할 수 있는 //

when we encounter unfamiliar words).
익숙하지 않은 단어들을 마주쳤을 때) 하나의 전략이다.

03
Conversely, / some researchers point out //
반대로, / 일부 연구자들은 지적한다 //

that in addition to teaching how to use context clues, /
문맥 실마리를 어떻게 사용하는지를 가르치는 것 외에도, /

we also need to be taught //
우리가 또한 배워야 할 필요가 있다고 //

that context clues do not always help readers /
문맥의 실마리가 항상 독자들을 돕지는 않는다는 것을 /

to understand the meanings (of unfamiliar words).
(익숙하지 않은 단어의) 의미를 이해하도록.

04
An example would be having us choose /
한 예는 우리가 고르게 하는 것이다 /

between the words *enormous* and *giant* /
enormous와 giant 중에 /

in a sentence (about sandwiches).
(샌드위치에 관한) 문장 안에서.

05
Especially, / children need to be taught //
특히, / 어린이들은 배워야 할 필요가 있다 //

that there are times (when they will read books //
(그들이 책을 읽고도 //

and not be able to figure out the meaning /
의미를 알아내지 못하는 /

from context clues).
문맥의 실마리로부터) 때가 있다는 것을.

해설

1 이 글은 독자가 문맥을 추측함으로써 읽은 내용을 이해하는 것도 필요하지만, 반대로 문맥을 추측하는 것이 항상 가능한 것은 아니라는 점도 알아야 한다고 설명한다. 그러나 네 번째 문장은 마치 앞의 내용에 대한 예시를 제공하는 것처럼 보이지만, 실제로는 두 단어 중 어느 것을 쓸 것인지 선택하라는 내용이므로 글의 전체 흐름과 관련이 없다. 따라서 정답은 ③ (C)이다.

2 ⓐ의 앞에서는 문맥의 실마리를 사용하는 것의 장점을 설명하고 ⓐ의 뒤에서는 문맥의 실마리가 도움이 안 되는 경우도 있다고 이야기하므로 ⓐ에는 역접의 의미가 있는 연결어가 들어가야 한다. (C) 문장을 제외하고 ⓑ의 앞에서는 일반적인 독자가 문맥의 실마리에서 의미를 알아내지 못하는 경우에 대해 설명하고, ⓑ의 뒤에서는 어린이가 의미를 알아내지 못하는 경우를 설명하므로 예시나 강조를 의미하는 부사가 들어가는 것이 적절하다. 따라서 정답은 ① '반대로, 특히'이다.

전문해석

우리는 문맥의 실마리를 사용하는 방법을 배우고 문맥으로부터 의미를 추측하는 것에서 이익을 얻을 수 있다. 이것은 우리가 익숙하지 않은 단어들을 마주쳤을 때 사용할 수 있는 하나의 전략이다. 반대로, 일부 연구자들은 문맥 실마리를 어떻게 사용하는지를 가르치는 것 외에도 문맥의 실마리가 항상 익숙하지 않은 단어의 의미를 이해하도록 독자들을 돕지는 않는다는 것을 우리가 또한 배워야 할 필요가 있다고 지적한다. 특히, 어린이들은 책을 읽고도 문맥의 실마리로부터 의미를 알아내지 못하는 때가 있다는 것을 배워야 할 필요가 있다.

어휘

- benefit 이익을 얻다
- clue 단서
- strategy 전략
- point out 지적하다
- conversely 반대로
- context 문맥
- speculate 추측하다
- encounter 맞닥뜨리다
- figure out 알아내다

정답 1 ③ 2 ① 3 ④

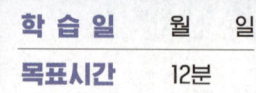

188 다음 글을 읽고 물음에 답하시오.

To: Tim. Hernandez
From: James Anderson
Date: July 2
Subject: Regarding Community Dog Park

Dear Mr. Hernandez,

I hope this email finds you well. I am writing to express my concern about the state of the community dog park on Alder Street.

Over the past few weeks, I have noticed a significant **decline** in the cleanliness and maintenance of the dog park. There is an increasing amount of litter, uncollected dog waste, and general debris scattered throughout the area. This not only creates an unpleasant environment but also poses potential health risks to both pets and their owners.

As a regular user of the park, I urge you to address this issue promptly and ensure regular cleaning and maintenance.

Thank you for your attention to this matter.

Best regards,
James Anderson

1 윗글의 목적으로 가장 적절한 것은?

① to apologize for the accident in the dog park
② to explain how to use the facilities of the dog park
③ to call for solving the issue of the unhygienic dog park
④ to analyze the dog park compared with other public facilities

2 밑줄 친 decline의 의미와 가장 가까운 것은?

① depression ② growth
③ increase   ④ decrease

189 Seoul Culture Days에 관한 다음 글의 내용과 일치하지 않는 것은?

Dive into Korean Cultural Activities!

We are pleased to announce a special event, Seoul Culture Days, where you can experience various aspects of Korean culture. This event offers a unique opportunity to immerse yourself in both traditional and modern Korean cultural activities.

Event Details:

- **Hanbok Experience**: Try on beautiful traditional Korean clothing, Hanbok, and take memorable photos.
- **Traditional Games**: Enjoy traditional Korean games such as Yutnori (a board game), Jegichagi (a shuttlecock game), and top spinning.
- **Craft Workshops**: Participate in Korean traditional crafts such as Hanji (Korean paper) crafts and pottery making.

Date: September 10 (Tuesday) - September 14 (Saturday)
Time: 10:00 AM - 5:00 PM (Daily)
Location: Seoul Traditional Culture Center

Participation and Registration:

- **Admission**: Free (There may be additional charges for materials.)
- **Online Registration**: Priority will be given to those who register in advance.

We look forward to your interest and participation in this unique opportunity to experience both traditional and modern Korean culture. Thank you for your support.

① 한복을 입고 사진을 찍을 수 있다.
② 한국의 전통 공예를 배울 수 있다.
③ 참가비와 재료비는 무료이다.
④ 사전 등록 시 행사 참여에 우선권이 주어진다.

188

해석

> 수신: Tim Hernandez
> 발신: James Anderson
> 날짜: 7월 2일
> 제목: 커뮤니티 애견 공원에 관해
>
> Hernandez 씨께,
>
> 안녕하세요. Alder 가에 위치한 커뮤니티 개 공원의 상태에 대해 우려를 표하고자 합니다.
>
> 최근 몇 주 동안 애견 공원의 청결과 관리 상태가 크게 저하된 것을 발견했습니다. 공원 근처에 흩어져 있는 쓰레기와 수거되지 않은 개 배설물, 일반적인 파편들의 양이 증가했습니다. 이것은 불쾌한 환경을 조성할 뿐 아니라, 애완동물과 그 주인 모두에게 잠재적인 건강 위험을 초래합니다.
>
> 공원의 정기적인 이용자로서, 이 문제를 신속히 해결하고 정기적인 청소와 관리를 보장해 주시기를 부탁드립니다.
>
> 이 문제에 대한 관심에 감사드립니다.
>
> James Anderson 드림

1. ① 애견 공원 사고에 관한 사과를 전하기 위해
   ② 애견 공원의 시설물 이용 방법을 설명하기 위해
   ③ 비위생적인 애견 공원의 문제 해결을 요구하기 위해
   ④ 다른 공공시설과 비교해서 애견 공원을 분석하기 위해

해설

1. 제목에서 글의 소재인 커뮤니티 애견 공원이 제시되고, 글의 두 번째 문장에서 애견 공원의 상태에 대해 걱정이 되어 글을 쓰는 것임을 명확하게 전달하고 있다. 이후, 마지막 문장에서 이 문제를 해결해 줄 것을 요구하고 있다. 따라서 정답은 ③ '비위생적인 애견 공원의 문제 해결을 요구하기 위해'이다.

어휘

- ☐ decline 감소
- ☐ litter 쓰레기
- ☐ debris 파편
- ☐ potential 잠재적인
- ☐ promptly 신속하게
- ☐ facilities (pl.) 시설
- ☐ unhygienic 비위생적인
- ☐ growth 성장
- ☐ decrease 감소
- ☐ cleanliness 청결
- ☐ uncollected 수거되지 않은
- ☐ pose 제기하다
- ☐ address 해결하다
- ☐ ensure 보장하다
- ☐ call for ~을 요구하다
- ☐ depression 우울
- ☐ increase 증가

정답 1 ③ 2 ④

189

해석

> **한국의 문화 활동에 뛰어드세요!**
>
> 여러분이 한국 문화의 다양한 면을 경험할 수 있는 특별 행사인 서울 문화의 날을 알리게 되어 기쁩니다. 이 행사는 전통적인 한국 문화 활동과 현대적인 한국 문화 활동 모두에 몰입할 독특한 기회를 제공합니다.
>
> **행사 세부 사항:**
> - **한복 체험:** 아름다운 한국의 전통의상 한복을 입어보고 기억할 만한 사진을 찍으세요.
> - **전통 놀이:** 윷놀이(보드게임), 제기차기(셔틀콕 게임), 그리고 팽이 돌이 같은 한국의 전통 놀이를 즐기세요.
> - **공방:** 한지(한국의 종이) 공예와 도자기 빚기 같은 한국의 전통 공예에 참여하세요.
>
> **날짜:** 9월 10일 (화요일) – 9월 14일 (토요일)
> **시간:** 오전 10시 – 오후 5시 (매일)
> **장소:** 서울 전통문화 센터
>
> **참가 및 등록:**
> - **입장:** 무료 (재료비가 추가될 수 있습니다.)
> - **온라인 등록:** 사전 등록하는 분에게 우선권이 주어집니다.
>
> 한국의 전통문화와 현대 문화를 모두 경험할 이 독특한 기회에 대한 여러분의 관심과 참여를 기대합니다. 지지해주셔서 감사합니다.

해설

③ <참가 및 등록>에 입장이 무료라고 했지만 재료비가 추가될 수 있다고 했으므로 글의 내용과 일치하지 않는다.
① <행사 세부 사항>에서 한국의 전통의상 한복을 입어보고 사진을 찍으라고 했으므로 글의 내용과 일치한다.
② <행사 세부 사항>에서 한지 공예와 도자기 빚기 같은 한국의 전통 공예에 참여하라고 했으므로 글의 내용과 일치한다.
④ <참가 및 등록>에서 사전 등록하는 분에게 우선권이 주어진다고 했으므로 글의 내용과 일치한다.

어휘

- ☐ announce 알리다
- ☐ unique 독특한
- ☐ immerse oneself in ~에 몰입하다
- ☐ traditional 전통적인
- ☐ memorable 기억할 만한
- ☐ top 팽이
- ☐ participate in ~에 참여하다
- ☐ location 장소
- ☐ admission 입장
- ☐ material 재료
- ☐ in advance 사전에
- ☐ aspect 면
- ☐ opportunity 기회
- ☐ detail 세부 사항
- ☐ shuttlecock 셔틀콕
- ☐ craft workshop 공방
- ☐ pottery 도자기
- ☐ registration 등록
- ☐ charge 요금
- ☐ priority 우선권

정답 ③

190 Marine Life Museum Exhibition에 관한 다음 글의 내용과 일치하지 않는 것은?

Marine Life Museum Exhibition

We are excited to announce a special exhibition at our Marine Life Museum. This event offers a unique opportunity to explore and learn about various marine creatures, their ecosystems, and habitats.

Exhibition Highlights:

- **Diverse Marine Life Displays**: Observe a wide range of marine creatures, including sharks, jellyfish, and coral reefs.
- **Interactive Programs**: Engaging activities for children, such as touching marine creatures and drawing marine life.
- **Special Exhibit**: Learn about endangered marine species and efforts to protect them.

Duration: August 1 (Thursday) – August 31 (Saturday)
Time: 9:00 AM – 6:00 PM (Closed on Mondays)
Location: Seoul Marine Life Museum

Admission and Registration:

- **Admission Fees**: Adults 10,000 KRW / Children 5,000 KRW
- **Online Registration**: Register in advance to receive a discount on admission fees.

We hope you will join us to explore the fascinating world of marine life and learn about their importance and the need for their protection. We look forward to your interest and participation.

① 상어, 해파리, 산호초를 포함한 다양한 해양 생물을 볼 수 있다.
② 어린이들을 위한 프로그램이 있다.
③ 한 달간 평일에 매일 운영된다.
④ 사전에 등록하면 입장료 할인을 받을 수 있다.

DAY 37~38 Exercises

[1~4] 양쪽에 주어진 말의 의미가 일맥상통하도록 선으로 연결하세요.

1 condense ○   ① to assert the opposite of a statement or idea

2 contradict ○   ② to understand the flow and rationale of the ideas

3 recognize the logical structure and ○   ③ to simplify parking or relieve parking challenges
   reasoning

4 make parking easier ○   ④ to make more dense or compact

[5~7] 다음 문장의 끊어 읽기를 참고하여, 빈칸에 알맞은 해석을 쓰세요.

5 Two young astronomers at Bell Laboratorie / were tuning a 20-foot, horn-shaped antenna / pointed toward the sky over New Jersey.

   Bell 연구소의 두 젊은 천문학자들이 / 뿔 모양의 20피트짜리 안테나를 조정하고 있었다 / _____.

6 This not only creates an unpleasant environment / but also poses potential health risks / to both pets and their owners.

   _____, / 잠재적인 건강 위험을 초래할 수 있다 / 애완동물과 그 주인 모두에게.

7 This not only creates an unpleasant environment / but also pose potential health risks / to both pets and their owners.

   이것은 불쾌한 환경을 조성할 뿐만 아니라 _____ / 애완동물과 그 주인 모두에게.

정답 1 ④ 2 ① 3 ② 4 ③ 5 뉴저지 하늘을 향해 있는 6 이것은 불쾌한 환경을 조성할 뿐 아니라 7 잠재적인 건강 문제를 초래한다

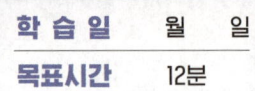

191 각 문장을 끊어 읽고 해석한 후 제시된 문제에 답하시오.

01
Only New Zealand, New Caledonia and a few small islands peek above the waves.

02
In 2017, a team of geologists pitches the scientific case for Zealandia, a long hidden continent **lurking** beneath New Zealand, arguing it is a continuous expanse of continental crust, the size of the Indian subcontinent. (A)
03
Unlike the other continents, 94 percent of Zealandia
04
hides beneath the ocean. (B) Except those tiny areas, all
05
parts of Zealandia submerge under the ocean. (C) It would be quite clear that Zealandia stands out about 3,000 meters above the ocean crust and it would be recognized as a continent long ago if it weren't for ocean level. (D)

1 주어진 문장이 들어갈 위치로 가장 적절한 것은?
① (A) ② (B)
③ (C) ④ (D)

2 글의 내용과 일치하는 것은?
① Zealandia is much larger in size than the Indian subcontinent.
② A landmass called Zealandia was officially entitled to continent 3,000 years ago.
③ Some geologists tried to erase sea level to prove the existence of Zealandia.
④ Just about six percent of Zealandia lies above the ocean's surface.

3 밑줄 친 부분의 의미와 가장 가까운 것은?
① visible   ② hidden
③ preserved ④ excavated

문장 분석 및 해설

191 구문분석 & 문장분석

01
Only New Zealand, New Caledonia and a few small islands /
뉴질랜드, 뉴칼레도니아 그리고 소수의 작은 섬들만이 /

peek above the waves.
파도 위로 살짝 보인다.

02
In 2017, / a team of geologists pitches /
2017년에, / 한 팀의 지질학자들이 제시한다 /

the scientific case for Zealandia, /
질랜디아에 대한 과학적 사례를, /

a long hidden continent (lurking beneath New Zealand), //
(뉴질랜드 아래에 숨어 있는) 오래 감춰져 있던 대륙인 //

arguing //
주장한다 //

it is a continuous expanse of continental crust, /
그것이 대륙 지각의 연속적인 광활한 공간이라고, /

the size of the Indian subcontinent.
인도 아대륙의 크기인.

03
Unlike the other continents, /
다른 대다수 대륙과는 달리, /

94 percent of Zealandia / hides beneath the ocean.
질랜디아의 94퍼센트는 / 바다 아래 숨어 있다.

04
Except those tiny areas, / all parts of Zealandia /
그 작은 지역들을 제외하면, / 질랜디아의 모든 부분이 /

submerge under the ocean.
바다 아래 잠겨 있다.

05
It would be quite clear / that Zealandia stands out /
꽤 명확할 것이다 / 질랜디아가 솟아 있다는 것이 /

about 3,000 meters above the ocean crust //
대양 지각의 약 3천 미터 위에 //

and it would be recognized as a continent / long ago //
그리고 그것은 대륙으로 인정되었을 것이다 / 오래전에 //

if it weren't for ocean level.
만약 해수면이 없었다면.

해석

2 ① 질랜디아는 인도 아대륙보다 크기가 훨씬 더 크다.
② 질랜디아라고 부리는 땅덩어리가 3천 년 전에 공식적으로 대륙의 자격을 받았다.
③ 일부 지질학자들은 질랜디아의 존재를 입증하기 위해 해수면을 지우려고 시도했다.
④ 질랜디아의 단 6퍼센트 정도만이 해수 표면 위에 있다.

해설

1 바다 속에 숨겨져 있는 대륙 질랜디아에 대한 글이다. 주어진 문장은 뉴질랜드와 뉴칼레도니아, 그리고 몇몇 작은 섬들이 파도 위로 살짝 보인다는 내용이다. 주어진 문장의 the waves는 (B) 다음 문장의 the ocean과 이어진다. 또한 those tiny areas가 주어진 문장의 only New Zealand, New Caledonia and a few small islands를 가리키므로 주어진 문장은 (B)에 들어가는 것이 가장 적절하다. 정답은 ② (B)이다.

2 ④ 세 번째 문장에서 질랜디아의 약 94퍼센트가 바다 아래 숨어 있다고 했으므로 글의 내용과 일치한다.
① 두 번째 문장에서 질랜디아가 인도 아대륙의 크기라고 했으므로 글의 내용과 일치하지 않는다.
② 마지막 문장에서 가정법으로 해수면이 없었다면 질랜디아가 오래전에 대륙으로 인정받았을 것이라고 했으므로 3천 년 전에 대륙의 자격을 이미 받았다는 것은 글의 내용과 일치하지 않는다.
③ 마지막 문장에서 해수면이 없었을 경우 질랜디아가 오래전에 대륙으로 인정받았을 것이라고 주장했을 뿐, 실제로 해수면을 지우려 했다는 말은 없으므로 글의 내용과 일치하지 않는다.

전문해석

2017년에, 한 팀의 지질학자들이 뉴질랜드 아래에 숨어 있는 오래 감춰져 있던 대륙인 질랜디아에 대한 과학적 사례를 제시했고, 그것이 인도 아대륙의 크기인, 대륙 지각의 연속적인 광활한 공간이라고 주장한다. 다른 대다수 대륙과는 달리, 질랜디아의 94퍼센트는 바다 아래 숨어 있다. 오직 뉴질랜드, 뉴칼레도니아 그리고 소수의 작은 섬들만이 파도 위로 살짝 보인다. 그 작은 지역들을 제외하면, 질랜디아의 모든 부분이 바다 아래 잠겨 있다. 질랜디아가 대양 지각의 약 3천 미터 위에 솟아 있다는 것이 꽤 명확할 것이고 만약 해수면이 없었다면 그것은 오래전에 대륙으로 인정되었을 것이다.

어휘

- peek 살짝 보이다
- pitch 제시하다
- lurk 숨어 있다
- crust 지각
- submerge 물에 잠기다
- landmass 땅덩어리
- surface 표면
- hidden 숨겨진
- excavated 발굴된
- geologist 지질학자
- continent 대륙
- expanse 광활한 지역
- subcontinent 아대륙
- stand out 튀어나오다
- entitle 자격을 주다
- visible 보이는
- preserved 보존된

정답 1 ② 2 ④ 3 ②

192 각 문장을 끊어 읽고 해석한 후 제시된 문제에 답하시오.

01 Through discoveries and inventions, science has extended life, conquered disease and offered new material freedom. (A) But there are new troubles in the 02 peculiar paradise that science has created. (B) It seems that science is losing the popular support to meet the future challenges of pollution, security, energy, education, and food. (C) The public has come to fear the potential consequences of unfettered science and technology. (D) Areas such as genetic engineering, global warming, nuclear power, and the proliferation of nuclear arms have created fear among the public regarding this issue.

1 글의 요지로 가장 적절한 것은?
① Science is very helpful in modern society.
② Science and technology are developing quickly.
③ The absolute belief in science is weakening.
④ Scientific research is getting more funds from private sectors.

2 다음 문장이 들어갈 위치로 가장 적절한 것은?

> It has pushed aside gods and demons and revealed a cosmos more intricate than anything produced by pure imagination.

① (A) ② (B)
③ (C) ④ (D)

3 밑줄 친 부분의 의미와 가장 가까운 것은?
① ideal ② dominant
③ troublesome ④ strange

192 구문분석 & 문장분석

01
Through discoveries and inventions, /
발견과 발명을 통해, /

science has extended life, / conquered disease /
과학은 생명을 연장시키고, / 질병을 정복하고, /

and offered new material freedom.
새로운 물질적 자유를 제공했다.

삽입 문장
It has pushed aside gods and demons //
그것은 신과 악마를 밀어냈다 //

and revealed a cosmos more intricate /
그리고 우주가 더 복잡한 곳임을 밝혀냈다 /

than anything (produced by pure imagination).
(순수한 상상력에 의해 만들어진) 그 어떤 것보다.

02
But / there are new troubles /
그러나 / 새로운 문제점들이 있다 /

in the peculiar paradise (that science has created).
(과학이 만들어 낸) 특이한 파라다이스에는.

03
It seems /
~처럼 보인다 /

that science is losing the popular support (to meet the future challenges (of pollution, security, energy, education, and food)).
과학은 ((오염, 안전, 에너지, 교육, 그리고 식량에 관한) 미래의 도전들을 충족시키기 위한) 대중적 지지를 잃고 있는 것.

04
The public has come to fear /
대중들은 두려워하게 되었다 /

the potential consequences (of unfettered science and technology).
(제한을 받지 않는 과학과 기술의) 잠재적 결과를.

05
Areas (such as genetic engineering, global warming, nuclear power, and the proliferation of nuclear arms) /
(유전 공학, 지구 온난화, 원자력, 그리고 핵무기 확산과 같은) 영역들은 /

have created fear among the public /
대중들 사이에 두려움을 만들어내고 있다 /

regarding this issue.
이러한 쟁점에 있어서.

해석

1 ① 현대 사회에서 과학은 매우 유용하다.
② 과학과 기술은 급속히 발전하고 있다.
③ 과학에 대한 절대적 믿음이 약화되고 있다.
④ 과학적 연구는 민간 부문들에서 더 많은 자금을 얻고 있다.

해설

1 과학에 관한 일반적인 통념으로 글이 시작된 후, But 이후에서 이에 대한 반박이 시작되고 있다. 반박의 내용을 명확하게 설명하는 It seems 이후의 문장이 글 전체의 주제문에 해당된다. 과학이 대중적 지지를 잃고 있다는 말이므로 '과학에 대한 절대적 믿음이 약화되고 있다.'를 의미하는 ③이 글의 요지로 가장 적절하다. ①은 통념을 설명하는 첫 번째 문장에 해당되는 내용이므로 정답이 될 수 없고, ②, ④는 언급되지 않았다.

2 주어진 문장은 It으로 시작하고 있으므로 It이 무엇인지에 대한 언급이 있는 문장이 주어진 문장 앞에 올 수 있다. (A) 앞에서 과학이 질병을 정복하고 물질적 자유를 주었다고 하였는데 이러한 과학이 주어진 문장에서 신과 악령들을 물리치고 우주가 정교하고 멋진 곳임을 밝혀냈다는 긍정적인 내용으로 이어지는 것이 적합하다. 또한 (A) 이후에서는 과학 기술 발전의 부정적인 영향이 설명되고 있으므로 긍정적인 영향을 이야기하고 있는 주어진 문장은 (A)에 오는 것이 가장 적합하다. 따라서 정답은 ①이다.

전문해석

발견과 발명을 통해 과학은 생명을 연장하고, 질병을 정복하고, 새로운 물질적 자유를 제공했다. 그것은 신과 악마를 밀어내고, 순수한 상상력에 의해 만들어진 그 어떤 것보다 우주가 더 복잡하고 멋진 곳임을 밝혀냈다. 그러나 과학이 만들어 낸 특이한 파라다이스에는 새로운 문제점들이 있다. 과학은 오염, 안전, 에너지, 교육, 그리고 식량에 관한 미래의 도전들을 충족시키기 위한 대중적 지지를 잃고 있는 것처럼 보인다. 대중들은 제한을 받지 않는 과학과 기술의 잠재적 결과를 두려워하게 되었다. 유전 공학, 지구 온난화, 원자력, 그리고 핵무기 확산과 같은 영역들은 이러한 쟁점에 있어서 대중들 사이에 두려움을 만들어내고 있다.

어휘

- discovery 발견
- conquer 정복하다
- support 지원
- potential 잠재력 있는
- unfettered 제한받지 않는
- regarding ~와 관련하여
- push aside 떨쳐버리다
- reveal 드러내다
- dominant 지배적인
- extend 연장시키다
- peculiar 특이한
- security 안전
- consequence 결과
- proliferation 확산
- absolute 절대적인
- demon 악령
- ideal 이상적인
- troublesome 골치 아픈

정답 1 ③ 2 ① 3 ④

193 각 문장을 끊어 읽고 해석한 후 제시된 문제에 답하시오.

01
Thousands of discarded computers from the U.S. arrive in the ports of West Africa every day, ending up in massive toxic dumps, where children burn and pull them
02
apart to extract metals for cash. (A) The exportation of the developed world's electronic trash, or e-waste, is in direct violation of international legislation and is causing
03
serious health problems. (B) Apparently, dishonest waste merchants unload millions of tons of dangerous waste in the developing world by claiming that it will be used in
04
schools and hospitals. (C) These abandoned electronics can provide students and hospital workers with opportunities to learn new skills, and ultimately contribute to the development of their communities. (D)
05
Campaigners are calling for _____ on exports of e-waste which can release dangerous chemicals.

1 글의 제목으로 가장 알맞은 것은?
① Illegal Disposal of Electronic Waste
② Campaign for Recycling Computers
③ Banning of Toxic Dumps in America
④ Benefits of Discarding E-waste

2 글의 흐름상 가장 어색한 문장은?
① (A) ② (B)
③ (C) ④ (D)

3 빈칸에 들어갈 말로 가장 적절한 것은?
① better policing of the ban
② quicker abolishment of the prohibition
③ a significant reduction in taxes
④ additional financial support

193 구문분석 & 문장분석

01
Thousands of discarded computers (from the U.S.) /
(미국에서) 버려진 수천 대의 컴퓨터들은 /
arrive in the ports (of West Africa) / every day, //
(서아프리카의) 항구들에 도착하여 / 매일, //
ending up in massive toxic dumps, /
거대한 유독성 쓰레기 더미를 이루는데, /
where children burn and pull them apart /
그곳에서 아이들은 그것들을 태우고 분해한다 /
to extract metals (for cash).
(돈이 되는) 금속들을 골라내기 위해.

02
The exportation (of the developed world's electronic trash, or e-waste), /
(선진국의 전자 쓰레기, 즉 전자 폐기물의) 수출은, /
is in direct violation (of international legislation) //
직접적인 (국제법) 위반이며 //
and is causing serious health problems.
심각한 건강 문제를 야기하고 있다.

03
Apparently, / dishonest waste merchants unload millions of tons of dangerous waste /
분명, / 정직하지 못한 폐기물 상인들은 수백만 톤의 위험한 폐기물들을 내린다 /
in the developing world / by claiming //
개발도상국에 / 주장하면서 //
that it will be used / in schools and hospitals.
그것이 사용될 것이라고 / 학교나 병원에서.

04
These abandoned electronics /
이러한 버려진 전자기기들은 /
can provide students and hospital workers /
학생들과 병원 직원들에게 제공할 수 있게 된다 /
with opportunities (to learn new skills), (and ultimately contribute to the development of their communities).
(새로운 기술을 배우고), (궁극적으로 그들 지역사회의 발전에 이바지할 수 있는) 기회를.

05
Campaigners are calling /
운동가들은 요구하고 있다 /
for better policing (of the ban (on exports of e-waste
(위험한 화학물질을 방출시킬 수 있는 (전자 폐기물의 수출 (금지에 관한))
(which can release dangerous chemicals))).
보다 철저한 감시 활동을.

해석

1 ① 전자 폐기물의 불법적인 처리
② 컴퓨터 재활용을 위한 캠페인
③ 미국에 유독성 폐기물 더미 금지하기
④ 전자 폐기물을 버림으로 인한 혜택

3 ② 금지를 좀 더 신속히 폐지할 것
③ 세금을 상당히 줄일 것
④ 추가적인 재정적 지원을 할 것

해설

1 지문의 첫 번째 문장에서 글의 Topic을, 두 번째 문장에서 주제문을 제시하는 전형적인 두괄식 글의 구조이다. 폐기물 상인들이 아프리카뿐만 아니라 개발도상국들에 국제법을 위반해 가며 수백만 톤의 위험한 폐기물들을 버리고 있다는 내용이므로 지문의 제목으로는 ① '전자 폐기물의 불법적인 처리'가 가장 적절하다.

2 이 글은 버려지는 전자 폐기물의 문제점에 관해 이야기하는 글이다. (A)가 주제문으로 이러한 전자 폐기물이 아프리카에 심각한 피해를 초래하고 있다고 설명한 후 그에 대한 구체적인 내용이 이어진다. 그러나 (C)는 이러한 버려진 전자기기들이 아프리카의 학생들과 병원 직원들에게 여러 가지 혜택을 줄 수 있다는 내용이므로 글의 흐름과는 정반대의 내용이다. 따라서 정답은 ③ (C)이다.

3 빈칸이 글의 마지막에 있으므로 글 전체의 결론에 해당하는 내용이 와야 함을 유추할 수 있다. 글에서 아프리카에 버려지는 전자 폐기물의 문제점에 대하여 말하고 있으므로 이를 근거로 빈칸에는 전자 폐기물의 수출 금지를 감시한다는 내용이 와야 함을 알 수 있다. 정답은 ①이다.

전문해석

미국에서 버려진 수천 대의 컴퓨터들은 매일 서아프리카의 항구들에 도착하여 거대한 유독성 쓰레기 더미를 이루는데, 그곳에서 아이들은 돈이 되는 금속들을 골라내기 위해 그것들을 태우고 분해한다. 선진국의 전자 쓰레기, 즉 전자 폐기물의 수출은 직접적인 국제법 위반이며, 심각한 건강 문제를 야기하고 있다. 분명 정직하지 못한 폐기물 상인들은 그것이 학교나 병원에서 사용될 것이라고 주장하면서 개발도상국에 수백만 톤의 위험한 폐기물들을 내린다. 운동가들은 위험한 화학물질을 방출시킬 수 있는 전자 폐기물의 수출 금지에 관한 보다 철저한 감시 활동을 요구하고 있다.

어휘

- discard 버리다
- end up 결국 ~에 처하게 되다
- toxic 유독한
- pull apart ~을 분해하다
- exportation 수출
- violation 위반
- unload (짐을) 내리다
- call for ~을 요구하다
- disposal 처리
- ban 금지; 금지하다
- abolishment 폐지
- significant 상당한
- financial 금전적인
- port 항구
- massive 거대한
- dump 쓰레기더미
- extract 추출하다
- e-waste 전자 폐기물
- legislation 법률
- campaigner 운동가
- release 방출하다
- recycle 재활용하다
- police 감시하다
- prohibition 금지
- additional 추가적인

정답 1 ① 2 ③ 3 ①

194 다음 글의 목적으로 가장 적절한 것은?

Dear Current and Prospective Customers,

With a mission to make the brand new website more personalized, faster, easier to navigate, and more user-friendly, our program developers have worked hard to create a clean, modern design and improved site navigation. Now, we are more than happy to announce the launch of our newly designed website to help our users find precisely what they're looking for.

The new website boasts a clean design and intuitive and consistent navigation to help you easily find your way around. It's important for us to make information regarding our solutions, product features, and services easily accessible to our current and prospective clients.

We're proud of the new website and hope you are too. Have a scroll through our new website — we would love to hear your thoughts. Please also check out our social media channels for more updates!

Best regards,
Paul Miller
CEO of Caspar

① 새로운 웹사이트의 출시일을 알리려고
② 새로운 웹사이트의 문제점을 알리려고
③ 웹사이트 개발자의 성과를 칭찬하려고
④ 새로운 웹사이트의 장점을 홍보하려고

195 Health Ministry's Bacterial Food Poisoning Alert에 관한 다음 글의 내용과 일치하는 것은?

Health Ministry's Bacterial Food Poisoning Alert

The Ministry of Health is urging caution among households to prevent bacterial food poisoning as cases increase during warmer weather. Recent reports indicate an increase in cases of pathogenic bacteria like E. coli, clostridium perfringens, and salmonella compared to previous years. Officials recommend immediate consumption of raw vegetables or storing washed vegetables in the refrigerator. For cooking large quantities of produce, soaking in a chlorine disinfectant for five minutes followed by rinsing under tap water two to three times is advised. When handling eggs or chicken, the ministry suggests thorough hand washing and cooking at 75 degrees Celsius for at least one minute to prevent salmonella poisoning. To prevent perfringens poisoning, it's recommended to boil or roast meat dishes at 60 degrees Celsius or higher, or refrigerate promptly after cooking.

① Soaking farm products in oxygen and rinsing under tap water is advised.
② The Ministry noted a rise in food poisoning cases from pathogenic virus.
③ Salmonella poisoning and perfringens poisoning are bacterial food poisoning.
④ To stave off perfringens poisoning vegetables need to be cooked over 60℃.

194

해석

수신: 현재 및 장래의 고객 여러분
발신: Paul Miller
날짜: 12월 15일
제목: 새로운 웹사이트

현재 및 장래의 고객 여러분,

완전히 새로운 웹사이트를 더 개인화되고 더 빠르고 탐색하기 더 쉬우며 더 사용자 친화적이 되도록 만들겠다는 임무를 띠고, 저희 프로그램 개발자들은 명확하고 현대적인 디자인과 개선된 사이트 탐색을 만들어 내기 위해 열심히 노력해왔습니다. 이제, 저희는 사용자들이 자신이 찾고 있는 것을 정확히 발견하도록 도울 수 있는 새롭게 설계된 웹사이트의 시작을 알리게 되어 더없이 기쁩니다.

새로운 웹사이트는 여러분이 길을 쉽게 찾아가도록 도울 수 있는 명확한 디자인과 직관적이고 일관성 있는 탐색을 자랑스러워합니다. 현재 및 장래의 고객들이 저희의 솔루션, 제품 특징, 그리고 서비스에 더 접근하기 쉽게 만드는 것은 저희에게 중요한 일입니다.

저희는 새로운 웹사이트를 자랑스러워하고 있으며, 여러분도 그러기를 희망합니다. 저희의 새로운 웹사이트에서 스크롤을 이리저리 내려보세요 — 여러분의 의견을 기꺼이 듣고 싶습니다. 또한 추가 최신 정보를 원하시면 저희의 소셜 미디어 채널을 확인해주세요!

안부를 전하며,
Paul Miller
Capar의 CEO

해설

글의 중심 소재는 이메일의 제목인 새로운 웹사이트이고 주제문은 첫 번째 문단의 두 번째 문장으로, 사용자들이 자신이 찾고 있는 것을 정확히 발견하게 해주는 새로 설계한 웹사이트의 개시를 홍보하고 있다. 이후, 주제문 앞뒤에도 새 웹사이트의 장점과 그에 대한 자부심이 잘 설명되어 있으므로 글의 목적으로 적절한 것은 ④ '새로운 웹사이트의 장점을 홍보하려고'이다.

어휘

- current 현재의
- mission 임무
- personalized 개인화된
- user-friendly 사용자 친화적인
- navigation 탐색
- launch 시작
- precisely 정확히
- intuitive 직관적인
- regarding ~에 관해
- accessible 접근하기 쉬운
- prospective 장래의
- brand new 완전히 새로운
- navigate 탐색하다
- improve 개선하다
- announce 알리다
- design 설계하다
- boast 자랑스러워하다
- consistent 일관성 있는
- feature 특징
- best regards 안부

정답 ④

195

해석

보건부의 박테리아성 식중독에 관한 경보

날씨가 더 더운 기간 동안 환자가 증가함에 따라 보건부는 박테리아성 식중독을 예방하기 위해 가정에서 주의할 것을 강조하고 있다. 최근 보고는 예년에 대비해서 대장균, 웰치균, 살모넬라균 같은 병원성 박테리아 환자의 증가를 나타내고 있다. 공무원들은 익히지 않은 채소의 즉각적인 섭취와 세척한 채소의 냉장고 보관을 권장한다. 다량의 농산물을 조리하기 위해서는, 5분 동안 염소 소독제에 담근 다음 수돗물에 두세 번 헹구는 것이 권장된다. 보건부는 살모넬라 중독을 예방하려면 달걀이나 닭을 다룰 때 철저한 손 씻기와 섭씨 75도에서 적어도 1분 동안 익힐 것을 제안한다. 웰치균 중독을 예방하기 위해서는 고기 요리를 섭씨 60도 이상의 온도에서 끓이거나 굽거나, 또는 조리한 뒤에 즉시 냉장하는 것이 권고된다.

① 농산물을 산소에 담그고 수돗물로 헹구는 것이 권장된다.
② 보건부는 병원성 바이러스로 인한 식중독의 증가에 주목했다.
③ 살모넬라 중독과 웰치균 중독은 박테리아 식중독이다.
④ 웰치균 중독을 예방하려면 채소는 60도씨 이상에서 조리되어야 한다.

해설

③ 두 번째 문장에서 대장균, 웰치균, 살모넬라균이 병원성 박테리아라고 했으므로 글의 내용과 일치한다.
① 네 번째 문장에서 농산물을 5분 동안 염소 소독제에 담그라고 했으므로 글의 내용과 일치하지 않는다.
② 두 번째 문장에서 최근 보고는 병원성 박테리아 환자의 증가를 나타낸다고 했으므로 글의 내용과 일치하지 않는다.
④ 마지막 문장에서 웰치균 중독을 예방하려면 고기 요리를 섭씨 60도 이상의 고온에서 굽거나 조리 즉시 냉장하라고 했으므로 글의 내용과 일치하지 않는다.

어휘

- Ministry of Health 보건부
- alert 경보
- caution 주의
- indicate 나타내다
- E. coli 대장균
- salmonella 살모넬라균
- immediate 즉각적인
- raw 익히지 않은
- soak 담그다
- disinfectant 소독제
- thorough 철저한
- boil 끓이다
- promptly 즉시
- oxygen 산소
- food poisoning 식중독
- urge 강조하다
- case 환자
- pathogenic 병원성의
- clostridium perfringens 웰치균
- official 공무원
- consumption 섭취
- produce 농작물
- chlorine 염소
- tap water 수돗물
- Celsius 섭씨
- roast 굽다
- farm product 농산물
- stave off ~을 예방하다

정답 ③

196 각 문장을 끊어 읽고 해석한 후 제시된 문제에 답하시오.

01 The most innovative of the group therapy approaches was psychodrama created by Jacob Moreno, which started with premises alien to the Freudian worldview that mental illness essentially occurs within the psyche.

02 (A) But he also believed that creativity is rarely a **solitary** process but something brought out in by _____.

03 He relied heavily on theatrical techniques including role-playing and improvisation as a means to promote creativity and general social trust.

04 (B) Despite his difference from the mainstream viewpoint, Moreno believed that the nature of human beings is to be creative and that living a creative life is the key to human health.

05 (C) His most important theatrical tool was role reversal — asking participants to take on another's persona, which could bring out the empathic impulse and develop it to higher levels of expression.

1 주어진 문장 다음에 이어질 글의 순서로 가장 적절한 것은?
① (A) – (C) – (B)　② (B) – (A) – (C)
③ (B) – (C) – (A)　④ (C) – (B) – (A)

2 빈칸에 들어갈 말로 가장 적절한 것은?
① personal understanding
② collective intelligence
③ social interactions
④ public policies

3 밑줄 친 부분의 의미와 가장 가까운 것은?
① lone　② fatuous
③ amorphous　④ congenial

196 구문분석 & 문장분석

01
The most innovative (of the group therapy approaches) /
(집단치료 접근법의) 가장 혁신적인 것은 /
was psychodrama (created by Jacob Moreno), /
(Jacob Moreno에 의해 만들어진) 심리 드라마였다, /
which started with premises (alien to the Freudian worldview (that mental illness essentially occurs within the psyche)).
이는 (정신 질환이 기본적으로 마음에서 일어난다는) 프로이트의 세계관에 상반되는) 전제로 시작되었다.

02
(A) But he also believed //
하지만 그는 또한 믿었다 //
that creativity is rarely a solitary process /
창의성이 독자적인 과정이 아니라 /
but something (brought out in by social interactions).
(사회적 상호작용에 의해 발휘된) 무언가라고.

03
He relied heavily / on theatrical techniques /
그는 크게 의존했다 / 연극적 기술에 /
including role-playing and improvisation /
롤플레잉과 즉흥극을 포함한 /
as a means (to promote creativity and general social trust).
(창의력과 일반적인 사회적 신뢰를 증대하는) 수단으로서.

04
(B) Despite his difference from the mainstream viewpoint, /
주류 관점과의 차이에도 불구하고, /
Moreno believed //
Moreno는 믿었다 //
that the nature of human beings is to be creative //
인간의 본성이 창조하는 것이라고 //
and that living a creative life is /
그리고 창의적인 삶을 사는 것이 /
the key to human health.
인간의 건강에 핵심이라고.

05
(C) His most important theatrical tool / was role reversal /
그의 가장 중요한 연극적 기법은 / 역할 전환이었다 /
— asking participants to take on another's persona, /
— 참가자들에게 다른 사람의 모습을 하라고 요구하는 것이다, /
which could bring out the empathic impulse /
이것은 감정이입의 자극을 이끌어낼 수 있었고 /
and develop it / to higher levels of expression.
그것을 발전시킬 수 있었다 / 높은 수준의 표현으로.

해석

2 ① 개인적인 이해 ② 집단 지성 ④ 공공 정책

해설

1 이 글은 Moreno의 심리극에 대한 설명이다. 우선 주어진 문장에서 집단 치료요법으로 그의 방식은 프로이트적 세계관과 상반된다고 언급한다. (B)에서는 프로이트의 세계관을 주류 관점으로 받아, 이것과는 달리 Moreno는 창의력을 인간의 본성으로 믿었다고 설명한다. (A)에서는 그가 믿는 것을 연이어 언급하며, 창의성이 독자적인 과정이 아니라 다른 무엇이라는 것 '또한' 믿었다고 말한다. 그런 다음 그 방법으로 연극적 기술에 의존했다고 한 뒤 (C)에서 이를 자세히 설명한다. 따라서 정답은 ② (B) – (A) – (C)이다.

2 빈칸이 있는 세 번째(02번) 문장은 not/rarely A but B의 구문이므로 빈칸에는 '독자적인 과정'과 대조되는 표현이 들어가야 한다. 또한 이어지는 네 번째(03번) 문장에서 일반적인 사회적 신뢰를 증대시킨다는 설명도 근거가 될 수 있다. 마지막(05번) 문장에서는 역할 전환을 통해 서로에게 감정이입을 할 수 있도록 하는 것이 중요한 기술이었다고 설명하였는데 이 역시 사회적 상호작용의 예시이다. 따라서 정답은 ③ '사회적 상호작용'이다.

전문해석

집단치료 접근법의 가장 혁신적인 것은 Jacob Moreno에 의해 만들어진 심리 드라마였는데, 이는 정신 질환이 기본적으로 마음에서 일어난다는 프로이트의 세계관에 상반되는 전제로 시작되었다. 주류 관점과의 차이에도 불구하고 Moreno는 인간의 본성이 창조하는 것이고 창의적인 삶을 사는 것이 인간의 건강에 핵심이라고 믿었다. 하지만 그는 또한 창의성이 독자적인 과정이 아니라 사회적 상호작용에 의해 발휘된 무언가라고 믿었다. 그는 창의력과 일반적인 사회적 신뢰를 증대하는 수단으로서 롤플레잉과 즉흥극을 포함한 연극적 기술에 크게 의존했다. 그의 가장 중요한 연극적 기법은 역할 전환이었다 — 참가자들에게 다른 사람의 모습을 하라고 요구하는 것, 이것은 감정이입의 자극을 끌어낼 수 있고 그것을 높은 수준의 표현으로 발전시킬 수 있었다.

어휘

- innovative 혁신적인
- psychodrama 심리극
- premise 전제
- alien 상반되는
- psyche 마음
- solitary 독자적인
- bring A out in B A를 B에서 발휘되게 하다
- improvisation 즉흥(극)
- role reversal 역할 전환
- persona (다른 사람들 눈에 비치는 한 개인의) 모습
- empathic 감정이입의
- impulse 충동
- lone 혼자의
- fatuous 어리석은
- amorphous 확실한 형태가 없는
- congenial 마음이 통하는

정답 1 ② 2 ③ 3 ①

197 각 문장을 끊어 읽고 해석한 후 제시된 문제에 답하시오.

Researchers have developed a new model, which will provide better estimates regarding the North Atlantic right whale population, and the news isn't good. (A) The model could be critically important to efforts to save the endangered species, which is in the midst of a year of high mortality, said Peter Corkeron, who leads the large whale team. (B) He said the analysis shows there is almost a 100 percent chance that the population has declined since 2010. (C) Although there could be a small possibility that we were not seeing them, the bottom line is that they really had gone down. (D) The new research model has successfully **vindicated** that the number of right whales has remained intact despite the worrisome, widening population gap between whale males and females.

* North Atlantic right whale: 북방긴수염고래

1 다음 글의 흐름상 가장 어색한 문장은?

① (A) ② (B)
③ (C) ④ (D)

2 글의 요지로 가장 적절한 것은?

① The new model is using a new statistical method to get a clearer picture.
② The North Atlantic right whales are still alive even though they are seen infrequently.
③ The number of endangered North Atlantic right whales is declining.
④ Researchers are interested in changes in whale distribution, not in whale sightings.

3 밑줄 친 부분의 의미와 가장 가까운 것은?

① proved ② submitted
③ rejected ④ proposed

197 구문분석 & 문장분석

01
Researchers have developed a new model, /
연구자들은 새로운 모델을 개발했다 /

which will provide better estimates /
(더 나은 추정값을 제공할 /

regarding the North Atlantic right whale population, //
북방긴수염고래의 개체 수와 관련해서, //

and the news isn't good.
그리고 그 소식은 좋지 않다.

02
The model could be critically important /
그 모델은 매우 중요할 수 있다 /

to efforts to save the endangered species, /
멸종 위기에 처한 종들을 구하는 노력에, /

which is in the midst of a year of high mortality, /
이는 높은 사망률을 보이는 해의 도중에 있다, /

said Peter Corkeron, /
Peter Corkeron이 말했다, /

who leads the large whale team.
그는 대규모 고래 팀을 이끈다.

03
He said // the analysis shows //
그는 말했다 // 그 분석이 보여 준다고 //

there is almost a 100 percent chance /
거의 100퍼센트의 확률이 있다고 /

that the population has declined / since 2010.
개체 수가 줄었을 / 2010년 이후로.

04
Although there could be a small possibility /
비록 적은 가능성이 있을 수도 있지만 /

that we were not seeing them, //
우리가 그것들을 보지 못하고 있었을, //

the bottom line is //
핵심은 ~이다 //

that they really had gone down.
그들의 수가 정말로 줄어들었다는 것.

05
The new research model has successfully vindicated //
그 새로운 연구 모델은 성공적으로 입증했다 //

that the number of right whales has remained intact /
북방긴수염고래의 수가 원래 그대로임을 /

despite the worrisome, widening population gap /
걱정스러운, 벌어지는 개체 수 격차에도 불구하고 /

between whale males and females.
수컷 고래와 암컷 고래 사이에.

해석

2 ① 새 모델은 더 명확한 그림을 얻기 위해 새로운 통계 방법을 사용한다.
② 북방긴수염고래는 드물게 눈에 띄긴 하지만 여전히 살아있다.
③ 멸종 위기에 처한 북방긴수염고래의 수가 줄어들고 있다.
④ 연구원들은 고래의 목격이 아니라 고래의 분포에 관심이 있다.

해설

1 글의 첫 문장에서 연구자들이 북방긴수염고래의 개체 수를 더 잘 추측할 수 있는 모델을 개발했는데, 개체 수에 관한 결과가 좋지 않다고 말했다. 즉, 북방긴수염고래의 개체 수가 줄어든다는 뜻이다. 그러나 마지막 문장은 이 모델이 고래의 개체 수가 유지된다는 좋은 소식이라고 말하므로 글의 흐름에 맞지 않는다. 따라서 정답은 ④ (D)이다.

2 연구 내용을 소개하는 글의 경우, 그 연구의 결과가 곧 글의 주제이다. 이 글에서는 과학자들이 새로운 모델을 개발해서 연구한 결과, 멸종 위기에 처한 북방긴수염고래의 개체 수가 계속 줄어들고 있다고 설명한다. 따라서 글의 요지로 가장 적절한 것은 ③ '멸종 위기에 처한 북방긴수염고래의 수가 줄어들고 있다.'이다.

전문해석

연구자들은 북방긴수염고래의 개체 수에 대해 더 나은 추정값을 제공할 새로운 모델을 개발했는데, 그 소식은 좋지 않다. 그 모델은 높은 사망률을 보이는 해의 도중에 멸종 위기에 처한 종들을 구하는 노력에 매우 중요할 수 있다고, 대규모 고래 팀을 이끄는 Peter Corkeron이 말했다. 그는 그 분석이 2010년 이후로 개체 수가 줄었을 확률이 거의 100퍼센트라는 것을 보여 준다고 말했다. 비록 우리가 그것들을 보지 못하고 있었을 적은 가능성이 있을 수도 있지만, 핵심은 그들의 수가 정말로 줄어들었다는 것이다.

어휘

☐ estimate 추정값
☐ endangered 멸종 위기의
☐ analysis 분석
☐ decline 줄어들다
☐ vindicate 입증하다
☐ worrisome 걱정스러운
☐ infrequently 드물게
☐ sighting 목격
☐ population 개체 수
☐ mortality 사망률
☐ probability 확률
☐ bottom line 핵심
☐ intact 원래 그대로인
☐ statistical 통계적인
☐ distribution 분포

정답 1 ④ 2 ③ 3 ①

198 다음 글의 요지로 가장 적절한 것은?

Current FMD Outbreak Situation

The Board of Animal Health (BOAH) is addressing a critical outbreak of Foot and Mouth Disease (FMD) among livestock. This highly contagious disease affects cloven-hoofed animals like cattle, pigs, and sheep, leading to severe illness, high mortality, and major economic losses. The outbreak threatens animal health and could disrupt trade both domestically and internationally.

Immediate Recommendation for Controlling FMD Spread

In light of the FMD outbreak, the BOAH strongly urges all livestock owners to implement urgent vaccination measures. Vaccination is a vital strategy to control the spread of FMD and protect animal populations. Prompt vaccination will help prevent further outbreaks and minimize economic losses associated with the disease. All affected and at-risk livestock should be vaccinated without delay.

Vaccination Procedures and Support

Step 1: Contact your local veterinary service or BOAH for FMD vaccines.
Step 2: Follow instructions to ensure all at-risk animals receive the full dose.
Step 3: Keep accurate records of vaccination dates and numbers.

* cloven-hoofed: 발굽이 갈라진

① BOAH focuses on investigating outbreak locations.
② BOAH recommends immediate vaccination of livestock to control FMD.
③ BOAH actively protects residents living in outbreak areas.
④ BOAH suggests taking infected livestock to a professional veterinarian.

199 다음 글의 목적으로 가장 적절한 것은?

To: Alumni
From: Harrison Ranglton
Date: Aug. 30
Subject: Important Notice

Dear Alumni,

We hope this message finds you well. We are excited to announce the upcoming Alumni Reunion at Prestigious High School. This event promises to be a memorable opportunity to reconnect with former classmates and celebrate our shared experiences at our alma mater.

Event Details
Date: Nov. 20
Time: 06:00 p.m. – 10:00 p.m.
Location: Students' Hall, Prestigious High School

Join us for an evening of reminiscing, catching up, and forging new connections with fellow alumni. Refreshments will be served, and there will be activities to commemorate our time together at Prestigious High School.

We look forward to reconnecting with you and celebrating our shared legacy at Prestigious High School. Your presence would make this reunion truly special.

Warm regards,
Harrison Ranglton

* alma mater: 모교

① 모교 동창회 모임에 초대하려고
② 모교 졸업식 일정을 안내하려고
③ 모교 개교기념일에 초대하려고
④ 모교 은사의 퇴임식을 알리려고

198

해석

> **현재 구제역(FMD) 발생 상황**
> 동물건강위원회(BOAH)는 가축 사이에서 구제역(FMD)의 심각한 발생 상황을 다루고 있다. 이 전염성이 강한 질병은 소, 돼지, 양과 같은 발굽이 갈라진 동물에 영향을 미치며, 심각한 질병, 높은 사망률, 그리고 큰 경제적 손실을 초래한다. 이 발생은 동물 건강에 위협을 주고 국내외 무역에 지장을 줄 수 있다.
>
> **구제역 확산 방지를 위한 즉각적인 권고**
> 구제역 발생을 고려하여 BOAH는 모든 가축 소유자에게 즉각적인 접종 조치를 취할 것을 강력히 권장한다. 접종은 구제역의 확산을 제어하고 동물 집단을 보호하는 데 중요한 전략이다. 신속한 접종은 추가 발생을 예방하고 질병과 관련된 경제적 손실을 최소화할 수 있다. 모든 영향을 받고 위험에 처한 가축은 지체 없이 접종해야 한다.
>
> **접종 절차 및 지원**
> 1단계: 지역 수의사 서비스나 BOAH에 연락하여 구제역 백신을 확보한다.
> 2단계: 지침에 따라 모든 위험 동물에게 완전한 용량을 접종한다.
> 3단계: 접종 날짜와 수량을 정확히 기록한다.

① BOAH는 발생 지역에 대한 조사를 집중적으로 수행한다.
② BOAH는 구제역 제어를 위해 가축의 즉각적인 접종을 권장한다.
③ BOAH는 발생 지역에 거주하는 주민들을 적극적으로 보호한다.
④ BOAH는 감염된 가축을 전문 수의사에게 데려가도록 권장한다.

해설

첫 번째 문단에서 현재의 구제역 발생 상황을 설명한 후, 두 번째 문단에서부터 이 글의 요지가 등장한다. 즉각적인 조치로, 구제역 확산을 제어하기 위해 동물들에게 백신접종을 할 것을 권하고 있다. 세 번째 문단에서는 이러한 백신 접종 단계가 자세하게 설명된다. 따라서 이 글의 요지로 가장 적절한 것은 ② 'BOAH는 구제역 제어를 위해 가축의 즉각적인 접종을 권장한다.'이다.

어휘

- address 다루다
- outbreak 발생
- contagious 전염성의
- mortality 사망률
- domstically 국내에서
- urgent 즉각적인
- associated with ~와 관련된
- veterinary 수의사(의)
- critical 중대한
- livestock 가축
- severe 심각한
- threaten 위협하다
- implement 시행하다
- strategy 전략
- delay 지연
- accurate 정확한

정답 ②

199

해석

> 수신: 졸업생
> 발신: Harrison Ranglton
> 날짜: 8월 30일
> 제목: 주요 공지
>
> 졸업생 여러분,
>
> 잘 지내고 계시지요. 다가오는 Prestigious 고등학교 졸업생 동창회를 알리게 되어 대단히 기쁩니다. 이 행사는 예전 동창생들과 다시 연결되고 우리의 모교에서 공유한 경험을 기념할 수 있는 기억할 만한 기회가 될 것 같습니다.
>
> 행사 세부 사항
> 날짜: 11월 20일
> 시간: 오후 6시 – 오후 10시
> 장소: Prestigious 고등학교 학생회관
>
> 추억에 잠기고 밀린 이야기를 나누며 동창생들과 새로운 관계를 맺는 저녁에 함께하세요. 다과가 제공될 것이며, Prestigious 고등학교에서 함께한 우리의 시간을 기념하는 활동들이 있을 것입니다.
>
> 당신과 다시 연결되고 우리가 Prestigious 고등학교에서 함께 나눈 유산을 기념하기를 기대합니다. 당신의 참석은 이 동창회를 진정으로 특별하게 만들어 줄 것입니다.
>
> 안부를 전하며,
> Harrison Ranglton

해설

글의 중심 소재는 Prestigious 고등학교 졸업생 동창회이고 주제문은 첫 번째 문장으로 모교 고등학교 동창회에 참석하라는 내용이다. 이후 동창회를 간단히 소개하고 참석 여부 회답을 요청하고 있다. 따라서 글의 목적으로 가장 적절한 것은 ① '모교 동창회 모임에 초대하려고'이다.

어휘

- alumnus (pl. alumni) 졸업생
- promise to ~일 것 같다
- opportunity 기회
- former 예전의
- celebrate 기념하다
- reminisce 추억에 잠기다
- forge (관계 등을) 맺다
- refreshments (pl.) 다과
- look forward to ~을 기대하다
- presence 참석
- reunion 동창회
- memorable 기억할 만한
- reconnect 다시 연결되다
- classmate 동창생
- location 장소
- catch up 밀린 이야기를 나누다
- fellow 동료의
- commemorate 기념하다
- legacy 유산

정답 ①

200 The Plastic Ban Law in Vanuatu에 관한 다음 글의 내용과 일치하지 않는 것은?

The Plastic Ban Law in Vanuatu

Vanuatu started at the end of 2017 to prohibit the use of plastics, particularly to protect themselves from environmental pollution. The law bans the production, export, import, sale, and use of single-use plastic items such as plastic bags. This measure aims to safeguard Vanuatu's natural environment and marine ecosystems, as well as promote sustainable tourism. The ban law encourages the use of biodegradable alternatives to plastics and promotes sustainable transportation through public transit systems and bicycle infrastructure. These efforts position Vanuatu as a leader in global environmental conservation initiatives.

---

① Vanuatu has banned the use of plastics since the end of 2017.
② It is possible to produce and export plastics, but imports are prohibited.
③ The use of biodegradable materials instead of plastic has been encouraged.
④ It fosters a sustainable transportation system.

DAY 39~40 Exercises

[1~4] 양쪽에 주어진 말의 의미가 일맥상통하도록 선으로 연결하세요.

1 violation ① weakening absolute belief

2 premise ② stimulated through interpersonal interactions

3 losing the popular support ③ a proposition upon which an argument is based

4 brought out in by social interactions ④ the act of doing something that is not allowed by a law

[5~7] 다음 문장의 끊어 읽기를 참고하여, 빈칸에 알맞은 해석을 쓰세요.

5 A team of geologists pitches the scientific case for Zealandia, / a long hidden continent lurking beneath New Zealand, / arguing it is a continuous expanse of continental crust.

한 팀의 지질학자들이 질랜디아에 대한 과학적 사례를 제시한다, / _____, / 그것이 대륙 지각의 연속적인 광활한 공간이라고 주장한다.

6 Although there could be a small possibility / that we were not seeing them, / the bottom line is that they really had gone down.

비록 적은 가능성이 있을 수도 있지만 / 우리가 그것들을 보지 못하고 있었을, / _____.

7 The ban law encourages / the use of biodegradable alternatives to plastics / and promotes sustainable transportation / through public transit systems.

그 금지법은 권장한다 / _____ / 지속 가능한 교통을 촉진한다 / 대중교통 체계를 통해.

정답 1 ④ 2 ③ 3 ① 4 ② 5 뉴질랜드 아래에 숨어 있는 오래 감춰져 있던 대륙인 6 핵심은 그들의 수가 정말로 줄어들었다는 것이다 7 플라스틱의 생분해성 대체재의 사용을